LA GUERRE DE CALIBAN

DU MÊME AUTEUR

L'Éveil du Léviathan. The Expanse 1, Actes Sud, 2014 ; Babel nº 1327.
La Guerre de Caliban. The Expanse 2, Actes Sud, 2015.
La Porte d'Abaddon. The Expanse 3, Actes Sud, 2016.

Titre original :
Caliban's War
Éditeur original :
Orbit / Hachette Book Group, Inc., New York

ISBN 978-2-330-06453-2

JAMES S. A. COREY

LA GUERRE DE CALIBAN

THE EXPANSE 2

roman traduit de l'anglais (États-Unis)
par Thierry Arson

BABEL

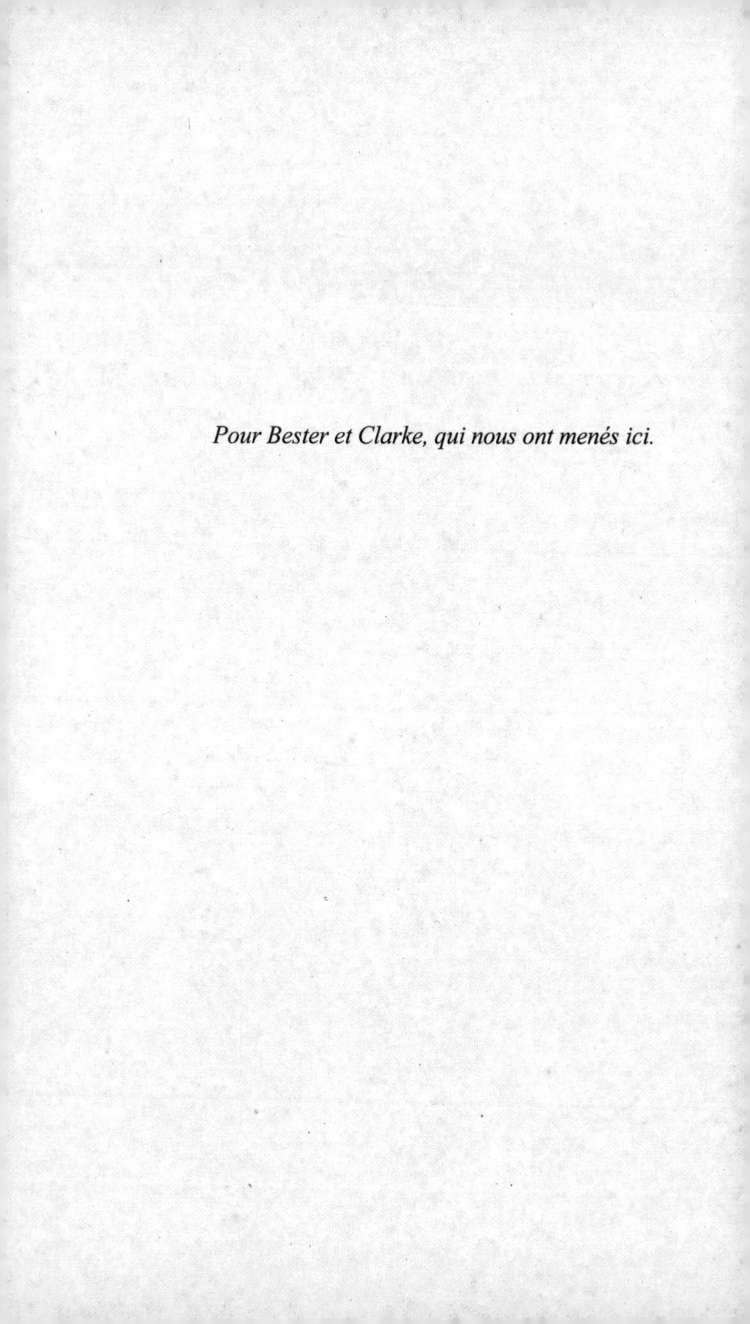

Pour Bester et Clarke, qui nous ont menés ici.

PROLOGUE

MEI

— Mei ? dit Miss Carrie. Laisse ta peinture, tu veux bien ? Ta mère est là.

Il lui fallut quelques secondes pour comprendre ce que disait le professeur, non parce qu'elle ne connaissait pas les mots – elle avait quatre ans, maintenant, elle n'était plus un bébé – mais parce qu'ils ne correspondaient pas au monde tel qu'elle le connaissait. Sa mère ne pouvait pas venir la chercher. Maman avait quitté Ganymède pour aller vivre sur la station Cérès parce que, comme son papa le lui avait expliqué, elle avait besoin d'un peu de temps-de-maman-toute-seule. Puis le cœur de Mei s'emballa quand elle songea *Elle est revenue*.

— Maman ?

D'où elle était assise, devant son chevalet de taille réduite, le genou de Miss Carrie lui occultait la vue de la porte donnant sur le vestiaire.

Ses mains étaient poissées de peinture à étaler avec les doigts, du rouge, du bleu et du vert qui dessinaient des courbes sur ses paumes. Elle se pencha en avant et voulut agripper la jambe de l'adulte, autant pour la déplacer que pour s'aider à se mettre debout.

— Mei ! s'écria Miss Carrie.

La fillette contempla les deux traînées de peinture sur le pantalon de sa maîtresse et nota la colère contrôlée qu'exprimait le large visage maintenant assombri.

— Je m'excuse, miss Carrie.

— Ce n'est pas grave, affirma l'adulte d'une voix tendue qui signifiait le contraire, mais aussi que l'enfant ne serait pas punie. Sois gentille, va te laver les mains, et puis tu reviendras ranger ton matériel de peinture. Je m'occupe de la toile. Je la donnerai à ta mère. C'est un petit chien ?

— C'est un monstre de l'espace.

— Alors c'est un très joli monstre de l'espace. Allez, va te laver les mains, s'il te plaît, ma chérie.

Mei hocha la tête, tourna les talons et trottina vers la salle de bains, les pans de sa blouse se gonflant autour d'elle comme un chiffon agité par un conduit d'aération.

— Et ne touche pas le mur !

— Je suis désolée, miss Carrie.

— Ce n'est pas grave. Tu nettoieras après.

Elle ouvrit le robinet en grand et les couleurs s'enfuirent de sa peau en tourbillons. Ensuite, elle prit grand soin de s'essuyer les mains, sans toutefois se soucier si elle répandait ou pas de l'eau au sol. La pesanteur lui parut avoir changé et l'attirer vers la porte et le vestibule au lieu de la maintenir au sol. Les autres enfants la regardèrent, excités parce qu'elle l'était elle-même, pendant qu'elle effaçait à peu près les traces de doigts sur le mur, puis rangeait les pots de peinture dans leur boîte, et celle-ci sur son étagère. Elle fit passer la blouse par-dessus sa tête sans attendre l'aide de Miss Carrie et fourra le vêtement dans le recycleur.

Dans le vestibule, la maîtresse avait été rejointe par deux autres grandes personnes, et aucune d'elles n'était sa maman. La femme inconnue de Mei tenait délicatement dans une main son dessin de monstre de l'espace, un sourire poli aux lèvres. L'autre était le Dr Strickland.

— Non, elle est allée aux toilettes d'elle-même, disait Miss Carrie. Il y a encore de petits accidents de temps à autre, bien sûr.

— Bien sûr, approuva la femme.

— Mei ! s'exclama le Dr Strickland, et il se pencha de façon à être à peine plus grand qu'elle. Comment va ma petite fille préférée ?

— Elle est où… commença-t-elle.

Avant qu'elle ait pu préciser *ma maman*, le docteur l'avait soulevée du sol et prise dans ses bras. Il était plus grand et fort que papa, et il sentait quelque chose qui ressemblait au sel. Il la renversa légèrement en arrière, lui chatouilla les côtes, et elle rit si fort qu'elle ne pouvait plus parler.

— Merci du fond du cœur, dit la femme.

— C'est un plaisir de vous rencontrer, répondit Miss Carrie en lui serrant la main. C'est vraiment une joie d'avoir Mei dans la classe.

Le Dr Strickland continua de chatouiller l'enfant jusqu'à ce que la porte ait achevé son cycle de fermeture derrière eux. Alors seulement, Mei retrouva son souffle :

— Elle est où, maman ?

— Elle nous attend, dit le médecin. Nous t'amenons à elle tout de suite.

Les couloirs les plus récents de Ganymède étaient spacieux, leur décoration luxuriante, et les recycleurs d'atmosphère fonctionnaient au ralenti. Les feuilles aussi effilées que des couteaux de palmiers arecas débordaient de dizaines de bacs hydroponiques. Les larges feuilles striées vert-jaune des lierres du diable s'écoulaient sur les murs, tandis que celles d'un vert plus cru de la sansevière jaillissaient derrière les autres plantes. L'éclairage LED à spectre intégral répandait une lumière d'un blanc doré. Papa disait que c'était exactement la même lumière que celle du soleil sur la Terre, et Mei s'imaginait cette planète comme un énorme réseau très compliqué de plantes et de couloirs avec des bandes de soleil courant sur le plafond d'un bleu ciel franc, et elle croyait fermement qu'en grimpant au sommet des murs vous pouviez arriver n'importe où.

Elle posa la tête sur l'épaule du Dr Strickland, regarda derrière lui et se mit à nommer chaque plante qu'elle voyait à mesure qu'ils avançaient. *Sansevieria trifasciata. Epipremnum aureum*. Trouver l'appellation exacte faisait toujours sourire papa. Quand elle s'adonnait seule à cet exercice, cela l'emplissait physiquement d'une sensation de calme.

— D'autres ? demanda la femme.

Elle était jolie, mais l'enfant n'aimait pas sa voix.

— Non, répondit le docteur. Mei est la dernière.

— *Chrysalidocarpus lutenscens*, cita la petite.

— Très bien, dit la dame inconnue et, un ton plus bas : Très bien.

À mesure qu'ils se rapprochaient de la surface, les couloirs devenaient étroits. Les plus anciens paraissaient très sales alors même qu'il n'y avait pas de saleté réelle. Ils étaient plus fréquentés, tout simplement. Les logements et les labos près de la surface étaient l'endroit où les grands-parents de Mei avaient vécu quand ils étaient arrivés sur Ganymède. À l'époque, il n'y avait rien eu de plus profond. Ici l'air avait une drôle d'odeur, et les recycleurs tournaient continuellement, en ronronnant et en vibrant.

Les adultes ne se parlaient pas, mais de temps à autre le Dr Strickland se souvenait que Mei était présente, et il l'interrogeait sur divers sujets : quelle était sa série de dessins animés préférée parmi celles que la station diffusait ? Qu'avait-elle mangé à déjeuner ? L'enfant s'attendait à ce qu'il pose les autres questions, celles qui venaient toujours ensuite, et elle avait les réponses prêtes.

Est-ce que tu as la gorge qui te gratte ? Non.

Est-ce que tu t'es réveillée en sueur ? Non.

Est-ce qu'il y avait du sang dans tes popos cette semaine ? Non.

Est-ce que tu as bien pris tes médicaments les deux fois, chaque jour ? Oui.

Mais cette fois il n'en posa aucune. Les couloirs qui descendaient devenaient plus anciens et plus étroits, au point que la femme dut marcher derrière eux afin que les personnes qu'ils croisaient puissent passer. L'inconnue tenait toujours la peinture de Mei dans sa main, roulée en tube pour que le papier ne se froisse pas.

Le Dr Strickland s'arrêta devant une porte sans aucune indication écrite, fit passer en douceur Mei sur son autre hanche et sortit un terminal de la poche de son pantalon. Il enclencha un programme que la gamine n'avait encore jamais vu, et le panneau effectua le cycle d'ouverture, ses joints produisant un bruit sec comme dans les vieux films. Le couloir dans lequel ils pénétrèrent était encombré de bric-à-brac et de vieilles boîtes en métal.

— Ce n'est pas l'hôpital, remarqua l'enfant.

— C'est un hôpital spécial, répondit-il. Je crois que tu n'es jamais venue ici, n'est-ce pas ?

Pour elle, l'endroit ne ressemblait pas du tout à un couloir d'hôpital, mais plutôt à un de ces tunnels abandonnés dont papa parlait parfois. Des vestiges de la construction initiale de Ganymède que personne n'utilisait plus, à part pour y entreposer des rebuts. Celui-là se terminait par une sorte de sas, cependant, et quand ils l'eurent franchi l'environnement correspondait un peu plus à celui d'un hôpital. Les lieux étaient plus propres, en tout cas, et il y planait une odeur d'ozone comme dans les modules de décontamination.

— Mei ! Salut, Mei !

C'était Sandro, un des grands. Il avait presque cinq ans. La fillette lui adressa un petit signe de la main quand le Dr Strickland passa à côté de lui, et elle se sentit mieux de savoir que les garçons étaient là aussi. Cela voulait sans doute dire que tout allait bien, même si la femme avec le docteur n'était pas sa maman. Ce qui lui rappela…

— Elle est où, ma maman ?

— Nous allons la voir dans quelques minutes, affirma le Dr Strickland. Il y a juste deux ou trois petites choses à faire avant.

— Non, dit Mei. Je ne veux pas.

Il la transporta dans une pièce qui ressemblait un peu à une salle d'examen, sauf qu'il n'y avait pas de lions de dessins animés décorant les murs, et que les tables n'étaient pas en forme d'hippopotames souriants. Il la souleva et l'assit sur un plan d'examen en acier, avant de lui ébouriffer gentiment les cheveux. Elle croisa les bras et fit la moue.

— Je veux ma maman, dit-elle sur le même ton grognon et impatient qu'aurait eu papa.

— Eh bien, tu vas juste attendre un petit peu ici, et je vais voir ce que je peux faire pour ça, répondit le Dr Strickland en souriant. Umea ?

— Je pense que nous pouvons y aller. Il faut vérifier avec les ops, charger, et c'est bon.

— Je vais le leur dire. Restez ici.

La femme acquiesça et le médecin ressortit de la pièce. L'inconnue baissa sur l'enfant un visage qui ne souriait pas du tout. Mei décida qu'elle ne lui plaisait pas du tout.

— Je veux ma peinture. Elle est pas pour toi. Elle est pour ma maman.

L'adulte regarda le tube de papier dans sa main, comme si elle en avait oublié l'existence. Elle le déroula.

— C'est le monstre de l'espace pour ma maman, expliqua Mei.

Cette fois, la femme sourit. Elle tendit la peinture et la gamine la lui prit d'un geste vif. Elle froissa un peu le papier dans le mouvement, mais cela n'avait pas d'importance. Elle croisa les bras de nouveau et prit un air buté.

— Tu aimes les monstres de l'espace, ma petite ? demanda la dame.

— Je veux ma maman.

La femme se rapprocha. Elle sentait les fleurs factices et elle avait les doigts osseux. Elle souleva Mei de la table et la déposa au sol.

— Viens, petite, je vais te montrer quelque chose.

Elle s'éloigna, et l'enfant marqua un temps d'hésitation. Elle n'aimait pas cette personne, mais elle aimait encore moins se retrouver seule. Elle suivit donc. L'inconnue parcourut un couloir assez court, composa un code sur le clavier encastré commandant une grosse porte métallique pareille à celle des anciens sas et la franchit quand celle-ci s'ouvrit. Mei fit de même. Il faisait froid dans la pièce où elles entrèrent. Il n'y avait pas de table d'examen, seulement une énorme boîte en verre comme celle où ils mettaient les poissons, à l'aquarium, à cette différence que l'intérieur n'était pas empli d'eau et que la créature assise derrière la vitre n'était pas un poisson. D'un geste la femme invita l'enfant à s'approcher, et quand Mei obéit l'adulte frappa sèchement de l'index replié contre la paroi de verre.

La chose à l'intérieur releva la tête en entendant le son. C'était un homme, mais il était nu et sa peau ne ressemblait pas à de la peau. Ses yeux brillaient d'un éclat bleuté, comme si un feu brûlait dans sa tête. Et quelque chose n'allait pas avec ses mains.

Il tendit les bras vers la vitre, et Mei se mit à hurler.

1

BOBBIE

— Snoopy est encore de corvée, dit le soldat Hillman. M'est avis que son galonné l'a dans le nez.

Le sergent canonnier Roberta Draper, du Corps des Marines de Mars, accentua le grossissement de l'affichage tête haute incorporé à la visière de son casque et regarda dans la direction qu'indiquait Hillman. À deux mille cinq cents mètres de là, une section de Marines des Nations unies parcourait d'un pas lourd le pourtour de son avant-poste, et leurs silhouettes se découpaient sur la lumière dégagée par la serre géante qu'ils gardaient, un dôme quasiment identique à celui que sa propre section surveillait actuellement.

Un des quatre Marines NU arborait sur les côtés de son casque des traînées sombres qui ressemblaient à des oreilles de beagle.

— Ouaip, c'est bien Snoopy, approuva Bobbie. Il est de chaque patrouille depuis ce matin. Je me demande ce qu'il a fait pour mériter ça.

La surveillance des serres sur Ganymède vous poussait à trouver n'importe quoi pour vous occuper l'esprit. Y compris à spéculer sur la vie des gars de l'autre camp.

L'autre camp. Dix-huit mois plus tôt, il n'y avait pas de camps. Les planètes intérieures ne formaient qu'une seule grande famille heureuse, avec juste quelques petits problèmes épisodiques. Puis Éros et, maintenant, les deux superpuissances avaient divisé entre elles le système solaire, et la seule lune qu'aucun camp ne voulait abandonner à l'autre était Ganymède, le grenier à blé du système jovien.

Étant l'unique satellite pourvu d'une magnétosphère, elle constituait le seul endroit où les cultures sous serre avaient une chance dans la ceinture de radiations intenses entourant Jupiter, et même ainsi les dômes et les habitats devaient être munis d'écrans afin de protéger les civils des huit rems par jour qui émanaient de la planète et venaient balayer la surface de sa lune.

La tenue renforcée spéciale de Bobbie avait été conçue pour permettre à un soldat de traverser à pied le cratère d'une bombe nucléaire quelques minutes après l'explosion. Elle était aussi très utile pour éviter que Jupiter ne grille les Marines de Mars.

Derrière les soldats martiens en patrouille, leur dôme luisait dans un puits de lumière pâle, celle du soleil capturé par les énormes miroirs orbitaux. Même avec ce dispositif, la plupart des plants terrestres auraient dépéri par manque de lumière naturelle. Seule la version largement modifiée de ces cultures que les scientifiques de Ganymède produisaient en quantités industrielles conservait un espoir de survie dans le maigre ruisselet de lumière que procuraient les miroirs.

— Le soleil va bientôt se coucher, dit Bobbie sans quitter des yeux les Marines de la Terre au-dehors de leur petit poste de garde, consciente qu'ils l'observaient eux aussi.

En plus de Snoopy, elle reconnut celui qu'ils avaient baptisé Courtaud parce qu'il ne devait pas mesurer beaucoup plus d'un mètre vingt-cinq. Roberta se demandait quels surnoms les autres leur avaient trouvés. Peut-être la Grande Rouge, puisqu'elle avait conservé sa tenue de camouflage adaptée à Mars. Son affectation sur Ganymède était trop récente pour que ses vêtements renforcés se soient déjà teintés de gris et de blanc.

En cinq minutes, les miroirs orbitaux cessèrent un à un de réfléchir la lumière, à mesure que Ganymède glissait derrière Jupiter pour quelques heures. Le halo émanant de la serre derrière elle vira au bleu actinique lorsque l'éclairage artificiel prit le relais. Bien que la luminosité générale n'en soit réduite que légèrement, les ombres se modifièrent de façon étrange et subtile. Dans le ciel, le soleil – qui n'était même pas un disque à cette distance, mais plutôt une des étoiles les plus brillantes – lança un éclair avant de disparaître derrière le halo de Jupiter, et pendant un moment le système annelé de la planète fut tout juste visible.

— Ils rentrent, commenta le caporal Travis. Snoopy ferme la marche. Le pauvre. On peut y aller, nous aussi ?

Bobbie scruta le paysage morne et glacé. Malgré sa combinaison super-isolante, il lui semblait ressentir le froid intense ambiant.

— Non.

Toute la section ronchonna bruyamment mais se mit en ligne derrière elle pour contourner le dôme d'un pas lent dans la gravité restreinte. En plus d'Hillman et Travis, on lui avait adjoint un bleu nommé Gourab pour cette patrouille. Et bien qu'il ne soit dans les Marines que depuis une minute et demie ou à peu près, il grommela aussi fort que les deux autres avec son accent traînant de Mariner Valley.

Elle ne pouvait pas leur en vouloir. C'était une mission de routine. Quelque chose pour occuper les soldats martiens cantonnés sur Ganymède. Si la Terre décidait qu'elle voulait s'approprier ce satellite, quatre troufions surveillant une serre ne l'en empêcheraient pas. Avec les dizaines de vaisseaux martiens et terriens stationnés en orbite dans un face-à-face tendu, que les hostilités éclatent et les rampants ne s'en rendraient sans doute compte que lorsque les bombardements de surface commenceraient.

Sur la gauche de Roberta, le dôme s'élevait sur presque cinq cents mètres au sommet de sa coupole : les panneaux vitrés triangulaires séparés par un bâti couleur cuivre brillant transformaient toute la structure en une cage de Faraday géante. Bobbie n'était jamais entrée sous une de ces structures. Elle avait été expédiée de Mars dans le cadre d'un renforcement des effectifs stationnés sur les planètes extérieures, et elle enchaînait les patrouilles de surface depuis le premier jour. Pour elle, Ganymède se résumait à un spatioport, une base temporaire de Marines et l'avant-poste encore plus petit qui lui servait actuellement de domicile.

Pendant qu'ils longeaient sans hâte le dôme, Bobbie fouilla du regard le paysage banal qui l'entourait. Cette lune n'évoluait pas beaucoup, à part en cas d'événement catastrophique. Sa surface était surtout composée de roches siliceuses et d'eau gelée à quelques degrés de plus que la température de l'espace. Le taux d'oxygène dans l'atmosphère était tellement réduit qu'il équivalait à celui du vide industriel. Ce satellite ne connaissait ni érosion ni intempéries. Il ne changeait que quand des météorites s'y écrasaient, ou lorsque l'eau chaude venue de son noyau crevait la surface pour créer des lacs éphémères. Aucun de ces phénomènes ne se produisait très souvent. Sur Mars, la planète natale de la Marine, le vent et la poussière modifiaient continuellement l'environnement immédiat. Ici, elle marchait dans ses propres empreintes laissées la veille, l'avant-veille et le jour d'avant. Et si elle ne revenait jamais, ces traces de pas lui survivraient. En son for intérieur, elle trouvait la chose assez dérangeante.

Un couinement rythmique se mêla progressivement aux chuintements presque imperceptibles et aux chocs assourdis émis par sa tenue durant la marche. En règle générale, elle réduisait son affichage tête haute au minimum. Il détaillait tant d'informations qu'un Marine savait tout sauf ce qu'il avait réellement devant lui. Elle le sollicita par des clignements de paupières et des mouvements oculaires, pour faire apparaître l'écran de diagnostic de sa tenue. Un indicateur jaune la prévint d'un niveau bas de fluide hydraulique dans la région de l'actionneur de son genou gauche. Il devait y avoir une fuite quelque part, mais microscopique puisque les systèmes ne parvenaient pas à la localiser précisément.

— Eh, les gars, attendez une minute, dit-elle. Hilly, tu as du rab de fluide hydraulique dans ton paquetage ?

— Ouaip, fit l'autre qui ôtait déjà son sac à dos.

Pendant qu'il s'accroupissait en face d'elle et s'occupait du problème, Gourab et Travis se lancèrent dans une discussion animée ayant apparemment le sport pour sujet. Bobbie coupa le son.

— Cette tenue est vieillotte, remarqua Hillman. Vous devriez vraiment la faire optimiser. Ce genre de pépin va vous arriver de plus en plus souvent, vous savez.

— Ouais, je devrais, reconnut-elle.

Mais c'était plus facile à dire qu'à faire. Bobbie ne faisait pas la taille appropriée pour les combinaisons standard, et pour le coup les Marines lui imposaient un véritable parcours du combattant dès qu'elle demandait une tenue sur mesure. Avec ses deux mètres et quelque, elle était juste au-dessus de la taille moyenne d'un Martien, mais grâce à son ascendance polynésienne elle dépassait les cent kilos à un g. Un corps sans une once de graisse, avec une musculature qui lui semblait gagner en volume chaque fois qu'elle passait à la salle pour s'entraîner. Et en sa qualité de Marine, elle s'entraînait tout le temps.

La tenue qu'elle portait aujourd'hui était la première à lui aller vraiment bien, en douze années de service actif. Et malgré l'usure qui commençait à se faire sentir, Bobbie préférait se débrouiller pour qu'elle continue à être fonctionnelle plutôt que se mettre à genoux pour en obtenir une neuve.

Hillman rangeait ses outils quand la radio de Roberta se manifesta par un crachotement :

— Avant-poste 4 à Bâtonnet. À vous, Bâtonnet.

— Bien reçu, 4, répondit Bobbie. Ici Bâtonnet 1. J'écoute.

— Bâtonnet 1, vous en êtes où ? Vous avez une demi-heure de retard et c'est la merde, ici.

— Désolé, 4, problème matériel, répondit Roberta en se demandant quel genre de merde pouvait bien arriver, mais pas au point de le demander sur une fréquence ouverte.

— Retournez immédiatement à votre avant-poste. On constate des tirs en provenance de celui des Nations unies. On va verrouiller notre position.

Il fallut un instant à Bobbie pour saisir la teneur exacte du message. Ses hommes la regardaient fixement, avec une expression oscillant entre la perplexité et la peur.

— Euh, les types de la Terre vous canardent ? demanda-t-elle enfin.

— Pas encore, mais ils tirent. Rapatriez vos fesses.

Hillman se remit debout. Bobbie fléchit le genou une fois et son écran de diagnostic afficha les données en vert. Elle remercia Hilly d'un petit hochement de tête, puis déclara :

— Retour au bercail, pas redoublé. On y va.

Bobbie et sa section étaient encore à un demi-kilomètre de l'avant-poste quand l'alerte générale fut déclenchée. L'affichage tête haute de sa tenue se régla de lui-même en mode combat. Les senseurs se mirent à traquer toute présence hostile et se connectèrent à un des satellites afin de bénéficier d'une vue aérienne de la zone. Elle sentit le déclic annonçant la mise en fonction de l'arme encastrée dans l'avant-bras droit de sa combinaison.

Un millier d'alarmes auraient résonné si un pilonnage orbital avait débuté, mais elle ne put s'empêcher de lever les yeux vers le ciel. Aucun éclair, pas la moindre traînée trahissant la progression d'un missile. Rien que la masse énorme de Jupiter.

Elle s'élança vers l'avant-poste à longues enjambées bondissantes. Une personne entraînée à utiliser l'optimisation de la force physique générée par la combinaison couplée à la pesanteur réduite pouvait couvrir rapidement une distance considérable. Leur avant-poste apparut dans leur trajectoire courbe après une poignée de secondes seulement, et il ne leur en fallut que quelques-unes de plus pour découvrir ce qui avait provoqué l'alerte générale.

Les Marines des Nations unies fonçaient vers leur position. La guerre froide longue d'une année se réchauffait brusquement. Quelque part, malgré la maîtrise mentale dont l'armaient la discipline et l'entraînement, elle en fut surprise. Elle n'avait pas réellement cru que ce jour arriverait.

Le reste de sa section était sorti de l'avant-poste et s'était déployé pour former une ligne de feu en regard de la position des Nations unies. Quelqu'un avait conduit le *Yojimbo* sur ce front improvisé, et l'appareil de combat haut de quatre mètres écrasait les autres Marines de sa masse. Pareil à un géant sans tête dans une armure surpuissante, il tournait lentement son canon impressionnant vers l'adversaire. Les soldats des Nations unies couraient comme des fous pour parcourir les deux mille cinq cents mètres séparant les deux postes.

Pourquoi personne ne parle ? s'étonna-t-elle devant le mutisme étrange qui régnait parmi ses hommes.

Et soudain, alors qu'elle et ses trois équipiers rejoignaient les autres, sa combinaison hulula un signal sonore d'alerte. L'affichage tête haute disparut comme elle perdait le contact avec le satellite. Les témoins lumineux vitaux et d'équipement de chacun de ses hommes s'éteignirent quand la connexion à leur combinaison fut interrompue. Le léger crachotement des parasites sur le canal commun s'évanouit, laissant place à un silence troublant.

Par gestes, elle disposa ses trois hommes sur le flanc droit, puis elle remonta la ligne vers le lieutenant Givens, son supérieur. Elle le repéra au milieu de la ligne, directement sous le *Yojimbo*. Elle courut jusqu'à lui et cogna son casque contre le sien.

— Qu'est-ce que c'est que ce bordel, mon lieutenant ? cria-t-elle.

Il lui lança un regard irrité et répondit sur le même ton :

— Comment voulez-vous que je le sache ? On ne peut pas leur dire de reculer à cause des comms qui sont HS, et ils ignorent nos avertissements visuels. Avant la coupure radio, j'ai reçu l'autorisation de tir s'ils approchent à moins d'un demi-kilomètre.

Bobbie aurait eu quelques centaines d'autres questions à poser, mais les troupes des Nations unies allaient dépasser la borne des cinq cents mètres d'ici quelques secondes. Elle fit donc demi-tour et rejoignit ses hommes au pas de course, pour sécuriser le flanc droit. En chemin, les systèmes encore actifs de sa combinaison relevèrent sept cibles, soit moins d'un tiers des soldats cantonnés à l'avant-poste des Nations unies.

Tout ça n'a aucun sens.

Elle régla ses traceurs pour définir une ligne sur l'affichage tête haute à partir de la marque des cinq cents mètres. Elle n'indiqua pas à ses hommes que c'était la limite de tir. Inutile : ils ouvriraient le feu dès qu'elle le ferait, sans qu'elle ait à leur dire pourquoi.

Les soldats des Nations unies franchirent la borne des cinq cents mètres, toujours sans faire usage de leurs armes. Ils arrivaient en formation désunie, six d'entre eux formant une ligne imparfaite, le septième soixante-dix mètres derrière. Son affichage tête haute sélectionna automatiquement la cible la plus proche, l'homme qui courait à l'extrême gauche. Mais quelque chose lui fit modifier ce choix par défaut. Elle fixa sa mire sur l'homme qui arrivait en dernier et effectua un agrandissement.

La petite silhouette grossit instantanément dans le réticule de visée. Elle sentit un frisson lui parcourir l'échine et magnifia la définition.

Ce qui poursuivait les Marines des Nations unies ne portait pas de tenue environnementale. Pas plus que ce n'était à proprement parler humain. Sa peau était recouverte de plaques chitineuses pareilles à de grandes écailles. Sa tête était une horreur massive, au moins deux fois trop large pour le reste du corps, et constellée de protubérances étranges.

Mais le plus singulier, c'étaient ses mains : beaucoup trop grandes et trop longues, elles semblaient issues d'un cauchemar enfantin. Les mains du troll sous le lit, ou celles de la sorcière qui se glisse par la fenêtre. Les doigts possédés d'une énergie désordonnée se courbaient et se refermaient sans cesse sur le vide.

Les forces de la Terre n'attaquaient pas. Elles battaient en retraite.

— Visez la chose qui les poursuit, cria Bobbie, à personne en particulier.

Avant que les soldats franchissent la limite des cinq cents mètres et provoquent le tir des Martiens, la créature les rattrapa.

— Oh, merde, murmura Bobbie. *Merde*…

Les deux mains de la chose saisirent un Marine des Nations unies et le déchirèrent en deux comme s'il avait été en papier. La combinaison en titane et céramique tressés céda aussi facilement que les chairs sous elle, aspergeant la neige de morceaux de technologie et de viscères humains gluants. Les cinq soldats survivants coururent de plus belle, mais le monstre qui les poursuivait ralentit à peine en tuant.

— Butez-le-butez-le-butez-le ! s'écria Bobbie en pressant la détente.

Son entraînement et la technologie équipant sa tenue de combat faisaient d'elle une machine à tuer d'une efficacité redoutable. Dès qu'elle actionna l'arme incorporée à la manche droite de sa combinaison, un torrent de projectiles perforants de deux millimètres fusa vers la créature à plus de mille mètres-seconde. L'ennemi offrait une cible de taille humanoïde qui se déplaçait en ligne droite. L'ordinateur de ciblage pouvait calculer les corrections balistiques qui permettaient de toucher à tous les coups un objet de la taille d'une balle de tennis lancée à une vitesse supersonique. Chaque balle qu'elle tira atteignit l'objectif.

En pure perte.

Les projectiles traversèrent la chose, certainement sans décélérer de façon notable. De chaque blessure de sortie jaillit un jet de filaments noirs qui retombèrent sur la neige, et non du sang. C'était comme tirer dans l'eau. Les plaies se refermaient presque plus vite qu'elles n'étaient créées. Le seul indice prouvant que la créature avait été touchée se limitait à la traînée de fibres noires dans son sillage.

Puis elle rattrapa un deuxième Marine des Nations unies. Au lieu de le déchiqueter comme le précédent, elle le fit tournoyer au bout d'un bras et projeta le Terrien – dont le poids total devait avoisiner les cinq cents kilos – vers Bobbie. L'AT-H du sergent suivit la courbe ample décrite dans l'air par le soldat et l'informa que le monstre n'avait pas lancé l'homme *vers* elle mais *sur* elle. Selon une trajectoire très raccourcie. C'est-à-dire très rapide.

Elle plongea de côté aussi vite que l'y autorisait sa combinaison. Le Marine désemparé percuta de plein fouet Hillman qui se tenait à côté d'elle et l'élan les fit ricocher tous deux en arrière et à plusieurs reprises sur le sol glacé, avec une violence mortelle.

Le temps qu'elle reporte son attention sur le monstre, il avait tué deux autres fuyards.

Tous les soldats martiens ouvrirent le feu sur lui, y compris le canon du *Yojimbo*. Les deux derniers Marines terriens bifurquèrent dans des directions opposées afin d'offrir à leurs homologues martiens une ligne de tir dégagée. La créature fut touchée des centaines, des milliers de fois. Elle effaçait ses blessures sans ralentir, ce qu'elle fit à peine quand le canon du *Yojimbo* tonna.

Bobbie s'était relevée, et elle se joignit au barrage de feu, mais cela ne fit aucune différence. La chose enfonça la ligne de défense martienne, tuant deux Marines plus vite que l'œil pouvait l'enregistrer. Le *Yojimbo* glissa de côté, beaucoup plus manœuvrable que ne le laissait supposer sa taille. Bobbie songea que ce devait être Sa'id aux commandes. Il se vantait de pouvoir faire danser le tango à l'énorme engin quand il le voulait. Cela ne fit pas la moindre différence non plus. Avant même qu'il réussisse à orienter le canon pour un tir à bout portant, la créature se précipita sur lui par le côté, agrippa l'écoutille du poste de pilotage et l'arracha de son cadre. Sa'id fut extirpé de son siège malgré le harnais de sécurité et propulsé à soixante mètres de hauteur.

Les autres Marines avaient commencé à se replier en tirant. Sans radio, il n'y avait aucun moyen de coordonner la retraite. Bobbie se retrouva à courir vers le dôme avec les autres. La petite partie de son esprit qui ne cédait pas à la panique savait que le dôme de verre et de métal n'offrirait pas une protection suffisante contre une monstruosité capable de déchirer en deux un homme en combinaison de combat ou de mettre en pièces un robot de neuf tonnes. Cette partie de son cerveau prit conscience de la futilité qu'il y avait à tenter de contrôler sa terreur.

Le temps qu'elle repère la porte d'accès à la serre, il ne restait plus qu'un Marine avec elle. Gourab. De près, elle distinguait son visage à travers le verre blindé de sa visière. Il lui criait quelque chose qu'elle ne pouvait pas entendre. Elle voulut coller son casque contre le sien mais il la repoussa si brutalement qu'elle bascula en arrière et s'étala sur le dos dans la neige. Il martelait le pavé numérique de contrôle du panneau avec son poing ganté de métal, dans l'espoir de l'ouvrir de force, quand la créature surgit et le dépouilla de son casque en une fraction de seconde, d'un geste presque nonchalant. Gourab resta un instant abasourdi, le visage exposé au vide, la bouche tordue sur un cri muet et les paupières clignant follement. Puis la chose le décapita aussi aisément qu'elle lui avait ôté le casque.

Elle se tourna et regarda Bobbie toujours étendue au sol.

D'aussi près, la Marine vit que la chose avait les yeux bleus. Un bleu vif, électrique. Ils étaient très beaux. Elle releva son arme et pressa à demi la détente avant de se souvenir qu'elle n'avait plus de munitions depuis longtemps. La créature considéra le dispositif incorporé à la manche de la combinaison avec ce que la Martienne aurait juré être de la curiosité, puis elle plongea le regard dans le sien et inclina la tête de côté.

Nous y voilà, songea-t-elle. *C'est comme ça que je finis, et je ne saurai jamais qui a fait ça, ni pourquoi.* Mourir, elle pouvait s'en accommoder. Mais mourir sans aucune réponse à ses interrogations, voilà qui lui paraissait terriblement injuste.

Le monstre avança d'un pas vers elle, s'arrêta et frissonna longuement. Une nouvelle paire de membres jaillit de son torse et se contorsionna dans l'air comme deux tentacules. Sa tête déjà grotesque sembla enfler subitement. Les prunelles bleues brillèrent d'un éclat aussi intense que l'éclairage à l'intérieur des dômes.

La chose explosa dans une boule de feu qui repoussa violemment Bobbie sur la glace. Elle heurta une saillie de neige compacte avec assez de force pour que la couche de gel anti-choc dans sa combinaison se solidifie et la fige sur place.

Elle gisait sur le dos et glissait vers l'inconscience. Au-dessus d'elle, le ciel nocturne s'illumina d'éclairs lumineux. Les vaisseaux en orbite, qui se prenaient mutuellement pour cible.

Cessez le feu, pensa-t-elle avant de plonger dans les ténèbres. Ils fuyaient. *Cessez le feu.* Sa radio était toujours hors service, les systèmes de sa tenue inopérants. Elle ne pouvait dire à personne que les Marines des Nations unies ne les avaient pas attaqués.

Ni que quelque chose d'autre l'avait fait.

2

HOLDEN

La machine à café était encore hors service.

Une fois de plus.

Jim Holden appuya sur l'interrupteur à bascule dans un sens puis dans l'autre, à plusieurs reprises, sachant pertinemment que cela ne changerait rien, mais incapable de se retenir. La grosse cafetière brillante, conçue pour satisfaire les envies d'un plein équipage martien, refusait de produire une seule tasse. Ou même un son. Elle ne refusait pas simplement de fonctionner : elle refusait *d'essayer* de fonctionner. Il ferma les yeux dans l'espoir vain de refouler la migraine consécutive au manque de caféine qui menaçait de pilonner ses tempes, et il enfonça une touche du panneau mural voisin, pour ouvrir le circuit comm du vaisseau.

— Amos, dit-il.

Rien. Les comms ne fonctionnaient pas non plus.

Se sentant de plus en plus ridicule, il s'acharna sur la touche, sans plus de résultat. Il rouvrit les yeux, constata que tous les voyants du panneau étaient éteints, pivota alors sur lui-même et vit qu'il en était de même pour ceux du réfrigérateur et des fours. Ce n'était pas seulement la cafetière : la coquerie dans son ensemble s'était mutinée. Il contempla un moment le nom de l'appareil, *Rossinante*, récemment tracé sur une cloison de la pièce, et murmura :

— Chérie, pourquoi être aussi dure avec moi, alors que je t'aime tant ?

Il sortit son terminal de sa poche et appela Naomi. Après un temps certain, elle répondit enfin :

— Euh, allô ?

— La coquerie est en panne, où est Amos ?

Un silence, puis :

— Tu m'appelles de la coquerie avec ton terminal ? Alors qu'on est sur le même vaisseau ? Le panneau mural est trop loin de toi ?

— Le panneau mural de la coquerie est en rade aussi. Quand je dis "la coquerie est en panne", ce n'est pas un effet de style. Je parlais littéralement : plus rien ne marche ici. Je t'ai appelée parce que tu as toujours ton terminal sur toi, alors qu'Amos ne prend jamais le sien. Et aussi parce qu'il ne me dit jamais sur quoi il bosse, alors qu'il te met toujours au courant de ce qu'il fait. Donc : où est Amos ?

Naomi rit. C'était un joli son, qui ne manquait jamais de faire sourire Holden.

— Il m'a dit qu'il devait effectuer quelques travaux d'électricité.

— Tu as du jus, là-haut ? Ou est-ce qu'on fonce sans rien contrôler, et vous cherchez un moyen de m'annoncer gentiment la bonne nouvelle ?

Il percevait les petits bruits que Naomi produisait. Elle fredonnait tout en travaillant.

— Non, dit-elle. La seule zone non alimentée semble être la coquerie. Au fait, Amos a dit que nous sommes à moins d'une heure de nous battre contre des pirates de l'espace. Tu veux venir aux ops pour la fête ?

— Je ne peux pas me battre contre des pirates si je n'ai pas bu mon café. Je vais chercher Amos.

Il coupa la communication et rempocha son terminal.

Il alla jusqu'au puits qui plongeait dans les entrailles de l'appareil et fit venir l'ascenseur. Le vaisseau pirate en fuite ne pouvait pas supporter un déplacement prolongé à plus de un g, et c'était pourquoi Alex Kamal, le pilote d'Holden, les faisait aller à 1,3 g pour l'intercepter. Dès qu'on dépassait un g, l'utilisation de l'échelle devenait dangereuse.

Quelques secondes plus tard, l'écoutille du pont s'ouvrit dans un clang retentissant et la plate-forme s'arrêta à ses pieds avec un geignement sourd. Il y monta et appuya sur la touche correspondant au pont des machines. L'ascenseur commença sa lente descente, et les écoutilles des ponts successifs s'ouvrirent automatiquement sur son passage, avant de se refermer une fois qu'il était arrivé au niveau inférieur.

Amos Burton se trouvait dans l'atelier, un pont au-dessus de la salle des machines. Sur l'établi devant lui étaient étalées les diverses pièces d'un appareillage d'aspect complexe sur lequel il travaillait avec un fer à souder. Il portait une combinaison de saut grise, de plusieurs tailles trop petite, susceptible de craquer aux épaules à chaque mouvement qu'il faisait, avec *Tachi*, le nom de la vieille unité d'urgence, brodé sur le dos.

Holden immobilisa la plate-forme.

— Amos, la coquerie est HS, annonça-t-il.

Le mécanicien eut un geste impatient d'un bras, sans interrompre sa tâche. Holden patienta. Après avoir soudé encore quelques secondes, Amos posa le fer et se retourna vers lui.

— Ouais, ça ne marche pas parce que j'en ai retiré cette petite saloperie, dit-il en désignant l'appareil objet de toutes ses attentions.

— Vous pouvez le remettre ?

— Non, en tout cas pas tout de suite. Pas fini de bosser dessus.

Le capitaine soupira.

— Il était vraiment indispensable de mettre toute la coquerie hors fonction juste avant de se frotter à une bande de pirates de l'espace assoiffés de sang ? Parce que je commence à avoir un mal de crâne carabiné, et j'aimerais beaucoup boire mon café avant le combat, si vous voyez ce que je veux dire.

— Ouais, c'était indispensable, grommela Amos. Faut que j'explique pourquoi, ou vous allez me croire sur parole ?

Holden hocha simplement la tête. Même s'il ne nourrissait pas tellement de regrets quant à la période de sa vie passée dans la Flotte de la Terre, il lui arrivait d'être nostalgique du respect absolu de la chaîne de commandement qui y prévalait. À bord du *Rossinante*, le titre de "capitaine" pâtissait d'une définition beaucoup plus nébuleuse. Le rôle d'Amos consistait à entretenir et réparer les circuits et les composants du vaisseau, et il n'acceptait pas l'idée de devoir informer Holden des tâches qu'il entreprenait.

Son supérieur supposé décida de laisser tomber.

— D'accord, dit-il. Mais j'aimerais que vous me préveniez. Sans mon café, je vais être grognon.

Avec un petit sourire, le mécanicien repoussa sa casquette sur son front largement dégarni.

— Bordel, capitaine, je peux vous arranger ça, fit-il en pivotant du torse pour ramasser un gros thermos posé sur l'établi. J'ai fait quelques réserves d'urgence avant de tout couper à la coquerie.

— Amos, je m'excuse de toutes les choses très moches que je pensais sur vous il y a juste un instant.

Le mécano balaya la remarque d'un geste vague de la main et se remit au travail.

— Gardez-le. J'ai déjà bu mon café.

Tenant le thermos comme s'il s'agissait d'une bouée de sauvetage, Holden reprit l'ascenseur pour monter au pont des opérations.

Naomi était assise devant le panneau des ops et des senseurs sur lequel elle suivait leur progression à la poursuite des pirates. Il vit immédiatement qu'ils avaient beaucoup plus réduit la distance que la dernière estimation reçue ne le laissait supposer. Il se sangla dans un des sièges spéciaux équipant le poste de combat des ops, ouvrit le caisson mural proche et en sortit un nécessaire hermétique à boisson pour son café, en prévision d'un g réduit ou d'une chute libre d'ici peu.

— Nous nous rapprochons très vite, dit-il tout en emplissant la poche souple avec le thermos. Que se passe-t-il ?

— Les pirates ont nettement réduit leur vitesse. Ils sont passés à un demi-g d'accélération en deux minutes. L'ordinateur de bord a relevé des fluctuations dans la poussée de leur propulseur juste avant qu'ils ralentissent, j'en déduis donc que nous les avons obligés à dépasser leurs limites.

— Ils ont cassé leur moteur ?

— Ils ont cassé leur moteur.

Holden but une longue gorgée à son récipient, se brûla la langue par la même occasion et n'y prêta pas réellement attention.

— Combien de temps avant l'interception ?

— Cinq minutes maxi. Alex attendait que vous soyez harnaché en haut pour entamer la décélération.

Il enfonça la touche "1MC" sur le panneau comm :

— Amos, attachez-vous. Cinq minutes avant de saluer les méchants.

Sans attendre il passa sur le canal du cockpit :

— Alex, du nouveau ?

— Je crois vraiment qu'ils ont bousillé leur propulseur, répondit le pilote avec son phrasé traînant de Martien de Mariner Valley.

— Cette opinion semble faire consensus.

— Le genre de pépin qui rend la fuite un peu plus difficile…

À l'origine, Mariner Valley avait été peuplé par des Chinois, des Indiens de l'Est et des Texans. Alex avait le teint sombre et les cheveux très noirs d'un Indien.

Comme il était natif de la Terre, Holden trouvait toujours étrangement déconcertant que quelqu'un parle avec un accent texan aussi prononcé alors qu'il aurait dû s'exprimer avec les inflexions d'un natif du Panjab.

Holden régla le panneau des ops en mode combat.

— Et ça nous simplifie les choses, dit-il. Positionnez-nous en arrêt relatif à dix mille kilomètres. Je vais les fixer avec le laser de ciblage et enclencher les canons de défense rapprochée. Ouvrez aussi les trappes des tubes lance-missiles. Aucune raison de ne pas paraître aussi menaçants que possible.

— Bien compris, chef, répondit Alex.

Naomi fit pivoter son siège et sourit à Holden.

— Un combat contre des pirates de l'espace. Très romantique.

Il ne put s'empêcher de sourire en retour. Même attifée d'une combinaison d'officier de la Flotte martienne trois tailles trop courte et cinq tailles trop ample pour sa stature longiligne de Ceinturienne, elle était toujours ravissante à ses yeux. Elle avait rassemblé sur sa nuque les ondulations noires de sa chevelure en une queue de cheval rebelle. Ses traits représentaient un mélange frappant de caractéristiques asiatiques, sud-américaines et africaines qui était inhabituel même dans le melting-pot de la Ceinture. Il jeta un rapide coup d'œil au reflet d'un garçon de ferme du Montana aux cheveux bruns que lui renvoyait la surface noire d'un panneau éteint, et se trouva un physique très banal en comparaison.

— Tu sais que j'aime tout ce qui te pousse à prononcer le mot "romantique", dit-il. Mais je crains de ne pas partager ton enthousiasme. Nous avons commencé par sauver le système solaire d'une horrible menace extraterrestre. Et maintenant *ça* ?

Holden n'avait vraiment connu qu'un seul flic, et sur une période relativement courte. Pendant la série de catastrophes qu'on évoquait désormais sous l'appellation pudique “l’incident d’Éros”, il avait un temps fait équipe avec un homme mince, gris et brisé du nom de Miller. Quand ils s’étaient rencontrés Miller avait déjà quitté son emploi officiel d’inspecteur pour se consacrer de façon obsessionnelle à une affaire de personne disparue.

Bien qu’ils ne soient pas devenus véritablement amis, ils avaient réussi à éviter que la race humaine soit anéantie par une firme aux projets sociopathes et une arme extraterrestre récupérée que tout le monde avait prise à tort pour une simple lune de Saturne. À cet égard, au moins, leur coopération avait été un succès.

Pendant six ans, Holden avait servi comme officier dans la Flotte. Il avait vu des gens mourir, mais uniquement sur des écrans radar. Sur Éros il en avait vu, et de très près, des milliers perdre la vie dans des conditions atroces. Il en avait même tué quelques-uns. La dose de radiations encaissées là-bas l’obligeait dorénavant à prendre un traitement afin d’empêcher la prolifération cancéreuse dans ses cellules. Il s’en était pourtant mieux tiré que Miller.

Grâce à l’ex-policier, l’infection extraterrestre avait fini sur Vénus au lieu de frapper la Terre. Mais cela ne l’avait pas éradiquée. La chose venue d’ailleurs avait certes été déroutée de sa cible initiale, pourtant elle continuait d’exister sous l’épaisse couche de nuages dissimulant cette planète, et pour l’heure personne n’était capable d’offrir une conclusion scientifique plus convaincante que *Hmm. Étrange.*

Le sauvetage de l’humanité avait coûté la vie au vieil inspecteur fatigué de la Ceinture.

Le sauvetage de l’humanité avait fait d’Holden un employé de l’Alliance des Planètes extérieures chargé de traquer les pirates. Même dans ses plus mauvais jours, il devait bien reconnaître qu’il avait tiré le meilleur numéro à cette loterie.

— Trente secondes avant interception, annonça Alex.

Les pensées d'Holden revinrent au présent, et il appela la salle des machines :

— Tout est bien arrimé en bas, Amos ?

— Bien reçu, capitaine. On est prêt. Faites en sorte que ma beauté ne prenne pas trop de pruneaux.

— Aujourd'hui, personne ne tire sur personne, dit Holden après avoir coupé, et Naomi arqua un sourcil en guise de question. Branche-moi sur les comms extérieures, lui dit-il. Je veux contacter nos copains là, dehors.

Une seconde plus tard, les contrôles comms apparurent sur son panneau. Il braqua un faisceau laser sur le vaisseau pirate et attendit que le témoin comm soit vert avant de déclarer :

— Cargo léger non identifié, ici le capitaine James Holden de l'Alliance des Planètes extérieures, à bord de la corvette lance-missiles *Rossinante*. Répondez, je vous prie.

Les écouteurs de son casque ne retransmirent que le grésillement bas des parasites générés par les radiations.

— Écoutez, les gars : on arrête de jouer. Je sais que vous savez qui je suis. Je sais aussi qu'il y a cinq jours vous avez attaqué le cargo ravitailleur *Somnambule*, mis hors service ses moteurs, et volé six mille kilos de protéine et tout leur air. Ce qui est tout ce que j'ai besoin de savoir sur vous.

Pas plus de réponse.

— Alors voilà le marché : j'en ai marre de vous suivre, et je ne vais pas vous laisser gagner du temps pour réparer et ensuite m'entraîner dans une autre joyeuse partie de chasse. Si vous ne formulez pas clairement votre pleine et entière reddition dans les soixante secondes, je vais vous balancer une paire de torpilles munies d'ogives à haute concentration de plasma et transformer votre vaisseau en une grosse scorie très brillante. Ensuite je vais rentrer chez moi, et je dormirai sur mes deux oreilles.

Les parasites furent enfin remplacés par la voix d'un garçon qui d'après le timbre devait être beaucoup trop jeune pour avoir déjà décidé de se lancer dans une carrière de pirate.

— Vous n'avez pas le droit de faire ça. L'APE n'est pas un vrai gouvernement. Légalement, vous n'avez pas le droit de venir m'emmerder, alors barrez-vous, dit l'interlocuteur qui semblait au bord du couinement prépubère.

— Sérieux ? Vous n'avez pas mieux ? répliqua Holden. Écoutez, oubliez une minute ces questions de légalité et ce qui fait l'autorité réelle d'un gouvernement. Regardez plutôt les retours ladar que vous obtenez de mon vaisseau. Vous êtes à bord d'un cargo léger sur lequel on a bricolé un canon Gauss, et moi je commande un lance-missiles martien dernière génération doté d'une puissance de feu suffisante pour vitrifier une petite lune.

À l'autre bout, on ne répondit pas.

— Les gars, même si vous ne me reconnaissez aucune autorité légale, est-ce qu'on peut au moins s'accorder sur le fait que je suis en mesure de vous anéantir à n'importe quel moment de mon choix ?

Le système comm demeura muet.

Holden soupira et se frotta l'arête du nez. En dépit de la caféine, sa migraine refusait de se dissiper. Laissant ouvert le canal avec le vaisseau pirate, il en enclencha un autre avec le cockpit.

— Alex, tirez une décharge courte avec les canons de défense rapprochée. Visez la partie centrale du cargo.

— Attendez ! s'écria le gamin sur l'autre appareil. Nous nous rendons ! Nom de *Dieu* !

Holden s'étira dans le zéro g qu'il appréciait après ces journées passées en accélération continue, et il s'autorisa un sourire satisfait. *Aujourd'hui, personne ne tire sur personne* : gagné.

— Naomi, explique à nos nouveaux copains comment te transférer le contrôle à distance de leur appareil, et ramenons-les à la station Tycho pour que les juges de l'APE décident de leur sort. Alex, une fois qu'ils auront remis leurs moteurs en route, établissez-nous l'itinéraire de retour à un gentil demi-g. Je descends à l'infirmerie chercher de l'aspirine.

Il déboucla le harnais de sécurité de son siège anti-crash et se propulsa vers l'échelle. En chemin son terminal se mit à biper. C'était Fred Johnson, le chef – de nom seulement – de l'APE et leur boss personnel sur la station industrielle Tycho, laquelle était également devenue *de facto* le quartier général de l'Alliance.

— Salut, Fred, on a eu vos méchants pirates. On vous les ramène pour qu'ils passent en justice.

Le large visage de Johnson se fendit sur un sourire.

— Voilà qui change. Fatigué de les exploser ?

— Non, j'en ai simplement trouvé un qui m'a cru quand j'ai dit que j'allais le faire.

Le sourire de Johnson se mua en grimace.

— Écoutez, Jim, ce n'est pas pour ça que je vous appelle. J'ai besoin que vous reveniez sur Tycho au plus vite. Il est arrivé quelque chose sur Ganymède…

3

PRAX

Praxidike Meng se tenait sur le seuil de la grange de ravitaillement, d'où il observait les champs de feuilles ondulantes dont le vert était si prononcé qu'il en paraissait presque noir, et il paniquait. Le dôme s'incurvait au-dessus de lui, plus sombre qu'il n'aurait dû être. L'alimentation de l'éclairage de croissance avait été coupée, et les miroirs… Il préférait ne pas penser aux miroirs.

Les éclats lumineux des vaisseaux en pleine bataille ressemblaient à des baisses de tension sur un écran de mauvaise qualité, avec des couleurs et des mouvements qui n'auraient pas dû être là. Le signe que quelque chose allait très mal. Il s'humecta les lèvres. Il existait forcément un moyen de les sauver.

— Prax, lui dit Doris. Il faut partir. Maintenant.

L'invention révolutionnaire de cette plante cultivable à ressources basses, le *Glycine kenon*, un germe de soja si lourdement modifié que c'était une espèce totalement nouvelle, représentait l'aboutissement des huit dernières années de son existence. Elle était la raison pour laquelle ses parents n'avaient toujours pas vu leur seule petite-fille en chair et en os. La réalisation de ce programme et quelques autres choses avaient mis fin à son mariage. Dans les champs, il distinguait toujours les huit variétés aux différences subtiles de chloroplastes, chacune s'efforçant de tirer le plus de protéine de chaque photon. Il se rendit compte que ses mains tremblaient. Il allait vomir.

— Nous avons peut-être encore cinq minutes avant l'impact, dit Doris. Il faut évacuer.

— Je ne le vois pas, répondit Prax.

— Il vient bien assez vite, et quand tu l'apercevras ce sera trop tard. Tous les autres sont déjà partis. Nous sommes les derniers. Allez, monte dans l'ascenseur.

Les immenses miroirs orbitaux avaient toujours été ses amis, qui inondaient de lumière ses champs tels cent soleils pâles. Il ne pouvait se faire à l'idée qu'ils l'avaient trahi. C'était une pensée aberrante. Le miroir qui chutait vers la surface de Ganymède – vers sa serre, ses sojas, l'œuvre de sa vie – n'avait rien décidé. Il n'était qu'une victime du principe de cause à effet, comme tout le reste.

— Je pars, déclara Doris. Si tu es encore là dans quatre minutes, tu mourras.

— Attends.

Il retourna en courant à l'intérieur du dôme. Au bord de la parcelle la plus proche, il tomba à genoux et plongea les mains dans le terreau noir et riche. L'odeur en était comparable à celle d'un excellent patchouli. Il enfouit ses doigts aussi profond qu'il le pouvait, et prit en coupe un plant fragile qu'il détacha du sol.

Doris était déjà dans l'ascenseur industriel, prête à rejoindre les sous-sols et les tunnels de la station. Prax piqua un sprint pour la rejoindre. Maintenant qu'il avait ce plant à sauver, le dôme lui paraissait soudain horriblement dangereux. Il franchit la porte d'un bond et Doris appuya sur la touche. La grande cabine métallique frémit et entama sa descente. En temps normal l'appareil acheminait des charges lourdes : tracteur, herse, tonnes d'humus prélevées dans les processeurs de recyclages. À présent ils n'étaient que trois : Prax assis jambes croisées sur le plancher, avec le plant de soja qui oscillait sur ses genoux, et Doris qui se mordillait la lèvre inférieure et consultait son terminal de poche. L'ascenseur semblait beaucoup trop grand.

— Le miroir pourrait tomber à côté, dit Prax.

— Il pourrait. Mais c'est mille trois cents tonnes de verre et de métal. L'onde de choc va s'étendre très loin.

— Le dôme tiendra peut-être.

— Non, affirma-t-elle, et il cessa de lui parler.

La cabine bourdonnait et cliquetait en s'enfonçant, toujours plus loin de la surface gelée, et elle atteignit le réseau de tunnels qui composait la majeure partie de la station. Ici l'air sentait les systèmes de chauffage et le lubrifiant industriel. Même maintenant Prax n'arrivait pas à croire qu'ils l'avaient fait. Il n'arrivait pas à croire que ces salopards de militaires avaient vraiment commencé à se tirer dessus. Personne, nulle part, ne pouvait manquer de perspicacité à ce point. Et pourtant ils semblaient bien capables d'être aussi aveugles.

Dans les mois qui avaient suivi la rupture de l'alliance entre la Terre et Mars, il était constamment passé d'un état de peur qui le rongeait à un espoir prudent puis à la satisfaction. Chaque jour écoulé pendant lequel les Nations unies et les Martiens ne passaient pas à l'acte avait été un indice supplémentaire qu'ils ne franchiraient jamais le pas. Il s'était laissé aller à croire que tout était beaucoup plus stable qu'il n'y paraissait. Même si la situation dégénérait et qu'une guerre ouverte survenait, elle n'aurait pas lieu ici. Ganymède était le grand pourvoyeur de nourriture. Avec sa magnétosphère, la lune était l'endroit le plus sûr pour les femmes enceintes, et elle pouvait se targuer du taux le plus bas dans toutes les planètes extérieures d'enfants mort-nés et de malformations de naissance. Le satellite représentait le point central de tout ce qui rendait possible l'expansion humaine dans le système solaire. Ce qu'ils accomplissaient ici était aussi précieux que fragile, et les dirigeants ne permettraient jamais qu'un conflit les touche.

Doris murmura quelque chose d'obscène. Prax leva les yeux. Elle passa une main fébrile dans ses cheveux blancs trop rares, tourna la tête et cracha au sol.

— J'ai perdu la connexion, dit-elle en brandissant son terminal. Tout le réseau est verrouillé.

— Par qui ?

— La sécurité de la station. Les Nations unies. Mars. Comment le saurais-je ?

— Mais s'ils ont…

La secousse fut pareille à un poing titanesque s'abattant sur le toit de la cabine. Le freinage d'urgence se déclencha dans un claquement qui résonna jusque dans leurs os. L'éclairage s'éteignit, et les ténèbres les engloutirent le temps de deux battements de cœur d'oiseau-mouche. Quatre LED d'urgence alimentées par batterie s'allumèrent puis s'éteignirent quand le courant général revint. Les diagnostics automatiques en cas de panne critique se mirent en branle : les moteurs ronronnèrent, les ensembles mécaniques cliquetèrent, et l'interface de repérage des avaries démarra comme un athlète qui s'échauffe avant la course. Prax se leva et s'approcha du panneau de contrôle. Les senseurs du puits d'ascenseur relevaient une pression atmosphérique minimale et en chute. Un frisson le parcourut quand les portes de confinement se fermèrent quelque part au-dessus d'eux tandis que la pression extérieure remontait. L'air dans le puits avait été expulsé dans l'espace avant que les systèmes d'urgence aient le temps d'isoler le complexe. L'intégrité de son dôme était compromise.

Son dôme n'existait plus.

Il porta une main à sa bouche sans se rendre compte qu'il maculait son menton de terreau avant de l'avoir fait. Une partie de son esprit survolait à toute vitesse les choses qui devaient être faites pour sauver le projet – contacter le directeur de projet à RMD-Southern, remplir à nouveau les demandes de rallonge budgétaire, rassembler les sauvegardes de données pour reconstituer les échantillons d'insertion virale –, tandis qu'une autre partie s'était figée dans un calme étrange. L'impression d'être deux entités distinctes – l'une préoccupée par les mesures désespérées à prendre, l'autre déjà dans l'engourdissement du deuil – lui rappelait les dernières semaines de son mariage.

Doris se tourna vers lui, ses lèvres déjà trop grandes étirées sur un sourire à la fois amusé et résigné.

— Ça a été un plaisir de travailler avec vous, docteur Meng.

La cabine frémit quand le freinage d'urgence se désengagea. Un autre impact se fit sentir, beaucoup plus lointain. Un miroir ou un vaisseau qui s'écrasait. Des soldats se bombardant mutuellement à la surface. Peut-être même des combats dans les niveaux inférieurs de la station. Il était impossible de savoir. Il serra la main de sa collègue.

— Docteur Bourne, dit-il, ça a été un honneur.

Ils observèrent un long moment de silence devant la tombe de leurs vies précédentes. Puis Doris soupira.

— Bon, fichons le camp d'ici.

Le service de garderie de Mei était situé à une grande profondeur dans la lune, mais la station de métro ne se trouvait qu'à quelques centaines de mètres du quai d'embarquement, et la descente express vers elle ne prenait pas plus de dix minutes. Ou c'est ce que ce trajet aurait duré s'ils avaient couru. En trente ans sur Ganymède, Prax n'avait jamais remarqué les portes de sécurité qui équipaient les stations.

Les quatre soldats de faction devant les portes closes de la station étaient engoncés dans des tenues renforcées peintes de lignes de camouflage en accord avec les tons beige et acier du couloir. Ils tenaient des fusils d'assaut d'une taille intimidante et toisaient d'un air renfrogné la douzaine de personnes devant eux.

— Je suis au service des transports, dit une femme menue en ponctuant chacun de ses mots d'une tape de son index rigide contre le plastron d'un des gardes. Si vous ne nous laissez pas passer, vous allez avoir des problèmes. De sérieux problèmes.

— Combien de temps va-t-on rester bloqués ici ? demanda un homme. Il faut que je retourne chez moi. Combien de temps ?

— Mesdames et messieurs ! tonna le soldat sur la gauche.

C'était une femme, et elle avait une voix d'une puissance impressionnante qui fit taire les murmures de la petite foule exactement comme un professeur reprenant en main des élèves dissipés.

— Cette installation est sous confinement de sécurité. Jusqu'à ce que l'intervention militaire soit achevée, aucun passage d'un niveau à un autre n'est autorisé, à part pour le personnel officiel.

— De quel côté êtes-vous ? cria quelqu'un. Vous êtes des Martiens ? À quel camp appartenez-vous ?

— Dans l'intervalle, poursuivit la femme, nous allons vous demander un peu de patience. Dès que les déplacements seront sûrs, le métro sera remis en activité. Jusque-là, nous vous demandons de rester calmes, pour votre propre sécurité.

Prax prit conscience qu'il parlait seulement en entendant le son de sa propre voix. Et il jugea son ton un peu pleurnichard :

— Ma fille se trouve au niveau 8. Son école est là.

— Tous les niveaux sont sous confinement, monsieur, répondit l'autre. Elle n'a rien à craindre. Soyez juste patient.

La petite femme à la peau sombre du service des transports croisa les bras. Prax vit deux hommes abandonner leur groupe et repartir dans le couloir étroit et crasseux en parlant entre eux. Dans ces vieux tunnels, l'air sentait les recycleurs surmenés – un parfum de plastique surchauffé et de senteurs artificielles. Et il y planait maintenant une autre odeur : celle de la peur.

— Mesdames et messieurs, reprit le soldat, pour votre propre sécurité vous devez conserver votre calme et rester où vous êtes jusqu'à ce que la situation militaire soit résolue.

— De quelle situation militaire s'agit-il, au juste ? demanda une femme à côté de Prax, sur un ton autoritaire.

— Elle évolue rapidement, répondit le soldat.

Prax crut déceler des inflexions inquiétantes dans sa voix. Elle était aussi effrayée que les autres. Seule différence, elle était armée. Donc ça ne marcherait pas. Il fallait qu'il trouve autre chose. L'unique plant de *Glycine kenon* sauvé du désastre dans la main, il s'éloigna de la station de métro.

Il avait huit ans quand son père avait été muté des centres très peuplés d'Europa pour aider à la reconstruction d'un laboratoire de recherches sur Ganymède. Les travaux de remise en état avaient duré dix ans, période pendant laquelle Prax avait, entre autres, connu une adolescence assez mouvementée. Lorsque ses parents avaient fait leurs valises pour déménager en famille afin d'honorer un nouveau contrat sur un astéroïde en orbite excentrée, près de Neptune, Prax ne les avait pas accompagnés. Il avait obtenu une bourse d'interne pour suivre des études de botanique, avec l'idée d'en profiter pour faire pousser de façon illicite des plants de marijuana, mais il avait découvert qu'un interne sur trois était là avec le même objectif. Les quatre années qu'il avait passées à rechercher un placard oublié ou un tunnel abandonné qui n'était pas déjà occupé par une plantation hydroponique illégale l'avaient au moins doté d'un sens aiguisé de l'orientation en milieu souterrain.

Il emprunta d'abord les vieux couloirs datant de la première époque de construction. Des hommes et des femmes étaient assis contre les murs ou dans les bars et les restaurants, visage fermé ou exprimant la colère, la peur aussi. Les écrans publics étaient calés sur des rediffusions d'antiques spectacles, clips musicaux ou documentaires sur l'art abstrait au lieu de relayer les flashs infos habituels. Aucun terminal personnel ne bipait pour annoncer un appel.

Près des conduits du centre de ventilation, il trouva ce qu'il cherchait. Le service de maintenance de transport laissait toujours traîner quelques vieux scooters électriques dont personne ne se servait plus depuis longtemps. Parce qu'il était un chercheur de catégorie supérieure, son terminal lui permit de franchir la grille rouillée. Il choisit un scooter avec un side-car et une batterie encore à moitié chargée. Il n'avait pas conduit ce genre d'engin depuis au moins sept ans. Après avoir déposé le *Glycine kenon* dans le side, il se mit en selle et démarra.

Les trois premières rampes étaient surveillées par des soldats pareils à ceux qu'il avait vus à la station de métro. Prax ne prit pas la peine de s'arrêter. À la quatrième, un tunnel d'approvisionnement qui menait des entrepôts de surface aux réacteurs, il n'y avait personne. Il fit halte sur le scooter silencieux. Une forte odeur âcre flottait dans l'air, qu'il ne parvint pas à identifier. Peu à peu il enregistra d'autres détails : des marques de brûlure sur un panneau mural, une traînée de quelque chose de sombre au sol. Il perçut un claquement sec au loin, et il lui fallut trois ou quatre secondes pour reconnaître un coup de feu.

Apparemment *l'évolution rapide* dont il avait été question signifiait qu'on se battait maintenant dans les tunnels. L'image de la salle de classe de Mei constellée d'impacts de balles et maculée du sang des enfants s'imposa à son esprit, aussi réaliste qu'une scène qu'il voyait au lieu de l'imaginer. La panique qui l'avait submergé dans le dôme déferla de nouveau sur lui, cent fois plus violente.

— Elle va bien, dit-il au plant à côté de lui. Ils ne risqueraient pas une fusillade dans une garderie. C'est plein d'enfants, là-bas.

Les feuilles vert sombre commençaient déjà à se flétrir. Non, ils n'allaient pas se faire la guerre pour des enfants. Ou des réserves de nourriture. Ou des serres sous dôme. Ses mains s'étaient remises à trembler, mais pas assez fort pour qu'il ne puisse plus conduire le scooter.

La première explosion se produisit alors qu'il descendait la rampe entre les septième et huitième niveaux, au bord d'une des monstrueuses cavernes jamais terminées où la glace découverte de la lune avait été laissée à pleurer et se recongeler, offrant une vision oscillant entre un énorme espace verdâtre et une œuvre d'art. Il y eut un éclair, puis une violente secousse, et le scooter se mit à chasser. La paroi se précipita vers lui, et Prax replia la jambe juste avant l'impact. Au-dessus de lui, il entendit des voix qui criaient. Les unités de combat en tenue complète, qui se parlaient par radio. Du moins c'est ce qu'il imaginait. Ces gens là-haut étaient simplement *des gens*. Une deuxième explosion éventra la paroi de la caverne. Une plaque de glace blanc bleuté de la taille d'un tracteur se détacha de la voûte et tomba lentement et inexorablement sur le sol où elle explosa. Prax se tortilla vivement pour garder le scooter droit. Il avait l'impression que son cœur allait jaillir de sa cage thoracique.

Au sommet de la rampe courbe, il aperçut des silhouettes en tenue renforcée. Il n'aurait pu dire si c'étaient des soldats des Nations unies ou de Mars. L'un d'eux se tourna vers lui et épaula son arme. Prax lança le scooter à fond pour dévaler au plus vite le restant de la pente. Le staccato des armes automatiques et l'odeur de fumée et de vapeur le suivirent.

Les portes de l'école étaient fermées. Il ne savait si c'était très bon ou très mauvais signe. Il freina en dérapant et sauta du scooter. Ses jambes lui parurent en coton. Il voulut tambouriner poliment sur le panneau d'acier abaissé, mais son poing fit tout pour que la peau de ses articulations éclate contre le métal.

— Ouvrez ! Ma fille est à l'intérieur !

Ses cris devaient sembler être ceux d'un dément, mais quelqu'un de l'autre côté l'entendit ou le vit sur le moniteur de sécurité. Les plaques d'acier articulées de la porte frémirent et commencèrent à s'élever. Prax se jeta au sol et roula dans l'espace dégagé.

Il n'avait rencontré la nouvelle enseignante, Miss Carrie, qu'à quelques reprises, quand il amenait Mei ou venait la chercher. C'était une femme grande et mince, comme toute Ceinturienne, qui n'avait certainement pas beaucoup plus de vingt ans. Il ne se souvenait pas qu'elle ait eu le teint aussi pâle.

La salle de classe était intacte. Installés en cercle, les enfants chantaient une ritournelle parlant d'une fourmi qui voyageait dans le système solaire, avec des rimes pour tous les corps célestes importants. Il n'y avait pas de sang, pas d'impacts de balle, mais l'odeur de plastique brûlé sourdait par le circuit d'aération. Il fallait qu'il mène Mei en lieu sûr. Où, il n'en avait qu'une idée très vague. Il scruta du regard le cercle des enfants, à la recherche de son visage, ses cheveux.

— Mei n'est pas ici, dit Miss Carrie d'une voix tendue et essoufflée à la fois. Sa mère est venue la prendre ce matin.

— Ce matin ? répéta-t-il, mais son esprit bloquait sur *sa mère*.

Que faisait Nicola sur Ganymède ? Il avait reçu un message d'elle, deux jours plus tôt, à propos de la pension alimentaire ; or elle n'avait pas pu effectuer le trajet de Cérès à Ganymède en deux jours…

— Juste après la collation de la matinée, précisa la jeune femme.

— Vous voulez dire qu'elle a été évacuée. Quelqu'un est venu et a évacué Mei.

Une autre explosion résonna, qui ébranla la glace. Un des enfants poussa un cri perçant de frayeur. Le regard de l'enseignante passa de Prax aux gamins, puis revint dévisager le visiteur. Quand elle reprit la parole, ce fut d'une voix plus basse :

— Sa mère est arrivée juste après la collation. Elle est repartie avec Mei. Elle n'est pas restée ici toute la journée.

Prax sortit son terminal. Il n'y avait toujours pas de connexion au réseau, mais son fond d'écran était une photo de Mei prise lors de son premier anniversaire, quand tout allait encore bien. Dans une autre vie. Il la montra et de l'index désigna Nicola qui riait en tenant dans ses bras le petit être dodu et ravi qu'avait été Mei.

— Elle ? dit Prax. C'est elle qui est venue ?

La confusion qui envahit les traits de la jeune femme fut pour lui une réponse suffisante. Il y avait eu une erreur. Quelqu'un – une nouvelle nounou, une travailleuse sociale ou autre – s'était présenté pour emmener un des enfants, et n'avait pas pris le bon.

— Elle était sur l'ordinateur, se défendit l'enseignante. Elle était dans le système. C'est elle qui s'est affichée.

Tout l'éclairage vacilla. L'odeur de fumée devenait de plus en plus forte et les recycleurs d'air peinaient bruyamment à aspirer les particules volatiles. Un gamin dont le botaniste aurait dû connaître le nom se mit à geindre, et par réflexe la jeune femme pivota vers lui. Prax la saisit par le coude et l'obligea à lui faire face.

— Non, vous avez commis une erreur, dit-il. À qui avez-vous confié Mei ?

— Mais le système affirmait qu'il s'agissait bien de sa mère ! Elle s'est identifiée. Elle a passé les contrôles.

Le son assourdi d'une rafale d'arme automatique se répercuta dans le couloir. On cria à l'extérieur, et les enfants se mirent subitement à hurler. La jeune femme dégagea son bras d'une saccade. Quelque chose heurta violemment la porte métallique abaissée.

— Elle avait la trentaine. Les cheveux et les yeux noirs. Elle était accompagnée d'un médecin, et elle était enregistrée dans le système. Et puis Mei n'a fait aucune difficulté pour la suivre.

— Est-ce qu'ils ont pris ses médicaments ? demanda-t-il. Est-ce qu'ils ont pris ses *médicaments* ?

— Non. Je ne sais pas. Je ne crois pas.

Sans le vouloir, Prax agrippa la jeune femme par les épaules et la secoua. Une seule fois, mais avec brutalité. Si Mei n'était pas partie avec son traitement, elle avait déjà raté la prise de la mi-journée. Elle tiendrait peut-être jusqu'au matin avant que son système immunitaire commence à défaillir.

— Montrez-moi, ordonna Prax. Montrez-moi son visage. Celui de la femme qui l'a emmenée.

— Mais je ne peux pas ! Le système est en panne ! s'écria l'enseignante. Et ils tuent des gens dans le couloir !

Le cercle d'enfants se rompit, et leurs cris s'additionnèrent en un chœur discordant et suraigu. La jeune femme fondit en larmes et s'enfouit le visage dans les mains. Sa peau avait pris des reflets presque bleus. Prax sentait une panique animale s'insinuer dans son cerveau, et la froideur qui s'était abattue sur tout son être ne parvenait pas à l'endiguer.

— Il y a un tunnel d'évacuation ? demanda-t-il.

— Ils nous ont ordonné de rester ici, dit la jeune femme.

— Et moi je vous ordonne d'évacuer, répliqua-t-il.

Mais il n'avait qu'une pensée à l'esprit : *Je dois retrouver Mei.*

4

BOBBIE

Elle reprit connaissance dans un bourdonnement furieux doublé d'une douleur lancinante. Bobbie cligna une fois des paupières, pour essayer de s'éclaircir les idées et savoir où elle se trouvait. Un flou exaspérant troublait sa vision. Le bourdonnement se révéla être une alarme émise par sa combinaison. Des taches de lumières colorées apparurent soudain devant son visage quand l'affichage tête haute de son casque lui déploya des données qu'elle était incapable de déchiffrer. Elle essaya de bouger les bras et découvrit qu'en dépit de sa faiblesse physique elle n'était ni paralysée ni gelée sur place. Le gel anti-choc de sa tenue était revenu à l'état liquide.

Quelque chose passa devant la fenêtre de lumière fade qu'était la visière de son casque. Une tête, qui s'encadra dans son champ de vision, puis en ressortit. Ensuite il y eut un déclic et quelqu'un se connecta à un des ports externes de sa combinaison. Un membre du corps de santé, certainement, occupé à télécharger les données de ses avaries et blessures.

Une voix masculine et jeune se fit entendre dans les écouteurs de son casque :

— Je te tiens, Marine. C'est bon. Ça va aller. Tout va bien se passer. Reste tranquille, c'est tout.

Il avait à peine fini de prononcer *tout* qu'elle s'évanouit à nouveau.

À son réveil, elle était étendue sur une civière en mouvement qui tressautait dans un long tunnel blanc. Elle ne portait plus sa combinaison de combat. Elle craignait que les infirmiers sur le terrain n'aient pas perdu de temps à la lui ôter de la façon normale et qu'ils aient activé le mécanisme d'urgence qui déverrouillait toutes les jointures et les attaches entre les pièces. C'était la solution la plus rapide pour extraire un soldat blessé de son exosquelette blindé de quatre cents kilos, mais dans le même temps la combinaison s'en trouvait irrémédiablement détruite. Bobbie eut un petit pincement au cœur de regret en songeant à la perte de sa bonne vieille tenue.

Un moment plus tard, elle se souvint que tout le reste de sa patrouille avait été mis en pièces sous ses yeux, et la tristesse d'avoir perdu sa combinaison lui parut soudain hors de propos, pour ne pas dire honteuse.

Une secousse violente parcourut la civière, envoya une décharge douloureuse dans sa colonne vertébrale, et elle replongea dans les ténèbres.

— Sergent Draper, dit une voix.

Bobbie essaya d'ouvrir les yeux et se rendit compte qu'elle en était incapable. Chacune de ses paupières pesait une tonne, et la seule tentative de les soulever la laissa épuisée. Elle décida donc de simplement répondre à la voix, et fut un peu honteuse du marmonnement d'ivrogne qui franchit ses lèvres.

— Elle est consciente, mais tout juste, constata la voix.

C'était le timbre profond et mélodieux d'un homme, qui semblait plein de chaleur et de prévenance. Bobbie espéra que cette voix continuerait de parler jusqu'à ce qu'elle se rendorme.

Une autre voix, féminine celle-là, répondit :
— Laissons-la se reposer. Dans son état actuel, essayer de la réveiller complètement pourrait être dangereux.
— Peu m'importe si ça la tue, docteur, répondit la voix veloutée. J'ai besoin de parler à ce soldat, et tout de suite. Alors administrez-lui ce qu'il faut pour que je puisse le faire.
Intérieurement, Bobbie sourit. Elle ne parvenait pas à analyser le sens de ces paroles, et ne réagissait qu'aux inflexions douces de la voix. C'était bon d'avoir quelqu'un pour prendre soin de vous. Elle glissa de nouveau dans le sommeil, et l'oubli qui l'accueillit était un ami.

Un brasier fulgurant lui incendia l'échine, et elle s'assit subitement dans son lit, plus éveillée que jamais. C'était comme prendre le jus, ce cocktail chimique qu'on injectait aux soldats embarqués pour qu'ils restent conscients et en pleine possession de leurs moyens pendant les manœuvres à plusieurs g de leur vaisseau. Bobbie ouvrit les yeux et les referma aussitôt pour empêcher la lumière éblouissante de lui calciner les rétines.
— Éteignez ça, grogna-t-elle, et les mots sortirent de sa gorge desséchée en un murmure.
L'illumination rougeâtre de ses paupières se dissipa, mais quand elle voulut les relever de nouveau l'éclairage était encore trop vif pour elle. Quelqu'un lui prit la main et en desserra les doigts pour les refermer sur un gobelet.
— Vous pouvez le tenir ? dit la voix attentionnée.
Sans répondre elle porta le gobelet à ses lèvres et but l'eau en deux gorgées avides.
— Encore, dit-elle, cette fois avec une voix qui ressemblait plus à celle qu'elle avait toujours eue ; avant.

Elle entendit les sons aisément identifiables d'une chaise roulante qu'on déplaçait, puis des pas sur un sol carrelé, un peu plus loin. Son bref aperçu de la pièce lui avait révélé qu'elle se trouvait dans un hôpital. Elle percevait le ronronnement proche d'appareillages médicaux, et les odeurs d'antiseptique et d'urine qui luttaient pour prédominer. Découragée, elle comprit qu'elle était la source de cette odeur d'urine. Un robinet coula un instant, et les pas revinrent vers elle. Le gobelet fut replacé dans sa main. Elle but plus lentement, et garda l'eau dans sa bouche une seconde avant d'avaler. Le liquide était d'une fraîcheur délicieuse.

Quand elle eut terminé, la voix demanda :

— Encore ?

Elle secoua la tête négativement.

— Plus tard, peut-être, réussit-elle à dire. Je suis aveugle ?

— Non. On vous a administré un cocktail de médicaments pour faciliter votre concentration, et des amphétamines puissantes. Ce qui entraîne une dilatation extrême de vos pupilles. Désolé, je n'ai pas pensé à baisser l'éclairage avant votre réveil.

La voix était toujours pleine de gentillesse et de chaleur. Bobbie avait très envie de voir à qui elle appartenait, et c'est pourquoi elle prit le risque d'entrouvrir un œil. La lumière ne lui parut pas aussi éblouissante qu'auparavant, mais la sensation demeurait désagréable. La voix appartenait à un homme très grand et mince portant un uniforme des Renseignements de la Flotte. Il avait un visage étroit, des traits tendus au point qu'on aurait pu croire son crâne prêt à fendre la peau pour s'en échapper. Il la gratifia d'un sourire effrayant qui ne s'étendit pas plus loin que les commissures de ses lèvres.

— Sergent canonnier Roberta W. Draper, 2e Corps expéditionnaire des Marines, dit-il d'une voix qui était si peu en accord avec son apparence que Bobbie eut l'impression de regarder un personnage tout droit sorti d'un film étranger mal doublé.

Après quelques secondes, et comme il n'ajoutait rien, elle répondit :

— Oui, monsieur. Capitaine, rectifia-t-elle en remarquant ses galons.

Elle put enfin ouvrir les deux yeux en même temps, mais une sensation curieuse de fourmillement courait dans ses membres, qui la rendait engourdie et frémissante en même temps. Elle résista à l'envie de gigoter.

— Sergent Draper, je suis le capitaine Thorsson, et ma mission présente consiste à obtenir de vous un compte rendu verbal de ce qui s'est passé. Nous avons perdu toute votre section. Il y a eu une bataille rangée longue de deux jours entre les Nations unies et les Forces de la République martienne, sur Ganymède. Ce qui, d'après les estimations les plus récentes, a eu pour résultat la destruction d'infrastructures pour un montant global évalué à plus de cinq milliards de dollars martiens, et a entraîné la mort d'environ trois mille membres des personnels militaires et civils.

Il fit une nouvelle pause et la dévisagea de ses petits yeux rapprochés à l'éclat reptilien. Ne sachant pas trop quelle réaction il escomptait, elle se borna à dire :

— Oui, monsieur.

— Sergent Draper, pourquoi votre section a-t-elle engagé les hostilités et détruit l'avant-poste des Nations unies dans le secteur du dôme 14 ?

L'inanité de la question déconcerta tant Bobbie qu'elle mit plusieurs secondes avant d'entrevoir sa signification réelle.

— Qui vous a ordonné d'ouvrir le feu, et pourquoi ?

Bien évidemment, il ne pouvait pas lui demander pour quelle raison ses hommes avaient commencé à se battre. Il n'était donc pas au courant, pour le monstre ?

— Vous n'êtes pas au courant, pour le monstre ?

Le capitaine Thorsson ne cilla pas, mais les coins de sa bouche s'abaissèrent et son front se plissa comme pour descendre vers ses sourcils froncés.

— Un monstre, répéta-t-il d'une voix que toute chaleur avait désertée.

— Monsieur, une sorte de monstre… ou un mutant… enfin une créature a attaqué l'avant-poste des Nations unies. Leurs soldats ont couru vers notre position pour lui échapper. Nous n'avons pas tiré sur eux. Cette… cette chose les a massacrés, et ensuite elle nous a massacrés.

Elle sentit la nausée qui menaçait et dut prendre le temps de déglutir afin de chasser le goût acide qui montait dans sa gorge.

— Enfin, elle a massacré toute la section, sauf moi.

Thorsson se rembrunit un moment, puis il sortit de sa poche un enregistreur numérique miniature, l'éteignit et le déposa sur un plateau à côté du lit de Bobbie.

— Sergent, je vais vous donner une seconde chance. Jusqu'à maintenant, votre parcours a été exemplaire. Vous êtes un excellent Marine. Un des meilleurs. Voulez-vous reprendre depuis le début ?

— Vous pensez que je mens ?

Les démangeaisons dans ses membres se transformèrent d'un coup en un besoin urgent de saisir le bras de ce petit connard arrogant et de lui briser le coude.

— Nous l'avons tous arrosé. Il doit y avoir tous les enregistrements des armes de toute la section quand cette chose a tué les soldats des Nations unies avant de nous attaquer. Monsieur.

Thorsson secoua lentement son visage en lame de couteau, et ses yeux s'étrécirent au point de presque disparaître.

— Nous n'avons eu aucune transmission de la section pendant toute la durée de l'engagement, et aucune donnée enregistrée…

— Les transmissions étaient HS, l'interrompit Bobbie. Moi aussi j'ai perdu le lien radio quand je me suis retrouvée à proximité du monstre.

Le capitaine continua sur sa lancée, comme s'il ne l'avait pas entendue :

— … et tout le matériel de la zone a été perdu quand un miroir orbital s'est écrasé sur le dôme. Vous étiez en dehors du champ d'impact, mais l'onde de choc vous a projetée à près de deux cent cinquante mètres. Il nous a fallu un peu de temps pour vous localiser.

Tout le matériel de la zone a été perdu. Quelle façon stérile de présenter les choses. Chacun des membres formant la section de Bobbie avait été réduit en morceaux et en vapeur quand les quelque deux mille tonnes du miroir avaient chuté de l'orbite et étaient tombées sur eux. Un moniteur se mit à émettre une alarme basse et carillonnante, mais personne n'y prêta attention et elle décida de faire de même.

— Ma combi, monsieur. J'ai tiré sur la créature, moi aussi. L'enregistrement vidéo devrait toujours être là.

— Oui, sergent ; nous avons examiné l'unité vidéo de votre tenue. Rien que des parasites.

On dirait un mauvais film d'horreur, pensa-t-elle. L'héroïne qui voit le monstre, mais personne ne veut la croire. Elle imagina le deuxième acte, dans lequel elle passait en jugement pour manquement au devoir, et elle n'était réhabilitée qu'au troisième, quand le monstre réapparaissait et tuait tous ceux qui ne croyaient pas à sa…

— Attendez ! s'exclama-t-elle. Quelle décompression utilisez-vous ? Ma combinaison est d'un modèle plus ancien que la normale. Elle a besoin d'une décompression vidéo 5.1. Dites-le aux techniciens, qu'ils fassent un nouvel essai.

Thorsson la regarda fixement pendant de longues secondes, puis il sortit son terminal et appela quelqu'un.

— Faites apporter la combinaison du sergent Draper dans sa chambre. Et envoyez un technicien avec le matériel vidéo pour la tester.

Il rangea le terminal et adressa à Bobbie un autre de ses sourires effrayants.

— Sergent, j'admets être extrêmement curieux de voir ce que vous voulez me montrer. Mais si ce n'est qu'une sorte de ruse, vous aurez seulement gagné quelques minutes de répit.

Bobbie ne répondit pas, mais son attitude face au capitaine était enfin passée de la crainte à la colère, pour se muer en une franche exaspération. Elle se redressa sur le lit d'hôpital trop étroit et se tourna sur le flanc, pour s'asseoir au bord du fin matelas et repousser la couverture de côté. À cause de sa taille, sa présence physique vue de près avait généralement pour effet d'effrayer les hommes, ou de les exciter. D'une façon comme d'une autre, cela les mettait toujours mal à l'aise. Elle se pencha vers Thorsson et fut récompensée de sa manœuvre quand il recula son siège pour garder ses distances.

À l'expression de dégoût qu'il afficha, elle sut qu'il était parfaitement conscient de son geste, et il détourna le regard quand elle sourit.

La porte de la chambre s'ouvrit et deux techniciens de la Flotte entrèrent en poussant devant eux un porte-bagages sur lequel était posée sa combinaison de combat intacte : ils ne l'avaient pas mise en pièces lorsqu'ils la lui avaient enlevée. Bobbie sentit une boule se former dans sa gorge et elle avala sa salive pour la faire disparaître. Pas question qu'elle trahisse un instant de faiblesse devant ce clown des Renseignements.

Le clown pointa le doigt sur le plus âgé des deux hommes.

— Vous. Votre nom ?

— Second maître électricien Mate Singh, monsieur.

— Monsieur Singh, le sergent Draper ici présent affirme que sa combinaison est dotée d'une compression vidéo différente de celle en usage sur les nouvelles tenues. D'après elle, c'est pour cette raison que vous ne réussissez pas à décrypter ses données vidéo. C'est possible ?

Singh se frappa le front du plat de la main.

— Oh, merde, oui, bien sûr… Je n'y ai pas pensé… C'est une vieille combi Goliath Mark III. Quand ils ont conçu la Mark IV, ils ont complètement réécrit le programme vidéo. Le système de stockage est totalement différent. Waouh, je me sens très stupide, là…

— Oui, approuva sèchement Thorsson. Faites le nécessaire pour nous rendre accessible l'enregistrement contenu dans cette tenue. Plus vite vous le ferez et moins je perdrai de temps à cause de l'incompétence d'autrui.

Singh eut le bon goût de ne pas répondre. Il brancha aussitôt la combinaison à un moniteur et se mit au travail. Bobbie examina sa tenue. Elle était marquée d'un grand nombre d'éraflures et de traces de choc, mais elle ne semblait pas avoir autrement souffert. La Marine eut soudain très envie de l'enfiler et de dire à Thorsson où il pouvait se fourrer ses grands airs.

Une nouvelle série de frissons la secoua en remontant le long de ses bras et ses jambes. Quelque chose battit dans sa gorge, comme les battements de cœur d'un petit animal affolé. Elle leva une main et la posa sur sa gorge. Elle allait dire quelque chose quand le technicien frappa sa main gauche ouverte de son poing droit en signe de victoire et sourit à son assistant.

— Je l'ai, monsieur, annonça-t-il, et il enclencha la lecture.

Bobbie essaya de voir l'image, mais celle-ci était floue. Elle tendit la main vers le bras de Thorsson afin d'attirer son attention, rata sa cible et continua de basculer en avant.

Et c'est reparti, eut-elle le temps de penser.

Suivit un très bref instant de chute libre, puis le néant.

⚡

— Foutu nom de nom ! pestait la femme. Je vous ai prévenu que ça risquait d'arriver. Ce soldat souffre de blessures internes et d'une sale commotion cérébrale. Vous ne pouvez pas la bourrer de speed pour l'interroger. C'est irresponsable. C'est foutrement cri-mi-nel !

Bobbie ouvrit les yeux. Elle était de nouveau alitée, Thorsson assis sur une chaise à côté d'elle. Une blonde trapue en blouse stérile d'hôpital se tenait au pied du lit, le visage empourpré par la colère. En voyant que la patiente s'était réveillée, elle contourna le lit, s'approcha d'elle et lui prit la main dans les siennes.

— Sergent Draper, n'essayez pas de bouger. Vous avez fait une chute, ce qui a aggravé certaines de vos blessures. Nous avons stabilisé votre état, mais vous devez vous reposer, maintenant.

Le médecin regardait Thorsson tout en parlant, et l'expression de son visage ajoutait des points d'exclamation à la fin de chacune de ses phrases. Bobbie la remercia d'un hochement de tête, et elle eut l'impression que son crâne était un bol d'eau qu'on transportait dans une pesanteur fluctuante. Le fait qu'elle n'éprouve aucune douleur signifiait certainement qu'on lui avait injecté tous les analgésiques disponibles.

— L'aide du sergent Draper était cruciale, déclara l'homme des Renseignements sans la moindre trace d'excuse dans sa voix mélodieuse. Grâce à elle nous avons peut-être évité un conflit armé avec la Terre. Risquer sa vie pour que d'autres n'aient pas à le faire correspond tout à fait à la mission de Roberta.

— Ne m'appelez pas Roberta, marmonna Bobbie.

— Marine, dit Thorsson, je suis désolé de ce qui est arrivé à votre section. Mais je suis avant tout désolé de ne pas vous avoir crue. Merci d'avoir réagi avec professionnalisme, ce qui nous a permis d'éviter une grossière erreur.

— J'ai simplement pensé que vous vous comportiez comme un trou du cul, dit Bobbie.

— C'est mon boulot, Marine. Il se leva. Prenez un peu de repos. Nous vous expédions dès que vous serez assez remise pour voyager.

— Vous m'expédiez où ? Vous me renvoyez sur Mars ?

Thorsson ne répondit pas. Il salua le médecin d'un signe de tête et sortit de la chambre. La femme enfonça une touche sur un des appareils placés près du lit de Bobbie, et celle-ci sentit quelque chose de froid envahir son bras. Les lumières s'éteignirent.

De la gélatine. Pourquoi sert-on toujours de la gélatine dans les hôpitaux ?

Bobbie planta sans conviction sa cuillère dentée dans la masse verte tremblotante qui occupait le centre de son assiette. Elle se sentait enfin assez en forme pour manger vraiment, et la nourriture molle et translucide qu'on s'acharnait à lui servir devenait de plus en plus insatisfaisante. Comparée à ce régime, même la pâtée à haute teneur en protéines et en glucides qu'on trouvait sur presque tous les bâtiments de la Flotte paraissait délicieuse. Ou un steak de champignons bien épais nappé de jus de viande et accompagné de couscous…

La porte de sa chambre coulissa et son médecin, qu'elle savait maintenant s'appeler Trisha Pichon mais qui insistait pour que tout le monde l'appelle Dr Trish, entra avec le capitaine Thorsson et un homme encore jamais vu. L'agent des Renseignements lui lança son rictus inquiétant, mais Bobbie avait appris que c'était simplement sa façon de faire habituelle. Apparemment il manquait des muscles nécessaires à un sourire normal. L'inconnu portait un uniforme d'aumônier de la Flotte, sans affiliation religieuse identifiable.

Ce fut le Dr Trish qui parla en premier :

— Bonne nouvelle, Bobbie. Nous vous libérons demain. Comment vous sentez-vous ?

— Bien. J'ai faim.

— Nous allons vous faire apporter de la nourriture digne de ce nom, en ce cas, affirma le médecin avec un sourire, avant de quitter la pièce.

Thorsson désigna l'aumônier.

— Voici le capitaine Martens. Il sera de notre voyage. Je vais vous laisser faire connaissance.

Sur ces mots il s'éclipsa avant que Bobbie puisse répondre, et Martens s'assit sur la chaise placée près du lit. Il offrit sa main, qu'elle accepta.

— Bonjour, sergent, dit-il. Je…

— Quand j'ai coché la case "aucune" à la question "foi religieuse ?", sur le formulaire 2970, j'étais sérieuse, dit Bobbie pour abréger ce qu'elle sentait venir.

Martens sourit. Apparemment il ne se formalisait pas plus de son interruption que de son agnosticisme.

— Je ne suis pas ici en qualité de religieux, sergent. J'ai également reçu une formation pour le soutien psychologique aux personnes frappées par le deuil, et comme vous avez assisté à la mort de tous les autres membres de votre unité, et que vous avez vous aussi failli périr, le capitaine Thorsson et votre médecin sont convenus que vous pourriez avoir besoin de moi.

Bobbie voulut repousser son offre sans plus tarder, mais elle en fut empêchée par l'étau invisible qui comprimait sa poitrine. Elle dissimula sa gêne en buvant une longue gorgée d'eau, puis elle déclara :

— Je vais bien. Mais je vous remercie d'être venu.

Il se renversa en arrière sur son siège, sans que son sourire s'estompe.

— Si vous alliez réellement bien après ce que vous avez enduré, ce serait le signe que quelque chose ne tourne pas rond du tout chez vous. Et vous allez être plongée dans une situation où la pression sera très forte, autant émotionnellement qu'intellectuellement. Une fois que nous serons arrivés sur Terre, vous ne pourrez pas vous payer le luxe d'une dépression nerveuse ou d'une réaction au stress post-traumatique. Nous avons donc beaucoup de travail à…

— La Terre ? dit Bobbie. Attendez une minute. Pourquoi dois-je aller sur la *Terre* ?

5

AVASARALA

Chrisjen Avasarala, assistante du sous-secrétaire à l'Exécutif, était assise près d'une extrémité de la table. Son sari orange constituait la seule tache de couleur dans les dominantes bleu-gris des uniformes militaires présents à la réunion. Les sept autres personnes installées autour de la table, des hommes exclusivement, étaient les dirigeants de leurs branches respectives dans les forces armées des Nations unies. Elle connaissait leurs noms, leurs parcours politiques et leurs profils psychologiques, leurs salaires, leurs alliances politiques et avec qui ils couchaient. Contre le mur du fond de la salle, les assistants personnels et les huissiers se tenaient debout, dans une immobilité inconfortable, comme des adolescents trop timides lors d'une soirée dansante. Avasarala pêcha une pistache dans son sac à main, en craqua discrètement la coque et goba le fruit sec salé.

— Toute réunion avec le commandement martien devra attendre que la situation sur Ganymède ait été stabilisée. Les discussions diplomatiques officielles qui auraient lieu avant donneraient l'impression que nous avons accepté le nouveau statu quo.

C'était l'amiral Nguyen, le plus jeune des participants. Un belliciste. Imbu de lui-même à la manière commune chez bien des hommes ambitieux ayant réussi tôt.

Le général Adiki-Sandoval approuva en hochant sa tête massive de taureau.

— Je suis d'accord. Ce n'est pas seulement de Mars que nous devons nous soucier, dans la situation actuelle. Si nous commençons à paraître faibles à l'Alliance des Planètes extérieures, vous pouvez prévoir une recrudescence de l'activité terroriste.

Mikel Agee, le membre du Corps diplomatique, se laissa aller contre le dossier de son siège et passa une langue nerveuse sur ses lèvres. Ses cheveux lisses coiffés en arrière et ses traits pincés lui donnaient des airs de rat anthropomorphe.

— Messieurs, je me vois dans l'obligation d'exprimer mon désaccord…

— Bien évidemment, railla froidement le général Nettleford.

Agee fit mine de ne pas l'avoir entendu.

— À ce stade, une rencontre avec Mars est un premier pas nécessaire. Si nous commençons à multiplier les conditions préalables et les obstacles, non seulement le processus demandera plus longtemps, mais les risques d'une reprise des hostilités s'accroîtront. En revanche, si nous parvenons à faire baisser la pression, en lâchant un peu de lest…

Le visage inexpressif, l'amiral Nguyen acquiesça. Quand il prit la parole, ce fut sur un ton presque badin :

— Vous n'auriez pas des métaphores plus récentes que celle du lâcher de lest, à la Diplo ?

Avasarala ne fut pas la seule à réprimer un léger rire. Elle non plus n'avait pas une très grande estime pour Agee.

— Mars est déjà dans la surenchère, dit le général Nettleford. Pour moi, le mieux serait de retirer la 7e de la station Cérès. Pour les mettre en rogne, enclencher le compte à rebours et voir si les Martiens veulent rester sur Ganymède.

— Vous parlez de les faire bouger vers le système jovien ? demanda Nguyen. Ou bien les emmener vers Mars ?

— Diriger quelque chose vers la Terre ressemble beaucoup à diriger quelque chose vers Mars, remarqua Nettleford.

Avasarala s'éclaircit la voix.

— Vous avez de nouvelles informations sur l'agresseur initial ? s'enquit-elle.

— Nos techniciens travaillent sur la question, répondit Nettleford. Mais tout ça va dans mon sens. Si Mars teste de nouvelles technologies sur Ganymède, nous ne pouvons pas les laisser dicter le tempo. Nous devons nous aussi avancer nos pièces sur l'échiquier pour déployer notre propre menace.

— C'était la protomolécule, n'est-ce pas ? demanda Agee. Je veux dire, c'était cette chose présente sur Éros quand l'astéroïde s'est crashé ?

— On travaille aussi sur cette question, répliqua Nettleford avec une certaine brièveté. Il existe des caractéristiques générales communes, mais aussi des différences basiques. La chose ne s'est pas propagée comme elle l'a fait sur Éros. Ganymède ne change pas comme la population d'Éros a changé. D'après l'imagerie satellite dont nous disposons, il semble que la chose soit apparue dans le territoire martien et se soit autodétruite, ou ait été détruite par ceux qui l'ont libérée. Si elle a un rapport avec ce qu'il y avait sur Éros, elle a été améliorée.

— Donc Mars s'est procuré un échantillon et en a fait une arme, conclut l'amiral Souther.

Il intervenait rarement, et Avasarala oubliait toujours à quel point il avait un timbre de voix haut perché.

— C'est une possibilité, concéda Nettleford. Une très forte possibilité.

— Écoutez, dit Nguyen avec un petit sourire de satisfaction digne d'un gamin sentant qu'il va obtenir ce qu'il désire, je sais que nous avons supprimé une frappe préventive des options, mais nous devons définir quelles limites nous fixons à une riposte immédiate. S'il s'agissait d'un essai avant quelque chose de plus grande envergure, tergiverser est peut-être aussi dangereux que sortir nu d'un sas dans le vide.

— Nous devrions accepter une rencontre avec Mars, lâcha Avasarala.

Un silence suivit. Le visage de Nguyen s'était assombri.

— Est-ce que c'est… commença-t-il, mais sans terminer.

Elle observa les hommes qui échangeaient des regards interrogateurs, prit une autre pistache dans son sac, la mangea et rangea les deux moitiés de la coquille. Agee s'efforçait de ne pas paraître satisfait. Il fallait vraiment qu'elle découvre qui avait tiré les ficelles pour lui faire représenter le Corps diplomatique. Ce choix était terrible.

— Le volet sécurité va poser problème, dit Nettleford. Il n'est pas envisageable de laisser un seul de leurs bâtiments pénétrer dans notre périmètre de défense.

— D'un autre côté, hors de question qu'ils organisent la rencontre. Si nous l'acceptons, il faut qu'elle ait lieu ici, sous notre contrôle.

— On pourrait leur fixer un point de rendez-vous à distance sûre, et ensuite envoyer nos transports les chercher ?

— Ils n'accepteront jamais de telles conditions.

— Alors définissons des conditions qui leur conviendront.

Avasarala se leva sans hâte et se dirigea vers la porte. Au fond de la salle, son assistant personnel – un jeune Européen répondant au nom de Soren Cottwald – s'écarta du mur et la suivit. Les généraux firent mine de ne pas remarquer sa sortie, et peut-être les nouvelles questions à résoudre qu'elle leur avait dévoilées les préoccupaient suffisamment pour que ce soit le cas. Quoi qu'il en soit, ils étaient aussi heureux de la voir quitter la réunion qu'elle de s'en échapper, elle en avait la conviction.

Les couloirs et les halls du complexe des Nations unies à La Haye étaient vastes et immaculés, décorés dans un style discret qui donnait à l'ensemble de faux airs de diorama de musée sur les colonies portugaises dans les années 1940. Elle fit halte devant un recycleur pour matières organiques et sortit de son sac les coquilles de pistache.

— Qu'y a-t-il de prévu, ensuite ? demanda-t-elle.

— Un débriefing avec M. Errinwright.

— Et puis ?

— Meeston Gravis, au sujet du problème en Afghanistan.

— Annulez.

— Que dois-je lui dire ?

Elle épousseta ses mains au-dessus de la poubelle, tourna les talons et marcha d'un pas nerveux en direction des ascenseurs.

— Qu'il aille se faire foutre, lâcha-t-elle. Dites-lui que les Afghans résistaient déjà à toute férule extérieure bien avant que mes ancêtres chassent les Britanniques. Dès que j'aurai trouvé un moyen de modifier cet état de choses, je le lui ferai savoir.

— Bien, madame.

— J'ai aussi besoin d'un rapport actualisé sur Vénus. Avec les toutes dernières données. Et comme je n'aurai pas le temps de demander à un spécialiste de me le traduire, s'il n'est pas rédigé dans un langage clair et concis virez l'abruti responsable et dégottez-moi quelqu'un qui saura écrire correctement.

— Bien, madame.

L'ascenseur qui montait du hall d'entrée et des salles de réunion pour distribuer les bureaux brillait comme un diamant serti dans l'acier, et on aurait pu y installer sans problème une table de quatre couverts. L'appareil les identifia quand ils entrèrent dans la cabine et entama sa lente ascension à travers les niveaux successifs. Par les baies vitrées des zones communes, le Binnenhof semblait rapetisser et l'énorme fourmilière des immeubles de La Haye s'étalait sous un ciel d'un bleu sans tache. On était au printemps, et la neige qui blanchissait la ville depuis décembre avait enfin disparu. Les pigeons s'envolaient en nuées dans les rues, loin en bas. La planète comptait trente milliards d'habitants, mais jamais leur nombre n'étoufferait les pigeons.

— Ce sont tous des empaffés, maugréa-t-elle.

— Je vous demande pardon ? dit poliment Soren.

— Les généraux. Ce sont tous des empaffés.

— Je croyais que seul Souther était…

— Je ne veux pas dire par là qu'ils sont tous homosexuels. Seulement que ce sont tous des hommes, ces empaffés. À quand remonte la dernière fois où une femme a dirigé les forces armées ? Jamais depuis que je suis ici. Total, on finit avec un exemple de plus de ce qui arrive en politique lorsqu'il y a surdose de testostérone dans la même salle de réunion. Ce qui me fait penser : contactez Annette Rabbit, à l'Infrastructure. Je n'ai aucune confiance en Nguyen. S'il commence à traficoter avec qui que ce soit de l'assemblée générale, je veux le savoir.

Soren se racla la gorge.

— Pardonnez-moi, madame, mais vous venez bien de me demander d'espionner l'amiral Nguyen ?

— Non, je vous ai ordonné de mettre en place un contrôle exhaustif des échanges sur le réseau, et je me fiche complètement de tous les résultats sans rapport avec le bureau de Nguyen.

— Bien sûr. Mes excuses.

L'ascenseur s'éleva au-dessus de la zone vitrée offrant vue sur la ville et atteignit le puits sombre des étages où se trouvaient les bureaux privés. Avasarala fit craquer les articulations de ses doigts.

— Au cas où, à propos : vous agissez de votre propre initiative.

— Oui, madame. C'est aussi ce que j'avais compris.

Pour qui connaissait Avasarala seulement de réputation, son bureau était trompeusement modeste. Situé du côté est du bâtiment, celui habituellement réservé aux officiels de rang inférieur en début de carrière, il était éclairé par une fenêtre donnant sur le paysage citadin, mais pas dans un angle. L'écran vidéo qui occupait la majeure partie du mur sud restait éteint quand il ne servait pas, ce qui créait une grande surface d'un noir mat. Les autres cloisons étaient lambrissées de bambous éraflés. La moquette rase, de type industriel, était ornée de motifs géométriques, comme pour dissimuler des taches éventuelles. Les seuls autres éléments décoratifs se limitaient à un petit autel orné d'une sculpture en terre cuite de Gautama, le Bouddha, placé derrière son bureau, et un vase en verre taillé contenant les fleurs que son mari Arjun lui faisait livrer chaque jeudi. Elle s'approcha de la fenêtre. Sous elle, la ville étalait sa surface de vieilles pierres et de béton.

Dans le ciel de plus en plus sombre, Vénus était un brasier.

Cela faisait douze ans qu'Avasarala occupait ce bureau, et les choses avaient bien changé depuis son arrivée ici. Dans les premiers temps, l'alliance entre la Terre et son jeune frère était indestructible et éternelle. La Ceinture représentait une nuisance et abritait des groupuscules de renégats et autres fauteurs de troubles aussi susceptibles de mourir d'une avarie à bord d'un vaisseau qu'en prison. L'humanité était seule dans l'univers.

Puis on avait découvert que Phœbé, cette lune caractéristique de Saturne, était en réalité une arme extraterrestre lancée en direction de la Terre lorsque la vie sur la planète bleue n'était encore qu'une idée séduisante enrobée dans une bicouche lipidique. Comment les choses auraient pu rester les mêmes après cela ?

Et pourtant c'était le cas. Certes la Terre et Mars ne savaient toujours pas s'ils étaient alliés permanents ou ennemis mortels. Certes l'APE, ce Hezbollah de l'espace, était sur le point de devenir une force politique avec laquelle il faudrait compter au sein des planètes extérieures. Certes la chose censée remodeler la biosphère primitive de la Terre avait chevauché un astéroïde qui avait fini sous les nuages de Vénus, et personne ne savait ce qu'elle avait commencé à faire là.

Mais le printemps arrivait toujours à la période prévue. Le cycle des élections se déroulait selon son schéma immuable. L'étoile du berger continuait de briller dans l'indigo des cieux, et son éclat était plus vif que celui des plus grandes cités de la Terre.

Un autre jour, elle aurait trouvé tout cela rassurant.

— M. Errinwright, annonça Soren.

Elle se tourna vers l'écran mural au moment où celui-ci s'allumait. Sadavir Errinwright avait la peau plus mate qu'elle, et un visage tout en courbes douces. Il serait passé inaperçu n'importe où au Panjab, mais sa diction affectait l'amusement froid et analytique des Britanniques. Il portait un costume sombre et une cravate à la finesse élégante. Où qu'il soit, c'était le plein jour. La connexion instable hésitait entre l'ombre et la lumière, ce qui faisait de lui tour à tour une silhouette sombre dans un bureau gouvernemental et un homme dans un halo éblouissant.

— Votre réunion s'est bien passée, j'espère ?

— Bien, oui, répondit-elle. Nous avançons, pour le sommet martien. Ils en sont à régler les questions de sécurité, maintenant.

— L'idée a fait consensus ?

— Quand je l'ai exposée, oui. Les Martiens envoient des représentants de haut rang pour rencontrer des officiels des Nations unies à qui ils exprimeront de vive voix leurs excuses avant de voir comment normaliser les relations et rendre Ganymède blablabla… Qu'en dites-vous ?

Errinwright se gratta le menton.

— Je ne suis pas certain que ça plaise à nos opposants sur Mars.

— Ils peuvent toujours protester. Nous diffuserons des communiqués de presse agressifs et menacerons d'annuler la rencontre jusqu'au dernier moment. La dramatisation a du bon. Mieux encore : elle est distrayante. Assurez-vous simplement que Tête d'Ampoule ne parle pas de Vénus ou d'Éros.

Il tiqua de façon presque subliminale.

— Je vous en prie, nous ne pourrions pas faire référence au secrétaire général autrement qu'en l'appelant “Tête d'Ampoule” ?

— Et pourquoi donc ? C'est le surnom que je lui donne, et il le sait. Je le lui ai dit en face, et ça ne l'a pas choqué.

— Il a pensé que vous plaisantiez.

— Preuve que c'est une vraie tête d'ampoule. Ne le laissez pas parler de Vénus.

— Et l'enregistrement vidéo ?

La question était justifiée. Quelle que soit la chose qui avait déclenché cette attaque sur Ganymède, elle l'avait fait dans une zone sous contrôle des Nations unies. Si l'on devait croire ce qui se racontait – et on ne le devait pas –, Mars disposait de l'enregistrement effectué par la caméra intégrée à une combinaison de combat d'un de ses soldats. Avasarala avait à sa disposition sept minutes d'enregistrements vidéo de haute qualité provenant de quarante caméras différentes et qui montraient la créature en train de massacrer les meilleurs combattants de la Terre. Même si l'on parvenait à convaincre les Martiens d'étouffer l'affaire, celle-ci serait difficile à enterrer complètement.

— Laissez-moi jusqu'à la réunion, décida Avasarala. Que je voie ce qu'ils disent, et comment ils le disent. Alors je saurai comment manœuvrer. S'il s'agit d'une arme martienne, ils le montreront par ce qu'ils mettront sur la table.

— Je vois, dit lentement Errinwright.

Ce qui signifiait le contraire.

— Monsieur, avec tout mon respect, pour l'instant il faut que cette affaire reste entre la Terre et Mars.

— Et une dramatisation entre les deux plus grandes puissances militaires du système est ce que nous recherchons ? Comment envisagez-vous la chose, au juste ?

— J'ai reçu une alerte de la part de Michael-Jon de Uturbé concernant un accroissement d'activité sur Vénus *au moment précis* où les tirs ont commencé sur Ganymède. Ce n'était pas un pic très important, mais c'était bien là. Et ça s'agite sur Vénus juste quand il se passe quelque chose qui ressemble beaucoup à une apparition de la protomolécule sur Ganymède ? Il y a un problème.

Elle laissa le temps à ses propos de faire leur effet avant de poursuivre. Le regard d'Errinwright dériva, comme s'il décryptait quelque chose dans l'air. C'était une réaction qu'il avait lorsqu'il réfléchissait intensément.

— Une attitude menaçante, c'est un stratagème que nous avons déjà pratiqué, dit-elle. Et nous avons survécu. Nous maîtrisons. J'ai un dossier de neuf cents pages d'analyses et de plans d'urgence en cas de conflit avec Mars, y compris quatorze scénarios différents quant à ce que nous ferions s'ils développaient une nouvelle technologie inattendue. Le dossier en rapport avec notre réaction si quelque chose vient de Vénus ? Il comporte trois pages, et il commence par *Première Étape : Trouver Dieu*.

Errinwright paraissait grave. Elle pouvait entendre Soren respirer derrière elle, et son silence était plus tendu et anxieux qu'à l'accoutumée. Elle avait mis ses craintes sur la table.

— Trois options, dit-elle à mi-voix. La première : Mars est derrière tout ça. C'est la guerre, tout simplement. Ça, nous savons gérer. La deuxième : C'est le fait de quelqu'un d'autre. Déplaisant et dangereux, mais gérable. La troisième : La chose s'est faite d'elle-même. Et là, nous n'avons rien.

— Vous allez ajouter des feuillets à votre dossier trop fin ? demanda Errinwright.

Le ton pouvait paraître désinvolte, l'homme ne l'était pas.

— Non, monsieur. Je vais découvrir à laquelle de ces options nous sommes confrontés. Si c'est une des deux premières, je résoudrai le problème.

— Et si c'est la troisième ?

— Je me retire, répondit-elle. Je laisse un autre imbécile se coltiner l'affaire.

Errinwright la fréquentait depuis assez longtemps pour savoir quand elle plaisantait. Il sourit et tirailla sa cravate d'un geste absent. Chez lui, c'était un signe révélateur. Il était aussi inquiet qu'elle. Quelqu'un ne le connaissant pas n'en aurait rien deviné.

— Nous sommes sur la corde raide. Nous ne pouvons pas laisser se développer le conflit sur Ganymède.

— Je vais m'arranger pour minorer l'incident, affirma Avasarala. Personne ne déclenche une guerre sans mon feu vert.

— Vous voulez dire sans que le secrétaire général en ait pris la décision et que l'assemblée générale ait ratifié celle-ci par vote.

— Et je vais lui expliquer qu'il ne peut pas faire ça, déclara-t-elle. Mais vous pourriez le mettre au courant... S'il l'apprend d'une vieille grand-mère comme moi, il en aura la queue toute racornie.

— Chose que nous ne pouvons permettre, c'est certain. Bon, faites-moi savoir ce que vous apprenez. Je vais parler avec l'équipe des rédacteurs de discours pour m'assurer que le texte de son annonce reste dans les clous.

— Et toute personne qui diffuserait l'enregistrement vidéo devrait en répondre devant moi.

— Toute personne qui la diffuserait se rendrait coupable de haute trahison et passerait en jugement avant d'être envoyé à perpétuité sur la Colonie Pénitentiaire Lunaire.

— À peu près, oui.

— Tenez-moi au courant, Chrisjen. Nous traversons une période difficile. Moins il y aura de surprises, mieux ce sera.

— Oui, monsieur.

La communication fut coupée et l'écran redevint noir. Elle y vit son reflet dans une tache orangée surmonté du gris de sa chevelure. Soren n'était qu'une vague forme kaki et blanche.

— Vous avez besoin que je vous donne autre chose à faire ?

— Non, madame.

— Alors virez vos fesses d'ici.

— Oui, madame.

Elle entendit ses pas qui s'éloignaient.

— Soren !

— Madame ?

— Procurez-moi une liste de tous les gens qui ont témoigné lors des audiences concernant l'incident Éros. Et vérifiez ce qu'ils ont déclaré en dehors des analyses neuropsychologiques, si ça n'a pas déjà été fait.

— Vous désirez les transcriptions de leurs dépositions ?

— Oui, aussi.

— Je vous les apporte au plus vite.

La porte se referma derrière lui, et Avasarala se laissa aller au fond de son fauteuil. Elle avait mal aux pieds, et les prémices d'une migraine qui couvait depuis le matin se précisaient. Le bouddha arborait toujours une expression de béatitude sereine, et elle lui sourit en réponse, comme si elle partageait avec lui une plaisanterie dont eux seuls pouvaient savourer le sel. Elle avait envie de rentrer chez elle, s'installer sous le porche et écouter Arjun travailler son piano.

Au lieu de quoi…

Elle utilisa son terminal personnel plutôt que le système du bureau pour appeler Arjun. C'était un besoin superstitieux qui la poussait à mettre une séparation entre eux, même par des subterfuges aussi anodins que celui-ci. Il répondit dans l'instant. Il avait le visage anguleux, et sa barbe coupée très court était presque totalement blanche, à présent. L'éclat joyeux dans ses yeux était toujours là, même quand il pleurait. Il suffisait à Chrisjen de le voir pour sentir l'étau de la tension se desserrer autour de sa poitrine.

— Je vais rentrer tard, annonça-t-elle, regrettant aussitôt son ton détaché.

Arjun hocha la tête.

— Je suis choqué au-delà des mots, dit-il, et même son sarcasme était doux. Le masque est lourd à porter, aujourd'hui ?

Le masque, c'était ainsi qu'il disait. Comme si la personne qu'elle était face au monde était un leurre, et celle qui parlait à son mari ou jouait à peindre avec ses petites-filles la vraie Avasarala. Elle pensait qu'il se trompait, mais cette fiction était trop réconfortante pour qu'elle ne l'accepte pas.

— Très lourd, aujourd'hui, oui. Que fais-tu, mon chéri ?

— Je lis le brouillon de la thèse de Kukurri. Il faudra remanier.

— Tu es dans le bureau ?

— Oui.

— Tu devrais t'installer dans le jardin.

— Parce que c'est là que tu voudrais être ? Nous pourrons y aller quand tu rentreras.

Elle soupira.

— Je risque de revenir très tard.

— Alors réveille-moi, et nous irons ensemble.

Elle effleura l'écran du bout des doigts, et il sourit comme s'il sentait sa caresse. Elle coupa. Selon une vieille habitude, ils ne se disaient jamais au revoir. C'était là un des mille petits tics qui s'installaient au fil de dizaines d'années de mariage.

Avasarala reporta son attention sur le système comm de son bureau et afficha sur l'écran l'analyse technique de la bataille sur Ganymède, les profils établis par les services de renseignements des principaux organes militaires sur Mars, et le plan d'ensemble de la future réunion, déjà à moitié rempli par les généraux depuis leur dernière entrevue. Elle prit une pistache dans son sac, en craqua la coque et s'abreuva des informations brutes à sa disposition, en laissant son esprit passer librement de l'une à l'autre. Dans la fenêtre derrière elle, d'autres étoiles essayaient de percer la pollution lumineuse de La Haye, mais Vénus demeurait la plus brillante de toutes.

6

HOLDEN

Holden rêvait de couloirs interminables et tortueux peuplés d'horreurs à moitié humaines quand une sonnerie bruyante le réveilla dans la cabine totalement obscure. Il se battit un moment avec les sangles de la couchette, réussit à les déboucler et put enfin flotter librement dans la microgravité. Le panneau mural bipa encore. Holden prit appui contre la couchette pour exercer une poussée qui l'amena jusque-là, et il appuya sur la touche commandant l'éclairage de la cabine. L'endroit était exigu : une couchette anti-crash de soixante-dix ans d'âge placée au-dessus d'un coffre de rangement individuel, le tout collé à la cloison, des toilettes et un lavabo encastrés dans un coin, et en face un panneau mural marqué du nom *Somnambule*.

À la troisième sonnerie, Holden enfonça la touche pour répondre :

— On en est où, Naomi ?

— Décélération finale pour mise en orbite haute. Tu ne vas pas le croire, mais ils nous obligent à faire la queue.

— La queue, comme dans une file d'attente ?

— Exactement. Je crois qu'ils montent à bord de tous les vaisseaux qui veulent se poser sur Ganymède.

Merde.

— Merde. Ils sont de quel côté ?

— C'est vraiment important ?

— Eh bien, la Terre m'en veut parce que je leur ai piqué deux mille missiles nucléaires pour les refiler à l'APE. Et Mars m'en veut seulement de leur avoir volé un de leurs vaisseaux. J'imagine que j'encours des sanctions sensiblement différentes.

Naomi s'esclaffa.

— Ils te boucleraient pour l'éternité, dans un cas comme dans l'autre.

— Mouais, je m'attache peut-être un peu trop aux détails…

— Le groupe que nous allons rejoindre semble composé d'appareils des Nations unies, mais une frégate martienne surveille le tout en position fixe, un peu à l'écart.

Holden remercia mentalement Fred Johnson qui sur Tycho l'avait persuadé de prendre le *Somnambule* récemment réparé pour se rendre sur Ganymède, plutôt que le *Rossinante*. Le cargo était sans conteste l'unité la moins suspecte de toute la flotte actuelle de l'APE, bien moins susceptible d'attirer une attention non désirée que leur vaisseau de guerre martien volé. Ils avaient laissé le *Rossi* à un million de kilomètres de Jupiter, dans un coin où personne n'irait jeter un œil. Alex avait mis l'appareil en veilleuse, ne laissant en fonction que le recycleur d'air et les senseurs passifs, et le pilote était certainement calfeutré dans sa cabine en compagnie d'un chauffage et d'un tas de couvertures, à attendre leur appel.

— Bon, je monte. Explique la situation à Alex par faisceau. Si nous nous faisons alpaguer, qu'il ramène le *Rossi* sur Tycho.

Holden ouvrit le compartiment sous sa couchette et en sortit une combinaison verte peu seyante portant la mention *Somnambule* et le nom *Philips* sur une poche de poitrine. Selon le manifeste de vol du vaisseau que les sorciers de la technique avaient concocté sur Tycho, il était Walter Philips, ingénieur mais aussi homme à tout faire sur le transport alimentaire *Somnambule*. Il était également le troisième sur le plan hiérarchique, pour un équipage de trois personnes. À cause de sa réputation dans le système solaire, on avait jugé plus prudent de lui attribuer une place à bord supposée éviter tout échange avec un quelconque représentant de l'autorité.

Il se lava dans le minuscule lavabo – pas d'eau courante, seulement un système de lingettes nettoyantes – et gratta la barbe approximative qu'il laissait pousser pour parfaire son déguisement. Il n'en avait encore jamais porté, et il avait eu la déconvenue de constater que sa pilosité faciale était pour le moins erratique, avec des zones plus ou moins fournies. Amos l'avait imité, en signe de solidarité, et il plastronnait désormais avec une broussaille abondante qu'il envisageait de garder tant elle lui paraissait esthétique.

Holden glissa la lingette utilisée dans le recycleur et d'une poussée se dirigea vers l'écoutille de la cabine et l'échelle de coupée menant au pont des ops.

C'était du moins le titre pompeux dont on affublait cette partie du vaisseau. Le *Somnambule* avait près d'un siècle d'ancienneté et il approchait d'une fin de carrière inéluctable. S'ils n'avaient pas eu besoin d'un appareil dispensable pour cette mission, les gens de Fred auraient probablement désarmé cette vieillerie. Sa récente prise de bec avec des pirates l'avait laissée en piteux état, mais elle avait passé les vingt dernières années à effectuer le circuit de ravitaillement entre Ganymède et Cérès, et son nom figurait de façon répétée sur les registres, prouvant qu'elle visitait régulièrement cette lune de Jupiter. D'après Fred, avec sa fréquence de passage sur le satellite le *Somnambule* avait toutes les chances de franchir les diverses sécurités sans même être inspecté.

Une vision des choses apparemment très optimiste.

Naomi était sanglée devant un des postes ops quand Holden arriva. Elle était vêtue d'une combinaison verte semblable à la sienne, avec sur la poche le nom *Estancia*. Elle lui sourit et désigna l'écran.

— C'est le groupe de vaisseaux qui contrôle tous les appareils entrants, avant de les autoriser à se poser.

Il appliqua le zoom télescopique sur l'image afin de mieux voir les coques et les codes d'identification qu'elles portaient.

— Merde. Des appareils des Nations unies, aucun doute possible.

Une tache plus réduite partie d'un de ces bâtiments traversait l'écran en direction du gros cargo qui arrivait en début de convoi.

— Et ça, ça ressemble à une vedette d'abordage.

— Eh bien, c'est une bonne chose que tu te sois négligé ce dernier mois, railla Naomi en lui tirant une boucle de cheveux. Avec cette toison sur le crâne et cette barbe horrible, tes propres mères ne te reconnaîtraient pas.

— J'espère qu'ils n'ont pas recruté mes mères, répondit-il en s'efforçant d'adopter un ton aussi léger. Je vais avertir Amos de leur arrivée.

Holden, Naomi et Amos patientaient dans le bout de coursive bordé de casiers, juste devant le panneau intérieur du sas, pendant que leurs visiteurs terminaient le cycle d'entrée. Naomi avait fière allure, avec sa grande taille et son air sérieux, dans son uniforme de capitaine fraîchement nettoyé et ses bottes à semelles magnétiques. Le véritable capitaine Estancia avait commandé le *Somnambule* pendant dix ans avant l'attaque de pirates qui lui avait coûté la vie. Holden estimait que Naomi le remplaçait avec brio.

Derrière elle, Amos portait une combinaison d'ingénieur en chef avec une attitude prononcée d'ennui. Même dans la microgravité que générait leur trajectoire orbitale autour de Ganymède, il donnait l'impression d'être avachi. De son côté, Holden faisait son possible pour paraître dynamique et dissimuler sa mauvaise humeur.

Le sas termina son cycle et son panneau intérieur coulissa. Six Marines en tenue renforcée de combat et un jeune lieutenant en combinaison isolante sortirent du sas dans le claquement de leurs bottes magnétiques. L'officier survola l'équipage d'un regard blasé et vérifia quelque chose sur son terminal. Il semblait aussi peu désireux d'être là qu'Amos. Holden l'imaginait aisément, ce jeune homme n'appréciait que très modérément sa mission de contrôle et était probablement aussi pressé qu'eux d'en finir avec ces formalités.

— Rowena Estancia, capitaine et actionnaire majoritaire du cargo le *Somnambule Pleureur*, immatriculé sur Cérès.

Ce n'était pas une question, mais Naomi répondit quand même :

— Oui, monsieur.

— J'aime le nom, dit l'officier sans lever les yeux de son terminal.

— Monsieur ?

— Le nom du vaisseau. Original. Si je contrôle encore un appareil baptisé en souvenir de ce week-end de rêve sur Titan, je jure que je vais me mettre à distribuer des amendes pour manque de créativité.

Holden sentit naître une tension dans ses épaules, qui remonta à sa nuque. Ce lieutenant détestait sans doute son affectation actuelle, mais il était intelligent et perspicace, et il venait de le leur faire savoir.

— En fait le cargo a été nommé après trois mois passés à pleurer après qu'il m'eut quittée, sur Titan, dit Naomi en souriant. Mais c'est sûrement une bonne chose, finalement. J'étais partie pour lui donner le nom de mon poisson rouge.

Le lieutenant releva subitement la tête. Puis il se mit à rire.

— Merci, capitaine. La première chose amusante que j'entends aujourd'hui. D'habitude les gens sont terrorisés quand j'arrive, et ces six tas de viande – du pouce, il indiqua les Marines immobiles derrière lui – ont eu leur sens de l'humour chimiquement éradiqué.

Holden glissa un regard rapide à Amos. *Il la drague ? Je crois bien qu'il la drague.* Le rictus qu'eut le mécanicien en réponse pouvait signifier n'importe quoi.

L'officier tapa quelque chose sur son terminal avant de déclarer :

— Protéines, suppléments nutritifs, purificateurs d'eau, et antibiotiques. Je peux jeter un œil ?

— Bien sûr, monsieur, répondit Naomi en lui désignant l'écoutille. Par ici.

Elle s'en fut, le lieutenant et deux Marines sur les talons. Les quatre autres restaient positionnés devant le sas, dans une attitude vigilante. Amos décocha un petit coup de coude à Holden pour attirer son attention et lança :

— Eh, les gars, ça gaze aujourd'hui ?

Les Marines ne réagirent pas.

— Je disais à mon pote, justement : "Je parie que ces chouettes tenues qu'ils ont leur écrasent les noix."

Holden ferma les yeux et se mit à envoyer des messages télépathiques urgents au mécanicien pour qu'il la ferme. Sans succès.

— Je veux dire, tout cet équipement ultraperfectionné que vous portez, et vous ne pouvez même pas vous les gratter si ça vous démange. Et je n'imagine même pas quand elles se calent d'un seul côté, les contorsions que vous devez faire pour rééquilibrer le service trois-pièces.

Holden rouvrit les yeux. Les Marines fixaient tous Amos du regard, mais aucun n'avait bougé ni proféré un son. Holden recula discrètement dans le coin du couloir et s'efforça de se fondre dans la cloison. Personne ne lui accorda le moindre intérêt.

— Donc, poursuivit Amos d'un ton amical, j'ai une théorie, et j'espère que vous pourrez me dire si j'ai vu juste, les gars.

Le Marine le plus proche s'avança d'un demi-pas, mais ce fut tout.

— Voilà ma théorie : pour éviter tous ces petits problèmes, on vous a coupé tout ce qui risquait de se coincer là où il ne faut pas dans la tenue. En plus, ça a l'avantage de supprimer vos envies de vous papouiller la nouille pendant ces longues nuits à bord.

Le Marine fit un autre pas, et Amos vint immédiatement à sa rencontre pour réduire la distance. Le nez si proche du casque de l'autre que son souffle couvrait la visière de buée, le mécanicien ajouta, jovial :

— Alors, pas de cachotteries avec moi, Joe, d'accord ? Dis-moi, l'extérieur de cette tenue, c'est anatomiquement le reflet de l'intérieur, hmm ?

Suivit un long silence tendu qui fut enfin brisé quand quelqu'un se racla la gorge du côté de l'écoutille, et le lieutenant revint dans la coursive.

— Il y a un problème ?

Avec un sourire, Amos recula.

— Nan. Je faisais juste connaissance avec ces chouettes messieurs dames qui touchent leur salaire grâce à mes impôts.

— Sergent ? interrogea l'officier.

Le Marine se remit dans l'alignement des autres.

— Non, monsieur. Pas de problème.

Le lieutenant se tourna et serra la main de Naomi.

— Capitaine Estancia, ç'a été un plaisir. Nos services vont vous envoyer très vite par radio l'autorisation de vous poser. Je suis sûr que les habitants de Ganymède vous seront reconnaissants de l'approvisionnement que vous livrez.

— Nous en sommes heureux, si ça peut aider, affirma Naomi en gratifiant l'officier d'un sourire éblouissant.

Quand l'escouade des Nations unies eut refranchi le sas en sens inverse et regagné sa navette, Naomi se vida longuement les poumons et entreprit de se masser les joues.

— S'il avait fallu que je sourie une seconde de plus, mon visage se serait fissuré.

Holden saisit la manche d'Amos.

— Bordel. De. Merde, grinça-t-il sans desserrer les dents. Qu'est-ce que c'était que tout ce cirque ?

— Quoi ? fit Naomi.

— Pendant ton absence, il a tout fait pour mettre les Marines en rogne, expliqua Holden. Je n'en reviens pas qu'ils ne l'aient pas descendu, et moi pour suivre.

Le mécanicien baissa les yeux sur la main qui agrippait son vêtement, mais il n'essaya pas de se dégager.

— Chef, vous êtes un type bien, mais comme contrebandier vous seriez minable.

— Quoi ? répéta Naomi.

— Notre gentil capitaine était tellement nerveux que même moi j'ai commencé à penser qu'il cachait quelque chose, dit Amos. Alors j'ai occupé les Marines en attendant que vous reveniez. Oh, et ils ne peuvent pas vous canarder tant que vous ne les avez pas touchés physiquement ou sorti une arme. Vous avez été dans la Flotte des Nations unies, vous devriez vous souvenir du règlement.

— Alors… commença Holden.

— Alors, coupa Amos, si ce lieutenant questionne ses hommes à notre sujet, ils parleront d'un trou du cul de mécano qui les a asticotés, et pas du type nerveux avec la barbe d'ado qui se planquait dans son coin.

— Merde, grommela Holden.

— Vous êtes un bon capitaine, et s'il y a du grabuge je vous fais confiance sans problème pour protéger mes arrières. Mais désolé, vous faites un criminel lamentable. C'est bien simple, vous ne savez tout bonnement pas être quelqu'un d'autre que vous.

— Au fait, tu veux reprendre ton poste de capitaine ? demanda Naomi. Ce boulot pue.

— Tour de contrôle de Ganymède, ici le *Somnambule*. Nous réitérons notre requête pour désignation d'aire d'atterrissage, dit Naomi. Nous avons passé le contrôle des patrouilles des Nations unies, et vous nous faites patienter en orbite basse depuis déjà trois heures.

Elle éteignit le micro et marmonna :

— Connards.

La voix qui répondit était différente de celle à qui ils demandaient l'autorisation de se poser depuis le début. Celle-là paraissait plus âgée, et plus lasse :

— Toutes nos excuses, *Somnambule*, nous vous mettrons dans la file dès que possible. Mais nous avons eu des lancements sans discontinuer depuis dix heures, et il reste encore une douzaine d'unités au décollage avant d'autoriser les atterrissages.

Holden ouvrit son propre micro.

— Nous nous adressons au superviseur, maintenant ?

— En effet. Superviseur général Sam Snelling, si vous voulez noter mon nom pour une éventuelle plainte. *Snelling* avec deux *l*.

— Non, non, s'empressa de répondre Holden. Il n'est pas question de plainte. Nous avons vu les appareils au départ. Il s'agit de réfugiés ? Avec le tonnage qui a quitté la surface, on a l'impression que la moitié de la lune s'en va.

— Non. Nous avons bien quelques charters et des unités de lignes commerciales régulières qui convoient des passagers, mais dans leur grande majorité les appareils en partance sont des cargos de ravitaillement.

— Des cargos de ravitaillement ?

— Nous expédions près de cent mille kilos de denrées diverses chaque jour, et les combats ont cloué au sol un grand nombre de ces transports en partance. Maintenant que le blocus autorise les gens à passer, ils partent faire leurs livraisons.

— Attendez une minute, dit Holden. J'attends de me poser avec un chargement de produits consommables pour les habitants de Ganymède censés manquer de tout, et cette lune en expédie quotidiennement cent tonnes ?

— C'est plus près de cinq cents, avec le retard, répondit Sam. Mais ces denrées ne nous appartiennent pas. Presque toute la production alimentaire de Ganymède est la propriété de firmes qui n'ont pas leur siège ici. Chaque jour qui passe sans expédition représente beaucoup d'argent perdu pour eux.

— Je… commença Holden, qui se reprit et dit : Ici le *Somnambule*, fin de communication.

Il fit pivoter son fauteuil pour se placer face à Naomi. Le visage fermé de la jeune femme trahissait une irritation équivalente à celle qu'il ressentait.

Affalé près de la console d'ingénierie et occupé à manger une pomme volée dans leurs réserves, Amos lança :

— Et ça vous étonne, capitaine ?

Une heure plus tard, ils reçurent la permission de se poser.

Vue en orbite basse et pendant leur descente, la surface de Ganymède ne semblait pas très différente de ce qu'elle avait toujours été. Au mieux c'était un désert de roches siliceuses grises et de glaces un peu moins grises, le tout grêlé de cratères et de lacs gelés. Le satellite ressemblait à un champ de bataille bien avant que les très lointains ancêtres de l'humanité rampent au sec pour la première fois.

Mais avec leur grande créativité et leur caractère industrieux, les êtres humains avaient trouvé un moyen de laisser leur empreinte. Holden repéra les restes presque squelettiques d'un destroyer étalés au sol, à l'extrémité d'un long sillon noirâtre. L'onde de choc provoquée par l'impact avait aplati les dômes les plus petits sur un rayon de dix kilomètres. Des unités de sauvetage survolaient la carcasse. Elles recherchaient moins des survivants que les fragments d'information et de technologie ayant survécu au crash et qui ne devaient surtout pas tomber aux mains de l'ennemi.

Les ravages les plus visibles se concentraient sur la perte complète d'une des énormes serres sous bulle. Les dômes d'agriculture étaient des structures gigantesques en verre et acier conçues pour protéger des hectares de sol soigneusement cultivé et de champs. La vision d'un tel exploit architectural écrasé sous la masse métallique tordue de ce qui semblait être un miroir orbital constituait un spectacle aussi choquant que démoralisant. Ces dômes nourrissaient les planètes extérieures avec leurs récoltes spéciales. La science agricole la plus avancée de l'histoire développait ses bienfaits sous ces abris géants. Et les miroirs orbitaux étaient des merveilles de technologie qui rendaient possible un tel miracle. La destruction de l'un par l'autre, pour ne laisser que ces décombres affligeants, frappa Holden comme étant une preuve d'imprévoyance aussi flagrante que de déféquer dans votre propre réserve d'eau potable pour empêcher l'ennemi de boire.

Le temps que le *Somnambule* pose ses os grinçants sur l'aire d'atterrissage qui lui avait été désignée, Holden en avait plus qu'assez de la stupidité humaine.

Laquelle se fit bien sûr un plaisir de venir à sa rencontre.

L'inspecteur des douanes guettait leur sortie du sas. C'était un individu sec comme une trique, au visage avenant surmonté d'un crâne chauve en forme d'œuf. Il était flanqué de deux hommes portant l'uniforme d'une quelconque unité de sécurité, armés de tasers glissés à leur ceinture.

— Bonjour, je suis M. Vedas, inspecteur détaché par les douanes au port 11, aires A14 à A22. Votre manifeste de vol, je vous prie.

Naomi endossa une fois encore le rôle de capitaine :

— Le manifeste a été transmis à vos services avant que nous nous posions. Je ne…

Holden remarqua que Vedas n'avait pas de terminal officiel pour l'inspection des cargaisons, et aussi que les uniformes des gardes l'accompagnant n'étaient pas siglés "Autorité portuaire de Ganymède". Il eut soudain la prémonition qu'une sale arnaque était en cours. Il s'avança et d'un geste supplanta Naomi pour la suite.

— Je m'en occupe, capitaine.

L'inspecteur des douanes Vedas le regarda de la tête aux pieds avant de lâcher :

— Et vous êtes ?

— Vous pouvez m'appeler M. Qui-Ne-Gobe-Pas-Ces-Conneries.

Vedas fit la grimace et les deux hommes de la sécurité se rapprochèrent légèrement. Holden leur sourit, passa une main dans son dos et délogea le gros pistolet coincé par la ceinture au niveau de ses reins, sous sa veste. Il plaqua l'arme contre sa cuisse, le canon pointé vers le sol, mais le trio recula quand même. Vedas blêmit.

— Je connais la combine, dit Holden. Vous demandez à voir notre manifeste ; ensuite, vous, vous nous annoncez quels éléments nous avons inclus *par erreur* dans le descriptif. Et pendant que nous transmettons le nouveau manifeste rectifié à votre bureau, vous et vos gros bras emportez le butin pour le revendre dans ce qui est à mon avis un marché noir très lucratif de denrées alimentaires et de médicaments.

— Je suis légalement investi de la charge d'administrateur de la station Ganymède, s'insurgea Vegas d'une voix aiguë. Vous avez l'intention de me brutaliser avec votre arme ? Je vais vous faire arrêter par la sécurité du port et saisir votre appareil et son contenu, si vous croyez que…

— Non, je ne vais pas vous brutaliser, l'interrompit Holden. Mais j'en ai jusque-là des salopards qui profitent du malheur ambiant, et je vais me soulager en laissant mon ami Amos, ici présent, vous filer une rouste grandiose pour avoir essayé de voler de la nourriture et des médicaments destinés à ceux qui en ont vraiment besoin.

— Ce sera moins de la brutalité qu'un exercice de décontraction, précisa Amos d'un ton affable.

Holden tourna un regard complice vers le mécanicien.

— Ça vous met vraiment de mauvaise humeur, Amos, de voir que ce type veut voler ces pauvres gens ?

— D'humeur massacrante, capitaine, approuva le colosse.

Holden tapota sa cuisse avec le canon du pistolet.

— Le flingue, c'est juste pour être sûr que la "sécurité portuaire" n'interviendra pas pendant qu'Amos exprime sa colère.

M. Vedas, inspecteur des douanes au port 11, en charge du contrôle des aires A14 à A22, tourna les talons et s'enfuit à toutes jambes, comme si sa vie en dépendait, imité à la perfection par ses deux acolytes.

— Ça vous a plu, avouez, dit Naomi.

Elle le jaugeait du regard, l'air curieux, et sa voix hésitait entre l'accusation et le simple constat.

Holden remit le pistolet à la place.

— Allons voir ce qui est arrivé ici.

7

PRAX

Le centre de la sécurité était installé au troisième niveau sous la surface. La finition des murs et l'approvisionnement énergétique indépendant ressemblaient à des preuves de luxe en comparaison de la glace brute qu'on trouvait en d'autres endroits de la station, mais c'étaient en fait des signes importants. Tout comme certaines plantes avertissent de leur caractère très toxique par un feuillage de couleur vive, le centre de sécurité exprimait ainsi son caractère inexpugnable. Il ne suffisait pas qu'il soit impossible de forer la glace pour faire évader un ami ou un amant d'une des cellules. Tout le monde devait comprendre que c'était impossible, et le comprendre d'un simple regard, pour éviter que quelqu'un ne tente de le faire.

Pendant toutes ces années passées sur Ganymède, Prax ne s'était rendu ici qu'en une seule occasion, et en qualité de témoin. Comme quelqu'un qui se déplace pour aider à la juste application de la loi, et non pour demander l'aide de cette dernière. Il était revenu à douze reprises la semaine écoulée, et avait piétiné en se joignant à la file d'attente de tous ces gens désespérés, en se tordant les doigts et en luttant contre le sentiment presque insupportable qu'il aurait dû se trouver ailleurs, à faire quelque chose, même s'il ne savait pas exactement quoi.

— Je regrette, docteur Meng. Rien aujourd'hui non plus, lui dit la femme derrière le guichet à vitre blindée du comptoir d'information publique.

Elle paraissait lasse. Plus que lasse, plus qu'épuisée, même. Commotionnée. Morte.

— Il y a quelqu'un d'autre à qui je pourrais m'adresser ? Il doit bien exister un moyen de…

— Je regrette, répéta-t-elle, et ses yeux se braquèrent derrière lui, sur la prochaine personne effrayée, désespérée et négligée qu'elle ne pourrait pas plus aider.

Prax repartit en grinçant des dents sous l'effet d'une rage impuissante. Il fallait faire la queue pendant deux heures, parmi des gens qui restaient debout, s'appuyaient contre le mur ou s'asseyaient. Certains pleuraient discrètement. Une jeune femme aux yeux rougis fumait une cigarette de marijuana, et l'odeur gommait celle d'une telle concentration de corps non lavés. La fumée s'élevait en volutes paresseuses jusqu'à la pancarte INTERDICTION DE FUMER accrochée à la cloison. Personne ne protestait. Tous ici avaient l'expression hagarde des réfugiés, même ceux qui étaient nés sur Ganymède.

Dans les jours qui avaient suivi l'arrêt officiel des combats, les forces militaires martiennes et terriennes s'étaient retirées sur leurs lignes respectives. Entre elles, le grenier à blé des planètes extérieures se retrouvait réduit à une jachère, et toutes les ressources intellectuelles de la station étaient mobilisées sur un seul objectif : partir.

Les ports avaient été paralysés pendant le blocus par les deux forces militaires en conflit, mais très vite celles-ci avaient quitté la surface pour la sécurité de leurs vaisseaux, et par la suite l'intensité de la panique et de la peur qui régnaient dans la station avait échappé à tout contrôle. Les quelques appareils acceptant des passagers et autorisés à quitter la lune avaient été pris d'assaut par des gens désireux de se rendre n'importe où, du moment que c'était ailleurs. Le prix de la place mettait sur la paille des gens ayant travaillé des années durant à certains postes scientifiques les mieux payés en dehors de la Terre. Les plus pauvres en étaient réduits à risquer leur vie à bord de drones marchands, de petits yachts ou même des combinaisons spatiales attachées à des structures modifiées et lancées vers Europa dans l'espoir d'être secourus dans le vide ; la panique en poussait certains à prendre tous les risques, jusqu'à ce qu'ils échouent quelque part ou finissent dans la tombe du vide intersidéral. Près des postes de sécurité, près des ports et même près des cordons militaires abandonnés par les Nations unies et Mars, les accès étaient engorgés par des foules avides de tout ce qui pouvait ressembler à un semblant de sécurité.

Prax regrettait de ne pas être avec tous ces gens.

Son monde s'était rétréci et limité à une routine. Il se réveillait chez lui, parce qu'il rentrait toujours la nuit venue, afin d'être présent si Mei réapparaissait à leur domicile. Il se nourrissait de ce qu'il réussissait à trouver. Ces deux derniers jours il n'y avait plus rien dans ses réserves personnelles, mais il avait déniché quelques plantes comestibles dans les allées. Il n'avait pas faim, de toute façon.

Ensuite il allait vérifier la liste des derniers cadavres répertoriés.

Les premières semaines, l'hôpital avait diffusé quotidiennement par vidéo un récapitulatif des corps retrouvés, afin d'aider à leur identification. Depuis il devait se déplacer pour examiner les dépouilles. Il recherchait une enfant, si bien qu'il s'épargnait la plus grande partie des victimes, mais celles qu'il voyait le hantaient. À deux reprises il avait trouvé un corps suffisamment mutilé pour être celui de Mei, mais le premier portait une marque de naissance en croissant à la nuque et l'autre avait des ongles des orteils d'une forme ne correspondant pas. Ces fillettes mortes étaient les tragédies d'autres parents.

Une fois assuré que Mei ne faisait pas partie des cadavres, il partait en chasse. La nuit après sa disparition, il avait utilisé son terminal personnel pour dresser une liste. Les gens à contacter détenant un pouvoir officiel : la sécurité, ses médecins, les armées en guerre. Les gens à contacter pouvant détenir des informations : les autres parents d'élèves de son école, les autres parents dans son groupe de soutien médical, sa mère. Ses endroits préférés à vérifier : le domicile de sa meilleure amie, les parcs publics où elle aimait jouer, la confiserie vendant la poudre pour soda qu'elle réclamait toujours, celle aromatisée au citron vert. Les endroits où quelqu'un pouvait se rendre pour acheter un enfant enlevé dans un but sexuel : une liste de bars et de bordels trouvée dans un dossier confidentiel à la direction de la station. La liste mise à jour se trouvait certainement sur le système informatique, mais celui-ci était toujours en panne. Quotidiennement, il en barrait autant de la liste qu'il le pouvait, et quand il n'y en avait plus aucun il recommençait à zéro.

Ces listes s'étaient transformées en emploi du temps. Ses contacts à la sécurité aussi souvent qu'il le pouvait, en alternance avec tout membre des forces martiennes ou des Nations unies qui acceptait d'échanger avec lui. Les jardins publics le matin, après avoir vérifié les nouveaux cadavres à l'hôpital. La meilleure amie de Mei et sa famille étaient parties, de sorte que cette adresse n'était plus d'actualité. La confiserie avait été incendiée pendant une émeute. La localisation de ses médecins avait posé plus de problèmes. Le Dr Astrigan, sa pédiatre, avait parfaitement joué la sollicitude et promis qu'elle l'appellerait si elle apprenait quoi que ce soit. Trois jours plus tard, elle ne se souvenait pas d'avoir parlé avec lui. Le chirurgien qui avait vidé les abcès sur la colonne vertébrale de l'enfant quand Mei avait été diagnostiquée pour la première fois ne l'avait pas revue. Le Dr Strickland, du groupe de soutien et de suivi, s'était évanoui dans la nature. Abuakár, la nurse, était décédée.

Les autres familles du groupe avaient leurs propres douleurs à endurer. Mei n'était pas le seul enfant porté disparu. Katoa Merton. Gabby Solyuz. Sandro Ventisiete. Il avait vu la peur et le désespoir qui le rongeaient se refléter sur le visage des autres parents. Cela rendait les visites chez eux plus pénibles que l'examen des cadavres. Cela rendait l'angoisse plus difficile à oublier.

Il continuait pourtant d'aller les voir régulièrement.

Basia Merton – *le-papa-à-Katoa*, comme Mei l'appelait – était un homme au cou de taureau qui sentait toujours la menthe poivrée. Sa femme, d'une minceur extrême, avait un sourire pareil à un tic nerveux. Ils habitaient un six-pièces décoré de schappe et de bambou, près du complexe de traitement des eaux, au cinquième étage sous la surface. Basia lui ouvrit, ne sourit pas, ne dit même pas bonjour : il fit simplement demi-tour et s'éloigna dans l'appartement, sans refermer la porte. Prax le suivit.

À la table, le père éploré lui servit un verre de lait miraculeusement préservé. C'était le cinquième passage de Prax depuis la disparition de Mei.

— Rien de nouveau, donc ? fit Basia, et ce n'était pas vraiment une question.

— Rien de neuf, non. C'est au moins ça…

Du fond de l'appartement leur parvint une voix outrée de fillette, aussitôt doublée de celle d'un gamin. Leur père ne se tourna même pas dans cette direction.

— Rien de neuf ici non plus. Je suis désolé.

Le lait avait un goût merveilleux, riche et velouté. Prax pouvait presque sentir les calories et les nutriments qui étaient aspirés par les membranes de sa bouche. Il lui vint à l'esprit que, d'un point de vue technique, il était peut-être sous-alimenté.

— Il y a toujours de l'espoir, dit-il.

Basia souffla brutalement, comme si ces mots lui avaient fait l'effet d'un coup de poing au creux de l'estomac. Il serra les lèvres et regarda fixement la surface de la table. Les cris au fond de l'appartement firent place aux geignements bas d'un garçonnet.

— Nous partons, annonça l'homme. Mon cousin travaille sur Luna, pour Magellan Biotech. Ils envoient des vaisseaux remplis de produits pharmaceutiques, et une fois qu'ils auront déchargé il y aura de la place à bord pour nous. Tout est arrangé.

Prax posa son verre devant lui. Les pièces de l'appartement lui parurent soudain plongées dans le silence, mais il savait que c'était là une illusion. Une pression singulière naquit dans sa gorge et s'étendit à toute sa poitrine. Il avait l'impression que son visage était devenu cireux. Il revécut le choc physique éprouvé quand sa femme lui avait révélé qu'elle demandait le divorce. Trahi. Il se sentait trahi.

— … et ensuite, encore quelques jours, disait Basia.

Il avait continué de parler, mais le botaniste ne l'avait pas entendu.

— Mais… et Katoa ? réussit-il à articuler malgré sa gorge serrée. Il est ici, quelque part.

— Non, mon vieux. Il n'est plus là. Il avait un véritable marécage à la place du système immunitaire. Tu le sais bien. Sans son traitement, il commençait à aller vraiment mal au bout de trois, quatre jours. Je dois prendre soin des deux enfants qui me restent.

Prax acquiesça, mais c'était son corps qui répondait automatiquement, pas lui. Il avait l'impression qu'un rouage s'était détaché, quelque part dans le mécanisme à l'arrière de son crâne. Le grain du bambou recouvrant la table lui parut incroyablement net. Et cette odeur de glace en train de fondre. Le goût subitement aigre du lait sur sa langue.

— Tu ne peux pas en avoir la certitude, dit-il en essayant de conserver un ton calme, sans trop y parvenir.

— Oh si, je le peux.

— Ceux qui… ceux qui ont enlevé Mei et Katoa, les enfants ne leur sont d'aucune utilité morts. Ces gens-là le savaient avant d'agir. Ils savaient forcément que les enfants auraient besoin de leur traitement. Donc il est logique qu'ils les aient emmenés quelque part où ils pourront leur donner leur traitement.

— Personne ne les a enlevés, mon vieux. Ils se sont perdus. Il leur est arrivé quelque chose.

— Le professeur de Mei a dit…

— Elle était folle de peur. Tout son monde se limitait à surveiller les enfants pour qu'ils ne se chamaillent pas trop, et d'un coup il y a une guerre juste derrière la porte de sa salle de classe. Qui peut dire ce qu'elle a vraiment vu ?

— Elle a parlé de la mère de Mei, et d'un médecin. Elle a bien dit un médecin…

— Allons, mon vieux ! Pas utiles s'ils sont morts ? Cette station est remplie de morts, et je ne vois personne d'utile. C'est la guerre. Ces fumiers ont déclenché *une guerre*.

Ses grands yeux sombres étaient embués de larmes, et la tristesse alourdissait chacun de ses mots. Il ne voulait pas lutter.

— Dans une guerre, des gens meurent. Des enfants meurent. Il faut que tu… ah, merde. Il faut que tu passes à autre chose.

— Tu ne sais pas, dit Prax. Tu ne sais pas s'ils sont morts, et au lieu de chercher à savoir, tu les abandonnes.

Basia baissa les yeux vers le sol. Une rougeur insidieuse gagnait ses joues. Il secoua la tête, et les coins de sa bouche fléchirent.

— Tu ne peux pas partir, insista Prax. Tu dois rester et continuer à le chercher.

— Arrête, fit Basia. Et je suis sérieux : arrête de me crier dessus dans mon propre foyer.

— Ce sont nos enfants, tu ne peux pas leur tourner le dos ! Quel genre de père es-tu donc ? Je veux dire, Seigneur…

Basia s'était penché en avant, au-dessus de la table. Derrière lui, une fille adolescente observait la scène depuis le couloir, les yeux agrandis. Prax sentit monter en lui une certitude absolue.

— Tu vas rester.

Le silence dura trois battements de cœur. Quatre. Cinq.

— Tout est arrangé, répéta Basia.

Prax le frappa. Il n'avait pas prévu de le faire, il n'en avait pas l'intention. Son bras se déplia dans le prolongement de son épaule, et son poing serré jaillit de lui-même, pour s'enfoncer dans la joue charnue de Basia. La tête rejetée sur le côté, son ami recula en titubant. Il se rua presque aussitôt sur son visiteur. Le premier coup atteignit Prax juste sous la clavicule et le repoussa en arrière. Le second le toucha aux côtes, comme le suivant. Le petit homme sentit sa chaise basculer sous lui, et il chuta au ralenti dans la gravité restreinte, mais sans réussir à replacer ses pieds sous son corps. Il détendit une jambe pour riposter au hasard et sentit son pied percuter quelque chose, la table ou Basia, il n'aurait pu le dire.

Il heurta le sol juste avant que l'autre lui écrase le plexus solaire avec un pied. Le monde devint d'une luminosité aveuglante, et très douloureux. Quelque part, au loin, une femme criait. Il ne comprit pas ce qu'elle disait. Et puis, peu à peu, il perçut ses mots.

Il n'a plus toute sa tête. Il a perdu un bébé, lui aussi. Il n'a pas toute sa tête.

Prax roula sur lui-même, et au prix d'un effort titanesque réussit à se redresser sur les genoux et les mains. Il y avait du sang sur son menton, et il était presque sûr que c'était le sien. Personne d'autre ne saignait. Basia était immobile à côté de la table, les poings serrés, les narines palpitantes et le souffle court. Sa fille s'était campée face à lui pour s'interposer entre son père furieux et leur visiteur. Celui-ci ne voyait d'elle que ses fesses, sa queue de cheval et ses mains qu'elle tenait ouvertes devant Basia dans la posture universelle signifiant *Stop*. Elle était en train de lui sauver la vie.

— Tu ferais mieux de te barrer, mon vieux, dit son ancien ami.

— D'accord, répondit-il.

Tant bien que mal il se releva et chancela en direction de la porte. Il avait toujours du mal à respirer. Il sortit de l'appartement.

⚡

Le secret de l'effondrement botanique en système clos tenait en une phrase : *Ce n'est pas l'élément défectueux qu'il faut surveiller, mais la cascade*. La première fois qu'il avait perdu toute une récolte de *G. kenon*, c'était à cause d'un champignon qui ne s'attaquait pas du tout aux germes de soja. Les spores avaient probablement débarqué avec un chargement de coccinelles. Le champignon s'était installé dans le système hydroponique, en absorbant joyeusement les nutriments qui ne lui étaient pas destinés et en altérant le pH par la même occasion. Cela avait affaibli les bactéries que Prax utilisait pour fixer l'azote, au point qu'elles étaient devenues vulnérables à un phage qui n'aurait pas pu les détruire dans des conditions normales. Le taux d'azote du système s'était déréglé, et le temps que les bactéries retrouvent leur population initiale les germes de soja étaient jaunis, amollis, et irrécupérables.

C'était la métaphore à laquelle il recourait lorsqu'il pensait à Mei et à son système immunitaire. Le problème était minime, réellement. Un allèle mutant produisait une protéine qui se pliait sur la gauche au lieu de la droite. Une différence dans quelques paires de base. Mais cette protéine catalysait une étape critique dans la transduction du signal aux lymphocytes T. Elle pouvait posséder tous les éléments d'un système immunitaire prêt à combattre un pathogène, sans sa double dose quotidienne d'un agent catalyseur artificiel l'alerte ne serait jamais déclenchée. On appelait cela l'immunosénescence de

Myers, et les études préliminaires n'avaient pas encore réussi à définir si elle était plus fréquente en dehors du puits de gravité de la Terre, à cause d'un effet inconnu de la gravité restreinte, ou si les niveaux élevés de radiation accroissaient le taux de mutation de façon générale. C'était sans importance. Quelle que soit la façon dont elle en était arrivée là, Mei avait développé une infection rachidienne massive alors qu'elle avait quatre mois. Si elle s'était trouvée n'importe où ailleurs dans les planètes extérieures, elle en serait morte. Mais toutes les femmes venaient passer leur grossesse sur Ganymède, si bien que la recherche sur la santé des nourrissons s'était concentrée sur cette lune. Quand le Dr Strickland l'avait vue, il avait tout de suite su ce qu'il constatait, et il avait endigué l'effet de cascade.

Prax marchait dans les couloirs en direction de son appartement. Sa mâchoire commençait à enfler. Il ne se souvenait pas d'avoir été frappé là, mais elle gonflait et devenait douloureuse. Il avait également mal aux côtes de son flanc gauche s'il inspirait trop profondément, et il conservait une respiration légère. Il s'arrêta dans un des jardins dans le but de récolter quelque chose pour son dîner. Il fit halte devant un gros massif d'*Epipremnum aureum*. Les grandes feuilles avaient un aspect curieux. Elles étaient toujours vertes, mais plus épaisses, avec des reflets dorés. On avait versé de l'eau distillée dans le circuit d'alimentation hydroponique au lieu de la solution riche en minéraux dont les cultures hydroponiques stables avaient besoin. À ce régime, elles tiendraient encore une semaine. Deux, peut-être. Puis les plantes effectuant le recyclage de l'air commenceraient à dépérir, et quand cela arriverait la cascade serait déjà trop engagée pour être stoppée. Et si on ne donnait pas l'eau qui convenait aux plantes, il n'imaginait pas qu'on soit capable de maintenir en état tous les recycleurs d'air mécaniques. Quelqu'un allait devoir s'occuper de ce problème.

Quelqu'un d'autre.

Dans son appartement, son petit plant de *G. kenon* dressait ses feuilles vers la lumière. Sans pensée consciente, il plongea l'index dans le terreau et le goûta. L'odeur capiteuse de ce sol bien équilibré était pareille à de l'encens. Tout bien considéré, ce petit végétal se débrouillait magnifiquement. Il jeta un œil à l'horloge sur son terminal. Trois heures s'étaient écoulées depuis qu'il était rentré. La douleur intermittente dans sa joue était passée à une souffrance constamment renouvelée.

Sans son traitement, la flore intestinale de Mei allait se développer à l'excès. Les bactéries qui en temps normal vivaient de façon inoffensive dans sa bouche et sa gorge allaient se rebeller contre elle. Après deux semaines elle n'aurait peut-être pas succombé mais, même dans le meilleur des cas, elle serait tellement malade que la ramener poserait d'énormes problèmes.

On était en guerre. Pendant une guerre, des enfants mouraient. C'était une cascade. Il toussa, la douleur fut immense et c'était quand même mieux que de réfléchir. Il fallait qu'il parte. Qu'il s'en aille. Ganymède agonisait autour de lui. Il ne pouvait rien faire pour Mei. Elle n'était plus. Son bébé n'était plus.

Ses pleurs le torturèrent plus que la toux.

Il dormit moins qu'il ne perdit conscience. Quand il ouvrit les yeux, sa mâchoire avait tellement enflé qu'elle craquait dès qu'il entrouvrait la bouche. En revanche il avait un peu moins mal aux côtes. Il s'assit sur le bord du lit et se prit la tête entre les mains.

Il irait au port, voir Basia pour s'excuser et lui demander de partir avec lui. Pour quitter le système jovien, aller ailleurs, là où il recommencerait sa vie, sans son passé. Sans l'échec de son mariage et son travail détruit. Sans Mei.

Il se changea et mit une chemise un peu moins sale. Tamponna ses aisselles avec un linge humide. Se coiffa les cheveux en arrière. Il avait échoué. C'était inutile. Il devait accepter d'avoir perdu ce qu'il avait perdu, et aller de l'avant. Et peut-être qu'un jour il réussirait à le faire.

Il consulta son terminal. Aujourd'hui il lui fallait passer à l'hôpital, pour examiner les nouveaux cadavres, ensuite se rendre dans les parcs, contacter le Dr Astrigan, et il y avait ces cinq bordels qu'il n'avait pas visités, où avec un peu de chance il pourrait demander à profiter de plaisirs pédophiles sans se faire éventrer par un videur raisonnable, à l'esprit civique. Les videurs avaient des enfants, eux aussi. Certains les aimaient, probablement. Avec un soupir, il ajouta une nouvelle entrée : EAU MINÉRALISÉE ESPACES VERTS. Il lui faudrait trouver quelqu'un qui détenait les codes d'accès du système. Quelqu'un à la sécurité accepterait peut-être de l'aider pour cela, au moins.

Et peut-être qu'en chemin il trouverait Mei.

Il y avait toujours de l'espoir.

8

BOBBIE

Le *Harman Dae-Jung* était un cuirassé de classe *Donnager* long d'un demi-kilomètre pour un quart de million de tonnes de poids à vide. La baie intérieure d'accostage était assez vaste pour accueillir quatre bâtiments d'escorte de type frégate et une ribambelle de navettes et autres unités de réparation. Actuellement elle n'hébergeait que deux bâtiments : la grande navette presque luxueuse qui avait amené les ambassadeurs martiens et les représentants d'État pour le vol en direction de la Terre, et un autre appareil plus modeste et fonctionnel qui avait ramené Bobbie de Ganymède.

Bobbie utilisait tout cet espace libre pour faire son jogging.

Le commandant du *Dae-Jung* étant harcelé par les diplomates impatients d'atteindre la Terre, le cuirassé maintenait une accélération proche de un g. Si cette allure mettait mal à l'aise la plupart des civils martiens, elle convenait parfaitement à Bobbie. Les Marines s'entraînaient tout le temps en gravité augmentée, et ils effectuaient des manœuvres d'endurance à un g au moins une fois par mois. Personne n'avait jamais dit que c'était en prévision de possibles combats au sol, sur Terre. La précision était inutile.

Son récent séjour sur Ganymède ne lui avait pas permis de se soumettre à un exercice en gravité augmentée, et le long trajet jusqu'à la Terre lui paraissait offrir une excellente occasion de se remettre en forme. La dernière chose qu'elle souhaitait était d'apparaître diminuée aux yeux des natifs.

— Tout ce que tu peux faire, je peux le faire mieux, chantonna-t-elle pour elle-même d'une voix de fausset haletante tout en courant. Je peux tout faire mieux que toi.

Elle jeta un œil à sa montre. Deux heures. À l'allure tranquille qu'elle avait adoptée, cela correspondait à environ vingt kilomètres. Et si elle poussait jusqu'à trente, ou trente-cinq ? Combien de gens sur Terre couraient régulièrement trente kilomètres ? D'après la propagande martienne, la moitié des gens sur cette planète n'avaient même pas d'emploi. Ils vivaient simplement aux crochets du gouvernement et dépensaient leurs maigres allocations en drogue et en séances dans les salons de stimulation. Mais certains d'entre eux étaient certainement capables de courir trente kilomètres. D'ailleurs elle aurait parié que Snoopy et son gang de Marines pouvaient parcourir cette distance, rien qu'à la façon dont ils avaient fui la…

— Tout ce que tu peux faire, je peux le faire mieux, fredonna-t-elle, et elle se concentra sur le son rythmé de ses semelles claquant sur le pont métallique.

Elle ne vit pas le quartier-maître qui entrait dans la baie, et quand il la héla elle se retourna vivement sous l'effet de la surprise, trébucha et n'évita de se cogner la tête sur le sol qu'en amortissant sa chute de la main gauche. Elle sentit quelque chose céder dans son poignet, et son genou droit rebondit violemment contre le métal lorsqu'elle roula pour absorber l'impact.

Elle resta étendue sur le dos quelques instants, à mouvoir son poignet et son genou pour évaluer les dommages. Les deux étaient endoloris, mais aucun ne la faisait vraiment souffrir. Rien de grave, donc. À peine sortie de l'hôpital et déjà à la recherche d'une façon de s'estropier de nouveau… Le quartier-maître courut vers elle et vint s'accroupir à son côté.

— Bon sang, Marine, vous ne tenez pas debout, ou quoi ?

Il toucha son genou droit où l'hématome commençait déjà à assombrir la peau nue en dessous de son short de jogging, sembla se rendre compte de ce qu'il faisait et retira vivement la main.

— Sergent Draper, votre présence est exigée pour une réunion qui doit se tenir dans la salle de conférences G à quatorze heures cinquante, récita-t-il d'une voix un peu aiguë. Comment se fait-il que vous n'ayez pas votre terminal sur vous ? Ils ont eu du mal à vous localiser.

Bobbie se remit debout et pesa prudemment sur son genou pour s'assurer qu'il pouvait toujours supporter son poids.

— Tu viens de répondre à ta propre question, petit.

Elle arriva à la salle de conférences avec cinq minutes d'avance, son uniforme rouge et kaki impeccablement repassé et uniquement déparé par le bracelet de maintien blanc que le médecin du bord lui avait posé pour ce qui s'était révélé n'être qu'une foulure mineure. Un Marine en tenue de combat et armé d'un fusil d'assaut lui ouvrit la porte et lui sourit au passage. C'était un joli sourire plein de dents blanches bien rangées, sous des yeux en amande si sombres qu'ils étaient presque noirs.

Bobbie répondit de même et lut le nom figurant sur sa poitrine. Caporal Matsuke. On ne savait jamais qui on pouvait croiser dans la coquerie ou à la muscu. Il n'était jamais inutile de se faire des amis.

Quelqu'un prononça son nom et elle entra dans la pièce.

— Sergent Draper, répéta le capitaine Thorsson en lui désignant d'un geste impatient un fauteuil à la table de réunion.

— Monsieur, répondit-elle en saluant avant d'aller s'asseoir.

Elle était étonnée qu'aussi peu de gens soient présents : seulement le capitaine des Renseignements et deux civils inconnus.

— Marine, nous nous intéressons à certains détails figurant dans votre rapport. Nous apprécierions votre contribution.

Bobbie attendit un instant les présentations, mais quand il devint évident que Thorsson ne les ferait pas elle dit simplement :

— Oui, monsieur. Je ferai tout ce que je peux pour vous aider.

Le premier civil, une femme rousse à la mine sévère, sanglée dans un ensemble coûteux, prit alors la parole :

— Nous nous efforçons de reconstituer une chronologie plus exacte des événements qui ont mené à l'attaque. Pouvez-vous nous indiquer sur cette carte où vous vous trouviez, votre section et vous, quand vous avez reçu le message radio vous ordonnant de regagner l'avant-poste ?

Bobbie le leur montra, puis décrivit un à un la succession des événements. En étudiant la carte qu'ils avaient apportée, elle se rendit compte pour la première fois de la distance impressionnante à laquelle la chute du miroir orbital l'avait projetée. Il s'en fallait semblait-il de quelques centimètres seulement qu'elle n'ait été réduite en bouillie comme le restant de sa section…

— Sergent, fit Thorsson, et le ton de sa voix lui fit savoir qu'il l'avait déjà apostrophée au moins une fois.

— Désolée, monsieur, mais la vue de ces photos m'a troublée. Ça ne se reproduira pas.

L'agent des Renseignements approuva de la tête, mais avec une expression singulière qu'elle ne put décrypter.

— Ce que nous essayons de définir, c'est à quel moment l'Anomalie est apparue, avant l'attaque, expliqua l'autre civil, un homme replet aux cheveux bruns commençant à se clairsemer.

L'Anomalie : c'était donc le nom qu'ils lui avaient donné. On entendait presque la majuscule quand ils prononçaient le mot. *Anomalie*, comme pour une chose simplement inhabituelle qui se produit. Un événement sortant de l'ordinaire, dû au hasard. Sans doute parce qu'ils avaient encore tous peur de lui donner le nom qui convenait à sa véritable nature : l'Arme.

— Donc, dit M. Replet, en nous basant sur la durée de votre contact radio, et les informations dont nous disposons grâce aux autres installations dans cette zone concernant la perte du signal radio, nous sommes en mesure de relier la source du brouillage à l'Anomalie elle-même.

— Attendez, dit Bobbie en secouant la tête. Quoi ? Le monstre n'a pas pu brouiller nos radios. Il n'avait aucun équipement sur lui. Il ne portait même pas une putain de combinaison spatiale pour respirer ! Alors comment aurait-il pu trimballer un brouilleur ?

Thorsson lui tapota la main dans un geste paternaliste qui irrita plus Bobbie qu'il ne la calma.

— Les données brutes ne mentent pas, sergent. La zone du brouillage radio s'est déplacée. Et elle a eu tout ce temps en son centre la… chose. L'Anomalie.

Il se détourna d'elle et conversa à voix basse avec la femme rousse et l'homme grassouillet.

Bobbie se laissa aller contre le dossier de son siège en sentant toute l'énergie présente dans la pièce s'éloigner d'elle, comme si elle était la seule personne sans partenaire pour une danse. Mais Thorsson ne l'avait pas congédiée, et elle ne pouvait pas s'éclipser.

— D'après les données concernant la perte de signal radio, son apparition se situe ici, dit la rousse en pointant l'index sur la carte. Et le chemin pour accéder à l'avant-poste des Nations unies suit cette crête.

— Qu'y a-t-il dans ce secteur ? demanda le capitaine, sourcils froncés.

M. Replet déplia une autre carte et se pencha pour l'examiner pendant quelques secondes.

— On dirait d'anciens tunnels de service pour la centrale hydroponique du dôme. Abandonnés depuis des dizaines d'années.

— Exactement le genre d'itinéraire qu'on emprunterait pour transporter en secret quelque chose de dangereux, commenta Thorsson.

— En effet, approuva la rousse. Peut-être qu'ils allaient la livrer à cet avant-poste de Marines quand elle s'est échappée. Dès qu'ils l'ont vue hors de contrôle, les Marines ont laissé tomber et se sont enfuis.

Bobbie éclata d'un rire narquois avant d'avoir pu s'en empêcher.

— Quelque chose à ajouter, sergent Draper ? dit l'agent des Renseignements.

Il l'observait avec son sourire énigmatique, mais Bobbie le côtoyait depuis assez longtemps déjà pour savoir qu'il détestait les paroles en l'air plus que tout. Si vous vous adressiez à lui, il tenait à ce que vous ayez quelque chose d'utile à lui dire. Les deux civils la regardaient avec étonnement, comme si elle était un cafard qui s'était subitement dressé sur ses pattes arrière pour se mettre à parler.

Elle secoua doucement la tête.

— Quand je n'étais encore qu'une jeune recrue, vous savez ce que mon sergent instructeur prétendait être la chose la plus dangereuse dans tout le système solaire, après un Marine de Mars ?

Les civils continuèrent à la fixer d'un air un peu ahuri, mais Thorsson articula silencieusement la réponse en même temps qu'elle l'exprimait :

— Un Marine des Nations unies.

M. Replet et Mme LaRousse s'entreregardèrent, et la femme leva les yeux au ciel pour eux deux.

— Donc vous ne croyez pas que les soldats des Nations unies étaient en train de fuir quelque chose dont ils avaient perdu le contrôle ? dit Thorsson à Bobbie.

— Pas la moindre chance, monsieur.

— Alors, votre théorie ?

— Cet avant-poste des Nations unies était gardé par une section complète de Marines. Le même nombre de soldats que nous. Quand ils se sont mis à courir, ils n'étaient plus que six. Six. Ils ont pratiquement combattu jusqu'au dernier. Quand ils se sont précipités vers nous, ils n'essayaient pas de rompre l'engagement. Ils voulaient se rallier à nous pour que nous les aidions à *continuer* le combat.

M. Replet prit une sacoche en cuir posée sur le sol et se mit à fouiller dedans. Mme LaRousse le regarda faire avec la même expression fascinée que s'il accomplissait un acte beaucoup plus intéressant que tout ce que Bobbie pouvait leur révéler.

— S'il s'agissait d'un quelconque secret que les Marines des Nations unies étaient chargés de livrer ou de protéger, ils ne seraient pas venus vers nous, insista néanmoins cette dernière. Ils seraient morts plutôt que d'abandonner leur mission. C'est ce que nous aurions fait, nous.

— Merci, sergent, lui dit Thorsson.

— Ce que je veux vous expliquer, c'est qu'il ne s'agissait même pas de notre combat et que nous nous sommes battus jusqu'au dernier pour stopper cette chose. Vous croyez que les Marines des Nations unies auraient fait moins ?

— Merci, sergent, répéta le capitaine d'une voix plus forte. J'aurais tendance à être d'accord avec vous, mais nous devons explorer toutes les éventualités. Vos réflexions et commentaires ont été notés.

M. Replet trouva enfin ce qu'il cherchait. Une petite boîte de pastilles à la menthe. Il en prit une et présenta la boîte à Mme LaRousse. L'odeur mentholée trop douce emplit l'air. Après avoir suçoté sa friandise un moment avec application, le civil déclara :

— Oui, merci, sergent. Je pense que nous pouvons continuer sans vous retenir plus longtemps.

Bobbie se leva, salua sèchement Thorsson et quitta la pièce. Son cœur battait trop vite, et elle avait les maxillaires douloureux tant elle serrait les dents.

Ces civils ne comprenaient rien. Personne ne comprenait rien.

Lorsque le capitaine Martens arriva dans l'aire d'accostage, Bobbie finissait de démonter l'arme incorporée à l'avant-bras droit de sa tenue de combat. Elle avait ôté la Gatling trois canons de son support et l'avait placée sur le sol à côté de deux douzaines d'autres éléments qu'elle avait déjà détachés. Auprès d'eux étaient posés un petit bidon de nettoyant pour armes et une bouteille de lubrifiant, ainsi qu'une collection de tiges et de brosses diverses dont elle se servait pour entretenir les composants.

Martens attendit qu'elle ait posé l'arme sur le petit tapis de nettoyage et il s'assit sur le sol, à côté d'elle. Elle fixa une brosse à poils d'acier sur l'extrémité d'un manche, la plongea dans le nettoyant et se mit à la passer à l'intérieur de chaque canon. Le capitaine la regarda faire en silence.

Après quelques minutes, elle remplaça la brosse par un chiffon fin pour éliminer l'excès de nettoyant. Puis elle utilisa un autre chiffon trempé dans le lubrifiant spécial et huila les canons. Quand elle eut enduit tout l'ensemble complexe qui composait le mécanisme de la Gatling et son système d'approvisionnement, Martens se décida enfin à parler :

— Vous savez, Thorsson a toujours été dans les Renseignements de la Flotte. Il a fait directement l'école d'officiers, est sorti premier de sa promotion à l'académie et s'est retrouvé au commandement de la Flotte pour sa première affectation. Ça a toujours été un fondu du renseignement. La dernière fois qu'il a tiré avec une arme date de l'époque de ses classes, il y a vingt ans. Il n'a jamais dirigé une unité au feu. Ni servi dans une section de combat.

Bobbie reposa le lubrifiant et se leva pour réassembler son arme.

— C'est une histoire absolument fascinante, dit-elle. Je vous remercie de m'en faire profiter.

— La question est donc : jusqu'à quel point faut-il que vous pétiez les plombs pour que Thorsson commence à me demander si vous n'êtes pas commotionnée ? enchaîna Martens sans se soucier de sa réflexion.

Bobbie laissa tomber la clef qu'elle tenait dans une main mais la rattrapa avec l'autre avant que l'outil touche le pont.

— C'est une visite officielle ? Parce que sinon, vous pouvez aller vous…

— C'est à mon tour, maintenant ? coupa Martens. Eh bien non, je ne suis pas un fondu. Je suis un Marine. Dix ans comme simple soldat avant qu'on me propose de suivre l'école de sous-offs. J'ai un diplôme en psychologie, et un autre en théologie.

Le bout du nez de Bobbie la démangeait, et elle le frotta du plat de la main, sans réfléchir. La soudaine odeur d'huile pour arme lui apprit qu'elle venait de s'étaler du lubrifiant sur tout le visage. Martens le remarqua lui aussi mais la constatation ne ralentit nullement le flot de son discours. Elle essaya d'étouffer le son de sa voix en assemblant son arme aussi bruyamment qu'il lui était possible. En vain.

— J'ai fait des manœuvres, j'ai suivi une formation au combat rapproché, j'ai effectué des stages de simulation sur carte, enchaîna-t-il en haussant légèrement le ton. Vous saviez que j'ai fait mes classes dans le camp où votre père a été sergent ? Le sergent-major Draper, un sacré bonhomme. Il était comme un dieu pour nous autres bleus.

Bobbie redressa brusquement la tête et ses yeux s'étrécirent. Quelque chose chez ce psy qui prétendait connaître son père lui déplaisait profondément.

— C'est vrai, affirma Martens. Et s'il était ici en ce moment, il vous demanderait de m'écouter.

— Allez vous faire foutre, dit Bobbie, et elle imagina aussitôt la grimace de son père en l'entendant user d'une expression ordurière pour dissimuler sa peur. Vous ne savez rien de rien.

— Je sais que, quand un sergent des Marines ayant votre niveau de formation et vos aptitudes au combat est effrayé par un quartier-maître à peine sorti de l'adolescence, quelque chose ne va pas du tout.

Bobbie laissa tomber la clef au sol, et l'outil renversa le bidon d'huile qui se répandit sur le tapis de nettoyage comme une tache de sang.

— J'ai trébuché, merde ! On est à plein g, et j'ai juste… trébuché.

— Et lors de la réunion, aujourd'hui ? Quand vous avez hurlé au visage de deux analystes civils des Renseignements que les Marines préféraient mourir plutôt qu'échouer dans leur mission ?

— Je n'ai pas hurlé.

Mais elle n'était pas certaine que ce n'était pas la réalité. Ses souvenirs de l'entrevue étaient devenus nébuleux dès qu'elle était sortie de la pièce.

— Combien de fois avez-vous tiré avec cette arme, depuis que vous l'avez nettoyée hier ?

— Quoi ? fit Bobbie, prise d'un début de nausée aussi soudain qu'incompréhensible.

— D'ailleurs, à combien de reprises aviez-vous tiré depuis que vous l'aviez nettoyée la veille ? Ou le jour précédent ?

— Arrêtez ça, dit-elle avec un geste vague en direction de Martens, tout en cherchant un endroit où s'asseoir.

— Avez-vous utilisé votre arme une seule fois depuis que vous avez embarqué sur le *Dae-Jung* ? Parce que je peux vous affirmer que vous l'avez démontée et nettoyée entièrement chaque jour, et il vous est même arrivé de le faire deux fois dans la même journée.

— Non, je… balbutia Bobbie.

Elle finit par s'asseoir lourdement sur une caisse de munitions. Elle ne se souvenait pas d'avoir nettoyé son arme avant ce jour.

— Je ne savais pas.

— Vous souffrez du syndrome de stress post-traumatique, Bobbie. Ce n'est en rien une faiblesse ou une forme quelconque de défaillance mentale. C'est ce qui arrive quand on vit un événement terrible. À l'heure actuelle vous n'êtes pas capable d'accepter ce qui vous est arrivé, à vous et vos hommes, sur Ganymède, et c'est pour cette raison que vous vous comportez de façon irrationnelle.

Il s'approcha et s'accroupit en face d'elle. Un instant elle craignit qu'il ne tente de lui prendre la main. S'il le faisait, elle le frapperait.

Il ne le fit pas.

— Vous avez honte, poursuivit-il, alors qu'il n'y a aucune raison d'avoir honte. Vous avez été entraînée à être dure, compétente, prête à tout. On vous a appris que, si vous faisiez votre job et que vous vous souveniez de ce qu'on vous avait inculqué, vous pouviez affronter n'importe quelle menace. Et, surtout, on vous a appris que les gens les plus importants au monde sont ceux qui se tiennent à vos côtés sur la ligne de feu.

Un muscle tressautait à sa joue, juste sous l'œil, et Bobbie frotta cet endroit avec assez de vigueur pour que des étoiles explosent dans son champ de vision.

— Et puis vous avez été confrontée à une menace à laquelle votre entraînement ne vous avait pas préparée, contre laquelle vous vous êtes découverte sans défense. Et vous avez perdu vos frères d'armes, vos amis.

Bobbie voulut répondre, se rendit compte qu'elle retenait sa respiration et, au lieu de parler, exhala violemment. Martens continua, imperturbable :

— Nous avons besoin de vous, Roberta. Nous avons besoin que vous reveniez à votre meilleur. Je n'ai pas enduré ce que vous avez enduré, mais jc connais beaucoup de gens qui ont eu une expérience similaire, et je sais comment vous aider. Si vous me laissez vous aider. Si vous me parlez. Je ne pourrai pas l'effacer. Je ne pourrai pas vous en guérir. Mais je peux le rendre supportable.

— Ne m'appelez pas Roberta, dit Bobbie à voix si basse qu'elle s'entendit à peine.

Elle prit quelques inspirations rapides, pour s'éclaircir les idées, mais sans excès afin de ne pas céder à l'hyperventilation. Les odeurs de l'aire d'accostage déferlèrent sur elle. Celles de caoutchouc et de métal provenant de sa tenue. Les parfums âcres et tenaces du lubrifiant pour les armes et du fluide hydraulique qui se mêlaient et émanaient du pont malgré toutes les fois où les gars de la Flotte avaient récuré celui-ci. Elle imagina les milliers d'hommes d'équipage et de Marines qui avaient traversé ce même endroit, avaient nettoyé leur propre matériel, briqué ces cloisons et ce plancher, et cette pensée lui permit de se ressaisir.

Elle se leva et alla ramasser son arme remontée sur le tapis de nettoyage avant que l'huile renversée l'atteigne.

— Non, capitaine, ce n'est pas en parlant avec vous que j'irai mieux.

— Alors comment, sergent ?

— Cette chose qui a tué mes amis et déclenché cette guerre ? Quelqu'un a amené cette chose sur Ganymède.

Elle encastra l'arme dans son logement avec un claquement métallique sec. Elle passa le plat de la main sur les trois canons, et ils tournèrent sur leur axe commun dans le sifflement presque imperceptible de pièces de haute qualité assemblées sur un mécanisme bien huilé.

— Je vais découvrir ceux qui ont fait ça. Et je vais les tuer.

9

AVASARALA

Le rapport faisait plus de trois pages, mais Soren avait trouvé quelqu'un d'assez téméraire pour l'accepter sans tout savoir. Il se passait sur Vénus des choses étranges, plus étranges que ce qu'Avasarala pouvait prévoir ou imaginer. Un réseau de filaments avait recouvert la planète dans un ensemble d'hexagones larges de cinquante kilomètres, et à part le fait qu'ils semblaient véhiculer de l'eau surchauffée et des courants électriques, personne ne savait ce qu'ils étaient. La gravité de la planète s'était accrue de trois pour cent. Des tornades conjuguées de benzène et d'hydrocarbures complexes frappaient les cratères consécutifs à des impacts tels des nageurs synchronisés, là où les restes de la station Éros s'étaient écrasés à la surface de la planète. Les esprits scientifiques les plus brillants du système solaire restaient interdits devant le flot de données recueillies, et si la panique ne frappait pas encore c'était uniquement parce que personne ne pouvait définir avec précision la raison de paniquer.

D'un côté, la métamorphose de Vénus représentait l'outil scientifique le plus formidable qu'il y ait jamais eu. Quoi que ce soit, ce qui se passait arrivait au vu et au su de tous. Aucun accord de confidentialité, aucun traité anticoncurrentiel ne jouait. Toute personne munie d'un scanner assez puissant pouvait sonder la couche des nuages d'acide sulfurique et observer ce qui se produisait, au jour le jour. Les analyses restaient confidentielles, comme les études complémentaires et de suivi, mais les données brutes en orbite autour du soleil étaient à la disposition de tous.

Pour l'instant, néanmoins, la situation évoquait assez celle d'un groupe de lézards assistant à la Coupe du monde. Pour dire les choses poliment, l'humanité n'avait pas d'idée claire de ce qu'elle observait.

Mais les données demeuraient incontournables. L'attaque sur Ganymède et le pic d'énergie relevé sur Vénus étaient survenus exactement au même moment. Et personne ne savait pourquoi.

— Bah, ça ne vaut rien du tout, lâcha-t-elle.

Avasarala éteignit son terminal portable et regarda par la fenêtre. Autour d'elle le restaurant bruissait doucement, comme il était de règle dans les meilleurs établissements, avec pour seule incartade la nécessité de payer. Les tables étaient en bois véritable et agencées avec soin afin que chaque client ait une vue dégagée sur l'extérieur et ne soit entendu d'autrui que s'il le désirait. Aujourd'hui le temps était à la pluie. Même si les gouttes n'avaient pas ouaté les vitres, brouillant le paysage citadin et le ciel, elle l'aurait su rien qu'à l'odeur. Son déjeuner – du *sag aloo* froid et quelque chose supposé être du poulet tandoori – restait sur sa table sans qu'elle y ait touché. Soren était toujours assis face à elle, avec l'expression polie et attentive d'un retriever.

— Aucune donnée ne démontre un quelconque lancement, dit-il. Ce qui se trouve sur Vénus aurait dû atteindre Ganymède, et rien ne l'indique.

— Pour ce qui se trouve sur Vénus, l'inertie est un facteur optionnel, et la gravité n'est pas une constante. Nous ignorons quelle forme pourrait prendre un lancement de sa part. Pour ce que nous savons, cette chose pourrait très bien aller jusqu'à Jupiter en marchant.

Le jeune homme le lui concéda d'un petit mouvement de tête.

— Nous en sommes où, avec Mars ?

— Ils ont accepté de nous rencontrer ici. Des vaisseaux sont en chemin, avec la délégation diplomatique et leur témoin.

— La Marine ? Draper ?

— Oui, madame. L'amiral Nguyen s'occupe de l'escorte.

— Il joue le jeu ?

— Jusqu'à maintenant.

— Très bien. Et pour la suite ?

— Jules-Pierre Mao vous attend dans votre bureau, madame.

— Mettez-le sur le gril pour moi. Tout ce qui vous semble important.

Soren la regarda fixement, déconcerté. Un éclair illumina les nuages de l'intérieur.

— Je vous ai envoyé le compte rendu…

Elle éprouva une légère contrariété teintée d'embarras. Elle avait oublié que l'historique de l'homme lui avait été transmis sur son ordinateur. Trente autres documents attendaient là qu'elle les consulte, mais elle avait mal dormi la nuit précédente, à cause de ses rêves dans lesquels Arjun décédait prématurément. Elle faisait ces cauchemars de veuvage depuis la mort de leur fils dans un accident de ski, son esprit associant les deux seuls hommes qu'elle ait jamais aimés.

Elle avait eu l'intention de lire ce rapport avant le petit-déjeuner. Elle avait oublié. Mais il n'était pas question qu'elle l'avoue à un gamin européen juste parce qu'il était intelligent, compétent et qu'il faisait tout ce qu'elle disait.

Elle se leva.

— Je sais ce qu'il y a dans le compte rendu. En détail. C'est un putain de test : je vous demande ce qui est le plus important chez cet homme, d'après vous.

Elle se dirigea d'un pas décidé vers les portes en chêne sculpté de la salle, ce qui obligea Soren à se hâter pour la suivre.

— C'est un entrepreneur qui a la haute main sur les Entreprises Mao-Kwikowski, dit Soren d'une voix juste assez forte pour n'atteindre que les oreilles d'Avasarala. Avant l'incident, la firme était un des principaux fournisseurs de Protogène. Matériel médical, chambres de radiation, infrastructure pour la surveillance et le cryptage. Presque tout ce que Protogène a installé sur Éros ou utilisé pour construire sa station fantôme provenait d'un entrepôt Mao-Kwik ou est arrivé par un transport Mao-Kwik.

— Et il est toujours en liberté parce que… ? dit-elle en poussant un des battants pour sortir dans le couloir.

— Aucune preuve que Mao-Kwik ait été au courant de l'usage fait de ce matériel, répondit Soren. Après que Protogène a été démasqué, Mao-Kwik a été dans les premiers à fournir des renseignements à la commission d'enquête. S'il – et je dis "il" au singulier – n'avait pas transmis un teraoctet de correspondance confidentielle, Gutmansdottir et Kolp n'auraient peut-être jamais été impliqués.

Un homme à la chevelure argentée et au long nez andin arrivant vers eux cessa de consulter son terminal et leva les yeux. Il la salua d'un hochement de tête avant d'arriver à son niveau.

— Victor, dit-elle, je suis désolée, pour Annette.

— Les médecins affirment qu'elle va se remettre, répondit l'autre qui ralentit à peine son pas. Je lui dirai que vous avez demandé de ses nouvelles.

— Dites-lui surtout de quitter au plus vite le lit avant que son mari commence à avoir des idées condamnables, plaisanta-t-elle, et l'homme rit en s'éloignant, puis elle s'adressa à Soren : Il cherchait à passer un marché ? Sa coopération contre la clémence ?

— C'est une façon de voir les choses, mais pour la plupart les gens ont pensé qu'il voulait se venger personnellement de ce qui est arrivé à sa fille.

— Elle était sur Éros, c'est vrai.

— Elle *était* Éros, rectifia Soren alors qu'ils entraient dans l'ascenseur. C'était elle l'infectée alpha. Les scientifiques pensent que la protomolécule s'est développée en se servant de son cerveau et de son corps comme base de départ.

Les portes se fermèrent, et la cabine qui avait déjà identifié Avasarala et savait où elle allait entama la descente en douceur.

— Donc, dit-elle avec un haussement de sourcils, quand ils ont commencé à négocier avec cette chose…

— Ils ont parlé à ce qui restait de la fille de Jules-Pierre Mao, termina Soren. Enfin, c'est ce qu'ils croient avoir fait.

Avasarala laissa échapper un sifflotement bas.

— J'ai passé le test avec succès, madame ? demanda son secrétaire.

Il conservait une expression neutre, à l'exception d'un léger plissement au coin des yeux, pour lui faire comprendre qu'il savait qu'elle l'avait fait marcher. Elle sourit malgré elle.

— Personne n'apprécie les gens trop malins, répliqua-t-elle.

L'ascenseur s'arrêta et les portes coulissèrent.

Jules-Pierre Mao était assis devant son bureau, et il émanait de sa personne une impression de calme tempérée d'une très légère touche d'amusement. Avasarala détailla son visiteur d'un regard vif : le costume en soie bien taillé, entre gris et beige, le début de calvitie qu'aucune intervention médicale n'était venue ralentir, les yeux d'un bleu saisissant avec lesquels il était probablement né. Il portait son âge comme une affirmation que la lutte contre les ravages du temps et la mortalité ne le préoccupait nullement. Vingt ans plus tôt, il avait dû être d'une beauté dévastatrice. À présent il y ajoutait une dignité certaine, et la première impulsion d'Avasarala fut de vouloir le trouver sympathique.

— Monsieur Mao, dit-elle en guise de salutation. Désolée de vous avoir fait attendre.

— J'ai déjà travaillé avec des instances gouvernementales, répondit-il avec un accent européen qui aurait fait fondre du beurre congelé. Je comprends les contraintes. Que puis-je pour vous, madame l'assistante au sous-secrétaire ?

Avasarala s'installa dans son fauteuil. De sa place près du mur, le bouddha souriait paisiblement. La pluie couvrait la fenêtre de son rideau ondulant, et les ombres donnaient l'impression presque subliminale que Mao pleurait. Elle joignit les doigts de ses deux mains en cône.

— Un peu de thé ?

— Non, merci, répondit-il.

— Soren ! Apportez-moi du thé.

— Oui, madame, dit son secrétaire.

— Soren.

— Madame ?

— Prenez votre temps.

— Bien sûr, madame.

La porte se referma derrière lui. Le sourire de Mao semblait las.

— Aurais-je dû venir avec mes avocats ?

— Ces rats ? Non. Les procès sont terminés. Je ne suis pas ici pour ranimer une querelle légale ou une autre. J'ai du vrai travail à abattre.

— C'est une chose que je respecte, dit Mao.

— J'ai un problème, déclara-t-elle. Et je ne sais pas de quelle nature il est.

— Et vous pensez que moi je le saurai ?

— C'est possible. J'ai participé aux audiences pour ceci et cela. La plupart du temps, c'étaient des exercices de style pour se couvrir. Quand la vérité brute apparaissait lors de l'une d'elles, c'était seulement parce que quelqu'un avait fait un faux pas.

Les yeux bleus se plissèrent. Le sourire devint moins chaleureux.

— Vous pensez que mes représentants et moi n'avons pas été assez bavards ? J'ai permis que des gens puissants soient jetés en prison pour vous, madame l'assistante. J'ai brûlé mes vaisseaux.

Au loin, le tonnerre gronda sa complainte en sourdine. Le crépitement de la pluie redoubla contre les vitres. Avasarala croisa les bras.

— C'est vrai. Mais ça ne fait pas de vous un idiot pour autant. Il y a toujours des choses que vous dites sous serment et d'autres que vous éludez. Cette pièce n'est pas sur écoute. Tout ce qui se dit ici n'en sortira pas. J'ai besoin de savoir tout ce que vous pouvez m'apprendre sur la protomolécule : tout ce qui n'a pas été révélé lors des audiences.

Le silence entre eux s'étira. Elle scrutait son visage, son maintien, à la recherche d'indices, mais l'homme demeurait indéchiffrable. Il pratiquait ce jeu depuis trop longtemps, et il était rompu à l'exercice. Un professionnel.

— Des choses se perdent, dit Avasarala. À l'époque de la crise financière, nous avons retrouvé toute une partie des vérifications des comptes dont personne ne se souvenait plus. Parce que c'est de cette façon que vous procédez. Vous prenez une partie du problème et vous l'envoyez dans un endroit, où vous mettez des gens à travailler dessus, puis vous envoyez une autre partie du problème ailleurs, avec une autre équipe pour la traiter, et ainsi de suite. De sorte que, très vite, vous avez sept, huit, cent petites boîtes avec pour chacune une partie du problème à analyser, et personne ne communique avec personne parce qu'il ne faut pas enfreindre les protocoles de sécurité.

— Et vous pensez que…

— Nous avons anéanti Protogène, et vous avez contribué à ce résultat. Je demande simplement si vous êtes au courant de quelques boîtes qui traîneraient dans un coin oublié. Et j'espère vraiment que vous allez répondre par l'affirmative.

— Est-ce que ça vient du secrétaire général ou d'Errinwright ?

— Non. Uniquement de moi.

— J'ai déjà dit tout ce que je savais, déclara-t-il.

— Je ne le crois pas.

Le masque qu'il portait glissa. Cela ne dura même pas une seconde, et ce ne fut rien de plus qu'une subtile modification de sa position sur son siège et une infime crispation de la mâchoire, aussitôt corrigées. Mais c'était une manifestation de colère. Et c'était très intéressant.

— Ils ont tué ma fille, dit-il à voix basse. Même si j'avais eu quelque chose à cacher, je ne l'aurais pas fait.

— Comment est-ce tombé sur votre fille ? demanda Avasarala. Ils l'ont choisie ? Quelqu'un s'est servi d'elle contre vous ?

— C'était la malchance. Elle était partie au loin, pour se prouver je ne sais quoi. Elle était jeune, rebelle et stupide. Nous avons essayé de la faire revenir à la maison mais… elle s'est trouvée au mauvais endroit au mauvais moment.

Un signal d'alerte s'alluma au fond de l'esprit d'Avasarala. Une intuition. Elle décida de la suivre.

— Vous avez eu de ses nouvelles depuis que c'est arrivé ?

— Je ne comprends pas.

— Depuis que la station Éros s'est écrasée sur Vénus, avez-vous eu de ses nouvelles ?

Il était intéressant de le regarder feindre maintenant la colère. Presque convaincant. Elle n'aurait pu définir ce qui manquait d'authenticité dans sa simulation. Le trop-plein d'intelligence dans ses prunelles, peut-être. La sensation qu'il était soudain beaucoup plus présent qu'auparavant. La colère véritable submergeait les gens. Celle-là n'était qu'un faux-semblant.

— Ma Julie est morte, fit-il d'une voix qui tremblait théâtralement. Elle est morte quand cette saloperie extraterrestre s'est abattue sur Vénus. Elle est morte en sauvant la Terre.

Avasarala contre-attaqua avec mesure. Son visage prit l'expression peinée d'une grand-mère compréhensive. S'il voulait jouer à l'homme blessé, elle pouvait jouer à la mère.

— Quelque chose a survécu, dit-elle d'une voix radoucie. Quelque chose a survécu à l'impact, et tout le monde le sait. J'ai de bonnes raisons de penser que ce n'est pas resté là. Si une partie de votre fille a survécu à cette métamorphose, elle a peut-être essayé de vous joindre, d'entrer en contact avec vous. Ou avec sa mère.

— Il n'y a rien que je désirerais plus que retrouver ma petite fille, dit Mao. Mais elle n'est plus là.

Avasarala acquiesça.

— D'accord, dit-elle.

— Il y a autre chose ?

Une fois encore, cette colère feinte. Elle se passa la langue sur la face interne des dents tout en réfléchissant. Il y avait quelque chose, là, quelque chose juste sous la surface. Elle ne savait pas ce qu'elle guettait chez Mao.

— Vous êtes au courant de ce qui s'est passé sur Ganymède ? dit-elle.

— Des combats ont éclaté.

— Peut-être plus que ça. La chose qui a tué votre fille est toujours là-bas. Elle se trouvait sur Ganymède. Je vais découvrir comment, et pourquoi.

Il recula le buste contre le dossier de son siège. Le choc était-il réel ?

— Je vous aiderai si je le peux, déclara-t-il d'une voix un peu faible.

— Commençons par là : y a-t-il quelque chose, n'importe quoi, que vous avez omis de dire pendant les audiences ? Un partenaire en affaires que vous avez préféré ne pas nommer, un programme de sauvegarde ou une équipe auxiliaire que vous avez fournis ? Si ce n'était pas légal, je m'en fiche. Je peux vous obtenir l'amnistie pour à peu près tout, mais j'ai besoin de savoir. Immédiatement.

— L'amnistie ? répéta-t-il comme si elle plaisantait.

— Si vous m'en parlez maintenant, oui.

— Si j'avais quoi que ce soit, je vous le donnerais. J'ai dit tout ce que je savais.

— Très bien. Je suis désolée d'avoir pris de votre temps. Et… navrée d'avoir rouvert ces vieilles blessures. J'ai perdu un fils. Charanpal avait quinze ans. Un accident de ski.

— Désolé, dit Mao.

— Si vous trouvez quelque chose, faites-m'en part.

— Je n'y manquerai pas.

Il se leva de son siège, et elle le laissa marcher jusqu'à la porte avant de parler à nouveau :

— Jules ?

Il tourna la tête pour la regarder par-dessus son épaule, et à cet instant il ressemblait à un gros plan figé, dans un film.

— Si je découvre que vous saviez quelque chose que vous ne m'avez pas dit, je le prendrai très mal, dit-elle. Croyez-moi, je ne suis pas quelqu'un avec qui vous auriez envie de jouer au con.

— Si je ne le savais pas en arrivant ici, à présent je suis averti, répliqua-t-il.

C'était une bonne réplique de fin de scène. La porte se referma derrière lui, Avec un soupir, Avasarala se laissa aller au fond de son fauteuil. Elle se tourna vers le bouddha.

— Tu ne m'as pas été d'une grande aide, le grassouillet satisfait, dit-elle.

La statue étant une statue, elle ne lui répondit pas. D'une pression du pouce sur la touche appropriée, Avasarala tamisa l'éclairage. Quelque chose chez Mao la tracassait.

Ce pouvait n'être que la maîtrise soigneusement peaufinée d'un entrepreneur habitué aux négociations du plus haut niveau, mais elle avait le sentiment qu'il la laissait à l'écart. Qu'elle était exclue. C'était intéressant, cela aussi. Elle se demanda s'il essaierait de la contrer, peut-être de passer par-dessus elle. Il pourrait être utile de prévenir Errinwright de s'attendre à un appel furieux de sa part.

Elle s'interrogeait. Il était plutôt audacieux de penser qu'il y avait quoi que ce soit d'humain sur Vénus. De ce qu'on savait d'elle, la protomolécule avait été conçue pour pirater toute forme de vie primitive et la remodeler en autre chose. Mais si… *si* la complexité d'un esprit humain avait été trop grande pour qu'elle la contrôle, que la fille avait survécu à la chute, d'une façon ou d'une autre, et *si* elle était entrée en contact avec son père…

Avasarala prit son terminal et établit la connexion avec Soren.

— Madame ?

— Quand je vous ai dit de prendre votre temps, ça ne signifiait pas que vous aviez toute la putain de journée. Mon thé ?

— Il arrive, madame. J'ai été pris par autre chose. J'ai là un rapport qui devrait vous intéresser.

— Il sera beaucoup moins intéressant si mon thé est froid.

Elle coupa la communication.

La mise en place d'une surveillance rapprochée de Mao serait sans doute impossible. Les Entreprises Mao-Kwikowski disposaient certainement de leur propre réseau de communication, avec cryptage interne des données, et bon nombre de firmes rivales au moins aussi bien équipées que les Nations unies s'ingéniaient déjà à percer les secrets de leurs concurrents. Mais il devait exister d'autres moyens de surveiller les communications partant de Vénus pour atteindre les installations Mao-Kwik. Ou des messages empruntant ce trajet.

Soren fit son entrée avec un plateau sur lequel étaient posées une théière en fonte et une tasse sans poignée en terre cuite. Sans risquer aucun commentaire sur l'éclairage minimaliste, il s'approcha à pas de loup du bureau, y déposa le plateau, versa la boisson fumante et plaça son terminal à côté de la tasse.

— Vous auriez pu m'envoyer une putain de copie, tout simplement, remarqua Avasarala.

— C'est plus dramatique de cette façon, madame, répondit-il. Tout est dans la présentation.

Elle renifla pour exprimer son scepticisme et prit la tasse avec précaution, souffla sur la surface du liquide et regarda enfin l'écran du terminal. La date figurant dans l'angle inférieur droit indiquait que l'information provenait de Ganymède et remontait à sept heures. Elle était accompagnée du code d'identification attribué au dossier joint. L'homme sur la photo avait le visage compact et osseux d'un Terrien, des cheveux noirs emmêlés et un charme presque adolescent. Avasarala fronça les sourcils en buvant une première gorgée de thé.

— Qu'est-il arrivé à son visage ?

— L'officier rapporteur a suggéré que la barbe faisait partie d'un déguisement.

— Pfeuh. Eh bien, heureusement qu'il n'a pas mis des lunettes, nous ne l'aurions peut-être jamais reconnu. Qu'est-ce que James Holden pouvait bien foutre sur Ganymède ?

— C'est un appareil de remplacement. Pas le *Rossinante*.

— Nous en avons eu confirmation ? Vous savez comme moi que ces salopards sont très doués pour falsifier les codes d'enregistrement.

— L'officier rapporteur a effectué une inspection visuelle de l'agencement intérieur, et il a vérifié le dossier quand il est revenu. Par ailleurs l'équipage ne comportait pas le pilote habituel d'Holden, nous en avons donc déduit qu'il est caché quelque part en attente, avec leur vaisseau, à portée de faisceau… Madame, l'ordre d'interpellation à vue concernant la personne d'Holden est toujours valide.

Avasarala accentua l'éclairage. Les fenêtres redevinrent des miroirs sombres et la tempête fut refoulée à l'extérieur.

— Dites-moi qu'il n'a pas été exécuté, soupira-t-elle.

— Il n'a pas été exécuté. Nous avons placé son équipe et lui sous surveillance, mais la situation sur la station ne se prête guère à un dispositif rapproché. Par ailleurs il ne semble pas que Mars sache déjà qu'il est là, donc nous nous efforçons de garder l'information la plus discrète possible.

— Une bonne chose que quelqu'un sur ce caillou sache mener une opération de renseignement. Une idée de ce qu'il mijote ?

— Eh bien, pour l'instant ça ressemble beaucoup à un besoin de se mettre au vert, dit Soren. Nous ne l'avons vu rencontrer personne qui présente un intérêt particulier. Il pose des questions. Il a failli se battre avec quelques opportunistes qui ont l'habitude de rançonner les appareils de son type, mais les autres ont renoncé. Il est encore trop tôt pour se faire une idée de ses motivations.

Avasarala but encore une gorgée. Elle devait reconnaître cette qualité à son assistant : il savait préparer un bon thé. Ou il connaissait quelqu'un qui savait le faire, ce qui revenait au même. Si Holden était là-bas, cela signifiait que l'APE s'intéressait à la situation sur Ganymède. Et qu'ils n'avaient pas déjà quelqu'un sur place pour les informer de ce qui s'y passait.

En soi, la simple recherche de renseignements ne signifiait pas grand-chose. Même si l'APE s'était résumée à une poignée de traîne-savates abrutis à la gâchette facile, Ganymède était une station cruciale pour le système jovien et la Ceinture. Il était donc logique que l'Alliance veuille y avoir des yeux et des oreilles. Mais l'envoi d'Holden, le seul survivant de la station Éros, semblait être un peu plus que le fruit du hasard.

— Ils ne savent pas ce que c'est, dit-elle à haute voix.

— Madame ?

— Ils ont fait débarquer sous couverture quelqu'un qui a l'expérience de la protomolécule, c'est donc pour une bonne raison. Ils essaient de deviner ce qui se passe. Ce qui prouve qu'ils ne le savent pas. Ce qui prouve que – elle soupira… ce qui prouve que ce n'était pas eux. Ce qui est vraiment foutrement dommage, puisqu'ils sont les seuls à détenir un échantillon vivant, d'après ce que nous savons.

— Vous avez des instructions particulières pour l'équipe de surveillance ?

— Qu'ils surveillent, répliqua-t-elle sèchement. Qu'ils ne le perdent pas de vue, qu'ils sachent à qui il parle, et tout ce qu'il fait. Comptes rendus quotidiens s'il ne se passe rien, rapports en temps réel si ça bouge.

— Bien, madame. Vous voulez qu'on l'arrête ?

— Faites-le arrêter avec son équipage quand ils essaieront de quitter Ganymède. Sinon restez à l'écart et débrouillez-vous pour ne pas être repérés. Holden est un idiot, mais il n'est pas stupide. S'il se rend compte qu'il est sous surveillance, il va se mettre à diffuser des photos de tous nos agents sur Ganymède, ou quelque chose dans ce goût-là. Ne sous-estimez pas sa capacité à foutre la merde.

— Autre chose, madame ?

Un autre éclair. Un autre roulement de tonnerre. Une tempête de plus à ajouter aux milliards de tempêtes qui avaient assailli la Terre depuis le commencement, quand quelque chose avait essayé de mettre fin à toute vie sur la planète. Quelque chose qui se trouvait sur Vénus en ce moment même. Et qui se développait.

— Trouvez un moyen d'envoyer un message à Fred Johnson sans que Nguyen ou les Martiens s'en aperçoivent. Il se peut que nous ayons besoin de négocier par la bande.

10

PRAX

— Pas *kirrup es* pour moi, dit le garçon assis sur la couchette. *Pinche salad, sa-sa ?* Dix mille, c'était, avant.

Il n'avait pas plus de vingt ans, à coup sûr. Assez jeune pour être son fils, d'un point de vue purement mathématique, et juste en âge d'avoir une fille comme Mei. Aminci par la croissance de l'adolescence et une existence en gravité restreinte, il était d'une sveltesse improbable. D'autant qu'il souffrait de malnutrition grave.

— Je peux vous écrire un billet à ordre, si vous voulez, proposa Prax.

Le garçon sourit et répondit d'un geste obscène.

Par son travail professionnel, Prax savait que les planètes intérieures considéraient l'argot ceinturien comme une déclaration d'adresse. En sa qualité de botaniste spécialisé dans les espèces comestibles sur Ganymède, il était conscient que c'était aussi une question de classe sociale. Il avait grandi auprès de précepteurs qui lui avaient enseigné le chinois et l'anglais sans accent. Il avait conversé avec des hommes et des femmes venus de tout le système solaire. À la manière qu'avait quelqu'un de prononcer le mot *allopolyploïdie*, il pouvait dire si la personne venait d'une université proche de Beijing ou brésilienne, si elle avait grandi à l'ombre des Rocheuses ou du mont Olympe, ou si elle avait connu les tunnels de Cérès. Il avait lui-même grandi dans un environnement soumis à la microgravité, mais le patois ceinturien lui était aussi étranger qu'à quelqu'un tout juste sorti du puits de gravité de la Terre. S'il avait voulu, le garçon aurait pu parler de sorte que Prax ne comprenne rien. Mais son visiteur étant un client payant, donc il fournissait un effort réel pour dialoguer.

Le clavier de programmation était deux fois plus large qu'un terminal individuel classique, son plastique défraîchi par l'usage et le temps. Une colonne de progression s'emplissait lentement sur le côté de l'écran, et des symboles chinois simplifiés changeaient à chaque mouvement.

L'appartement était bon marché, donc proche de la surface de la lune. Pas plus de trois mètres dans sa plus grande largeur, quatre pièces grossièrement définies et creusées dans la glace, avec sortie sur un couloir public à peine plus spacieux ou mieux éclairé. La condensation faisait luire les vieux murs en plastique. Ils se trouvaient dans la pièce la plus éloignée du couloir, le garçon sur sa couchette et Prax debout sur le seuil, courbé.

— Pas de promesse du dossier entier, dit le garçon. Qu'est-ce que c'est, est, *sabé* ?

— Tout ce que vous pourrez obtenir sera super.

L'autre hocha la tête. Prax ne connaissait pas son nom. Ce n'était pas le genre de question à poser. Les jours passés à dénicher quelqu'un qui accepte de pirater le système de sécurité avaient eu toutes les caractéristiques d'une longue danse entre sa propre ignorance de l'économie souterraine de la station Ganymède et le désespoir et la faim qui croissaient partout, même dans les coins les plus corrompus. Un mois auparavant, ce jeune hacker aurait pu récupérer illégalement des données commerciales pour les revendre ailleurs ou faire pression afin de blanchir facilement des crédits privés. Aujourd'hui il recherchait Mei, en échange d'une quantité suffisante de feuilles comestibles pour se concocter un maigre repas. Le troc agricole, la plus vieille forme d'économie humaine, était arrivé sur Ganymède.

— La copie d'origine a disparu, annonça le garçon. Avalée par les serveurs, enfouie au fond du trou.

— Alors vous ne pouvez pas pirater la sécurité des serveurs…

— Pas besoin. Les caméras ont une mémoire, la mémoire a un cache. Depuis la panne, ça se remplit sans arrêt. Personne ne regarde.

— Vous plaisantez ? dit Prax. Les deux plus grandes armées du système s'épient et elles ne regardent pas les caméras de sécurité ?

— Elles s'épient l'une l'autre. Se contrefoutent de nous.

La barre de progression finit de se remplir et un signal sonore tinta. Le garçon ouvrit une liste de codes d'identification et se mit à les faire défiler en marmonnant. Dans la pièce voisine, un bébé geignit faiblement. Il semblait affamé. Bien sûr.

— Votre enfant ?

Le hacker secoua la tête.

— Collatéral.

Il cliqua deux fois un code. Une nouvelle fenêtre emplit l'écran. Enregistrement vidéo. Un grand couloir. Une porte à moitié fondue, forcée. Des marques de brûlure sur les murs et, ce qui était pire, une flaque d'eau. Il n'y aurait pas dû y avoir d'eau. Les contrôles environnementaux s'éloignaient de plus en plus de leurs niveaux de sécurité. Le garçon regarda Prax.

— C'est là ?

— Oui.

L'autre hocha la tête et se concentra sur sa console.

— J'ai besoin de voir ce qui s'est passé avant l'attaque, précisa le petit homme. Avant la chute du miroir.

— *Hokay*, boss. Je remonte. *Tod á frames con null delta.* Seulement voir quand quelque chose se passe, que si ?

— C'est ça.

Prax s'approcha et regarda par-dessus l'épaule du garçon. L'image tressautait sans que rien ne change sur l'écran, à l'exception de la flaque qui rétrécissait peu à peu. Ils remontaient le cours du temps, repassaient à l'envers les jours et les semaines. Pour revenir au moment où tout s'était disloqué.

Des médecins apparurent sur l'écran, qui semblaient marcher à reculons dans ce monde inversé alors qu'ils déposaient un cadavre à côté de la porte. Puis un autre, étendu sur le premier. Les deux corps gisaient immobiles, ensuite l'un bougea, gratta doucement le mur, et avec plus de vigueur, avant de se lever très vite en titubant, pour s'en aller.

— Il devrait y avoir une fille. Je cherche qui a amené une enfant de quatre ans.

— La garderie, *no* ? Doit y en avoir un millier.

— Je ne m'intéresse qu'à celle-là.

Le second cadavre, celui d'une femme, s'assit, se releva en se tenant le ventre. Un homme entra dans le champ, une arme au poing, et la guérit en aspirant la balle de son estomac avec son pistolet. Ils se disputèrent, se calmèrent, se séparèrent paisiblement. Prax était conscient de tout voir à l'envers, mais son cerveau en manque de calories et de repos avait du mal à remettre les scènes dans un ordre cohérent. Des soldats sortirent à reculons par la porte éventrée, comme un accouchement par le siège, se regroupèrent et battirent en retraite au pas de course. Un éclair lumineux, et la porte redevint intacte, avec les charges de thermite accrochées à sa surface tels des fruits, jusqu'à ce qu'un militaire en uniforme martien se précipite en avant pour les ramasser. Leur moisson technologique achevée, les soldats se replièrent rapidement, laissant derrière eux un scooter appuyé contre le mur.

Puis la porte coulissa, et Prax se vit sortir à reculons. Il semblait plus jeune. Il frappa à la porte, ses poings martelant le panneau, avant de bondir maladroitement sur le scooter et disparaître en marche arrière.

La porte resta immobile. Le botaniste retint son souffle. Marchant à l'envers, une femme portant un garçon de cinq ans sur sa hanche franchit la porte, disparut à l'intérieur, et réapparut. Il dut se rappeler que cette femme n'avait pas déposé son gamin mais était venue le chercher. Deux silhouettes reculèrent dans le couloir.

Non. Trois.

Son cœur s'emballa.

— Stop. C'est là. C'est elle.

Le garçon attendit que les trois personnes soient au centre de l'écran, quand elles sortirent dans le couloir. Le visage de Mei était maussade. Même avec la résolution basse de la caméra de sécurité son père parvenait à lire son expression. Et l'homme qui la tenait…

Le soulagement le disputa à l'indignation dans la poitrine de Prax, et le soulagement l'emporta. C'était le Dr Strickland. Elle était partie avec lui, et il connaissait très bien son état de santé, son traitement et tout ce dont elle avait besoin pour survivre. Prax tomba à genoux et ferma les yeux sur les larmes qui sourdaient déjà. Si le médecin l'avait emmenée, elle n'était pas morte. Sa fille n'était pas morte.

À moins que le Dr Strickland n'ait péri, lui aussi, lui murmura une petite voix vicieuse.

La femme lui était inconnue. Les cheveux noirs, des traits lui rappelant ces botanistes russes avec qui il avait travaillé. Elle tenait un rouleau de papier dans une main. Son sourire pouvait être d'amusement, ou une grimace d'impatience. Impossible à dire.

— Vous pouvez les suivre ? demanda-t-il. Pour savoir où ils sont allés ?

Le hacker leva les yeux sur lui, et un rictus ourla ses lèvres.

— Pour de la salade ? *No.* Poulet, et sauce *atche*.

— Je n'ai pas de poulet.
L'autre fit la moue.
— Alors tu as ce que tu as.
Son regard était devenu aussi froid que si ses yeux étaient en marbre. Prax avait envie de le frapper, de l'étrangler jusqu'à ce qu'il extraie les images des ordinateurs à l'agonie. Mais le garçon avait sans aucun doute un pistolet, voire pire, et il savait très certainement comment s'en servir.
— S'il vous plaît, dit le botaniste.
— Tu as ton service, *you. No epressa mé, si ?*
L'humiliation lui serra la gorge, et il la ravala.
— Du poulet ?
— Si.
Le petit homme ouvrit son sac et en sortit deux poignées de feuilles, des piments orange et de minuscules oignons blancs. Le garçon razzia la moitié du tout d'un seul geste et la fourra dans sa bouche. Le plaisir animal de la dégustation lui fit plisser les yeux.
— Je vais voir ce que je peux faire, promit Prax.

Il ne pouvait rien faire.
La seule protéine ingérable encore disponible dans la station s'écoulait en minces filets des réserves de secours ou marchait sur deux pieds. Les gens avaient adopté sa stratégie et dépouillé les végétaux présents dans les jardins publics et les installations hydroponiques. Ils n'avaient pas révisé leurs leçons, par contre. Des produits non comestibles avaient également été dévorés sans discernement, ce qui avait dégradé leurs fonctions purificatrices de l'atmosphère et déréglé un peu plus l'écosystème interne de la station. Une chose en entraînant une autre, on ne pouvait pas trouver de poulet ou une autre denrée s'y substituant. Et même

si on avait pu en trouver, il ne disposait pas du temps nécessaire pour résoudre l'équation de la localisation probable d'un tel trésor.

À son propre domicile, l'éclairage était tamisé et refusait de reprendre sa luminosité habituelle. Le plant de soja avait cessé de croître, mais sans dépérir, ce qui était ou aurait pu être une donnée intéressante.

Durant la journée, un système automatisé était passé en mode de préservation et avait limité l'utilisation d'énergie. Dans le tableau d'ensemble, ce pouvait être considéré comme un signe positif. Ou comme une poussée de fièvre juste avant la catastrophe. Cela ne changeait en rien ce qu'il avait à faire.

Enfant, il était entré tôt à l'école, ou plutôt "aux écoles", durant les pérégrinations de sa famille jusqu'aux confins de l'espace ignorés du soleil, à la poursuite d'un rêve de travail et de prospérité. Il avait mal vécu ces changements continuels. Migraines et crises d'anxiété, ainsi qu'une fatigue profonde, avaient hanté ses premières années, alors qu'il lui fallait faire bonne impression sur ses précepteurs pour être reconnu comme une jeune intelligence prometteuse. Son père ne lui avait laissé aucun répit. *La fenêtre reste ouverte jusqu'à ce qu'elle se ferme*, avait-il coutume de dire, et il poussait son fils à travailler encore un peu plus, à trouver les ressources pour réfléchir même quand le gamin était trop las, malade physiquement ou moralement pour le faire. Alors Prax avait appris à classer les priorités, prendre des notes, dégager les grandes lignes des sujets primordiaux.

En maîtrisant le flot désordonné de ses pensées, il pouvait atteindre une forme de clarté passagère, comme l'alpiniste exténué quand il se hisse enfin vers le sommet. Et maintenant, dans ce crépuscule artificiel, il établissait des listes. Les noms de tous les enfants ayant participé au groupe de thérapie de Mei qu'il réussissait à se remémorer. Ils étaient vingt, il le savait, mais il ne se souvenait que de seize. Son esprit se mit à battre la campagne. Il afficha sur l'écran de son terminal l'image de Strickland et de la femme mystère, et il la regarda fixement. Le tourbillon confus d'espoir et de colère se dissipa lentement. Il eut l'impression de s'endormir, mais son pouls était trop rapide. La tachycardie était-elle un des symptômes du manque d'alimentation ? Il n'arrivait pas à se le rappeler.

Pendant quelques secondes il reprit la pleine possession de ses facultés, eut les pensées claires et lucides, et il se rendit subitement compte que cela ne lui était pas arrivé depuis des jours. Il commençait à perdre pied. Sa propre cascade personnelle prenait le pas sur sa volonté consciente, et il ne serait pas en mesure de poursuivre très longtemps encore ses recherches s'il ne s'accordait pas un peu de repos. Et il lui fallait ingérer des protéines. Il était déjà à moitié zombie.

Il devait absolument trouver de l'aide. Son regard parcourut la liste de noms d'enfants. Il fallait qu'il trouve de l'aide, mais d'abord il allait vérifier, simplement vérifier. Il irait au… au…

Il ferma les yeux, fronça les sourcils. Il connaissait la réponse. Il savait qu'il la connaissait. Oui, c'était bien ça : il irait au poste de sécurité. Il irait là-bas et il se renseignerait sur chacun des enfants. Il rouvrit les yeux, inscrivit *poste de sécurité* au bas de la liste, enregistra la pensée. *Le poste de recherche des Nations unies. Le poste de recherche de Mars.* Tous les endroits où il s'était rendu auparavant, jour après jour, mais à présent il irait y poser d'autres questions. Ce serait facile. Et ensuite, quand il saurait, il y aurait autre chose qu'il devrait faire. Il lui fallut une bonne minute pour définir ce que c'était, et il l'écrivit au bas de la page.

Trouver de l'aide.

⚡

— Ils sont tous partis, dit-il, et son souffle créa un nuage d'un blanc fantomatique dans l'air. Ce sont tous ses patients, et ils sont tous partis. Seize sur seize. Vous connaissez les probabilités qu'une telle chose se produise naturellement ? Ce n'est pas dû au hasard.

L'homme de la sécurité ne s'était pas rasé depuis des jours. Une longue brûlure laissée par le contact avec la glace rougissait sa joue et son cou. La blessure, récente, n'avait pas été soignée. Son visage avait certainement touché un endroit non protégé de la surface de Ganymède. Il avait encore sa peau, c'était une chance. Il portait un manteau épais et des gants. Une fine couche de gel luisait sur son bureau.

— Je vous remercie d'avoir délivré cette information, monsieur, et je vais m'assurer qu'elle parvienne aux postes concernés…

— Non, vous ne comprenez pas. Il les a emmenés. Ces enfants sont malades, et il les a emmenés.

— Peut-être qu'il s'efforçait de les mettre en sécurité, plaida l'homme de la sécurité.

Sa voix était morne, lasse, molle. Cela posait un problème. Prax savait que cela posait un problème, mais il ne parvenait pas à se souvenir duquel. L'autre tendit le bras pour l'écarter en douceur, et fit signe à la femme derrière lui. Le botaniste se retrouva à la dévisager comme s'il était ivre.

— Je veux signaler un meurtre, dit-elle d'une voix chevrotante.

L'homme de la sécurité acquiesça, sans surprise ou incrédulité dans le regard. Prax se souvint :

— Il les a pris avant. Avant que l'attaque commence.

— Trois hommes se sont introduits de force dans mon appartement, expliqua la femme. Ils… Mon frère était avec moi, et il a essayé de les en empêcher…

— Quand est-ce arrivé, madame ?

— Avant l'attaque, dit Prax.

— Il y a deux heures, à peu près, répondit la femme. Niveau 4. Section Bleue. Appartement 1453.

— Bien, madame. Je vais vous diriger vers ce bureau, là-bas, vous voyez ? Il faut que vous remplissiez un formulaire.

— Mon frère est mort. Ils l'ont abattu.

— Et je suis désolé de l'apprendre, madame. J'ai besoin que vous remplissiez le formulaire à ce bureau, pour que nous puissions arrêter les individus qui ont fait ça.

Prax les regarda s'éloigner. Il se retourna vers la file des traumatisés et des désespérés qui attendaient leur tour d'implorer, un peu d'aide, de justice, de loi. La colère l'embrasa, s'éteignit. Il avait besoin d'aide, mais il n'en trouverait pas ici. Mei et lui étaient de petits cailloux semés dans l'espace. Ils n'avaient aucune importance.

L'homme de la sécurité revenait en compagnie d'une grande et belle femme avec qui il discutait d'un événement horrible. Prax ne l'avait pas vu approcher, et il n'avait pas entendu le début de l'histoire que la femme racontait. Il commençait à avoir des absences. Ce n'était pas bon signe.

La petite partie encore saine de son cerveau lui murmura que, s'il mourait, personne ne rechercherait Mei. Elle serait perdue. Il avait besoin de manger, lui glissa la voix intérieure, il en avait besoin depuis des jours. Et il ne lui restait plus beaucoup de temps.

— Il faut que j'aille au centre d'aide, dit-il à haute voix, mais la femme et l'homme de la sécurité ne semblèrent pas l'entendre. Merci quand même.

Maintenant qu'il avait pris conscience de sa propre condition, il se découvrait abasourdi, et inquiet. Son pas était traînant, ses bras trop faibles le faisaient souffrir alors qu'il ne se rappelait pas avoir fait quoi que ce soit expliquant ces douleurs. Il n'avait rien soulevé de lourd, il n'avait rien escaladé. Il n'avait même pas fait sa culture physique quotidienne, pour autant qu'il s'en souvienne. Il se remémorait la secousse engendrée par la chute du miroir, l'anéantissement de son dôme, mais un peu comme si tout cela s'était produit dans une vie antérieure. Il était en train de perdre la tête, aucun doute.

Les couloirs voisins du centre d'aide étaient engorgés comme des abattoirs. Des hommes et des femmes, dont beaucoup paraissaient en bien meilleure forme que lui, se pressaient les uns contre les autres, rendant le moindre espace exigu. Plus il se rapprochait de son objectif et plus la tête lui tournait. L'air était presque chaud, ici, à cause de tous ces corps en troupeau. Il y flottait une odeur âcre. Le souffle des saints, comme l'appelait sa mère. L'odeur de l'insuffisance en protéines, celle des corps s'autodévorant pour survivre. Il se demanda combien de gens dans la foule identifiaient cette senteur.

On criait, on se bousculait sans retenue. La multitude autour de lui était parcourue de mouvements de flux et de reflux, et il imagina des vagues martelant la côte.

— Alors ouvrez les portes et laissez-nous voir ! s'égosilla une femme quelque part devant lui.

Oh, songea-t-il. *C'est une émeute de la faim.*

Il se dirigea vers le côté pour s'extirper du gros de la mêlée. S'évader. Devant lui, les gens lançaient des invectives. Derrière lui, ils poussaient. Les rampes de LED au plafond projetaient un éclat blanc et doré. Les murs étaient d'un gris industriel. Il réussit à extraire une main, arriva auprès d'un mur. Quelque part, le barrage céda et la foule se déversa soudain en avant dans un mouvement collectif qui menaçait de l'emporter. Il colla sa main libre contre le mur. La ruée baissa d'intensité, le flot des corps s'amenuisa, et Prax fit quelques pas en vacillant. Les portes de l'aire de chargement étaient grandes ouvertes. À côté d'elles, il aperçut un visage familier qu'il ne put cependant pas identifier. Quelqu'un du labo, peut-être ? L'homme avait l'ossature lourde, la musculature compacte. Un Terrien. Peut-être quelqu'un qu'il avait vu lors de ses pérégrinations dans la station en déshérence. Avait-il surpris cet homme en train de fouiner à la recherche de quelque chose à se mettre dans le ventre ? Mais non, il paraissait trop bien nourri. Ses traits n'avaient rien d'émacié. C'était comme un ami, en même temps un étranger. Quelqu'un que Prax connaissait sans le connaître. Comme le secrétaire général, ou un acteur célèbre.

Il était conscient de regarder l'homme fixement, mais il ne pouvait pas s'arrêter de le faire. Il connaissait ce visage. Il le *connaissait*. C'était en rapport direct avec la guerre.

Le souvenir d'une scène précise s'imposa subitement à son esprit. Il était chez lui, dans son appartement, et il tenait Mei dans ses bras pour essayer de la calmer. Elle avait à peine plus d'un an, elle ne marchait pas encore, et les médecins tâtonnaient toujours pour trouver le cocktail pharmaceutique qui la maintiendrait en vie. Malgré les geignements de la fillette qui souffrait de coliques, le verbiage des infos créait un discours anxiogène continu. Le visage d'un homme occupait l'écran et répétait toujours la même déclaration :

Je m'appelle James Holden et mon transport commercial, le Canterbury, *vient d'être détruit par un vaisseau de guerre doté de technologie avancée. Cette unité militaire apparaît avoir certains éléments constituants frappés de numéros de série appartenant à la Flotte martienne…*

C'était lui. Voilà pourquoi il avait reconnu son visage et eu l'impression qu'il l'avait déjà vu. Prax sentit une sorte de traction au centre de sa poitrine et se rendit compte qu'il avançait. Il fit halte. Au-delà des portes, quelqu'un poussa un cri de joie. Prax leva sa main tenant le terminal, consulta sa liste. Seize noms, seize enfants disparus. Et au bas de l'écran, en caractères majuscules : *TROUVER DE L'AIDE*.

Il se tourna vers l'homme qui avait déclenché des guerres et sauvé des planètes. Soudain il se sentait intimidé, incertain.

— Trouver de l'aide, dit-il.

Et il alla de l'avant.

11
HOLDEN

Santichai et Melissa Supitayaporn étaient deux missionnaires octogénaires et terriens appartenant à l'Église de l'Humanité ascendante, une religion qui fuyait le surnaturalisme sous toutes ses formes et dont la théologie se résumait très bien à la formule *Les humains peuvent être meilleurs que les autres, alors visons ce but*. Ils dirigeaient également le centre d'aide avec l'efficacité de dictateurs-nés. Quelques minutes après son arrivée, Holden avait été sermonné par Santichai, individu frêle aux cheveux blancs clairsemés, pour son altercation avec les représentants des douanes au spatioport. Après avoir tenté pendant plusieurs minutes de s'expliquer et s'être vu rabroué vertement par le missionnaire maigrichon, il avait fini par renoncer et avait présenté ses excuses.

— Ne rendez pas votre situation plus précaire qu'elle ne l'est déjà, répéta plusieurs fois Santichai en agitant un index brun et osseux sous le nez du capitaine.

Apparemment il était quelque peu amadoué par la repentance du nouveau venu, mais toujours désireux de faire valoir son point de vue.

Holden leva les deux mains en signe de reddition inconditionnelle.

— J'ai compris.

Le reste de son équipage s'était éclipsé dès le premier éclat de Santichai, le laissant affronter seul le pieux courroux du vieillard. Il repéra Naomi à l'autre bout du vaste entrepôt, occupée à discuter tranquillement avec Melissa, l'épouse de Santichai, qu'on pouvait espérer moins acariâtre que son mari. Holden ne percevait aucun éclat de voix, mais avec les discussions en cours de dizaines de personnes, les grincements des mécanismes et le grondement des moteurs et les signaux sonores de marche arrière de trois engins de levage, Melissa aurait pu bombarder Naomi de grenades qu'il n'aurait probablement pas entendu les explosions.

Cherchant une excuse pour s'échapper, il désigna la jeune femme du doigt et dit :

— Pardonnez-moi, mais je…

Santichai le fit taire d'un mouvement sec de la main qui anima les plis multiples de son ample tunique orange. Holden estima impossible de désobéir au petit homme.

— Ce n'est pas suffisant, déclara le missionnaire en indiquant les caisses qu'on débarquait du *Somnambule*.

— Je…

— L'APE nous avait promis vingt-deux mille kilos de protéines et de compléments alimentaires pour la semaine dernière. Et là, il y en a douze mille, tout au plus.

Il ponctua son verdict en enfonçant le bout de son index dans le biceps d'Holden.

— Je suis chargé de…

— Pourquoi nous avoir promis quelque chose qu'ils n'avaient pas l'intention de nous livrer ? insista le vieillard sans cesser de martyriser le bras du capitaine. Promettez douze mille si c'est ce que vous avez, mais ne promettez pas vingt-deux mille pour ensuite livrer seulement douze mille.

— D'accord avec vous, répondit Holden sans baisser les mains mais en reculant hors de portée du doigt destructeur. Tout à fait d'accord. Je vais appeler immédiatement mon contact sur la station Tycho pour découvrir où est passé le restant du chargement promis. Je suis sûr qu'il est en cours d'acheminement.

Santichai s'ébroua dans une autre envolée de plis orange.

— Voyez ce que vous pouvez faire, lâcha-t-il avant de s'en prendre à un des conducteurs d'engin. Vous ! *Vous*, là ! Vous voyez la pancarte qui dit "médicaments" ? Alors pourquoi déposez-vous des caisses qui ne contiennent pas de médicaments à cet endroit ?

Holden profita de ce moment dc distraction pour se dérober, et il rejoignit à petites foulées Naomi et Melissa. La jeune femme avait un formulaire affiché sur son terminal et le remplissait sous le regard attentif de l'octogénaire.

Pendant que Naomi travaillait, Holden survola l'entrepôt du regard. Le *Somnambule* était un des quelque vingt appareils de secours d'urgence arrivés pendant les dernières vingt-quatre heures, et les caisses et les fournitures diverses encombraient rapidement l'espace pourtant vaste. L'air froid sentait la poussière, l'ozone et l'huile surchauffée émanant des engins de levage, mais ces odeurs ne pouvaient masquer celle vaguement désagréable de pourriture évoquant de la végétation en décomposition. Il vit Santichai s'élancer à travers l'entrepôt en hurlant des instructions à l'adresse de deux ouvriers qui transportaient une grande caisse.

— Votre mari est vraiment incroyable, madame, dit-il à Melissa.

Elle était plus grande et plus forte que son époux, mais avait le même nuage raréfié de cheveux blancs. Ses yeux d'un bleu vif disparaissaient presque dans son visage quand elle souriait. Ce qui était le cas maintenant.

— De toute ma vie je n'ai jamais rencontré quelqu'un qui se soucie autant du bien-être d'autrui, et aussi peu de leur sensibilité, déclara-t-elle. Mais au moins il fera en sorte qu'ils aient tous mangé à leur faim avant de leur réciter la liste de tout ce qu'ils ont fait de travers.

— Je crois que c'est bon, annonça Naomi.

Elle appuya sur la touche pour expédier le formulaire complété au terminal de la missionnaire, un modèle joliment désuet qu'elle sortit de la poche de sa tunique quand l'appareil sonna pour signaler la réception du message.

— Madame Supitayaporn, dit Holden.

— Melissa.

— Melissa, depuis combien de temps votre mari et vous-mêmes êtes sur Ganymède ?

Elle se tapota le menton d'un doigt et son regard se perdit au loin.

— Presque… dix ans ? Ça fait déjà si longtemps ? Sûrement, oui, puisque Dru venait juste d'avoir son bébé et il…

— Je me posais la question parce que personne à l'extérieur de Ganymède ne semble savoir comment tout ça a commencé, expliqua Holden en englobant l'entrepôt d'un geste large.

— La station ?

— La crise.

— Eh bien, les soldats des Nations unies et de Mars se sont mis à se tirer dessus. Ensuite on a commencé à constater des perturbations dans les systèmes…

— Oui, coupa-t-il pour abréger, je comprends tout ça. Mais *pourquoi* ? Personne n'a tiré une seule fois durant toute l'année où la Terre et Mars ont tenu cette lune conjointement. Nous avons eu une guerre avant l'incident Éros, et elle ne s'est pas propagée jusqu'ici. Et d'un seul coup tout le monde se met à canarder le voisin ? Qu'est-ce qui a mis le feu aux poudres ?

Melissa sembla décontenancée par la question, et c'était une autre expression qui faisait presque disparaître ses yeux dans une masse de rides.

— Je l'ignore, avoua-t-elle. J'ai cru qu'ils se battaient ensemble dans tout le système. Nous ne recevons pas beaucoup d'informations, ces derniers temps.

— Non, dit Holden, ça n'est arrivé qu'ici, et seulement pendant quelques jours. Ensuite ça s'est arrêté, sans aucune explication.

— C'est bizarre, admit l'octogénaire. Mais je ne sais pas si ça a vraiment de l'importance. Quoi qu'il se soit passé, ça ne change pas ce que nous devons faire maintenant.

— J'imagine que non, en effet, lui accorda-t-il.

Elle sourit, l'étreignit avec effusion, puis alla vérifier le formulaire de quelqu'un d'autre.

Naomi accrocha de son bras celui d'Holden, et ils prirent la direction de la sortie de l'entrepôt, en évitant les caisses et les travailleurs en chemin.

— Comment est-il possible qu'il y ait eu une vraie bataille ici et que personne n'en connaisse la cause ? s'étonna-t-elle.

— Ils la connaissent. *Quelqu'un* la connaît.

La station se révélait plus dégradée vue du sol que de l'espace. Les plantes vitales à la production d'oxygène qui frangeaient les murs des tunnels et des couloirs se paraient d'une teinte jaunâtre maladive. Nombre de passages n'étaient pas éclairés, et les portes à mécanisme pneumatique avaient été forcées et bloquées en position ouverte. Si une des zones de la station accusait une chute de pression, celles qui l'entouraient en souffriraient aussi. Les quelques personnes qu'ils croisèrent évitèrent de les regarder ou les dévisagèrent avec une franche hostilité. Holden se surprit à regretter de ne pas porter son arme de façon bien visible, plutôt que cachée dans l'étui calé au creux de ses reins.

— Qui est ton contact ? demanda Naomi.

— Hmm ?

— Je suppose que Fred a des gens à lui ici.

Elle avait parlé à voix basse et salua d'un sourire poli un groupe d'hommes allant en sens inverse. Tous exhibaient une arme, même si la plupart d'entre elles se limitaient à des bâtons et des piques improvisées. Ils l'observèrent en retour avec curiosité. Holden rapprocha sa main de son pistolet, sous le pan de son vêtement, mais le groupe les croisa sans ralentir, et ils n'eurent droit qu'à quelques regards en arrière avant que les hommes tournent à un coin du tunnel et disparaissent à leur vue.

— Il ne nous a pas arrangé une rencontre ? termina Naomi d'un ton normal.

— Il m'a donné quelques noms. Mais les communications avec cette lune sont tellement irrégulières qu'il n'a pas pu me…

Il fut interrompu par une détonation violente venant d'une autre partie du spatioport. L'explosion fut suivie d'une clameur rugissante qui se réduisit graduellement à un chœur de cris humains. Les quelques personnes présentes dans le tunnel se mirent à courir, certaines en direction du bruit, mais pour la plupart dans l'autre sens.

— Nous ne devrions pas… commença Naomi en suivant des yeux les gens qui se ruaient vers l'explosion.

— Nous sommes ici pour voir ce qui se passe, répondit Holden. Alors allons voir.

Ils se perdirent rapidement dans la succession de couloirs sinueux, mais c'était sans importance tant qu'ils continuaient de se rapprocher du bruit avec le nombre croissant de gens qui allaient dans la même direction. Un homme grand et massif, aux cheveux roux hérissés, courut un temps à leur hauteur. Il tenait une longueur de tuyau métallique noir dans chaque main. Avec un sourire, il voulut en confier une à Naomi qui refusa d'un geste.

— Putain, il était temps ! s'écria-t-il avec un accent qu'Holden ne put situer.

L'homme lui fit la même offre, et le capitaine prit l'arme improvisée.

— Qu'est-ce qui se passe ? demanda-t-il.

— Ces enfoirés balancent les victuailles, et les gens doivent se magner, vous pigez ? Faut y aller, si vous en avez !

Avec un hululement, Hérisson Rouge fit tournoyer son tuyau au-dessus de sa tête et força l'allure. Il disparut très vite dans la marée humaine devant eux. Naomi rit et imita son cri. Quand Holden lui lança un regard interloqué, elle se contenta de sourire et dit :

— C'est contagieux.

Une dernière courbe du tunnel les amena à l'entrée d'un vaste entrepôt presque identique à celui géré par les Supitayaporn, à ce détail près que l'endroit était envahi par une foule en colère qui se pressait vers la baie de chargement. Les portes en étaient closes, et un petit groupe d'agents de sécurité du spatioport s'efforçait d'endiguer le mouvement. À l'arrivée d'Holden, les gens étaient encore intimidés par les tasers et les bâtons électriques, mais d'après la tension et la colère qu'il sentait croître dans l'air à chaque seconde, cela n'allait pas durer.

Juste derrière la ligne des miliciens privés avec leur armement simplement dissuasif, un petit groupe d'hommes en rangers et tenue noire surveillait la scène. Ils avaient des fusils d'assaut et l'air de guetter la permission de s'en servir.

La sécurité de l'entreprise, très certainement.

D'un regard rapide balayant les lieux, Holden sentit le drame sur le point de se nouer. Derrière les portes closes de la baie de chargement se trouvait un des derniers cargos de la compagnie probablement chargé jusqu'à la gueule de produits alimentaires arrachés à la lune et prêts à être expédiés loin de Ganymède.

Et cette foule était affamée.

Holden se souvenait d'avoir essayé de s'échapper d'un casino, sur Éros, alors que l'établissement allait être mis en quarantaine. Il se rappelait très bien la colère des gens face aux hommes armés de la sécurité, les cris, les odeurs mêlées de sang et de cordite. Avant même de se rendre compte qu'il avait pris sa décision, il se surprit à fendre la foule vers l'avant. Naomi suivit en marmonnant des excuses dans son sillage. Elle le saisit par le bras et réussit à le stopper un instant.

— Tu ne t'apprêterais pas à faire quelque chose de vraiment stupide ? demanda-t-elle.

— Je m'apprête à empêcher ces gens de se faire massacrer parce qu'ils sont coupables d'avoir faim, rétorqua-t-il, et il grimaça en percevant dans sa propre voix des accents de révolte.

— Ne fais pas ça, dit-elle en le lâchant. Ne braque pas ton flingue sur quelqu'un.

— Ils ont des flingues, eux aussi.

— *Des* flingues, pluriel. Toi tu as *un* flingue, singulier, et c'est pour ça que tu vas le laisser dans son étui, sinon tu t'y colleras seul.

C'est la seule façon de faire. En s'y collant seul. C'était le genre de formule que l'inspecteur Miller aurait employée. Pour lui, la chose avait été vraie. C'était là une raison assez forte pour ne surtout pas agir de cette manière.

— D'accord, dit Holden.

Il recommença à jouer des coudes pour se frayer un chemin vers l'avant. Quand il émergea de la foule, deux personnes étaient devenues le point d'achoppement du conflit. Un type grisonnant en uniforme de la sécurité du spatioport avec un badge frappé de la mention *Superviseur* faisait face à une femme grande et brune de peau qui aurait pu être la mère de Naomi. Tous deux s'échangeaient des insultes et autres amabilités en criant presque.

— Ouvrez simplement ces putains de portes et laissez-nous voir ! s'exclamait la femme.

D'après son ton, Holden déduisit qu'elle avait déjà répété plusieurs fois cette phrase.

— Vous n'obtiendrez rien en employant ce ton avec moi ! répondit l'autre, sur le même ton.

Derrière lui, les gardes avaient les mains crispées sur leurs bâtons paralysants, et les gros bras de la firme tenaient leurs armes avec une décontraction qu'Holden jugea beaucoup plus inquiétante encore.

La femme se tut quand le capitaine s'approcha du superviseur, et elle reporta son attention sur le nouveau venu.

— Qui… ? commença-t-elle.

Holden grimpa sur la plate-forme de chargement et se campa face au superviseur. Les gardes agitèrent un peu leurs bâtons électriques, mais sans en faire usage. Les costauds armés le toisèrent avec méfiance et modifièrent très subtilement leur attitude. Il savait que leur doute quant à son statut ne les retiendrait pas très longtemps, et que le moment d'hésitation passé il allait sans doute expérimenter une intimité désagréable avec un de ces aiguillons à bétail, si toutefois on ne lui tirait pas en plein visage. Avant que cela se produise, il tendit la main au superviseur et lança d'une voix forte :

— Salut, je suis Walter Philips, représentant de l'APE envoyé de la station Tycho, et spécialement mandaté par le colonel Frederick Johnson.

Pris au dépourvu, le responsable aux cheveux argentés lui serra la main mollement. Les gorilles de la société remuèrent un peu et raffermirent leur prise sur les armes.

— Monsieur Philips, l'APE n'a aucune autorité pour…

Holden l'ignora et s'adressa à la femme :

— Madame, pourquoi toute cette agitation ?

— Cet appareil, répondit-elle en pointant l'index sur les portes. Il contient presque dix mille kilos de haricots et de riz. Assez pour nourrir toute la station pendant une semaine !

Derrière elle, la foule gronda son soutien et avança d'un pas ou deux.

— C'est vrai ? demanda Holden au superviseur.

L'homme leva les deux mains et fit le geste de repousser quelque chose, comme s'il pouvait contenir la multitude par la seule puissance de sa volonté.

— Je l'ai déjà dit, nous ne sommes pas habilités à débattre du manifeste de chargement concernant un propriétaire privé…

— Alors ouvrez les portes et laissez-nous voir ! cria la femme une fois de plus.

La foule reprit son slogan : *Laissez-nous voir ! Laissez-nous voir !* et Holden saisit le coude du superviseur pour rapprocher sa tête de la sienne.

— Dans à peu près trente secondes tous ces gens vont vous mettre en pièces, vous et vos hommes, en essayant d'atteindre cet appareil, lui souffla-t-il à l'oreille. Je pense que vous devriez leur donner satisfaction avant que ça devienne violent.

— Violent ! fit l'autre avec un rire aigre. C'est déjà violent. La seule raison pour laquelle ce vaisseau n'a pas encore décollé, c'est la bombe qu'ils ont fait exploser et qui a bloqué les mécanismes d'arrimage. S'ils tentent de prendre d'assaut cet appareil, nous allons…

— Ils ne prendront pas d'assaut l'appareil, dit une voix rocailleuse, et une main s'abattit lourdement sur l'épaule d'Holden.

Quand celui-ci se retourna, il vit un des gros bras de la firme juste derrière lui.

— Cet appareil est la propriété des Entreprises Mao-Kwikowski.

Holden repoussa sèchement la main de l'autre.

— Une dizaine de gars avec des tasers et des fusils ne suffira pas à les stopper, répliqua-t-il en désignant d'un mouvement de menton la multitude qui mugissait toujours en chœur.

L'autre prit le temps de le toiser de la tête aux pieds avant de parler.

— Monsieur… *Philips*, je me contrefous de ce que l'APE peut penser, sur quoi que ce soit et tout particulièrement sur la manière que j'ai de faire mon boulot. Alors pourquoi ne pas vous barrer avant que ça commence à péter ?

Bon, il aurait au moins essayé. Holden sourit à l'homme et rapprocha sa main de l'étui coincé contre ses reins. Il aurait aimé qu'Amos soit présent, mais il n'avait pas revu le mécano depuis qu'ils avaient débarqué. Avant qu'il puisse atteindre son arme, de longs doigts enveloppèrent sa main et la comprimèrent.

— Et que pensez-vous de ça ? dit Naomi qui venait subitement d'apparaître à côté de lui. Si nous laissions tomber la frime et que je vous disais simplement comment les choses vont se passer ?

Holden et le gros bras se tournèrent pour poser sur elle un regard également étonné. Elle leva l'index pour réclamer un instant et sortit son terminal. Elle appela quelqu'un et mit le haut-parleur.

— Amos, dit-elle, le doigt toujours pointé vers le ciel.

— Ouaip, répondit une voix.

— Un appareil cherche à quitter l'aire B9, spatioport 11. Avec une cargaison de nourriture qui serait très appréciée ici. S'il quitte le sol, est-ce que nous avons un hélico de combat de l'APE assez proche pour une interception ?

Un long silence suivit, qui prit fin sur un rire bas, et le mécano répondit :

— Vous savez bien que oui, chef. À qui je dois expliquer ça ?

— Faites venir l'hélico, et qu'on immobilise le cargo. Ensuite je veux un commando de l'APE pour le sécuriser, le mettre à poil et le saborder.

— Comme si c'était fait, affirma Amos.

Naomi coupa la communication et rempocha son terminal.

— Ne nous chatouillez pas, mon gars, dit-elle au gros bras d'un ton glacial. Ce ne sont pas des menaces en l'air. Soit vous donnez la cargaison à ces gens, soit on vous prend cette foutue poubelle. À vous de choisir.

L'autre la dévisagea deux secondes avant de faire signe à ses hommes et de s'éloigner. La sécurité du spatioport lui emboîta le pas, et Holden comme Naomi durent s'écarter quand la foule se rua sur la plate-forme et vers les portes de la baie de chargement.

— C'était joliment joué, dit le capitaine lorsqu'ils furent hors de danger.

— Ça te paraissait peut-être très héroïque de te faire descendre en voulant défendre le bon droit de tous ces gens, dit-elle d'une voix toujours aussi dure, mais j'ai besoin de toi, alors arrête de faire l'imbécile.

— Bien vu, la menace de t'en prendre à l'appareil.

— Tu te comportais comme ce trou du cul d'inspecteur Miller, alors je me suis simplement comportée comme tu le faisais avec lui. Ce que j'ai dit, c'est exactement la même chose que tu dis quand tu n'es pas impatient de jouer avec ton petit flingue.

— Je ne me suis pas comporté comme Miller, dit-il, vexé par l'accusation parce qu'elle était vraie.

— Tu ne t'es pas comporté comme tu le fais d'habitude.

Il haussa les épaules et remarqua seulement après cette réaction qu'il venait encore d'imiter Miller. Naomi considéra les galons de capitaine sur l'épaule de sa combinaison estampillée *Somnambule*.

— Peut-être que je devrais les garder…

Un homme chétif, d'apparence négligée, cheveux poivre et sel, traits asiatiques et barbe d'une semaine, s'avança vers eux et les salua d'un hochement de tête nerveux. Il se tordait littéralement les mains, un geste qu'Holden avait cru l'apanage exclusif des petites grands-mères dans les très vieux films de cinématographe.

Il opina encore du chef et dit :

— Vous êtes bien James Holden ? Le capitaine James Holden, de l'APE ?

L'intéressé et Naomi échangèrent un regard perplexe. Holden tirailla une touffe de sa barbe clairsemée.

— Est-ce que ça a une quelconque importance ? Soyez franc.

— Capitaine Holden, je m'appelle Prax, Praxidike Meng. Je suis botaniste.

Holden serra la main que l'autre lui tendait.

— Enchanté, Prax. Mais je crains que nous n'ayons pas…

— Vous devez m'aider, coupa Prax.

Le capitaine voyait bien que l'homme venait de passer par une très mauvaise période. Ses vêtements pendaient sur son corps décharné, et son visage était marqué d'hématomes jaunâtres résultant de coups assez récents.

— Bien sûr. Si vous voulez bien vous adresser aux Supitayaporn qui dirigent le centre d'aide, dites-leur que je vous ai…

— Non ! s'écria Prax. Je n'ai pas besoin de ça. J'ai besoin que *vous* m'aidiez !

Holden glissa un regard interrogateur à Naomi. Elle répondit d'une moue qui signifiait clairement : *À toi de voir*.

— D'accord, dit-il. Quel est le problème ?

12

AVASARALA

— Une petite maison offre une sorte de luxe plus intense, dit son mari. Vivre dans un espace qui nous appartient vraiment, se souvenir du plaisir simple de cuire son pain et de laver sa propre vaisselle. C'est ce que tes amis haut placés oublient. Et ça les rend moins humains.

Attablé dans la cuisine, il s'était renversé sur sa chaise en bambou plastifié tellement vieilli qu'il ressemblait à du noyer patiné. Les cicatrices laissées par son opération contre le cancer traçaient deux lignes pâles sur la peau sombre de sa gorge, à peine visibles sous le saupoudrage d'un début de barbe blanche. Il avait le front plus large que lors de leur mariage, et le cheveu plus rare. Le soleil dominical inondait la table et en faisait briller la surface.

— Foutaises, lâcha-t-elle. Ce n'est pas parce que tu t'ingénies à vivre comme un bouseux qu'Errinwright, Lus ou n'importe lequel des autres est moins humain. Il y a des maisons plus petites que celle-ci où s'entassent six familles, et ces gens-là sont cent fois plus proches de l'animal que n'importe quelle personne avec qui je travaille.

— Tu le penses vraiment ?

— Bien sûr. Sinon pourquoi irai-je au travail tous les matins ? Si quelqu'un ne tire pas ces salopards à moitié bestiaux de leurs taudis, à qui allez-vous enseigner, vous autres grands universitaires ?

— Excellent argument, convint Arjun.

— Ce qui les rend moins humains, c'est qu'ils ne se livrent pas à cette putain de méditation. Une petite maison, ce n'est pas un luxe, dit-elle, ajoutant après un moment de réflexion : Une petite maison et beaucoup d'argent, peut-être.

Il lui sourit. Son mari avait toujours eu le plus beau des sourires. Elle ne put que l'imiter en réponse, quand bien même elle aurait aussi aimé être contredite. Au-dehors Kiki et Suri poussèrent de petits cris excités et traversèrent la pelouse en courant. Leur nounou trottait derrière elles, avec une demi-seconde de retard, une main plaquée sur le flanc comme pour comprimer un point de côté.

— Un grand jardin, ça, c'est un luxe, décréta Avasarala.

— Vrai.

Suri entra en coup de vent par la porte arrière. Sa main était recouverte de terre noire et elle arborait un large sourire. Ses pas laissèrent des empreintes sombres sur le tapis.

— Nani ! Nani ! Regarde ce que j'ai trouvé !

Avasarala changea de position sur son siège. Sa petite-fille tenait dans sa paume ouverte un ver de terre qui contorsionnait ses anneaux rose et brun humides de la boue qui gouttait entre les doigts de la fillette. La vieille femme arbora une expression ravie.

— C'est merveilleux, Suri. Retourne dehors et va montrer cette découverte à ta nounou.

Le jardin embaumait l'herbe fraîchement coupée et la terre mouillée. Accroupi au fond, le jardinier, un homme mince à peine plus âgé que son fils l'aurait été, arrachait les mauvaises herbes à la main. Suri courut vers lui et Avasarala la suivit d'un pas tranquille. Quand elle arriva auprès de lui l'employé la salua d'un mouvement de tête, mais sans ouvrir la bouche car Suri gesticulait déjà en racontant l'exploit extraordinaire d'avoir déniché un ver dans la terre. Kiki apparut à côté d'Avasarala et glissa doucement sa main dans celle de sa grand-mère. Celle-ci adorait Suri, mais en son for intérieur, et seul Arjun était dans la confidence, elle estimait Kiki plus vive d'esprit. L'enfant était naturellement très posée, mais un éclat particulier brillait dans ses yeux noirs, et elle possédait le don d'imiter n'importe quelle personne qu'elle entendait. Pas grand-chose n'échappait à Kiki.

— Ma chère épouse, lança Arjun depuis le seuil de la cuisine, il y a quelqu'un qui souhaiterait te parler.

— Où ça ?

— Le système de la maison. Elle dit que tu ne réponds pas sur ton terminal.

— Et j'ai une bonne raison pour ne pas le faire.

— C'est Gloria Tannenbaum.

— Ces connes empiètent sur mon quota de grand-mère.

— La rançon du pouvoir, commenta Arjun avec une solennité teintée d'amusement.

Avasarala se rendit dans son bureau et prit la communication sur son système. Après un déclic et une très courte perturbation, les écrans s'allumèrent et le visage fin sans sourcils de Gloria Tannenbaum apparut.

— Gloria ! Désolée, j'avais coupé mon terminal, à cause des enfants.

— Aucun problème, affirma l'autre avec ce sourire froid qui chez elle était la manifestation la plus proche d'une émotion sincère. C'est probablement mieux, d'ailleurs. J'ai toujours pensé que ces lignes étaient plus surveillées que les autres.

Avasarala s'installa dans son fauteuil. Le cuir soupira discrètement sous le poids de son corps.

— J'espère que tout va bien entre Etsepan et toi ?

— Très bien, répondit Gloria.

— Parfait. Alors pourquoi m'appelles-tu ?

— J'ai parlé à un de mes amis dont la femme est en poste sur le *Mikhaïlov*. De ce qu'il m'a dit, l'appareil ne patrouille plus. Il a quitté les autres et est parti.

— Parti pour où ?

— Je me suis renseignée, justement… minauda Gloria. Ganymède.

— Nguyen ?

— Oui.

— Ton ami ne sait pas tenir sa langue.

— Je ne lui confie jamais rien qui soit vrai. Mais j'ai pensé que l'information t'intéresserait.

— Je te remercie.

Gloria acquiesça dans un mouvement vif comme celui d'un corbeau, avant de mettre un terme à la connexion. Avasarala resta immobile un long moment, les doigts pressés sur ses lèvres, pendant que son esprit retraçait l'enchaînement des implications. Nguyen envoyait des unités supplémentaires vers Ganymède, et discrètement.

La réponse à la question *Pourquoi discrètement ?* était assez évidente. S'il avait voulu le faire ouvertement, elle l'en aurait empêché. Nguyen était jeune et ambitieux, mais il n'était pas idiot. Il avait tiré ses propres conclusions et en était arrivé à juger souhaitable l'envoi de forces supplémentaires sur la plaie ouverte qu'était la station Ganymède.

— Oh, Nani ! appela Kiki.

D'après l'intonation, Avasarala déduisit qu'une espièglerie était en cours. Elle se leva et marcha vers la porte.

— Ici, Kiki, dit-elle en passant dans la cuisine.

La bombe à eau la frappa à l'épaule sans éclater, retomba mollement sur le sol et explosa à ses pieds, assombrissant instantanément le carrelage autour d'elle. Elle releva les yeux, l'air furieux. La fillette s'était immobilisée sur le seuil de la pièce et l'observait, partagée entre la crainte et la satisfaction.

— Tu ne viendrais pas de mettre le désordre dans ma maison ? demanda Avasarala.

Le visage pâle, Kiki hocha la tête.

— Et tu sais ce qui arrive aux méchants enfants qui mettent le désordre dans la maison de leur mamie ?

— Ils subissent la torture des chatouilles ?

— Oui, ils se font *chatouiller* ! dit sa grand-mère en se jetant sur elle.

Bien évidemment, la gamine lui échappa. Elle avait huit ans, et ne souffrait des articulations que si elle courait vraiment trop vite. Et bien sûr, elle finit par se laisser attraper pour être chatouillée jusqu'à ce qu'elle demande grâce en criant. Quand Ashanti et son mari vinrent chercher les petites pour le vol de retour à Novgorod, Avasarala avait le sari maculé de taches d'herbe, et ses cheveux décoiffés pointaient dans toutes les directions, comme un personnage de bande dessinée frappé par la foudre.

Elle étreignit les enfants deux fois avant qu'elles partent, en leur glissant des chocolats par la même occasion, puis elle embrassa sa fille, salua son gendre d'un signe de tête et leur fit au revoir depuis l'entrée de la cuisine. L'équipe de sécurité suivit la voiture. Aucune personne aussi proche d'elle n'était à l'abri d'une tentative de kidnapping. Simple aléa de l'existence.

Elle s'accorda une douche très longue, utilisant copieusement une eau presque trop chaude pour être agréable. Elle avait toujours aimé que le contact du liquide sur son corps frôle la sensation de brûlure. Si elle n'avait pas l'épiderme électrisé quand elle se séchait, elle n'était pas satisfaite.

Étendu sur le lit, la mine sérieuse, Arjun lisait quelque chose sur son terminal. Elle passa dans son dressing, mit la serviette mouillée dans le panier à linge sale et enfila un peignoir en coton.

— Il pense que c'est eux, dit-elle.

— Qui donc ? demanda Arjun.

— Nguyen. Il croit que les Martiens sont derrière tout ça. Qu'il va y avoir une autre attaque sur Ganymède. Il sait pourtant qu'ils n'envoient pas leur flotte dans cette direction, et il renforce le dispositif. Il se fout de torpiller les pourparlers de paix, il n'y croit pas. Il n'a rien à perdre. Tu m'écoutes ?

— Oui, je t'écoute. Nguyen pense que Mars est derrière tout ça. Il rassemble une flotte pour riposter. Tu vois ?

— Tu sais de quoi je parle, au moins ?

— En règle générale ? Non. Mais Maxwell Asinnian-Koh vient de poster un article sur le post-lyrisme qui va lui valoir un tas de courriers haineux.

Elle s'esclaffa.

— Tu vis dans ton propre monde, mon chéri.

— Pas faux, approuva-t-il en passant le pouce sur l'écran de son terminal avant de relever la tête. Ça ne te dérange pas trop, j'espère ?

— Je t'aime aussi pour ça. Reste ici et lis les articles sur le post-lyrisme.

— Et toi, qu'est-ce que tu vas faire ?

— La même chose que d'habitude. Essayer d'éviter l'anéantissement de la civilisation tant que les enfants en font partie.

Quand Avasarala était jeune, sa mère avait essayé de lui montrer comment tricoter. La fillette n'était pas très douée pour apprendre cette leçon, mais il en était d'autres qu'elle comprit fort bien. Un jour, l'écheveau s'emmêla sérieusement et, de frustration, Avasarala tira dessus, ce qui eut pour seul effet d'aggraver la situation. Sa mère prit la boule serrée, mais au lieu de la démêler et de rendre l'ouvrage à l'enfant elle s'assit en tailleur sur le sol à côté d'elle et lui expliqua comment défaire un nœud. Elle se montra douce, patiente et mesurée, recherchant les endroits où elle pouvait accentuer le relâchement de l'ensemble jusqu'à ce que, miraculeusement sembla-t-il, l'écheveau se déroule de nouveau librement.

La liste comptait dix vaisseaux allant de l'ancien transport en retard pour la casse à deux frégates commandées par des gens dont le nom ne lui était pas inconnu. Il fallut quatre heures à quelqu'un disposant des schémas et du journal d'entretien pour repérer un boulon qui n'avait pas été remplacé à la date prévue, et moins d'une demi-heure après cette découverte un ordre de remplacement impératif était émis, avec effet immédiat. Le *Wu Tsao* – la mieux armée des deux frégates – avait pour capitaine Golla Ishigawa-Marx. Ses états de service étaient solides, très professionnels. Un homme compétent, sans imagination, et loyal. Trois conversations suffirent pour le promouvoir à la tête du comité de surveillance de la construction où il ne créerait certainement aucun problème. Tout l'état-major du *Wu Tsao* reçut pour consigne de revenir sur Terre afin d'assister à sa remise de décoration. Le problème fut plus aigu avec la seconde frégate, mais elle finit par trouver une solution. En conséquence le convoi devint assez peu important pour ne pas nécessiter l'appui de l'unité médicale.

Le nœud se défaisait peu à peu entre ses mains. Les trois appareils qu'elle ne parvint pas à écarter étaient vieux et manquaient de puissance. En cas d'engagement armé, leur présence ne serait pas décisive, ni même significative. De ce fait les Martiens ne s'insurgeraient de leur présence que s'ils cherchaient une excuse.

Et elle ne pensait pas que ce serait le cas. Mais si elle se trompait, la suite serait tout aussi intéressante.

— L'amiral Nguyen ne risque-t-il pas de comprendre ce que vous faites ? demanda Errinwright.

Il était dans une chambre d'hôtel, quelque part de l'autre côté de la planète. Il faisait nuit derrière lui, et sa chemise de soirée avait le col ouvert.

— Qu'il pense ce qu'il veut, répondit Avasarala. Que va-t-il faire ? Aller pleurer dans les jupes de sa maman parce que je lui ai pris ses jouets ? S'il n'est pas capable de tenir sa place dans la cour des grands, il ne devrait pas porter ce foutu titre d'amiral.

Errinwright sourit et fit craquer les articulations de ses doigts. Il avait l'air las.

— Les unités qui arriveront là-bas ?

— Le *Bernadette Koe*, l'*Aristophane* et le *Feodorovna*, monsieur.

— Ah, ceux-là… Qu'allez-vous dire aux Martiens, pour eux ?

— Rien s'ils ne posent pas la question, répondit Avasarala. Et s'ils me le demandent, je peux contourner la difficulté. Une petite unité de soutien médical, un transport et un vaisseau de guerre ridicule pour tenir d'éventuels pirates à l'écart : je veux dire, ce n'est pas comme si nous envoyions quelques croiseurs. Alors qu'ils aillent se faire foutre.

— Vous le leur expliquerez plus courtoisement, j'espère ?

— Bien sûr, monsieur. Je ne suis pas idiote.

— Et pour Vénus ?

Elle prit le temps d'une inspiration lente, et laissa l'air s'échapper entre ses dents serrées.

— Ce foutu croque-mitaine… Je reçois des rapports tous les jours, mais nous ne savons toujours pas de quoi il retourne. Le réseau qu'il a installé sur toute la surface de la planète est terminé, et maintenant il se décompose, mais des structures nouvelles apparaissent, qui forment une symétrie en étoile complexe. Curieusement, elle ne part pas de l'axe de rotation mais du plan de l'écliptique. Quoi que ce soit, cette chose s'oriente donc en fonction du système solaire tout entier. Et l'analyse spectrographique relève un pic d'oxyde de lanthane et d'or.

— J'ignore ce que ça peut signifier.

— Personne n'en a la moindre idée, mais nos cerveaux pensent qu'il pourrait s'agir d'un ensemble de supraconducteurs à très haute température. Ils essaient de reproduire la structure cristalline en laboratoire, et ils ont découvert quelques petites choses qu'ils ne comprennent pas encore. Déduction : la créature est bien meilleure chimiste que nous. Ce qui n'a rien de surprenant.

— Un rapport quelconque avec Ganymède ?

— Seulement la créature, sinon rien. Du moins pas directement.

— Comment ça, “pas directement” ?

Avasarala se rembrunit et tourna la tête. Le bouddha lui renvoya son regard.

— Vous saviez que le nombre de cultes religieux prônant le suicide a doublé depuis l'incident Éros ? dit-elle. Je l'ignorais jusqu'à ce que je lise le rapport. Le lancement de l'emprunt pour la reconstruction du centre de retraitement des eaux usées pour Le Caire a failli être un flop l'année dernière, uniquement parce qu'un groupe millénariste a affirmé que nous n'en aurions pas besoin.

Errinwright se pencha en avant, paupières plissées.

— Vous croyez qu'il y a un lien ?

— Je ne crois pas que Vénus nous envoie des spores qui se transforment en faux humains pour nous envahir, répondit-elle, mais… j'ai réfléchi à ce que tout ça a eu comme répercussions sur nous. Sur tout le système solaire. Eux, nous, et les Ceinturiens. Il n'est pas sain d'avoir Dieu qui fait la sieste juste là où on peut le regarder dormir. Ça nous file une pétoche de tous les diables. Ça *me* file une pétoche de tous les diables. Alors on détourne les yeux et on continue notre train-train quotidien comme si l'univers n'avait pas changé depuis notre jeunesse, mais nous savons que ce n'est pas le cas. Nous nous comportons tous comme si nous allions bien, alors que…

Elle secoua la tête.

— L'humanité a toujours vécu avec l'inexplicable, lâcha Errinwright.

Il avait parlé d'un ton dur. Elle le mettait mal à l'aise. Bah, elle se mettait elle-même mal à l'aise.

— L'inexplicable n'avait pas pour habitude de dévorer des planètes, remarqua-t-elle. Même si cette chose apparue sur Ganymède ne venait pas toute seule de Vénus, il est foutrement évident que les deux ont un lien. Et si nous en sommes la cause…

— Si nous avons créé ça, c'est parce que nous avons découvert une technologie totalement nouvelle, et que nous l'utilisons, enchaîna Errinwright. Passer des pointes de flèches en silex à la poudre à canon et aux ogives nucléaires, nous savons faire, Chrisjen. Laissez-moi m'occuper de cette question. Vous, gardez l'œil sur Vénus et ne laissez pas la situation martienne déraper.

— Bien, monsieur, dit-elle.

— Tout va s'arranger.

Et face à l'écran éteint où l'image de son supérieur s'était étalée un instant plus tôt, Avasarala décida qu'il pensait peut-être ce qu'il disait. Elle n'avait plus aucune certitude. Quelque chose la tracassait, et elle ne parvenait pas à définir de quoi il s'agissait. C'était là, glissé sous la surface de son esprit conscient, comme une écharde plantée dans le gras du doigt. Elle ouvrit l'enregistrement vidéo pris à l'avant-poste des Nations unies, sur Ganymède, effectua les contrôles de sécurité obligatoire et regarda mourir les Marines, une fois de plus.

Kiki et Suri allaient grandir dans un monde où cela s'était produit, où Vénus avait toujours été colonisée par quelque chose de fondamentalement autre, refusant toute communication, et implacable. La peur que cette chose créait serait normale pour elles, elles n'y penseraient pas plus qu'à leur propre respiration. Sur l'écran, un homme de l'âge de Soren vidait le chargeur de son fusil d'assaut sur l'assaillant. Les images optimisées montraient les dizaines d'impacts transperçant la créature, les traînées de filaments qui jaillissaient de son dos tels des serpentins éphémères. Le soldat mourut de nouveau. Au moins il avait connu une fin rapide. Elle figea l'enregistrement. De l'index, elle suivit le contour de l'attaquant.

— Qui es-tu ? demanda-t-elle à l'image. Qu'est-ce que tu *veux* ?

Quelque chose lui échappait. Cela arrivait assez souvent pour qu'elle identifie la sensation, mais sans pour autant l'aider. La réponse viendrait à son heure. En attendant, elle ne pouvait que gratter là où cela démangeait. Elle referma les dossiers, attendit que les protocoles de sécurité vérifient l'absence de toute copie, puis quitta le programme et tourna son attention vers la fenêtre.

Elle se rendit compte qu'elle pensait à la prochaine fois. Les renseignements qu'ils pourraient glaner la prochaine fois. Les schémas directeurs qu'elle réussirait à établir d'après ce qui se serait passé la prochaine fois. La prochaine attaque, le prochain carnage. Il était déjà évident pour elle que la tragédie survenue sur Ganymède allait se reproduire, tôt ou tard. On ne pouvait pas faire rentrer les génies dans leur lampe, et dès l'instant où la protomolécule avait été lâchée sur la population civile d'Éros pour voir ce qui allait arriver, la civilisation avait changé. Elle avait changé si rapidement et si radicalement qu'ils en avaient encore du retard à rattraper.

Du retard à rattraper.

Il y avait quelque chose, là. Quelque chose dans les mots, comme les paroles d'une chanson dont elle réussissait presque à se souvenir. Elle grinça des dents et se leva pour aller à la fenêtre. Elle détestait ce genre de situation. Elle détestait vraiment.

La porte du bureau s'ouvrit. Quand elle se retourna pour regarder Soren, il eut un petit mouvement de recul. Elle adoucit un peu son expression. Ce n'était pas très juste, faire peur à ce pauvre lapin. Après tout, il n'était que l'équivalent de l'interne qui tire la paille la plus courte et se retrouve coincé avec la vieille patiente un peu bizarre. Et puis, elle l'aimait bien, d'une certaine façon.

— Oui ? fit-elle.

— J'ai pensé que vous voudriez en être informée : l'amiral Nguyen a envoyé un message de protestation à M. Errinwright. Pour interférence dans son champ de compétences. Il n'en a pas fait copie au secrétaire général.

Avasarala sourit. Si elle n'était pas capable de percer tous les mystères de l'univers, elle savait très bien garder les gars dans le rang. Et s'il n'en référait pas à Tête d'Ampoule, cela signifiait qu'il boudait, simplement. Rien ne sortirait de tout cela.

— C'est bon à savoir. Et les Martiens ?

— Ils sont ici, madame.

Elle soupira, tirailla son sari et releva le menton.

— Bon, allons arrêter la guerre, alors, dit-elle.

13
HOLDEN

Amos, qui avait finalement réapparu quelques heures après l'émeute de la faim avec une caisse de bières, en affirmant avoir effectué "une petite reconnaissance", portait présentement un petit carton de nourriture en conserve. D'après l'étiquette, il s'agissait de "produits dérivés de poulet". Holden espérait pour lui que le pirate informatique à qui Prax les menait verrait dans cette offrande un paiement satisfaisant, en échange de ses services.

Le botaniste ouvrait la marche à l'allure forcenée du condamné qui a une dernière chose à accomplir avant de mourir et qui sent la Faucheuse sur ses talons. Le capitaine soupçonnait cette interprétation d'être assez proche de la réalité. Le petit homme donnait vraiment l'impression de consumer ses dernières forces.

Ils l'avaient fait monter à bord du *Somnambule* pendant qu'ils embarquaient les provisions dont ils auraient besoin, et Holden l'avait obligé à avaler un repas et se doucher. Le botaniste avait commencé à se déshabiller alors que le capitaine était encore en train de lui expliquer comment utiliser les toilettes de l'appareil, comme si attendre d'être seul aurait été une perte de temps. Le spectacle du corps ravagé de cet homme était pour le moins choquant. Et pendant tout ce temps le chercheur ne parla que de Mei et de la nécessité absolue qu'il éprouvait de la retrouver. Le capitaine se rendit compte que de toute sa vie il n'avait jamais ressenti un besoin aussi puissant que celui de ce père pour sa fille.

À sa grande surprise, cette constatation l'attrista.

Prax s'était vu dépouiller de tout, et son corps n'avait plus une once de graisse. Il en était rendu au minimum vital pour un être humain. Ne lui restait que son désir de retrouver sa fille, et Holden l'enviait pour cela.

Alors qu'il se mourait, piégé dans l'enfer de la station Éros, il avait découvert qu'il voulait revoir Naomi une dernière fois. Ou au moins savoir qu'elle était saine et sauve. C'était pour cette raison qu'il n'avait pas péri là-bas. Pour cette raison et parce que Miller était à ses côtés, avec une deuxième arme. Et ce lien, même maintenant que Naomi et lui étaient ensemble, semblait une ombre bien pâle en comparaison de ce qui motivait ce petit homme. Cela laissait Holden avec le sentiment d'avoir perdu quelque chose d'important sans même s'en rendre compte.

Pendant que Prax prenait sa douche, Holden monta aux ops où Naomi travaillait à craquer le système de sécurité crypté de Ganymède. Il la tira de son siège et la serra contre lui quelques secondes. Un peu tendue au départ, sous l'effet de la surprise, elle se relâcha bientôt dans son étreinte.

— Salut, lui murmura-t-elle au creux de l'oreille.

C'était peut-être une ombre pâle, mais c'était aussi ce qu'il avait maintenant, et c'était fichtrement bon.

Prax fit halte au croisement de deux tunnels, et ses mains tapotèrent ses cuisses comme s'il essayait de se pousser en avant. Naomi était restée à bord du vaisseau d'où elle surveillait leur progression grâce aux localisateurs que chacun portait et en recourant à ce qui restait du système de vidéosurveillance de la station.

Derrière le capitaine, Amos se racla la gorge et dit à voix suffisamment basse pour que le botaniste n'entende pas :

— Si on perd ce type, je ne parierais pas une chiure de mouche sur nos chances de retrouver la sortie vite fait.

Holden ne put qu'acquiescer. Le mécanicien avait raison.

Dans le meilleur des cas, Ganymède était un labyrinthe de couloirs et tunnels gris identiques, avec ici et là des cavernes pareilles à des aires de stationnement. Et d'évidence la station n'était pas à son meilleur. La plupart des points d'information publique étaient plongés dans le noir, en panne ou purement et simplement détruits. Le réseau public n'était pas fiable, au mieux. Et les habitants erraient sur le cadavre de leur lune naguère resplendissante tels des charognards, tour à tour terrifiés et menaçants. Amos et Holden portaient leur arme de façon bien visible, et le mécano arborait constamment une sorte d'expression revêche qui incitait les gens à le mettre automatiquement sur leur liste mentale des "personnes à ne pas asticoter". Une fois de plus Holden se demanda quelle vie son subordonné avait menée avant de signer sur le *Canterbury*, le vieux transport de glace sur lequel ils avaient fait équipe et s'étaient connus.

Prax s'arrêta sans prévenir face à une porte semblable à cent autres devant lesquelles ils étaient passés, encastrée dans un couloir gris pareil à tous les autres couloirs gris.

— C'est là. Il est à l'intérieur.

Avant qu'Holden puisse réagir le botaniste martela le panneau du poing. Le capitaine recula d'un pas et légèrement en biais, pour avoir une vue dégagée de l'entrée. Amos se posta de l'autre côté, le carton de poulet coincé sous un bras, le pouce droit posé juste au-dessus de son holster. Après une année passée à patrouiller dans la Ceinture et à la nettoyer des pires chacals que le vide gouvernemental avait laissés derrière lui, son équipage avait acquis certains automatismes. Holden appréciait à sa juste mesure les bénéfices de cette expérience, sans pour autant être sûr de les aimer. Miller avait travaillé dans les forces de sécurité, et cela n'avait certainement pas amélioré son existence.

La porte s'ouvrit brusquement sur un ado au torse nu très maigre, qui tenait un grand couteau dans sa main libre.

— Putain, qu'est-ce que… commença-t-il, mais il s'interrompit en remarquant la présence d'Holden et Amos. Oh.

Prax désigna le carton coincé sous le bras du mécanicien.

— Je vous ai apporté du poulet. Il faut que je voie le reste de l'enregistrement.

— J'aurais pu vous l'obtenir, dit Naomi dans l'oreille d'Holden. Si j'avais eu assez de temps.

— C'est le "assez de temps" qui posait problème, répondit-il très bas. Mais ça reste le plan B, aucun doute.

Avec une moue résignée, le garçon efflanqué ouvrit plus largement la porte et fit signe à Prax d'entrer. Holden suivit, le colosse sur les talons.

— Alors, grogna l'ado, montre, *sabé* ?

Le mécanicien déposa le carton sur la table crasseuse et en sortit une seule conserve. Il la présenta pour que l'autre puisse la voir.

— Sauce ? fit le hacker.

— Et pourquoi pas une deuxième boîte, plutôt ? répliqua Holden qui s'approcha, un sourire aimable aux lèvres. Ensuite tu vas nous chercher le reste de l'enregistrement, et on te laisse tranquille. Ça semble correct, non ?

— Me mets pas la pression, macho.

L'ado releva le menton et tendit le bras pour empêcher le capitaine d'avancer plus.

— Mes excuses, dit Holden sans cesser de sourire. Et maintenant apporte-nous ce foutu enregistrement que tu as promis à notre ami ici présent.

— Peut-être que *no*…

De la main, le garçon balaya l'air devant lui.

— *Adinerado, si no ? Quizas* tu as plus que du poulet pour payer. Beaucoup plus, peut-être.

— Que je comprenne bien, fit Holden, tu essaies de nous faire chanter ? Parce que ce serait…

Une main pesante s'abattit sur son épaule, l'interrompant.

— Je m'en occupe, cap, déclara Amos.

Il passa devant Holden pour se camper face au hacker. Il fit sauter avec légèreté une des conserves de poulet dans sa paume, et du pouce de l'autre main désigna Prax.

— Ce gars a eu sa petite fille enlevée. Il veut simplement savoir où elle est. Il est prêt à payer le prix convenu pour ce renseignement.

L'autre haussa les épaules et voulut répondre, mais le mécanicien se barra les lèvres de l'index pour lui intimer le silence.

— Et maintenant, alors que tu vas avoir ce que tu exigeais, continua-t-il d'un ton dangereusement amical et détendu, tu cherches à le pressurer un peu plus parce que tu sais bien qu'il est désespéré ? Qu'il donnerait n'importe quoi pour retrouver sa fille ? C'est jour de paie, et tu veux un bonus, c'est ça ?

L'autre haussa les épaules à nouveau.

— *Que no*…

Amos lui écrasa la conserve sur le visage d'un geste si rapide que pendant une seconde Holden ne comprit pas pourquoi le hacker se trouvait soudain au sol, le nez en sang. Le mécano posa un genou sur la poitrine de l'adolescent, le clouant à terre. La conserve de poulet s'éleva dans l'air et retomba violemment sur le visage du garçon qu'elle percuta dans un craquement sinistre. Le hacker se mit à hurler, mais Amos le bâillonna de sa paume libre.

— Espèce de tas de merde, gronda-t-il, et toute décontraction l'avait abandonné pour faire place à une fureur animale qu'Holden n'avait encore jamais vue chez lui. Tu veux qu'une gamine reste otage pour obtenir juste un peu plus de ce putain d'ersatz de *poulet* ?

Il lui écrasa la conserve sur l'oreille, laquelle disparut aussitôt sous un geyser rouge. Son autre main s'écarta de la bouche de sa victime, et le garçon se mit à crier au secours. Amos brandit la conserve une fois de plus, mais Holden lui agrippa le poignet et le tira en arrière pour qu'il lâche l'ado terrorisé.

— Ça suffit, dit-il en immobilisant le bras du mécanicien.

Dans le même temps il espérait que le colosse ne décide pas de le frapper avec la conserve, au lieu du hacker. Amos avait toujours été du genre à se trouver mêlé aux bagarres dans les bars parce qu'il aimait cela. Là, c'était différent.

— Ça suffit, répéta-t-il, et il tint bon jusqu'à ce qu'Amos cesse de résister. Il ne pourra pas nous aider si vous lui explosez le crâne.

Le garçon recula en rampant sur le dos, et ne s'arrêta que lorsque ses épaules heurtèrent le mur. De la tête il approuva ce qu'Holden disait, et referma délicatement le pouce et l'index sur son nez en ruine.

— Alors, ça suffit ? lui demanda Amos. Tu vas nous aider ?

L'autre acquiesça de nouveau et se remit debout, mais sans décoller le dos du mur.

Holden tapota l'épaule du mécanicien.

— Je vais aller avec lui, dit-il. Pourquoi ne pas attendre ici, et vous détendre un peu ?

Sans lui laisser le temps de répondre, il pointa l'index sur le hacker pétrifié de peur.

— Au travail.

⚡

— Voilà, fit Prax devant le passage de l'enregistrement vidéo qui montrait l'enlèvement de la fillette. C'est Mei. Et cet homme, c'est le Dr Strickland, son médecin traitant. La femme, par contre, je ne l'avais encore jamais vue. Mais d'après l'enseignante de Mei, elle figure dans leurs dossiers comme mère de Mei. Avec une photo et l'autorisation pour l'emmener. La sécurité est très efficace, à l'école. Jamais ils n'auraient laissé un des enfants partir sans ces accréditations.

— Trouve où ils sont allés, dit Holden au hacker et, au botaniste : pourquoi a-t-elle un médecin ?

— Mei est… commença Prax, avant de s'interrompre un instant, pour reprendre : Mei est atteinte d'une affection génétique rare qui rend inopérant son système immunitaire si elle ne prend pas régulièrement un traitement spécifique. Le Dr Strickland sait tout ça. Seize autres enfants souffrant de la même pathologie sont également portés manquants. Il peut les… il peut garder Mei en vie.

— Tu reçois tout ça, Naomi ?

— Oui, je suis la piste du hacker à travers la sécurité. Nous n'avons plus besoin de lui.

— Parfait. Parce que je suis à peu près sûr que sa coopération cessera dès que nous serons sortis d'ici.

— Il vous reste encore du poulet, remarqua Naomi sur le ton de la plaisanterie.

— Amos a fait en sorte que la prochaine demande du gamin soit en rapport avec la chirurgie plastique.

— Aïe. Il va bien ?

Holden savait qu'elle voulait parler du mécanicien.

— Ouais. Mais… Est-ce qu'il y a quelque chose le concernant que j'ignore, et qui pourrait rendre la situation problématique ? Parce que là, il a été vraiment…

— *Aqui !* glapit l'ado en braquant l'index sur l'écran.

Holden regarda le Dr Strickland qui emmenait Mei dans un couloir d'aspect plus ancien, la femme brune juste derrière lui. Le trio arriva devant une porte qui ressemblait à un vieux sas. Strickland toucha le panneau encastré dans le mur juste à côté, et ils entrèrent.

— Plus de caméra après ça, annonça le hacker.

Il se recroquevilla sur lui-même comme s'il s'attendait à être frappé pour les déficiences de la sécurité sur Ganymède.

— Naomi, ça va vers où ? demanda Holden en faisant signe au garçon qu'il n'était pas en cause.

— On dirait… une partie ancienne de la station, les premières galeries, répondit Naomi avec lenteur, car elle travaillait sur sa console en même temps. Classifiée en zone de stockage. Il ne devrait rien y avoir d'autre que de la poussière et de la glace, au-delà de cette porte.

— On peut y arriver ? demanda Holden.

— Oui, répondirent en même temps Naomi et Prax.

— Alors c'est là que nous allons.

Il fit signe au botaniste et au hacker de passer dans la première pièce et les suivit. Assis à la table, Amos faisait tournoyer une conserve de poulet sur sa base, comme une pièce trop épaisse. Dans la gravité raréfiée de la lune, elle semblait devoir tourner indéfiniment. L'expression du mécanicien était lointaine, indéchiffrable.

— Tu as rempli ta part du marché, déclara Holden à l'ado qui fixait Amos d'un regard enflammé successivement par la peur et la fureur. Donc tu vas recevoir ton dû. On ne va pas te gruger.

Avant que le garçon puisse répondre, le colosse se leva subitement et ramassa le carton. Il le retourna et renversa son contenu sur le sol. Les conserves roulèrent dans différentes directions.

— Garde la monnaie, connard, dit-il avant de lancer le carton vide dans le coin cuisine.

— Et sur cette conclusion, nous partons, ajouta Holden.

Quand le mécanicien et Prax eurent franchi la porte, il les suivit à reculons, en gardant un œil sur le hacker au cas où celui-ci commettrait l'erreur de vouloir se venger. Mais il n'avait pas à s'inquiéter : dès que le mécano eut disparu, l'ado se précipita pour ramasser les conserves qu'il regroupa sur la table.

Le capitaine sortit et ferma la porte derrière lui.

— Tu sais ce que ça signifie, n'est-ce pas ? lui demanda Naomi.

— Quoi donc ? répondit-il et, à l'adresse d'Amos : Retour au vaisseau.

— Prax a précisé que tous les enfants ayant la même maladie que Mei étaient portés disparus, expliqua Naomi. Et c'est son propre médecin qui a emmené la gamine.

— Nous pouvons donc supposer qu'il a également emmené les autres, à moins que les gens avec qui il est en cheville ne s'en soient chargés.

Amos et Prax avançaient dans le couloir, le premier toujours avec l'air curieusement absent. Le botaniste posa la main sur son bras, et Holden l'entendit murmurer “Merci”. Amos répondit d'un léger signe de tête.

— Pourquoi voudrait-il enlever ces enfants ? s'interrogea Naomi.

— La question la plus appropriée me semble être : Comment a-t-il su quand les enlever, quelques heures seulement avant la fusillade ?

— C'est vrai, convint la jeune femme. Comment a-t-il su ?

— Parce que c'est à cause de lui que tout est parti en eau de boudin, proposa Holden, formulant à haute voix ce qu'ils pensaient tous deux. S'il détient tous ces enfants, et que lui ou les gens avec qui il est de mèche ont été capables de déclencher ces accrochages entre Mars et la Terre pour dissimuler les enlèvements…

— Ça commence à ressembler à une stratégie que nous avons déjà vue à l'œuvre, pas vrai ? enchaîna Naomi. Il faut découvrir ce qu'il y a de l'autre côté de cette porte. De deux choses l'une : ou il n'y a rien, parce qu'après l'enlèvement ils ont quitté très vite la lune…

— … Ou bien il y a un tas de types armés jusqu'aux dents, termina-t-il.

— Ouais.

Un silence attentif régnait dans la coquerie du *Somnambule* où Prax et l'équipage d'Holden étudiaient de nouveau l'enregistrement. Naomi avait assemblé en une seule longue boucle vidéo toutes les prises de vues relatives à l'enlèvement de Mei. Ils regardèrent son médecin qui emmenait la fillette dans divers couloirs et tunnels, puis un ascenseur, et enfin jusqu'à l'accès aux secteurs abandonnés de la station. Ils en étaient au troisième visionnage d'affilée, et Holden fit signe à Naomi d'éteindre.

— Que savons-nous ? lança-t-il en pianotant des doigts sur le bord de la table.

— La gamine n'est pas effrayée, dit Amos. Elle ne se débat pas pour s'échapper.

— Elle connaît le Dr Strickland depuis toujours, expliqua Prax. C'est presque un membre de la famille, pour elle.

— Ce qui laisse à penser qu'ils l'ont acheté, fit Naomi. Ou alors que ce plan est en place depuis…

— Quatre ans, lâcha Prax.

— Quatre ans… répéta la jeune femme. C'est quand même sacrément long pour ce genre d'agissements, sauf si les enjeux sont très importants.

— C'est un kidnapping, d'après vous ? Parce que s'ils ont l'intention d'exiger une rançon…

— Ça ne colle pas avec le reste, dit Holden qui tendit l'index sur l'image figée. Quelques heures à peine après la disparition de Mei, la Terre et Mars se sont mis à se canarder. Quelqu'un s'est donné beaucoup de mal pour enlever seize gamins et dissimuler ce fait.

— Si Protogène n'était pas naze, je dirais que c'est exactement le genre de saloperie qu'ils pourraient concocter, remarqua Amos.

— En tout cas, ceux qui ont mené cette opération possèdent de gros moyens technologiques, souligna Naomi. Ils ont été capables de pirater le système de l'école avant même que le réseau de sécurité de tout Ganymède tombe avec les combats, et d'insérer le faux dossier de cette femme dans celui de Mei sans laisser aucune trace d'effraction.

— Certains des enfants de son école ont des parents très riches, et très puissants, dit Prax. Les mesures de sécurité devaient être excellentes.

Holden conclut un dernier solo de batterie avec les doigts de ses deux mains sur la table, puis déclara :

— Tout ça nous ramène à la question principale : Qu'est-ce qui nous attend de l'autre côté de cette porte ?

— Des gros bras, grogna Amos.

— Rien du tout, répondit Naomi.

— Mei, souffla doucement Prax. Mei est peut-être encore là.

— Alors il faut nous préparer à ces trois éventualités : la violence, la recherche d'une piste, ou le sauvetage d'une enfant. Mettons-nous d'accord. Naomi, il me faut un terminal avec un lien radio que je puisse raccorder à n'importe quel réseau que nous trouverons de l'autre côté, et que tu y aies accès.

— Compris.

Elle se leva et se dirigea vers l'échelle.

— Prax, il nous faut la certitude d'avoir toute la confiance de Mei, si nous la trouvons, et que vous nous donniez tous les détails sur d'éventuelles complications que sa maladie pourrait provoquer pendant un sauvetage. Combien de temps avons-nous au maximum pour la ramener ici afin qu'elle prenne son traitement, ce genre de choses.

— D'accord, répondit le botaniste en sortant son terminal pour prendre des notes.

— Amos ?

— Ouais, cap ?

— À nous d'envisager une action violente. On s'équipe.

Le sourire naquit et se limita aux coins des yeux du mécano.

— Oh que oui. Bordel, oh que oui.

14

PRAX

Il se rendit compte à quel point il était proche de l'effondrement physique uniquement lorsqu'il mangea. Du poulet en conserve avec une sorte de chutney épicé, des biscuits mous ne faisant pas de miettes, du type de ceux destinés aux missions en apesanteur, et un grand verre de bière. Il engloutit le tout, son corps soudain possédé d'une voracité insatiable.

Quand il eut fini de vomir, la femme qui semblait s'occuper de tous les aspects pratiques à bord – Naomi, il le savait, mais il continuait de vouloir l'appeler Cassandra parce qu'elle ressemblait à une interne avec qui il avait travaillé trois ans plus tôt – lui fit avaler une sorte de brouet protéiné que son estomac pouvait accepter. En quelques heures seulement il retrouva son aplomb mental. C'était comme se réveiller encore et encore, sans jamais s'assoupir entre-temps : assis dans la soute du vaisseau d'Holden, il notait la progression cognitive en lui, la clarté croissante de ses pensées et la satisfaction intense qu'il expérimentait à redevenir lui-même. Et quelques minutes plus tard, un ensemble de ganglions longtemps privé de sucre se remettait à fonctionner, et le phénomène se reproduisait.

Et à chaque étape menant vers la pleine conscience, il sentait sa motivation se renforcer et se focaliser sur cette porte que Strickland et Mei avaient franchie.

— Docteur, hein ? fit le grand costaud – Amos.

— J'ai eu mon diplôme ici. L'université est vraiment bien. Beaucoup de bourses d'études… Enfin… je suppose qu'il y en avait beaucoup.

— Jamais été trop fan des études.

Le poste d'équipage du vaisseau était petit et balafré par l'usage. Les cloisons en fibres de carbone tressées étaient couturées de fissures, et le plateau de la table portait les marques d'années voire de décennies de souffrance. L'éclairage se réduisait à une clarté tendant vers le rose qui aurait tué n'importe quelle plante en moins de trois jours. Amos trimballait avec lui un sac en toile empli d'étuis en plastique profilé de tailles et de formes diverses, chacun semblant contenir une arme à feu. Il avait étalé un carré de feutre rouge sur lequel étaient disposés les composants noir mat d'un énorme pistolet désassemblé. Ces parties reproduisaient la découpe délicate de sculptures miniatures. Amos plongea un écouvillon de coton dans une solution nettoyante bleu vif et le frotta doucement sur toutes les surfaces d'un mécanisme argenté relié à un tube noir, pour ensuite astiquer posément les plaques métalliques qui brillaient déjà comme des miroirs.

Sans même s'en rendre compte, Prax tendit les mains vers les pièces de l'arme, mû par le désir de les assembler. Les voir impeccables, lustrées, remises en place. Amos fit mine de ne rien remarquer, d'une façon qui prouvait tout le contraire.

— Je ne comprends pas pourquoi ils l'ont enlevée, marmonna le botaniste. Le Dr Strickland a toujours été très bien avec elle. Il ne lui a jamais… enfin, il ne lui a jamais fait de mal. Je ne crois pas qu'il serait capable de lui faire du mal.

— Ouais, probable que non, approuva le mécano.

Il replongea le bout du long coton-tige dans le fluide de nettoyage et le passa sur un ressort gainant une tige métallique.

— Il faut vraiment que j'aille là-bas, déclara Prax.

Il ne dit pas *Chaque minute passée ici est une minute pendant laquelle ils risquent de faire du mal à Mei. Pendant laquelle elle peut être en train d'agoniser, ou être embarquée sur un vaisseau qui va quitter cette lune.* Il s'efforçait de ne pas donner à ses paroles le ton d'une plainte ou d'une exigence, mais elles lui semblaient exprimer les deux à la fois.

— La préparation, c'est le plus emmerdant, lâcha le mécanicien comme s'il acquiesçait à autre chose. On a envie de passer à l'action tout de suite. Pour en finir avec cette merde.

— Euh, oui, dit Prax.

— Je peux comprendre ça. Ça n'a rien de très marrant, mais c'est une étape obligatoire. Si on y va sans être correctement équipés, autant ne pas y aller. En plus, la gamine a été emmenée quand ?

— Au moment des combats. Quand le miroir s'est écrasé.

— Donc il y a peu de risques qu'une heure de plus change quelque chose à la situation, pas vrai ?

— Mais…

— Ouais, fit Amos avec un soupir. Je sais. C'est le plus dur. Pas aussi dur que d'attendre qu'on revienne, notez bien. Ça, ça va être encore plus dur pour vous.

Il posa l'écouvillon et entreprit d'ajuster le long ressort noir sur la tige de métal brillant. Les vapeurs d'alcool provenant de la solution de nettoyage piquaient les yeux de Prax.

— C'est *vous* que j'attends, dit le botaniste.

— Ouais, je sais. Et je vais faire en sorte qu'on ne traîne pas. Le capitaine est un type bien, vraiment, mais il lui arrive de se laisser distraire. Je vais m'assurer qu'il ne perde pas de vue l'objectif. Aucun problème.

— Non, insista Prax. Je ne veux pas dire que je vais vous attendre, une fois que vous aurez franchi cette porte.

Je veux dire que je vous attends maintenant. J'attends que vous soyez prêt, et d'y aller avec vous.

Du bout des doigts et dans un mouvement millimétré, Amos inséra le ressort et la tige dans le boîtier de l'arme. Prax n'aurait pu dire quand le mécanicien s'était levé.

— Vous avez pris part à combien de fusillades ? demanda le colosse d'une voix basse, paisible. Moi, j'en ai connu… merde, ça sera la onzième. La douzième, même, si on compte pour une de plus la fois où le mec s'est relevé. Pensez à ça : si vous voulez que votre gamine coure le minimum de risques, vous n'avez pas envie qu'elle se trouve dans un tunnel en même temps qu'un type armé qui ne sait pas ce qu'il fait.

Comme pour souligner son propos, il assembla l'arme dans un claquement métallique lugubre.

— Je serai à la hauteur, affirma le petit homme.

Mais il sentit ses jambes trembler quand il se mit debout. Amos lui montra le pistolet.

— Il est prêt à tirer ? questionna-t-il.

— Pardon ?

— Si vous prenez ce flingue maintenant, que vous le braquez sur un méchant et que vous pressez la détente, ça va faire *boum*, ou pas ? Vous m'avez regardé pendant que je l'assemblais. Alors, cette arme est dangereuse, ou inoffensive ?

Prax ouvrit la bouche, la referma. La contraction au creux de son sternum s'accentua encore un peu. Amos abaissa l'arme.

— Inoffensive, lâcha le botaniste.

— Vous en êtes bien sûr, doc ?

— Vous ne l'avez pas chargée. Cette arme est inoffensive.

— Sûr et certain ?

— Oui.

Le mécanicien considéra le pistolet un instant, sourcils froncés.

— Bon, ouais, vous avez raison, reconnut-il. N'empêche : vous ne venez pas.

Des voix retentirent, qui provenaient du couloir menant au sas. Celle de Jim Holden ne ressemblait pas à ce que Prax avait imaginé. Il s'était attendu à un timbre sérieux, plein de gravité, et malgré le désarroi qui tendait son phrasé le capitaine parlait avec une sorte de légèreté sous-jacente dans le ton. La voix de la femme – *Naomi*, pas Cassandra – n'était pas plus grave, mais sensiblement plus sombre.

— Ce sont les données, disait-elle.

— Alors les données sont erronées, répliqua Holden en entrant dans le carré. Elles sont forcément fausses, parce que ça n'a pas de sens.

— Qu'est-ce qui se passe, chef ? demanda Amos.

— La sécurité ne nous sera d'aucune aide, expliqua Holden. Ils sont trop occupés à essayer d'empêcher une catastrophe générale.

— Raison pour laquelle nous ne devrions pas y aller avec nos armes visibles, s'entêta Naomi.

— S'il te plaît, on pourrait éviter d'avoir cette conversation une fois de plus ?

Les lèvres de la jeune femme se crispèrent, et Amos baissa ostensiblement les yeux sur son arme qu'il frotta alors qu'elle luisait déjà. Prax eut l'impression de faire irruption dans le cours d'un échange qui avait débuté depuis longtemps.

— Tirer d'abord et poser des questions ensuite, ce n'était pas ton genre, plaida Naomi. Ce n'est toujours pas ton genre.

— Eh bien, aujourd'hui il faut que j'adopte ce genre, répliqua Holden d'un ton définitif.

Le silence qui suivit était empreint d'un malaise presque palpable. Un peu perdu, Prax s'adressa au capitaine :

— Qu'est-ce qui ne va pas avec les données ? Vous venez de dire qu'elles sont erronées…

— Ils prétendent que le taux de mortalité augmente. Mais ce doit être faux. Les combats se sont déroulés il y a… quoi, un jour, un jour et demi ? Pourquoi y aurait-il plus de morts maintenant ?

— Non, dit Prax. Ils ont raison. C'est l'effet de cascade. Et ça va empirer.

— Qu'est-ce que c'est, l'effet de cascade ? voulut savoir Naomi.

Amos rangea le pistolet dans son coffret et prit une arme nettement plus imposante. Un fusil d'assaut, peut-être. Il gardait les yeux rivés sur le botaniste, dans l'expectative.

— C'est l'obstacle de base à tout écosystème artificiel, expliqua celui-ci. Au sein d'un environnement évolutif normal, la diversité suffit à protéger le système tout entier quand quelque chose de potentiellement catastrophique se produit. La nature est ainsi faite. Les choses catastrophiques arrivent tout le temps. Mais rien de ce que nous créons ne possède une telle profondeur. Un élément déraille, et il n'existe que quelques voies compensatoires qui s'offrent pour y pallier. Elles sont vite dépassées par le phénomène, submergées, et elles entrent à leur tour en déséquilibre. Quand la voie suivante échoue à assumer son rôle, celles qui restent sont encore plus engorgées. C'est un système complexe simple. C'est le nom technique qu'on lui donne. Et parce qu'il est simple, il est sujet à l'effet de cascade, et parce qu'il est complexe, on ne peut pas prévoir ce qui va tomber en panne. Ni comment. C'est statistiquement impossible.

Holden s'adossa contre la cloison et croisa les bras. Prax trouvait toujours étrange de le voir en chair et en os. Il ressemblait à la personne qui apparaissait sur les écrans, tout en étant très différent.

— La station Ganymède est le fournisseur de denrées comestibles et le centre agricole le plus important, si l'on excepte la Terre et Mars, dit le capitaine. Elle ne peut pas s'effondrer juste comme ça. Ils ne le permettraient pas.

Bon sang, les gens viennent ici pour mettre au monde leur progéniture…

Prax inclina la tête de côté. Un jour plus tôt, il n'aurait pas pu expliquer ce qui se passait. En premier lieu parce qu'il n'aurait pas disposé des ressources intellectuelles pour le faire. Ensuite parce qu'il n'aurait eu personne à qui exposer sa théorie. Il était heureux de pouvoir réfléchir à nouveau, même si c'était seulement pour expliquer la gravité de la situation.

— Ganymède est morte, déclara-t-il. Ces tunnels survivront probablement, mais les structures générales sont déjà détruites. Même si nous réussissions à restaurer le système environnemental – et ce ne serait possible qu'avec un travail gigantesque –, comment autant de gens pourraient rester ici, désormais ? Combien iraient en prison ? Quelque chose doit combler le vide, mais ce ne sera pas ce qu'il y avait avant à cette place.

— À cause de la cascade, dit Holden.

— Oui, c'est ce que j'essayais de dire, fit Prax. À Amos. Tout va s'effondrer. Les efforts entrepris vont adoucir l'écroulement, peut-être, le rendre moins laid. Mais il est déjà trop tard. Voilà : il est trop tard, et puisque Mei est quelque part là, dehors, et que nous ne savons pas ce qui va céder bientôt, je dois venir avec vous.

— Prax… dit Cassandra.

Non. Naomi. Son esprit n'avait peut-être pas complètement récupéré, même maintenant.

— Strickland et cette femme, même s'ils pensent qu'ils peuvent assurer sa sécurité, ils se trompent. Vous comprenez ? Même s'ils ne lui font aucun mal, même s'ils ne le veulent pas, tout ce qui est autour d'eux va s'effondrer. Que se passera-t-il s'ils viennent à manquer d'air pour respirer ? Que se passera-t-il s'ils ne se rendent pas compte de ce qui arrive ?

— Je sais que c'est dur, intervint Holden, mais crier n'arrangera rien.

— Je ne crie pas. Je ne crie pas. Je suis seulement en train de vous dire qu'ils ont emmené ma petite fille chérie, et que je dois aller la chercher. Il faut que je sois là quand vous ouvrirez cette porte. Même si elle, elle n'est pas de l'autre côté. Même si elle est morte, j'ai besoin d'être celui qui la trouvera.

Le son était sec, professionnel, et il possédait une forme de beauté étrange : le claquement d'un chargeur qu'on enclenche. Prax n'avait pas vu Amos le sortir de la boîte, mais le morceau de métal sombre était bien dans la main du colosse, d'une taille apparemment ridicule entre ses doigts énormes. Sous le regard du botaniste, le mécanicien arma, d'une saccade. Puis il prit le fusil par le canon, en ayant soin de garder celui-ci orienté vers le mur, et le lui présenta.

— Mais je croyais… balbutia le petit homme. Vous avez dit que je n'étais pas…

Amos accentua encore un peu son geste, de façon impossible à mal interpréter : *Prenez-le.* Prax s'exécuta. L'arme était plus lourde qu'elle ne le paraissait.

— Euh, Amos ? fit Holden. Vous venez de lui donner une arme chargée ?

Le mécano haussa les épaules.

— Le doc a besoin de venir, chef. Alors je me dis qu'il devrait sans doute venir.

Prax surprit le regard qu'Holden et Naomi échangèrent.

— Il faudra que nous discutions de cette façon de prendre des décisions, Amos, dit la jeune femme en choisissant soigneusement ses mots.

— Pas de blème. Dès qu'on sera revenus.

Prax avait sillonné la station des semaines durant, en tant que résident, en tant qu'habitant. Comme un réfugié qui n'avait nulle part où aller. Il s'était habitué à l'ambiance dans les couloirs, cette façon particulière dont le regard des gens glissait sur vous, au cas où vous seriez tenté de décharger votre fardeau sur eux. Maintenant qu'il avait le ventre plein, une arme dans les mains et un groupe autour de lui, la station était devenue un endroit différent. Les gens évitaient toujours de les dévisager, mais la peur était d'une autre nature, et la faim la combattait. Holden et Amos n'avaient pas le teint grisâtre que confère la malnutrition, ni l'air hagard en voyant se déliter tout ce qu'ils croyaient immuable. Naomi était retournée au vaisseau, avait piraté le réseau de la sécurité locale et était prête à coordonner les déplacements de chacun d'eux au cas où le trio devrait se scinder.

Pour la première fois peut-être de son existence, Prax se faisait l'impression d'être un intrus. Il contemplait son lieu de naissance et le voyait comme Holden pouvait le découvrir : tous ces tunnels interminables forés dans la glace et badigeonnés de peintures et de signes, avec la partie inférieure des murs que les gens pouvaient toucher par mégarde protégée par une couche épaisse d'isolant. La glace de Ganymède était capable de vous arracher la chair des os, même au plus léger contact. Le tunnel était trop sombre, à présent, avec la lumière des projecteurs qui baissait de plus en plus. Un large couloir que Prax avait emprunté quotidiennement pendant ses études s'était transformé en une caverne emplie des sons de l'eau gouttant, à cause de la dérégulation climatique. Les plantes qui n'étaient pas mortes agonisaient, et l'atmosphère lui tapissait le fond de la gorge d'un goût âcre annonçant que les recycleurs d'urgence allaient rendre l'âme bientôt. Ou devraient rendre l'âme bientôt. Ou feraient mieux de rendre l'âme bientôt…

Mais Holden avait raison. Les gens au visage émacié et à l'expression désespérée qu'ils croisaient avaient été des experts en recherche alimentaire, des spécialistes de l'échange gazeux, des sols, des ouvriers agricoles hautement qualifiés. Si Ganymède mourait, la cascade ne s'arrêterait pas là. Une fois le dernier chargement de nourriture expédié, la Ceinture, le système jovien et la myriade de bases permanentes en orbite autour du soleil devraient trouver un nouveau moyen de s'approvisionner en vitamines et en micronutriments pour leurs enfants. Prax commençait à douter que les bases situées sur les planètes lointaines soient capables d'assurer leur propre subsistance. Si elles disposaient du matériel hydroponique et des fermes pour la culture des levures, et si rien ne se déréglait…

C'était une diversion. C'était pour accaparer ses pensées avec n'importe quoi sauf ce qui attendait de l'autre côté de cette porte. Et il l'acceptait sans aucune hésitation.

— Stop ! Tous autant que vous êtes.

La voix était basse, rude et avec des tonalités curieuses, comme si les cordes vocales de l'homme avaient été tirées de sa gorge et traînées dans la boue. Il se tenait au centre de l'intersection entre deux tunnels, juste devant eux, dans une tenue de combat renforcée de la police militaire, de deux tailles trop petite pour lui. D'après son accent et sa stature, c'était un Martien.

Amos et Holden firent halte, se tournèrent et regardèrent partout sauf dans sa direction. Prax les imita. D'autres hommes les entouraient, à moitié cachés. Le sentiment soudain de panique qui étreignit le botaniste lui laissa un goût métallique dans la bouche.

— J'en compte six, marmonna le capitaine.

— Et le type en pantalon gris ? glissa Amos.

— D'accord, mettons sept. Mais il est collé à nous depuis qu'on a quitté le vaisseau. Il est peut-être là pour d'autres raisons.

— Six, c'est toujours plus que trois, remarqua Naomi dans leurs écouteurs. Vous voulez que j'envoie des renforts ?

— Bordel, on a des renforts ? s'étonna le mécanicien. On peut faire venir Supitayaporn pour qu'il les anéantisse avec son blabla ?

— On peut s'en charger, décréta Prax en glissant la main dans la poche où il avait placé le pistolet. Nous ne devons laisser personne…

La grande main d'Amos se referma sur la sienne et l'empêcha de sortir l'arme.

— Ceux-là, on ne les dégomme pas. On leur parle.

Holden s'avança vers le Martien. La décontraction avec laquelle il se mouvait rendait presque anecdotique la présence du fusil d'assaut passé à sa bretelle. Même sa tenue renforcée ne paraissait pas jurer avec le sourire détendu qu'il arborait.

— Salut, fit-il. Il y a un problème, monsieur ?

— Peut-être, répondit l'autre avec un fort accent traînant. Peut-être pas. À vous de voir.

— Alors il n'y en a pas. Maintenant, si vous voulez bien nous excuser, il faut qu'on…

— Une minute, dit le Martien en s'interposant. Vous n'êtes pas du coin.

Son visage évoquait vaguement à Prax celui de quelqu'un vu à l'écran, sans l'avoir jamais vraiment remarqué.

— Bien sûr que si, lança le botaniste. Je suis le Dr Praxidike Meng. Botaniste en charge de la ferme expérimentale de RMD-Southern. Et vous, qui êtes-vous ?

— Laissez le capitaine s'occuper de ça, lui glissa Amos.

— Mais…

— Il est très doué pour ce genre de trucs.

— Je pense que vous appartenez au personnel de secours, continua le Martien. Et vous êtes très loin des lieux de distribution. On dirait bien que vous vous êtes perdus. Peut-être que vous avez besoin qu'on vous escorte dans une zone sécurisée…

Holden fit passer le poids de son corps d'un pied sur l'autre. Le fusil d'assaut glissa en avant de quelques centimètres, dans un mouvement naturel qui n'avait rien d'une provocation.

— Je ne sais pas trop, dit-il. Nous sommes très bien protégés. Je crois que nous pouvons assurer nous-mêmes notre sécurité. Vous demandez combien pour, hum, escorter les gens ?

— Eh bien, vous êtes trois, donc ça ferait dans les cent, en monnaie martienne. Cinq cents, dans la devise locale.

— Et si vous nous suiviez, et que je vous arrange un passage loin de cette boule de glace, à vous et vos hommes ?

L'autre en resta sans voix une seconde.

— On ne plaisante pas avec ça, grogna-t-il enfin.

Mais son masque d'autorité et d'assurance avait glissé un instant, et Prax avait vu la faim et le désespoir qu'il dissimulait.

— Je me rends dans un ancien système de tunnels, expliqua Holden. Quelqu'un a enlevé un groupe de gamins juste avant que tout pète. Ce quelqu'un les a emmenés là-bas. La fille du docteur fait partie des enfants kidnappés. Nous allons ramener tous les gosses, et demander poliment aux ravisseurs comment ils étaient au courant de ce qui s'est passé juste après. Il se pourrait qu'ils opposent une certaine résistance. Le renfort de quelques hommes sachant se servir d'une arme ne me serait pas inutile.

— Vous vous foutez de moi, dit le Martien.

Du coin de l'œil, Prax vit une des autres silhouettes se rapprocher. Une femme mince, en tenue de combat trop légère.

— On est de l'APE, affirma Amos qui désigna son ami d'un mouvement de menton. Et lui, c'est James Holden, du *Rossinante*.

— Bordel de merde, marmonna le Martien. C'est bien vous. Vous êtes cet Holden-là.

— C'est à cause de la barbe, expliqua le capitaine.

— Je m'appelle Wendell. Je bossais pour le compte de Pinkwater Security avant que ces salopards lèvent le camp en nous laissant en rade. De mon point de vue, ça annule notre contrat. S'il vous faut un peu de puissance de feu pro, vous ne trouverez pas mieux que nous.

— Combien êtes-vous ?

— Six, en me comptant dans le lot.

Holden consulta Amos du regard. Prax sentit autant qu'il vit le mécanicien hausser les épaules. L'homme dont ils venaient de parler n'avait pas de rapport avec leur affaire, après tout.

— D'accord, dit Holden. Nous avons essayé de nous adresser aux services de sécurité de la station, mais en pure perte. Suivez-moi, soutenez-nous, et je vous donne ma parole que vous partirez de Ganymède.

Wendell s'autorisa un sourire d'accord. Une de ses incisives était peinte en rouge et décorée d'un minuscule motif noir et blanc.

— C'est vous qui décidez, chef, dit-il et, levant son arme : Regroupement ! On a un nouveau contrat, les gars. C'est parti !

Des exclamations enthousiastes s'élevèrent tout autour d'eux. Prax se retrouva soudain flanqué de la femme mince, qui lui souriait et lui serrait la main comme une candidate à l'élection en campagne. Un instant interdit, le petit homme réussit à faire bonne mine. La main pesante d'Amos se posa sur son épaule.

— Vous voyez ? Je vous l'avais bien dit. Et maintenant : on se bouge.

⚡

Le tunnel était plus sombre qu'il ne paraissait sur la vidéo. La glace avait tracé des coulées minces pareilles à des veines pâles, mais le givre qui les recouvrait était récent. La porte ressemblait à n'importe laquelle des centaines d'autres devant lesquelles ils étaient passés en chemin. Prax déglutit nerveusement. Il avait le ventre noué. Il résistait difficilement à l'envie de crier le prénom de sa fille, pour l'entendre lui répondre.

— Très bien, dit Naomi au creux de son oreille. J'ai déverrouillé la serrure. C'est quand vous le sentez, les gars.

— Rien ne vaut le moment présent, répondit Holden. Ouvre.

Un léger sifflement s'éleva du joint autour du panneau.

La porte s'ouvrit.

15

BOBBIE

La première réunion importante entre les diplomates martiens et ceux des Nations unies entamait sa troisième heure, et on venait à peine de terminer les présentations et la lecture de l'ordre du jour. Un Terrien trapu en costume gris foncé coûtant certainement plus que la tenue de reconnaissance de Bobbie récitait un verbiage sans fin concernant l'article 14, point D, paragraphes 1 à 11, afin de délimiter le cadre dans lequel ils discuteraient des effets des hostilités passées sur le prix des marchandises conformément aux accords commerciaux existants. D'un discret regard alentour, Bobbie constata que toutes les autres personnes présentes autour de l'immense table en chêne couvaient l'orateur d'une même attention fascinée. Elle ravala à grand-peine le bâillement gargantuesque qui montait dans sa gorge.

Pour se changer les idées, elle décida de chercher à deviner l'identité de tous ces gens. On les lui avait présentés, en spécifiant le nom et la fonction de chacun, mais cela ne l'éclairait pas vraiment. Ici tout le monde était assistant d'un secrétaire, ou d'un sous-secrétaire, ou d'un directeur de quelque chose. Il y avait même quelques généraux, mais elle en savait assez sur le fonctionnement de la politique pour deviner que l'opinion de ces militaires serait la moins prise en compte. Ceux qui détenaient le véritable pouvoir étaient très discrets et portaient des titres anodins. Ils étaient nombreux, et parmi eux elle avait isolé un individu au visage lunaire et à la cravate trop fine, le secrétaire d'un département quelconque. Assise à côté de lui, la grand-mère de quelqu'un offrait une tache de couleur dans cet océan de tenues grises, brunes ou bleu sombre, avec son sari d'un jaune vif. Elle grignotait des pistaches sans se départir d'un demi-sourire énigmatique. Bobbie s'amusa à essayer de deviner qui de Grand-Mère ou de Face de Lune était le grand chef.

Elle envisagea de se servir un verre d'eau avec une des carafes en cristal disposées à intervalles réguliers sur la table. Elle n'avait pas soif, mais le fait de retourner son verre à l'endroit, l'emplir et le boire l'occuperait une minute ou deux. Elle nota que personne d'autre n'avait eu cette idée. Peut-être attendaient-ils tous que quelqu'un prenne l'initiative pour l'imiter.

— Accordons-nous une petite pause, déclara l'homme en complet sombre. Dix minutes, et ensuite nous pourrons passer à l'article 15.

Les gens se levèrent et se dispersèrent dans les salons et les fumoirs attenants pour se détendre. Grand-Mère emporta son sac à main et déversa les coquilles de pistache dans un vide-ordures. Face de Lune sortit son terminal de sa poche et appela quelqu'un.

— Nom de Dieu, grommela Bobbie en se frottant les yeux avec l'intérieur des poignets jusqu'à voir des étoiles exploser sur ses paupières.

— Un problème, sergent ? dit Thorsson. C'est la pesanteur qui vous épuise ?

Il s'était renversé au fond de son siège et souriait.

— Non… Enfin, si, mais c'est surtout que je me planterais bien un stylet dans l'œil, histoire de me distraire.

L'homme des Renseignements opina du chef et lui tapota la main. Un geste qu'il faisait de plus en plus fréquemment, depuis peu, ce qui ne le rendait pas moins irritant ou paternaliste, mais Bobbie en venait à craindre que l'agent n'en soit aux prémices d'une vaste offensive de séduction la visant. Une perspective très embarrassante.

Elle écarta sa main et se pencha vers lui. Il finit par la regarder dans les yeux.

— Pourquoi personne ne parle de ce putain de monstre ? demanda-t-elle dans un murmure. Ce n'est pas la raison de ma… de *notre* présence ici ?

— Il faut que vous compreniez comment tout ça fonctionne, répondit-il en se détournant pour tripoter son terminal. Tout ce qui touche à la politique s'élabore lentement, parce que les enjeux sont très élevés et que personne ne veut être celui qui fera tout foirer.

Il posa le terminal devant lui et décocha un clin d'œil à la jeune femme.

— Il y a des carrières en balance, ici.

— Des carrières…

Il hocha la tête et tapota de nouveau son terminal.

Des carrières ?

Pendant un instant elle se retrouva étendue sur le dos, le regard rivé au vide étoilé au-dessus de Ganymède. Ses hommes étaient morts ou mourants. La radio incorporée à son casque était hors service, sa tenue de combat pareille à un cercueil gelé. Elle vit la face de la créature. Dépourvue de combinaison, malgré les radiations et le vide ambiants, avec des flocons rouges de sang gelé qui voletaient autour de ses griffes. Et personne à cette table ne voulait en parler parce que cela risquait d'affecter leur carrière ?

Qu'ils aillent tous se faire foutre.

Quand les participants à la réunion eurent tous réintégré la salle et repris leurs places, Bobbie leva la main. Elle se sentit un peu ridicule, comme une gamine de primaire dans une pièce pleine d'adultes, et elle n'avait pas la moindre idée de la façon de procéder pour poser une question. L'orateur lui lança un regard exaspéré, puis l'ignora. Thorsson passa une main sous la table et lui pinça la cuisse.

Elle garda la main levée.

— Excusez-moi ? dit-elle, haut et clair.

Autour de la table des regards de moins en moins amicaux convergèrent vers elle, avant de se détourner ostensiblement. Thorsson accentua la pression sur sa cuisse au point qu'elle en eut assez : elle referma sa main libre sur le poignet de l'agent et serra. Quand les os craquèrent il rompit le contact en étouffant une exclamation de surprise. Il fit pivoter son siège pour se placer face à elle et la dévisagea fixement, yeux écarquillés, la bouche réduite à une cicatrice sans lèvres.

Grand-Mère posa une main sur l'avant-bras de l'orateur, et ce dernier se tut instantanément. *D'accord, c'est elle le boss*, songea Bobbie.

— Pour ma part, déclara la vieille femme avec un sourire d'excuse à l'intention du reste de l'assemblée, j'aimerais entendre ce que le sergent Draper a à dire.

Elle se souvient de mon nom, remarqua Bobbie. *Intéressant.*

— Sergent ? fit Grand-Mère.

Par réflexe, la militaire se leva.

— Je me demandais juste pourquoi personne ne parle du monstre.

Le sourire énigmatique de Grand-Mère réapparut. Personne ne prit la parole. Ce mutisme général insuffla une giclée d'adrénaline dans les veines de Bobbie. Elle sentit un début de tremblement envahir ses jambes. Plus que tout au monde elle avait envie de s'asseoir, qu'ils l'oublient tous et qu'ils regardent ailleurs.

Elle serra les dents et contracta les muscles de ses cuisses.

— Vous savez, dit-elle d'une voix qui enflait sans qu'elle puisse contenir le phénomène, ce monstre qui a tué quinze soldats sur Ganymède ? La raison pour laquelle nous sommes tous réunis ici ?

Le silence retomba. Thorsson la dévisageait comme si elle avait perdu l'esprit. C'était peut-être le cas.

Grand-Mère tirailla un pli de son sari et lui adressa un sourire d'encouragement.

Bobbie ramassa son exemplaire de l'ordre du jour et le brandit.

— Je veux dire, je ne doute pas que les accords commerciaux, les droits sur l'eau et qui baisera qui le deuxième mardi après le solstice d'hiver, tout ça soit *très* important…

Elle s'interrompit pour inspirer goulûment, car la pesanteur et sa tirade lui semblaient soudain avoir vidé ses poumons de toute molécule d'air. Elle le lisait dans leurs yeux : si elle s'arrêtait là elle passerait pour un incident mineur de séance, et tout le monde se remettrait au travail en l'oubliant très vite. Elle voyait sa carrière chuter en flammes, comme du haut d'une falaise.

Elle se rendit compte qu'elle n'en avait cure. Elle lança son ordre du jour sur la table où il glissa, et un homme en costume marron l'évita comme si le moindre contact avec la brochure risquait de l'infecter avec le mal qui rongeait la Marine.

— Mais… et ce putain de monstre, bordel ?

Avant qu'elle puisse continuer, Thorsson jaillit de son siège.

— Veuillez nous excuser un instant, mesdames et messieurs. Le sergent Draper souffre de stress post-traumatique et a besoin de soins.

Il lui saisit le coude et la mena hors de la pièce alors qu'une vague croissante de murmures montait derrière eux. L'agent fit halte dans l'antichambre et attendit qu'on referme la porte de la salle de réunion.

— Vous… siffla-t-il en la poussant d'une bourrade vers un siège.

En temps normal cet homme fluet n'aurait pas pu la faire bouger d'un pouce, mais elle avait l'impression que toute force avait déserté ses jambes, et elle s'écroula sur le fauteuil.

— Vous, répéta-t-il et, à quelqu'un en relation avec lui sur son terminal : Venez ici, tout de suite. Vous… dit-il une troisième fois en braquant un index accusateur sur elle avant de marcher de long en large devant son siège.

Quelques minutes plus tard, le capitaine Martens entra au pas de course dans la pièce. Il stoppa net quand il vit Bobbie affalée dans le fauteuil et l'expression furieuse de Thorsson.

— Qu'est-ce que…

— C'est *votre* faute, coupa l'agent des Renseignements qui pivota pour faire face à Bobbie. Quant à vous, sergent, vous venez de démontrer que vous faire venir était une monumentale erreur. Tout le bénéfice qu'on aurait pu tirer en présentant le seul témoin oculaire des événements a été pulvérisé par votre… votre laïus *imbécile.*

— Elle… voulut intervenir Martens.

Il fut réduit au silence par l'index raidi que Thorsson lui planta au centre de la poitrine.

— Vous avez affirmé que vous sauriez la contrôler.

Martens répondit d'un sourire attristé.

— Non, je n'ai jamais prétendu ça. J'ai dit que je pourrais l'aider, si on m'accordait assez de temps.

— Peu importe, trancha Thorsson avec un geste sec de la main. Vous embarquez tous les deux sur la prochaine navette en partance pour Mars, où vous aurez tout loisir de vous expliquer devant une commission disciplinaire. Et maintenant, hors de ma vue.

Il fit demi-tour sur ses talons et retourna dans la salle de réunion en ouvrant la porte juste assez pour glisser son corps mince à l'intérieur.

Martens s'assit dans le fauteuil voisin de celui occupé par Bobbie et souffla longuement.

— Alors, fit-il. Que se passe-t-il ?

— Est-ce que je viens de ruiner ma carrière ? s'enquit-elle.

— Peut-être. Comment vous sentez-vous ?

— J'ai…

Elle prit conscience du désir violent et subit qu'elle avait de lui parler, et cette pulsion la mit en fureur.

— J'ai besoin de prendre l'air.

Avant que Martens puisse protester, elle se leva et marcha à grands pas vers les ascenseurs.

Le complexe des Nations unies était une véritable ville. Elle mit presque une heure à retrouver son chemin. Et pendant tout ce temps elle se déplaça tel un spectre dans l'océan d'agitation et d'énergie que déployait le personnel gouvernemental. Les gens la croisaient et la dépassaient à pas pressés dans les couloirs interminables, en parlant nerveusement par petits groupes compacts ou dans leurs terminaux. Elle ne s'était jamais rendue sur Olympia, où le siège du Congrès martien se trouvait. Elle avait suivi quelques minutes des débats au Congrès lors de leurs retransmissions vidéo, quand un sujet l'intéressait, mais en comparaison de l'activité bourdonnante qu'elle constatait ici, ce n'en était qu'un pâle reflet. Les gens arpentant cet ensemble de bâtiments gouvernaient trente milliards de citoyens et des centaines de millions de colons. Les quatre milliards de Martiens paraissaient soudain habiter une planète semi-désertique.

Sur la planète rouge, on voyait généralement la Terre comme une civilisation en plein déclin, peuplée de gens paresseux, couvés, qui vivaient des aides gouvernementales. Avec des politiciens engraissés par la corruption qui s'enrichissaient toujours plus aux dépens des colonies. Une infrastructure dégradée qui engloutissait presque trente pour cent des ressources totales produites dans les systèmes de recyclage, uniquement pour éviter à la population de se noyer dans ses propres déjections. Sur

Mars, le chômage était pratiquement inconnu. La population entière était engagée directement ou indirectement dans le plus grand chantier de l'histoire humaine : le terraformage d'une planète. Cette entreprise colossale donnait à chacun un but, une vision partagée de l'avenir. Rien à voir avec ces Terriens qui ne vivaient que pour toucher leurs prochaines allocations et aller faire un tour au supermarché ou dans les complexes de distraction.

Du moins, c'était ce qu'on racontait. Et subitement Bobbie n'était plus aussi sûre que ce soit la vérité.

Des arrêts répétés aux différents points d'information disséminés dans le complexe finirent par la diriger vers une issue. Un garde qui avait l'air de s'ennuyer ferme la salua d'un hochement de tête quand elle passa devant lui, et une seconde plus tard elle était dehors.

Dehors. Sans combinaison.

Cinq secondes de plus et elle griffait la porte, qui elle s'en rendait maintenant compte ne s'ouvrait que de l'intérieur, pour tenter de rentrer. Le garde eut pitié et lui ouvrit. Elle se précipita à l'intérieur et s'effondra sur une banquette voisine, en haletant, au bord de l'hyperventilation.

— Première fois ? demanda le soldat avec un sourire.

Incapable de parler, elle hocha la tête.

— Mars, ou Luna ?

— Mars, répondit-elle quand sa respiration se fut un peu calmée.

— Ouais, je m'en doutais. À cause des dômes. Les gens habitués aux dômes ont tendance à paniquer. Les Ceinturiens font dans leur froc. Et je parle littéralement. Nous finissons par les renvoyer chez eux drogués jusqu'aux yeux pour les empêcher de hurler.

— Ouais, souffla Bobbie, heureuse de le laisser faire la conversation pendant qu'elle se ressaisissait. Sans blague…

— Ils vous ont fait venir de nuit ?

— Ouais.

— C'est leur façon habituelle de procéder avec les gens de l'extérieur. Pour leur éviter les crises d'agoraphobie.

— Ouais.

— Je vais garder la porte entrouverte pour vous. Au cas où vous auriez besoin de rentrer une nouvelle fois.

La certitude qu'il avait de la voir faire une seconde tentative attira l'attention de Bobbie sur le garde, et elle prit le temps de s'intéresser à lui. Un Terrien pas très grand, mais avec une peau magnifique, si sombre qu'elle en était presque bleutée. La stature compacte et athlétique, des yeux d'un gris remarquable. Il lui souriait sans la moindre trace de moquerie.

— Merci, dit-elle. Bobbie. Bobbie Draper.

— Chuck, répondit-il. Regardez d'abord le sol, puis relevez lentement les yeux vers l'horizon. Quoi que vous fassiez, ne redressez pas la tête d'un coup.

— Je crois que j'ai pigé, Chuck, mais merci.

Il considéra un moment son uniforme, et lâcha :

— *Semper fi*, Marine.

— Hourra, répondit-elle en grimaçant un sourire.

À sa seconde tentative de sortie, elle fit comme Chuck le lui avait recommandé et garda les yeux baissés vers le sol quelques secondes, ce qui l'aida à réduire l'impression d'écrasement sensoriel. Mais seulement un peu. Un millier d'odeurs agressa ses narines, chacune luttant contre les autres pour s'imposer à elle. Les arômes capiteux des plantes et de la terre qu'elle aurait pu rencontrer dans un jardin sous dôme. La senteur de métal surchauffé et d'huile provenant d'une unité de production. L'ozone dégagé par les moteurs électriques. Toutes ces impressions olfactives la frappèrent simultanément, superposées les unes aux autres et mêlées à des parfums trop exotiques pour être identifiés. Quant aux sons, ils formaient une cacophonie permanente. Des gens qui parlaient, les engins de construction, les véhicules électriques, le décollage d'une navette transorbitale, le tout d'un coup, et de façon continue. Rien d'étonnant à ce qu'elle ait paniqué. Deux sens submergés en une fraction de seconde. Ajoutez à cela un ciel d'un bleu improbable s'étendant à l'infini…

Immobile, yeux clos, Bobbie se concentra pour maîtriser sa respiration jusqu'à ce qu'elle entende Chuck qui refermait la porte derrière elle. À présent, elle n'avait plus le choix. Si elle faisait demi-tour et demandait au garde de la laisser rentrer, ce serait admettre sa défaite. Or il avait manifestement servi quelque temps chez les Marines des Nations unies, et il n'était pas question qu'elle apparaisse faible face à lui. Non : c'était absolument hors de question.

Quand son ouïe et son odorat se furent quelque peu accoutumés à cette déferlante de sensations, elle ouvrit les yeux et contempla fixement le béton du chemin. Puis elle releva lentement la tête, jusqu'à ce que l'horizon soit en vue. Devant elle s'étendaient de longues allées traversant des espaces verts entretenus avec un soin méticuleux. Et là-bas, très loin, on apercevait un mur gris qui devait culminer à une dizaine de mètres, au tracé hérissé régulièrement de tours de guet. Elle fut étonnée par l'importance des mesures de sécurité qui protégeaient le complexe des Nations unies, et elle se demanda si elle pourrait en sortir.

Elle n'aurait pas dû s'en inquiéter. Alors qu'elle approchait de l'accès gardé donnant sur le monde extérieur, le système de sécurité interrogea son terminal, lequel l'assura de son statut de VIP. Au-dessus de la porte, une caméra scanna son visage, le compara au portrait inclus dans son dossier et vérifia son identité alors qu'elle se trouvait encore à vingt mètres de distance. Quand elle atteignit la porte, la sentinelle lui adressa un salut militaire et lui demanda si elle avait besoin d'un véhicule.

— Non, je vais juste faire un tour à pied, dit-elle.

Avec un sourire, le soldat lui souhaita une bonne journée. Elle se mit à descendre la rue l'éloignant du complexe des Nations unies, et quand elle regarda en arrière ce fut pour apercevoir deux membres armés du personnel de sécurité qui la suivaient de loin, par discrétion. Elle continua de marcher. Quelqu'un perdrait sans doute sa place si une VIP comme elle s'égarait ou était blessée.

Une fois hors de l'enceinte appartenant aux Nations unies, son agoraphobie baissa d'un cran. Autour d'elle les bâtiments dressaient leurs parois de verre et d'acier à une hauteur suffisante pour qu'elle n'en voie pas le sommet. De petits véhicules sillonnaient les rues dans le bourdonnement de leurs moteurs électriques, laissant derrière eux un sillage invisible empestant l'ozone.

Et les gens étaient *partout*.

Sur Mars, Bobbie avait assisté à quelques rencontres à l'Armstrong Stadium, pour voir jouer les Red Devils. Le stade pouvait accueillir vingt mille spectateurs. L'équipe étant régulièrement dans la partie basse du classement, les gradins étaient plus que clairsemés. Cette foule relativement modeste constituait l'attroupement le plus important qu'il lui ait été donné de contempler en un même endroit et au même moment. Des milliards de gens habitaient sur Mars, mais les lieux de rassemblement massif y étaient assez rares. Bobbie fit halte à un carrefour et scruta les deux artères qui semblaient s'étirer à l'infini. Il y avait là plus de gens massés sur les trottoirs que le public habituel des Red Devils. Elle essaya d'imaginer le nombre de personnes dans les bâtisses qui grimpaient à l'assaut du ciel dans toutes les directions autour d'elle, et elle en fut incapable. Des millions de gens, sans doute, rien que dans les rues et les immeubles qui s'offraient à sa vue.

Et si la propagande martienne disait vrai, la majorité des gens qu'elle voyait actuellement était sans emploi. Elle essaya d'imaginer cette situation, n'avoir aucun endroit précis où devoir être, à des horaires définis, aucun jour.

Les Terriens l'avaient découvert, lorsque les gens n'avaient rien d'autre à faire, ils faisaient des enfants. Pendant une période assez brève qui s'était étalée sur les XXe et XXIe siècles, la population avait semblé tendre vers la raréfaction plutôt que la poursuite de sa croissance. De plus en plus de femmes ayant accès à un niveau d'éducation supérieur et, partant, à des emplois qualifiés, la taille de la famille type s'était rétrécie.

Quelques décennies de chômage de masse avaient mis fin à cette tendance.

Ou, une fois encore, c'était ce qu'on lui avait affirmé à l'école. Il n'y avait que sur cette planète, la Terre, où la nourriture poussait toute seule, où l'air n'était qu'un produit dérivé d'une végétation non contrôlée, où les ressources abondaient dans le sol, qu'un individu pouvait réellement décider de ne rien faire du tout. Il existait assez de richesses créées par ceux qui ressentaient le besoin de travailler pour que le surplus nourrisse les autres. Un monde qui ne se divisait plus entre riches et pauvres, mais entre dynamiques et apathiques, actifs et passifs.

Bobbie arriva devant un café et s'assit à une table.

— Vous désirez ? lui demanda une jeune femme souriante aux cheveux teints en bleu vif.

— Que me conseillez-vous ?

— Nous proposons le meilleur des thés au lait de soja, si vous aimez.

— Ça me va.

Elle n'avait pas une notion très précise de ce qu'était le thé au lait de soja, mais elle aimait assez les deux composants séparément pour tenter l'expérience.

La serveuse aux cheveux bleus retourna au comptoir où elle conversa avec un jeune homme pendant que celui-ci préparait la consommation. Bobbie regarda autour d'elle, et elle remarqua que toutes les personnes qu'elle voyait travailler appartenaient à cette même tranche d'âge.

Quand sa commande arriva, elle demanda :

— Euh, je peux vous poser une question ?

Le sourire de la fille valait accord.

— Tous les gens qui travaillent ont le même âge, ici ?

— Eh bien… à peu près, oui. Il faut bien mettre de côté l'argent pour l'université, pas vrai ?

— Je ne suis pas d'ici. Vous pourriez m'expliquer ?

Bleue la regarda comme si elle la voyait pour la première fois et remarquait son uniforme et ses divers insignes.

— Oh, vous êtes de Mars, c'est ça ? C'est là que je veux aller.

— Ouais, c'est super. Alors, cette histoire d'argent pour l'université ?

— Vous n'avez pas ça, sur Mars ? demanda la serveuse, interloquée. D'accord, eh bien, si vous vous voulez entrer à l'université, vous devez avoir au moins une année de salaire de côté. C'est pour être sûr que vous aimez le travail. Vous comprenez, pour que les salles de cours ne soient pas occupées par des gens qui ne se mettront pas au basique ensuite.

— Le basique ?

— Le soutien basique.

— Ah, je crois que je comprends, dit Bobbie. Le soutien basique est l'argent avec lequel vous vivez si vous ne travaillez pas ?

— Pas de l'argent, juste le basique. Pour toucher de l'argent, il faut travailler.

— Merci.

Bobbie goûta son thé au lait pendant que la serveuse trottait vers une autre table. La boisson était délicieuse. Même si elle trouvait ce système attristant, elle devait reconnaître qu'il existait une certaine logique au fait d'effectuer un tri préliminaire avant de consacrer des ressources à l'éducation des gens. Elle paya la note par l'intermédiaire de son terminal qui afficha le total de la dépense après avoir converti la somme dans la monnaie locale. Elle ajouta un pourboire généreux pour la fille aux cheveux bleus qui voulait plus de la vie qu'un soutien basique.

Mars deviendrait-elle comme la Terre, après le terraformage ? Elle se posait la question. Si les Martiens n'avaient pas à lutter chaque jour pour assurer leur subsistance, épouseraient-ils ce modèle ? Une culture qui vous autorisait à décider si vous désiriez lui apporter votre contribution ? Les heures de travail et l'intelligence collective de quinze milliards d'êtres humains tout bonnement considérées comme des pertes acceptables pour le système… L'idée emplissait Bobbie de tristesse. Tous ces efforts pour en arriver à un stade où l'on pouvait vivre de cette manière. Ils devaient envoyer leurs enfants travailler dans un café juste pour savoir si leur progéniture était décidée à contribuer. Et ils acceptaient de les laisser passer le restant de leur existence à ne rien faire si tel était leur choix.

Mais une chose était certaine : tout cet entraînement physique et cette formation auxquels les Marines de Mars se soumettaient en pesanteur normale, tout cela, c'était de la daube, tout bonnement. Il était impossible que Mars réussisse à battre la Terre sur ce terrain. Vous pouviez larguer tous les soldats martiens armés de pied en cap sur une seule ville terrienne, et ses habitants les submergeraient en se servant seulement de cailloux et de bâtons.

Plongée dans ces réflexions maussades, elle sentit soudain un poids énorme quitter ses épaules, un fardeau qu'elle ignorait porter. Thorsson et toutes ses théories à la noix n'avaient aucune valeur. Cette rivalité idiote avec la Terre n'avait aucune importance. Faire de Mars une nouvelle Terre n'avait aucune portée, pas si le résultat devait être celui-là.

Tout ce qui importait était de découvrir qui avait lâché cette créature sur Ganymède.

Elle avala ce qui restait de son thé en pensant *Il va falloir que j'aille faire un tour*.

16

HOLDEN

Pour lui, le long couloir qui s'étendait après la porte ressemblait à n'importe quel autre sur Ganymède : des parois de glace recouvertes de plaques isolantes, un revêtement caoutchouté au sol et un éclairage LED trop cru qui imitait mal la lumière solaire tombant des cieux bleutés de la Terre. Ils auraient pu se trouver n'importe où.

— Nous sommes sûrs que c'est le bon, Naomi ?

— C'est celui dans lequel Mei a été emmenée, sur l'enregistrement du hacker, répondit la jeune femme.

— D'accord.

Il posa un genou au sol et fit signe aux autres de l'imiter. Quand tous furent rassemblés en un cercle approximatif autour de lui, il déclara :

— Notre superviseur, Naomi, a accès à des informations concernant le tracé de ces tunnels, mais pas grand-chose de plus. Nous n'avons aucune idée quant à la position actuelle des méchants, nous ne savons même pas s'ils sont encore là.

Prax voulut objecter, mais Amos l'en dissuada en posant une main pesante sur son épaule.

— Donc il faut envisager de laisser inexplorées un tas d'intersections derrière nous. Et ça ne me plaît pas trop.

— Ouais, fit Wendell, le chef des ex-nervis de Pinkwater, moi non plus, ça ne me plaît pas.

— C'est pourquoi nous allons laisser un guetteur à chaque intersection franchie, jusqu'à ce que nous sachions où nous allons, expliqua Holden. Naomi, cale tous leurs terminaux individuels sur notre canal. Les gars, tout le monde met son oreillette. Règle de fonctionnement des comms : personne ne parle si je ne pose pas une question directe, ou que quelqu'un est sur le point de mourir.

— Bien compris, dit Wendell, et les membres de son équipe lui firent écho.

— Une fois que nous saurons ce que nous avons en face de nous, je rappellerai tous les guetteurs pour qu'ils rejoignent notre position, si nécessaire. Sinon ils assureront notre retraite, au cas où nous serions débordés en phase de repli.

Tous acquiescèrent.

— Excellent. Amos en pointe. Wendell, vous couvrez nos arrières. Tous les autres, progression à un mètre d'intervalle, dit Holden avant de tapoter de l'index le plastron de Wendell. On effectue l'opération proprement, et je glisserai un mot aux types de l'APE pour qu'ils versent quelques crédits sur vos comptes, en plus de vous faire quitter ce caillou glacé.

— Génial, commenta la femme mince à la tenue de combat trop légère, et elle enclencha une cartouche dans son pistolet automatique.

— Bon, on y va. Amos, d'après ses plans Naomi dit qu'il y a encore cinquante mètres avant une autre porte pressurisée, ensuite une sorte d'entrepôt.

Le mécanicien accueillit l'information avec un mouvement de tête, passa son arme à la bretelle. Il avait un énorme fusil d'assaut, d'une taille presque disproportionnée, même pour lui, et des chargeurs de réserve ainsi qu'une collection de grenades étaient accrochés à son harnais de combat martien. Tout ce métal cliquetait à chacun de ses pas. Il s'éloigna rapidement dans le couloir. Holden jeta un coup d'œil en arrière et eut la satisfaction de constater que les types de Pinkwater suivaient en respectant les consignes et l'espacement. Ils avaient peut-être l'air affamé, mais ils connaissaient la musique.

— Capitaine, entrée d'un tunnel sur la droite, juste avant la porte pressurisée, indiqua Amos.

Il fit halte, posa un genou au sol et couvrit l'embranchement inattendu avec son arme.

Ce passage ne figurait pas sur les plans. On pouvait donc en déduire que des tunnels avaient été creusés *après* la dernière actualisation des spécifications techniques de la station. De telles modifications impliquaient qu'ils disposaient de moins d'éléments fiables que prévu, et ce n'était pas une bonne nouvelle.

— Bon, fit Holden en se tournant vers la femme trop mince. Vous êtes ?

— Paula.

— Paula, voici votre intersection. Essayez de ne pas tirer sur quelqu'un tant que cette personne ne vous prend pas pour cible, mais ne laissez absolument personne passer, sous aucun prétexte.

— Bien compris, dit la jeune femme.

Elle alla se positionner à un endroit d'où elle pouvait surveiller l'embranchement latéral, l'arme prête.

Amos décrocha une grenade de son harnais et la lui tendit.

— Au cas où ça se mettrait à chauffer, expliqua-t-il.

Elle accepta le présent, remercia d'un signe de tête et s'adossa de nouveau contre la paroi. Le mécano prit la tête du groupe et s'avança vers la porte pressurisée.

— Naomi, dit Holden quand il put étudier le battant et son système de fermeture, c'est l'accès pressurisé 223-B6. Déverrouille-le.

— Compris.

Quelques secondes plus tard, les verrous se désenclenchèrent.

— Dix mètres jusqu'à la prochaine intersection, d'après le plan, indiqua-t-il, et il désigna un des agents Pinkwater au hasard, un homme d'un certain âge, à l'air bourru. À vous de la surveiller quand nous y serons arrivés.

L'autre acquiesça, et Holden fit signe à Amos. Celui-ci saisit le bord du panneau de sa main droite et avec sa gauche décompta à partir de cinq en repliant successivement les doigts. Holden prit position face à la porte et braqua son arme.

Quand son ami arriva à 1, le capitaine inspira sèchement et fonça par l'ouverture dès que le mécanicien fit pivoter le panneau.

Rien.

Encore dix mètres de couloir faiblement éclairés par les LED qui n'étaient pas tombés en panne après des décennies entières sans servir. Au fil du temps le givre avait formé sur les murs une texture évoquant des toiles d'araignée pendantes. Cette vision rappela l'image d'une crypte à Holden.

Le canon de son arme balayant lentement le couloir devant lui, Amos se rapprocha de l'intersection et de la porte suivante. Le capitaine le suivit, et il dirigea son arme sur la droite en arrivant au passage latéral, le réflexe de couvrir tout angle d'attaque sur eux étant devenu un automatisme au cours de cette dernière année.

Celle qu'il avait passée comme policier de l'espace.

Naomi avait dit que ce n'était pas lui. Il avait quitté la Flotte sans avoir jamais connu le combat autrement qu'en pourchassant des pirates depuis la passerelle confortable d'un vaisseau de guerre. Il avait trimé des années durant à bord du *Canterbury*, trimballant de la glace de Saturne à la Ceinture sans avoir jamais été confronté à une situation plus violente que des membres d'équipage qui se querellaient pour tromper leur ennui. Il avait endossé le rôle du pacificateur, celui qui trouvait toujours moyen de calmer les choses. Quand les esprits s'échauffaient, il les calmait, il se débrouillait pour désamorcer le conflit, ou bien il restait assis un quart entier à écouter quelqu'un vider son sac.

La nouvelle personne qu'il était devenu dégainait son flingue d'abord et parlait ensuite. Peut-être bien qu'elle avait raison d'agir ainsi. Combien de vaisseaux avait-il torpillés depuis Éros ? Douze ? Plus ? Il se consolait en se répétant que c'étaient des gens très mauvais. La pire sorte de vautours, qui profitaient du chaos de la guerre et de la retraite de la Flotte de la Coalition pour perpétrer des pillages sanglants. Le genre d'individus qui dépouillaient vos moteurs de tous ses éléments monnayables, volaient vos réserves d'air et vous laissaient suffoquer en dérivant dans l'espace. Pour chacun des appareils qu'il avait anéantis, il avait probablement sauvé des dizaines de vaisseaux innocents, et des centaines de vies. Mais en agissant ainsi il avait perdu également quelque chose de très intime, et de temps à autre il lui arrivait de ressentir ce manque.

Dans des occasions comme celle où Naomi avait dit *Ce n'est pas toi.*

S'ils dénichaient la base secrète où Mei avait été emmenée, il y avait de grandes chances qu'ils doivent combattre pour la libérer. Holden espérait que cela l'ennuierait, ne serait-ce que pour se prouver qu'il pouvait encore être perturbé par ce genre d'action.

— Capitaine ? Ça va ?

Amos le regardait fixement.

— Ouais, j'ai juste besoin d'un autre boulot.

— Ce n'est peut-être pas le meilleur moment pour changer de carrière, cap.

— Très juste, fit Holden avant de s'adresser à l'ex-membre de Pinkwater qu'il avait déjà apostrophé : C'est votre intersection. Mêmes instructions. Tenez le poste jusqu'à ce que je vous rappelle.

L'autre approuva et se tourna vers Amos.

— Et moi, je n'ai pas droit à une grenade ?

— Nan, Paula est bien plus mignonne, répliqua le mécanicien.

Il réitéra son compte à rebours, et Holden se rua de l'autre côté de la porte dès que celle-ci fut ouverte, comme la fois précédente.

Il s'était préparé à découvrir un énième couloir d'un gris anonyme, mais il surgit dans un espace étonnamment vaste, avec quelques tables et du matériel poussiéreux dispersés au hasard dans la salle. Un copieur 3D à la réserve de résine vide et en partie démonté, quelques systèmes de bras mécaniques industriels conçus pour des taches légères, et les différents équipements automatisés qu'on glissait généralement sous les tables et les paillasses dans les labos. La couche minérale s'étendait sur les murs mais pas sur le matériel. Un cube en verre transparent de deux mètres de côté occupait un coin de la pièce. Sur une des tables était posé ce qui ressemblait à un tas de couvertures ou de bâches souples. À l'autre bout de la salle, une autre porte pressurisée, close.

Holden désigna l'équipement abandonné et dit à Wendell :

— Voyez si vous pouvez trouver un point d'accès au réseau général et branchez-y ça.

Il lui tendit le raccord bricolé à la hâte par Naomi.

Amos envoya deux des hommes de Pinkwater surveiller l'autre issue, puis il revint vers Holden et lui montra le cube de verre avec le canon de son arme.

— Assez grand pour y mettre deux ou trois gamins. Vous croyez qu'on les gardait là ?

— Possible, dit le capitaine qui s'en approcha pour étudier le dispositif. Prax, est-ce que vous pourriez…

Il s'interrompit quand il constata que le botaniste s'était planté devant la table surmontée du tas de couvertures. À le voir ainsi, la perspective d'Holden changea, et soudain il ne regardait plus du tout un tas de couvertures. Cela ressemblait beaucoup plus à un petit cadavre dissimulé.

Prax contemplait le tout sans ciller. Sa main jaillit vers la table, se retira tout aussi prestement. Le petit homme tremblait de la tête aux pieds.

— C'est… C'est… dit-il, sans s'adresser à quelqu'un en particulier.

Sa main s'avança encore, et battit en retraite aussitôt.

Holden accrocha le regard d'Amos et lui indiqua Prax d'un mouvement des yeux. Le mécanicien s'approcha du botaniste et lui posa la main sur le bras.

— Et si vous nous laissiez jeter un coup d'œil, hein ?

Holden laissa Amos guider Prax à quelques pas de là avant de s'approcher de la table. Quand il souleva la couverture pour regarder en dessous, le botaniste laissa échapper un son bref, comme une brusque inspiration avant un cri. Holden se déplaça légèrement, de façon à bloquer sa vue.

Un petit garçon gisait sur la table. Il était maigre, avait la peau sombre et une tignasse noire en broussaille. Ses vêtements étaient de couleurs voyantes : un pantalon jaune et une chemise verte avec un motif représentant un crocodile de bande dessinée et des marguerites. Ce qui l'avait tué n'était pas évident.

Holden entendit un bruit étouffé et tourna la tête. Le visage empourpré, Prax se débattait pour échapper à Amos et atteindre la table. Le mécano le retenait d'un bras, dans une étreinte à mi-chemin entre la clef de lutte et le geste amical.

— Ce n'est pas elle, lui dit Holden. C'est un enfant, mais ce n'est pas elle. Un garçon. Quatre ans, peut-être cinq.

À ces mots le colosse relâcha le botaniste qui se précipita vers la table, releva vivement la couverture et scruta le cadavre une seconde.

— C'est Katoa, déclara-t-il. Je le connais. Son père…

Holden posa la main sur son épaule.

— Ce n'est pas Mei, répéta-t-il. Il faut que nous poursuivions nos recherches.

D'une saccade le scientifique rompit le contact.

— Ce n'est pas Mei, dit encore le capitaine.

— Mais Strickland était ici, contra Prax. C'était leur médecin. Je croyais que s'il était avec eux, ils n'auraient rien à…

Holden n'ajouta rien. Il pensait la même chose. Si un des enfants était mort, ils l'étaient peut-être tous.

— À cause de la présence du docteur, j'ai cru qu'ils voulaient garder les enfants en vie, dit Prax. Mais ils ont laissé Katoa mourir. Ils l'ont laissé mourir, et ils l'ont simplement mis sous des couvertures. Basia, je suis tellement désolé…

Holden saisit le botaniste et l'obligea à se retourner vers lui. Exactement comme l'aurait fait un certain policier, se dit-il. Il pointa l'index vers la table.

— Ce n'est pas Mei. Vous voulez la retrouver ? Alors il faut qu'on continue.

Les yeux emplis de larmes, ses épaules secouées par les sanglots qu'il étouffait, le petit homme hocha la tête et s'éloigna de la table. Amos gardait sur lui un regard vigilant. Son expression était indéchiffrable. La pensée vint spontanément à Holden : *J'espère que c'était une bonne idée d'emmener Prax*.

À l'autre bout de la salle, Wendell poussa un sifflement et agita une main. Il désigna le raccord de Naomi fiché dans une prise murale et leva le poing, pouce dressé.

— Naomi, tu es connectée ? demanda Holden tout en replaçant les couvertures sur le corps enfantin.

— Oui, je suis dans la place, répondit-elle d'une voix distraite, pendant qu'elle vérifiait le flot entrant des données. Les échanges dans ce noyau sont cryptés. J'ai mis le système du *Somnambule* sur le coup, mais il n'est pas aussi performant que celui du *Rossi*. Ça risque de prendre un bout de temps.

— Ne lâche pas l'affaire, répondit le capitaine qui fit un signe à Amos. Mais s'il y a des échanges sur le réseau, ça veut dire que quelqu'un est toujours actif ici.

— Si tu peux patienter une minute, je pourrai peut-être te relayer les vues des caméras de sécurité et un plan actualisé du coin où vous êtes.

— Envoie-nous tout ce que tu peux dès que tu le peux, mais on n'attend pas.

Amos s'approcha d'Holden d'un pas lourd et tapota du doigt la visière de son casque. Prax s'était immobilisé à l'écart, près du cube vitré dont il regardait fixement l'intérieur comme s'il y avait là quelque chose à observer. Holden pensait que le mécanicien allait faire un commentaire, mais le colosse le surprit :

— Vous avez fait attention à la température, cap ?

— Ouais. Chaque fois que je vérifie, ça dit "froid comme la mort".

— Quand je suis allé à côté de la porte, c'est monté d'un demi-degré à peu près.

Holden réfléchit à ce que cela impliquait, vérifia sur son propre affichage tête haute et pianota des doigts sur sa cuisse.

— Il y a la clim dans la pièce voisine, conclut-il. Ils la chauffent.

— On dirait bien…

Amos prit son gros fusil automatique à deux mains et ôta le cran de sûreté.

Holden fit signe aux anciens de Pinkwater de les rejoindre.

— Il semble que nous soyons arrivés à la partie habitée de cette base. Amos et moi passons devant. Vous trois, vous suivez et couvrez nos flancs. Wendell, vous assurez nos arrières. Faites en sorte que nous puissions nous replier vite fait si ça tourne mal. Prax…

Il se tut et chercha du regard le botaniste. Celui-ci s'était glissé sans bruit vers la porte, et dans le même temps avait sorti de sa poche le pistolet qu'Amos lui avait confié. Sous les yeux du capitaine, il tendit la main et ouvrit le battant, puis entra dans la pièce adjacente d'un pas déterminé.

— Bordel de merde, dit le mécanicien sur le ton de la conversation.

— Merde, approuva Holden, puis : On y va ! Allez !

Et il se précipita par la porte maintenant grande ouverte.

Juste avant de l'atteindre, il entendit le petit scientifique qui disait, d'une voix forte mais un peu chevrotante :

— Personne ne bouge.

Holden jaillit dans l'autre pièce et bifurqua aussitôt sur la droite tandis qu'Amos faisait de même sur la gauche. Prax s'était arrêté à quelques pas du seuil, et le gros pistolet noir paraissait incongru dans sa main trop pâle et tremblante. L'endroit lui-même ressemblait beaucoup à celui qu'ils venaient de quitter, à la différence près qu'il n'était pas désert du tout. Des gens armés. Holden s'efforça de repérer au plus vite tout ce qui permettait de s'abriter : une demi-douzaine de grandes caisses grises d'emballage emplies d'appareillages de précision, à différents stades de désassemblage, étaient dispersées dans la pièce. Quelqu'un avait posé droit son terminal sur un banc, et l'appareil beuglait de la musique dansante. Sur une des caisses plusieurs boîtes de pizzas ouvertes révélaient un grand nombre de parts manquantes, dont plusieurs étaient encore dans les mains des personnes présentes. Il les compta rapidement. Quatre. Huit. Une bonne douzaine d'hommes et de femmes, les yeux pareillement écarquillés, interdits.

L'ensemble lui donna fortement l'impression qu'on s'apprêtait à plier bagage après une courte pause pour manger un morceau. Un déménagement comme un autre, donc, à ce détail près que tous ces individus portaient un holster au côté, et qu'ils avaient abandonné le cadavre d'un enfant dans la pièce voisine.

— Personne ! Ne ! Bouge ! répéta Prax, cette fois avec plus de force.

— Vous devriez l'écouter, ajouta Holden en balayant lentement le groupe avec le canon de son arme.

Amos souligna le bien-fondé de ce conseil en approchant de l'inconnu le plus proche qu'il fit s'effondrer au sol comme un sac de sable humide d'un simple coup de crosse dans les côtes. Holden perçut les pas lourds et rapides des anciens de Pinkwater qui entraient à leur tour et prenaient position derrière lui.

— Wendell, dit le capitaine sans baisser son fusil, veuillez désarmer ces gens pour moi.

— Non, rétorqua une femme aux traits durs qui tenait toujours sa tranche de pizza dans une main, avant d'avaler la bouchée qu'elle venait d'enfourner. Vous n'êtes que sept. Rien qu'ici, nous sommes douze, et il y en a un tas d'autres derrière nous qui vont accourir au premier coup de feu. Alors : non, vous n'allez pas nous désarmer.

Elle lança un sourire barbouillé de graisse à Holden et mordit à nouveau dans sa part de pizza. Il détecta l'odeur de fromage et de pepperoni malgré la senteur omniprésente de la glace et celle de sa propre transpiration. Son estomac réagit par un gargouillement parfaitement déplacé. Prax pointa son pistolet sur la femme, mais sa main tremblait si violemment que sa cible ne devait pas se croire vraiment menacée.

Amos lui coula un regard en biais, comme pour demander : *Et maintenant ?*

Dans l'esprit d'Holden, son environnement immédiat bascula d'un coup dans un schéma tactique. Les sept adversaires potentiels encore debout se tenaient en trois groupes distincts. Aucun d'entre eux ne portait de protection visible. D'une seule rafale, Amos descendrait certainement sans problème les quatre sur la gauche. De son côté, il était à peu près sûr de pouvoir régler leur compte aux trois juste en face de lui. Restaient donc quatre ennemis pour les hommes de Pinkwater. Mieux valait ne pas inclure Prax dans l'équation.

Il effectua ce calcul en une fraction de seconde, et son pouce régla presque de lui-même son arme sur la position de tir par rafales.

Ce n'est pas toi.

Et merde.

— Nous ne sommes pas obligés d'en arriver là, dit-il au lieu d'ouvrir le feu. Personne n'est obligé de mourir ici, aujourd'hui. Nous sommes à la recherche d'une fillette. Aidez-nous à la retrouver, et tout le monde repartira d'ici sans bobo.

Il voyait bien que l'expression arrogante et bravache de la femme n'était qu'un masque. Derrière, elle mettait en balance avec une inquiétude plus que probable les pertes de son équipe s'ils passaient à l'action. Il lui décocha un sourire conciliant pour l'aider à prendre la bonne décision. *Parlez-moi. Nous sommes entre gens raisonnables.*

Mais tous ne l'étaient pas.

— Où est Mei ? s'écria Prax d'une voix suraiguë, en touchant le torse de la femme avec le canon de son pistolet, comme si le geste était une traduction physique de sa question. Dites-moi où elle est !

— Je… commença-t-elle à répondre, mais il l'interrompit :

— Où est ma petite fille ?

Et il arma son pistolet.

Comme au ralenti, Holden vit onze mains s'abattre vers onze holsters sur onze hanches.

Et merde.

17

PRAX

Au cinéma et dans les jeux, soit les maigres bases de la compréhension qu'avait Prax des interactions violentes entre personnes, le fait d'armer un pistolet constituait moins une menace qu'une sorte de signe de ponctuation. Un agent de sécurité interrogeant quelqu'un pouvait commencer par des promesses de sévices et quelques gifles, mais quand il armait son pistolet cela voulait dire qu'il était temps de le prendre au sérieux. Le botaniste n'avait pas plus réfléchi à la chose qu'à l'urinoir libre le plus proche quand il ne se retrouvait pas seul dans des toilettes publiques, ou comment monter dans le métro ou en descendre. C'était l'usage inné qu'imposait la sagesse naturelle. Vous haussiez la voix, vous menaciez, vous armiez votre flingue, et les gens parlaient.

— Où est ma petite fille ?

Il ôta la sécurité de son pistolet.

La réaction fut presque immédiate : un recul brusque, comme une valve sous haute pression qui lâche, mais en beaucoup plus bruyant. Il fut violemment repoussé en arrière et faillit lâcher son arme. Avait-il tiré par erreur ? Mais non, son index n'avait pas appuyé sur la détente. Une odeur agressive, acide avait envahi l'air. La femme à la part de pizza n'était plus là. Ah, si : elle était étendue au sol. Quelque chose d'horrible était arrivé à sa mâchoire. Il vit la bouche en ruine remuer, comme si elle essayait de parler. Mais il ne perçut qu'un couinement perçant et se demanda distraitement si ses propres tympans avaient éclaté. La femme à la mâchoire démolie prit une longue inspiration frémissante, et ce fut la dernière. Avec un détachement curieux, il remarqua qu'elle avait dégainé son pistolet et le serrait toujours dans sa main. Il n'aurait pu dire quand elle l'avait fait. La musique émanant du terminal passa à un autre morceau, et la transition mélodique lui parvint à peine tant ses oreilles carillonnaient.

— Je ne lui ai pas tiré dessus, dit-il.

Sa voix sonnait comme s'il parlait dans un vide partiel, avec un air trop raréfié pour porter pleinement l'énergie des ondes sonores. Mais il pouvait toujours respirer sans problème. Il se demanda une fois de plus si la détonation n'avait pas endommagé son ouïe. Il regarda autour de lui. Il était seul dans la pièce. Tous les autres étaient partis. Non, ils s'étaient mis à couvert. Il songea alors qu'il devrait peut-être se mettre à l'abri, lui aussi. Mais plus personne ne tirait, et il ne savait pas trop où aller se cacher.

La voix d'Holden lui sembla venir de très loin :

— Amos ?

— Ouais, capitaine ?

— Vous voulez bien lui prendre son arme, maintenant, s'il vous plaît ?

— Comme si c'était fait.

Le mécanicien se leva derrière une des caisses les plus proches du mur. Sa tenue renforcée martienne était striée sur la poitrine d'une longue marque, et deux cercles blancs étaient visibles juste sous la ligne des côtes flottantes. Amos s'avança vers lui en boitant

— Désolé, doc, dit-il. J'ai merdé en vous donnant ce flingue. La prochaine fois, peut-être, d'accord ?

Le botaniste considéra la main ouverte que le colosse tendait, hésita, puis y déposa doucement le pistolet.

— Wendell ? fit Holden.

Prax n'était toujours pas certain de l'endroit exact où le capitaine se trouvait, mais sa voix paraissait plus proche. C'était sans doute sa perception des sons qui revenait progressivement à la normale, simplement. L'odeur âcre dans l'air se transforma en une senteur plus métallique. Elle lui évoqua des tas de compost à un stade avancé : un parfum puissant, organique, dérangeant.

— Un à terre, dit l'homme de Pinkwater.

— Nous allons trouver un médecin, répondit Holden.

— C'est aimable à vous, mais ça ne sera pas la peine. Terminez la mission. Nous avons eu la plupart d'entre eux, mais deux ou trois ont réussi à passer cette porte. Ils vont donner l'alarme.

Un des soldats de Pinkwater se remit debout. Du sang coulait le long de son bras gauche. Un autre gisait au sol, et la moitié de sa tête manquait. Holden apparut. Il se massait le coude droit, et sa tenue montrait une nouvelle éraflure sur le casque, au niveau de sa tempe gauche.

— Que s'est-il passé ? demanda le scientifique.

— Vous avez déclenché une fusillade, répondit le capitaine. Bon, on repart avant qu'ils puissent organiser la défense.

Prax commençait seulement à prendre conscience des autres cadavres. Ceux des hommes et des femmes qui avaient mangé de la pizza en écoutant la musique. Ils avaient eu des pistolets, mais le groupe d'Holden était armé de fusils automatiques ou d'assaut, et certains avaient des tenues de protection de type militaire. Le résultat de l'affrontement n'avait rien de subtil.

— Amos, en pointe, ordonna Holden.

Le colosse franchit la porte et s'aventura dans l'inconnu. Prax voulut le suivre, et le chef des ex-Pinkwater lui saisit le coude.

— Pourquoi ne pas rester auprès de moi, hein, doc ?

— Oui. Je vais… Oui, d'accord.

De l'autre côté de la porte, la nature des pièces changeait. Ils se trouvaient toujours dans l'ancien réseau de tunnels, c'était évident. Les murs étaient là aussi tapissés de cette sorte de toile d'araignée en givre minéralisé, et l'éclairage toujours dispensé par de vieilles LED encastrées. Ici et là sur les parois, on notait les endroits où la glace avait fondu puis s'était solidifiée à nouveau lors d'un raté du système général de chauffage, des années ou des décennies plus tôt. Mais le simple fait de passer la porte revenait à quitter le royaume des morts pour un lieu vivant. Ici l'air était plus doux, et il charriait l'odeur corporelle, celle de la terre fraîche et, plus légère mais aiguë, du désinfectant au phénol. La grande salle dans laquelle ils entrèrent aurait pu être l'espace commun dans n'importe quel labo où Prax avait travaillé. Trois portes de bureau en métal étaient visibles dans le mur du fond, toutes closes, ainsi qu'un accès de chargement qui avait son rideau métallique relevé. Amos et Holden s'approchèrent des portes. Le mécanicien les ouvrit une à une, d'un coup de pied. À la troisième Holden cria quelque chose mais ses paroles furent noyées dans l'aboiement d'un pistolet et la riposte d'Amos avec son fusil d'assaut.

Les deux derniers hommes de Wendell vinrent rapidement se poster dos contre le mur, de chaque côté de l'accès de chargement. Prax voulut les rejoindre, mais Wendell le stoppa en lui agrippant l'épaule. L'ex-Pinkwater à gauche de l'entrée risqua un coup d'œil à l'intérieur et se remit aussitôt à l'abri. Une balle érafla le bord de l'accès, le ratant de peu.

— Qu'est-ce qu'on a comme infos ? demanda Holden, et pendant une seconde Prax crut que le capitaine s'adressait à eux.

Mais le regard du Terrien était devenu dur, et le rictus qu'il arborait maintenant semblait gravé sur son visage. Puis Naomi répondit quelque chose pour le faire sourire, et il parut seulement las et triste.

— D'accord. On a donc un plan partiel de la zone. Sortis d'ici, une pièce ouverte, pente de deux mètres, avec issues à dix heures et à une heure. Le tout ressemble à une fosse, ce qui fait qu'on occupe la position dominante.

— Alors c'est peut-être un très mauvais endroit pour installer des défenses, remarqua Wendell.

Des tirs claquèrent, et trois petits trous apparurent dans le montant métallique de l'accès de chargement. De l'autre côté, on était nerveux.

— Et pourtant tout prouve que… lâcha Holden.

— Vous voulez papoter avec eux, cap ? coupa Amos. Ou on opte pour la solution la plus évidente ?

La question suggérait plus que Prax ne pouvait en déduire, de cela il était conscient. Le capitaine faillit répondre, se reprit et désigna l'accès d'un mouvement de tête.

— Finissons-en, dit-il simplement.

Holden et Amos s'approchèrent prestement de l'accès de chargement, Prax et Wendell derrière eux. Dans la pièce au-delà, quelqu'un cria des ordres. Le botaniste perçut les mots *chargement* et *évacuer*. Son cœur se serra. *Évacuer*. Ils ne devaient laisser personne s'échapper tant qu'ils n'auraient pas retrouvé Mei.

— J'en ai compté sept, lança un des soldats de Pinkwater. Mais il y en a peut-être plus.

— Et les enfants ? demanda Amos.

— Je n'en ai vu aucun.

— Nous devrions vérifier, grogna le mécano qui passa la tête par la baie de chargement.

Prax retint son souffle, s'attendant à voir le crâne du colosse se dissoudre dans une pluie de projectiles, mais Amos s'était déjà remis à l'abri quand les premiers tirs fusèrent.

— On a quoi ? interrogea Holden.

— Sont plus de sept, répondit Amos. Ils se servent ce passage pour nous bloquer, mais notre pote a raison : soit ils ne savent pas ce qu'ils font, soit il y a là-dedans quelque chose qu'ils ne veulent pas abandonner.

— Donc ce sont des amateurs paniqués, ou bien ils ont quelque chose de très important à défendre, conclut Holden.

Un objet métallique de la taille d'un poing roula à travers l'accès de chargement. Amos ramassa la grenade d'un geste nonchalant et la relança de l'autre côté. La détonation illumina l'espace voisin, dans un fracas plus assourdissant que tout ce que Prax avait pu entendre dans son existence. Le tintement à ses oreilles redoubla d'intensité.

— Peut-être les deux, commenta le mécanicien, et sa voix parut très lointaine au botaniste.

Dans la pièce adjacente, quelque chose éclata. Des gens se mirent à crier. Prax imagina des techniciens comme ceux affrontés auparavant, déchiquetés par l'explosion de leur propre grenade. Un des ex-Pinkwater se pencha et risqua un œil dans le brouillard de fumée. Un fusil d'assaut hoqueta brièvement, et l'homme se rejeta en arrière, une main crispée sur le ventre. Du sang s'écoulait déjà entre ses doigts. Wendell contourna Prax et s'agenouilla à côté du blessé.

— Désolé, monsieur, dit celui-ci. J'ai été imprudent. Laissez-moi ici, je couvrirai vos arrières aussi longtemps que je pourrai.

— Capitaine Holden, dit Wendell, si nous devons faire quelque chose, ce serait bien de le faire bientôt.

Les cris de l'autre côté se firent plus bruyants. Des beuglements quasi inhumains. Prax se demanda si leurs adversaires avaient du bétail avec eux. Le mugissement faisait presque penser à la plainte d'un taureau blessé. Le petit homme dut lutter contre le réflexe de se plaquer les mains sur les oreilles. Un bruit violent se produisit. Holden hocha la tête.

— Amos. Intimidation. Ensuite on y va.

— À vos ordres, cap.

Le mécanicien posa son arme sur le sol, prit deux grenades, les dégoupilla et les fit rouler dans la pièce voisine avant de ramasser son fusil. La double détonation fut dans un registre plus grave que la précédente, mais moins bruyante. Avant même que ses échos se dissipent, Amos, Holden, Wendell et l'ex-Pinkwater restant foncèrent en tiraillant à travers la baie de chargement.

Prax marqua un instant d'hésitation. Il n'avait plus le pistolet. L'ennemi se trouvait juste de l'autre côté. Il pouvait attendre ici et prendre soin du blessé. Mais l'image du corps inerte de Katoa l'obsédait. Le cadavre du petit garçon n'était pas à plus de cent mètres de lui. Et Mei…

Gardant la tête baissée, le botaniste franchit très vite l'accès à la zone de chargement. Holden et Wendell se trouvaient sur sa droite, Amos et l'autre soldat sur sa gauche. Tous quatre s'étaient accroupis, l'arme braquée. La fumée piqua les yeux et les narines de Prax tandis que les recycleurs d'atmosphère geignaient en s'efforçant de purifier l'air.

— Eh bien ça, c'est foutrement bizarre, grommela Amos.

L'endroit était agencé sur deux niveaux : une passerelle supérieure, large d'un mètre cinquante, et le reste de l'espace deux mètres en contrebas. À dix heures par rapport à l'entrée, une rampe assez large descendait vers le niveau inférieur et à une heure au bout de la passerelle une porte était ouverte. Le chaos régnait en bas. Du sang avait éclaboussé les murs et moucheté le plafond. Des corps gisaient au sol, et de fines fumerolles de vapeur s'en élevaient.

Ils s'étaient servis du matériel pour s'abriter. Prax identifia une microcentrifugeuse presque complètement arrachée de son châssis. Des échardes de verre ou de glace, épaisses d'un pouce, luisaient un peu partout dans cette scène de carnage. Une cuve d'azote était penchée sur le côté, et son voyant d'alarme signalait qu'elle s'était automatiquement verrouillée. Un gros caisson de transfert gisait selon un angle improbable, tel un jouet d'enfant abandonné dans la frénésie du jeu.

— Quel genre d'équipement vous emballiez, bordel ? demanda Wendell d'une voix enrouée par l'inquiétude.

Du passage situé à dix heures provinrent des cris aigus et le claquement de coups de feu.

— Je ne crois pas que c'était nous, dit Holden. Allez, au pas de course.

Ils sautèrent en contrebas. Une cage en verre comme celle déjà vue dressait ses décombres dentelés dans l'air. Le sang rendait le sol glissant sous leurs pieds. Prax aperçut dans un coin une main arrachée, toujours crispée sur un pistolet. Il détourna les yeux. Mei était ici. Il ne devait pas se déconcentrer. Il n'avait pas le droit d'être malade.

Il continua avec les autres.

Holden et Amos allaient de l'avant, en direction des bruits de combat. Le botaniste les suivit en trottinant. Quand il voulut ralentir et laisser Wendell et son compagnon le dépasser, les deux anciens de Pinkwater le poussèrent en avant, mais sans brusquerie. Il comprit qu'ils assuraient leurs arrières. Au cas où quelqu'un surgirait dans leur dos. Il aurait dû y penser.

Le passage s'évasait mais le plafond en était bas. Des appareils de levage industriels, leurs voyants au repos, étaient arrêtés à côté de palettes de cartons d'approvisionnement enveloppées dans de la mousse transparente. Amos et Holden se déplaçaient avec l'efficacité de l'expérience, laissant Prax hors d'haleine. Mais à chaque coin qu'ils tournaient, chaque porte qu'ils ouvraient, il se prenait à souhaiter qu'ils aillent plus vite encore. Elle était ici, et ils devaient la trouver. Avant qu'elle soit blessée. Avant que quelque chose lui arrive. Et à chaque cadavre qu'ils découvraient, la sensation terrible que quelque chose était déjà arrivé lui comprimait un peu plus les entrailles.

Ils avançaient rapidement. Trop rapidement. Ils atteignirent une extrémité de cet espace, un sas de quatre mètres de hauteur sur plus de sept en largeur, et Prax n'imaginait pas que quelqu'un puisse se trouver de l'autre côté. Le mécanicien laissa son fusil automatique pendre contre sa cuisse et pianota sur le panneau de contrôle. Holden s'était mis à scruter le plafond, comme si quelque chose y était inscrit. Le sol trembla et des craquements s'élevèrent de toute la base secrète.

— C'était un lancement ? demanda le capitaine. C'était bien un lancement ?

— Ouais, fit Amos. On dirait qu'ils ont une aire de décollage de l'autre côté. Les moniteurs ne montrent rien d'autre. C'était la dernière navette pour décamper d'ici, à mon avis.

Prax entendit quelqu'un crier. Il ne lui fallut qu'une seconde pour se rendre compte que c'était lui. Comme s'il regardait son propre corps agir de façon autonome, il se précipita vers les portes de métal closes et martela leur surface de ses poings. Elle était là. Juste de l'autre côté, à bord de ce vaisseau qui décollait de Ganymède. Il sentait sa présence aussi nettement que si elle était raccordée par un lien invisible à son cœur, et que chaque seconde étirait un peu plus ce lien, jusqu'à le désolidariser de son corps.

Il perdit connaissance pendant une seconde. Peut-être plus longtemps. Quand il revint à lui, Amos l'avait jeté en travers de son épaule, et le botaniste avait le ventre écrasé contre la tenue renforcée du géant. Il redressa la tête et vit le sas qui s'éloignait lentement derrière eux.

— Reposez-moi à terre, dit-il.

— Peux pas, répliqua le mécanicien. Le capitaine a dit…

Le staccato d'un fusil d'assaut se fit entendre, et Amos jeta Prax au sol pour aussitôt se coucher sur lui, le fusil braqué.

— C'est quoi, bordel, cap ?

Prax leva les yeux à temps pour voir le soldat de Pinkwater se faire toucher et le sang gicler de son dos. Wendell était déjà au sol et ripostait.

— On a raté quelqu'un, lança Holden. Ou bien ils ont appelé leurs amis à la rescousse.

— Ne tirez pas sur eux ! s'exclama Prax. Et si c'est Mei ? Si elle est avec eux ?

— Elle n'est pas avec eux, doc, répondit Amos. Restez baissé.

Holden cria quelque chose, mais trop vite pour que le botaniste en saisisse le sens. Il ne savait pas si le capitaine s'adressait à Amos, à Wendell, à Naomi sur leur vaisseau, ou à lui. Ou bien à eux tous. Quatre hommes surgirent d'un coin, là-bas, l'arme au poing. Ils portaient tous le même bleu de travail que les autres. L'un avait de longs cheveux noirs et un bouc. Il y avait aussi une femme à la peau ambrée, et les deux au milieu auraient pu être frères – les mêmes cheveux bruns coupés court, le même nez un peu long…

Quelque part sur la droite de Prax, le fusil d'assaut hoqueta longuement, par deux fois. Les quatre tombèrent. La scène avait presque des airs de farce tragique. Huit jambes balayées d'un seul coup. Quatre personnes que Prax ne connaissait pas, qu'il n'avait jamais rencontrées, s'effondrèrent. Elles s'effondrèrent, tout simplement. Et il sut que jamais elles ne se relèveraient.

— Wendell ? fit Holden. Rapport ?

— Caudel est mort, répondit l'homme de Pinkwater d'une voix qui ne trahissait aucune tristesse, ni quoi que ce soit d'autre d'ailleurs. Je crois que je me suis cassé le poignet. Quelqu'un sait d'où ceux-là sortaient ?

— Non, répondit Holden. Mais disons-nous qu'ils n'étaient peut-être pas seuls.

Ils revinrent sur leurs pas à travers les longs tunnels. Ils passèrent devant les corps d'hommes et de femmes qu'ils n'avaient pas tués, mais qui étaient morts maintenant, quoi qu'il en soit. Prax ne fit rien pour retenir ses larmes. C'était inutile. S'il pouvait continuer à actionner ses jambes, un pied devant l'autre, c'était suffisant.

Ils atteignirent la fosse ensanglantée après quelques minutes, ou une heure, ou une semaine. Prax n'aurait pu dire, et toutes ces évaluations lui semblaient également plausibles. Les corps brisés empuantissaient l'air, le sang versé s'épaississait pour former une sorte de gelée de groseille noirâtre, les viscères exposés libéraient des essaims de bactéries d'habitude confinées dans les ventres. Sur la passerelle, une femme les attendait. Comment s'appelait-elle, déjà ? Paula. Oui, c'était bien ça.

— Pourquoi tu n'es pas à ton poste ? aboya Wendell dès qu'il la vit.

— Guthrie a demandé du renfort. Il a dit qu'il était touché et sur le point de tomber dans les pommes. Je lui ai apporté un peu d'adrénaline et d'amphètes.

— Bonne réaction, approuva son chef.

— Uchi et Caudel ?

— Ils ne s'en sont pas sortis, dit Wendell.

La femme encaissa la nouvelle d'un simple hochement de tête, mais Prax vit son regard se voiler. Tout le monde était en train de perdre un proche. Sa propre tragédie n'était qu'une, parmi des douzaines d'autres. Des centaines. Des milliers. Des millions, peut-être, quand la cascade se serait complètement développée. Lorsque la mort prenait de telles proportions, elle finissait par ne plus signifier grand-chose. Il s'adossa contre une cuve d'azote et se prit la tête dans les mains. Il avait été si près de réussir. Si près…

— Il faut retrouver ce vaisseau, dit-il.

— Il faut se replier et regrouper nos forces, déclara Holden. On est venus ici pour retrouver une enfant enlevée. À présent on a une installation scientifique non répertoriée et à moitié emballée pour être expédiée ailleurs. Plus une piste d'atterrissage secrète. Sans oublier le troisième intervenant qui s'est battu contre ces gens-là en même temps que nous.

— Quel troisième intervenant ? demanda Paula.

D'un geste, Wendell lui désigna le massacre.

— Ce n'est pas nous, ça.

— On ne sait pas à quoi on est confrontés, ajouta Holden. Et jusqu'à ce qu'on en ait le cœur net, il faut se replier.

— On ne peut pas s'arrêter maintenant, répliqua Prax. Moi, je ne peux pas. Mei est…

— … probablement morte, termina Wendell. La gamine est probablement morte. Et si ce n'est pas le cas, elle est déjà ailleurs que sur Ganymède.

— Je suis désolé, dit Holden.

— Le petit garçon mort, fit Prax. Katoa. Son père a emmené la famille loin d'ici dès qu'il l'a pu. Il les a emmenés ailleurs. Dans un endroit sûr.

— Sage décision, marmonna Holden.

Prax regarda Amos dans l'espoir d'obtenir son soutien, mais le mécanicien fouillait dans les décombres pour bien montrer qu'il ne voulait pas prendre parti.

— Le garçon était vivant, continua le botaniste. Basia a dit qu'il savait qu'il était mort, et il a fait ses valises et est parti, et quand il a embarqué sur ce transport ? Son petit garçon était ici. Dans ce labo. Et il était toujours vivant. Alors ne me dites pas que Mei est probablement morte.

Ils restèrent tous silencieux pendant un moment.

— Ne faites pas ça, dit Prax.

— Cap ? fit Amos.

— Une minute, répondit Holden. Prax, je ne vais pas prétendre savoir par quoi vous passez, mais moi aussi j'ai des gens auxquels je tiens. Je ne peux pas vous dire ce que vous devez faire, mais permettez-moi de vous demander, à *vous*, de réfléchir à quelle stratégie sera la meilleure pour *vous*. Et pour Mei.

— Cap, intervint Amos. Sérieux, vous devriez jeter un coup d'œil à ça.

Il était campé à côté du cube de verre cassé, et semblait avoir oublié le fusil d'assaut qui pendait au bout de son bras. Holden s'approcha et suivit la direction de son regard. Prax décolla son dos de la cuve d'azote et les rejoignit. Là, accroché aux parois de verre encore en place, s'étendait un réseau de minces filaments noirs. Le botaniste n'aurait pu dire si c'était un polymère artificiel ou une substance naturelle. Une sorte de toile d'araignée. Mais sa structure était fascinante. Il tendit la main pour la toucher et Holden lui saisit le poignet et l'écarta avec une telle brutalité qu'il lui fit mal au bras.

Quand le capitaine parla, ce fut d'un ton mesuré, calme, qui ne fit que rendre encore plus terrifiante la panique qu'on sentait sous-jacente :

— *Naomi, prépare le vaisseau. Il faut qu'on quitte cette lune. Tout de suite.*

18

AVASARALA

— Qu'en pensez-vous ? demanda le secrétaire général depuis le quart supérieur gauche de l'écran.

À sa droite, Errinwright se pencha en avant d'un centimètre, prêt à bondir si elle perdait son calme.

— Vous avez lu le compte rendu, monsieur, dit Avasarala d'une voix suave.

Le secrétaire général agita sa main pour décrire un cercle paresseux dans l'air. Il avait à peine dépassé le cap de la soixantaine et portait son âge avec la grâce délicate d'un homme imperméable aux pensées trop pesantes. Les années qu'Avasarala avait passées à se hisser du poste de trésorière de la Caisse de prévoyance ouvrière jusqu'au gouvernorat régional de la Zone d'intérêt de Maharashtra-Karnataka-Goa, il les avait coulées comme prisonnier politique dans un établissement pénitentiaire de sécurité minimale situé dans la forêt andine récemment reconstituée. Les rouages grinçants du pouvoir l'avaient lentement élevé à la célébrité, et son aptitude à simuler l'attention lui conférait un air de gravité sans entraîner l'inconvénient de formuler une opinion personnelle. Si un homme avait été formé dès la naissance à devenir le représentant gouvernemental idéal, il n'aurait pas atteint le stade de perfection qui était celui du secrétaire général Esteban Sorrento-Gillis.

— Les comptes rendus politiques ne mettent jamais en relief ce qu'il y a de réellement important, dit Tête d'Ampoule. Dites-moi plutôt ce que vous en avez pensé.

Je pense que vous n'avez même pas lu ces foutus comptes rendus, songea Avasarala. *Mais je ne peux pas vraiment vous en vouloir.* Elle s'éclaircit la gorge avant de répondre :

— C'est de l'entraînement, pas d'opposition sérieuse, monsieur. Les participants sont de haut niveau. Michael Undawe, Carson Santiseverin, Ko Shu. Ils ont emmené assez de puissance militaire pour montrer que ce ne sont pas de simples singes savants issus des élections. Mais pour l'instant la seule personne qui ait dit quelque chose d'intéressant est la Marine qu'ils ont fait venir, alors qu'ils la destinaient à jouer les pots de fleurs. Sinon nous attendons tous que quelqu'un se démarque du lot.

— Et qu'en est-il de – le secrétaire s'interrompit un instant, pour reprendre un ton plus bas… de *l'hypothèse alternative* ?

— Il y a de l'activité sur Vénus, dit-elle. Nous ignorons toujours ce que tout ça signifie. Il y a eu un accroissement massif de fer élémentaire dans l'hémisphère nord qui a duré quatorze heures. On a également enregistré une série d'éruptions volcaniques. La planète n'étant pas sujette aux mouvements tectoniques, nous supposons que la protomolécule agit sur le manteau, mais sans pouvoir définir de quelle manière. Nos cerveaux ont élaboré un modèle statistique qui montre la quantité d'énergie nécessaire pour les changements observés. D'après ce calcul, le niveau général d'activité s'est accru de trois cents pour cent par an durant les dix-huit derniers mois.

Le secrétaire général approuva d'un air grave. On aurait pu croire qu'il comprenait quelque chose à ce qu'elle venait de dire. Errinwright toussota.

— Avons-nous des preuves reliant l'activité sur Vénus aux événements de Ganymède ? demanda-t-il.

— Oui, répondit Avasarala. Un pic d'énergie anormal au moment même de l'attaque sur Ganymède. Mais ce n'est qu'une seule correspondance dans les données. Il peut s'agir d'une coïncidence.

Une voix féminine se fit entendre dans la liaison provenant du secrétaire général, et ce dernier acquiesça.

— Je crains d'être appelé par mes devoirs, déclara-t-il. Vous faites du bon travail, Avasarala. Du sacrément bon travail.

— Je ne peux pas vous dire ce que cela représente, venant de vous, répondit-elle avec un sourire. Vous me vireriez.

Avec une seconde de décalage il laissa échapper un rire bref assez semblable à un jappement et agita son index devant l'écran avant que le message vert de fin de liaison le remplace. Errinwright se laissa aller au fond de son siège et pressa les doigts contre ses tempes. Avasarala prit sa tasse et but une gorgée, tout en gardant le regard rivé sur l'objectif et en haussant les sourcils, pour l'inviter à parler. Le thé n'avait pas encore trop refroidi.

— Très bien, fit Errinwright. Vous avez gagné.

— Nous lançons la procédure de destitution ?

Il se permit un petit rire. Où qu'il soit, l'obscurité régnait à l'extérieur, comme on pouvait le constater par les fenêtres. Il se trouvait donc du même côté de la planète qu'elle. Le fait qu'ils soient tous deux plongés dans la nuit conférait à l'échange une touche de connivence et une intimité qui devaient beaucoup plus à la fatigue d'Avasarala qu'à toute autre chose.

— De quoi avez-vous besoin pour résoudre la situation sur Vénus ? dit-il.

— *Résoudre ?*

— Le mot est mal choisi, reconnut-il. Depuis le début de cette affaire, vous surveillez Vénus. Vous calmez le jeu avec les Martiens. Vous refrénez les velléités de Nguyen.

— Vous l'avez donc remarqué ?

— Ces discussions sont au point mort, et je ne vais pas gâcher vos talents à vous faire chapeauter une impasse.

Nous avons besoin de clarté, et nous en avons besoin pour le mois dernier. Demandez les moyens que vous jugez nécessaires, Chrisjen, et écartez Vénus de l'équation, ou apportez-nous des preuves. Je vous donne carte blanche.

— La retraite, enfin, dit-elle en riant.

À sa grande surprise, Errinwright parut prendre la boutade au sérieux.

— Si c'est ce que vous voulez, mais Vénus d'abord. C'est le problème le plus important que nous ayons jamais eu à affronter, vous comme moi. Je compte sur vous.

— Je vais m'en occuper, affirma-t-elle.

Il la remercia et mit fin à la liaison.

Elle se pencha sur son bureau et colla la pointe de ses doigts réunis en faisceau contre ses lèvres. Il venait d'arriver quelque chose. Oui, quelque chose avait *changé*. Soit Errinwright en avait appris assez sur Vénus pour avoir la chair de poule, soit quelqu'un voulait qu'elle soit exclue des négociations avec Mars. Quelqu'un avec assez d'influence pour forcer Errinwright à la promouvoir sans préavis. Nguyen avait-il des appuis aussi puissants ?

Certes, cela lui permettait d'obtenir ce qu'elle visait. Après tout ce qu'elle avait dit – en le pensant –, elle ne pouvait pas refuser le projet, mais ce succès avait un arrière-goût amer. Peut-être allait-elle trop loin dans ses interprétations. Ces derniers temps elle n'avait pas eu son compte d'heures de sommeil, loin de là, et la fatigue la rendait paranoïaque. Et il était déjà dix heures. Elle ne retrouverait pas Arjun ce soir. Une autre matinée dans les quartiers déprimants réservés aux VIP, à boire du café trop clair et à feindre l'intérêt pour l'opinion sur la *dance music* du dernier ambassadeur nommé pour la Zone autonome pashwiri.

Qu'ils aillent se faire foutre, songea-t-elle. *J'ai besoin d'un verre.*

Le *Dasihari Lounge* servait toutes les catégories de participants à l'organigramme complexe des Nations unies. Au bar, les jeunes huissiers et employés subalternes étaient voûtés dans l'éclairage tamisé du comptoir, riant trop fort et se prétendant plus importants qu'ils n'étaient. C'était une parade de séduction à peine plus digne que celle des mandrills, mais attachante à sa façon. Roberta Draper, la Marine de Mars qui avait fait un esclandre lors de la réunion de ce matin, était avec eux. Une chope de bière disparaissait presque dans sa large main, et elle arborait une expression amusée. Soren fréquentait probablement cet endroit, et le fils d'Avasarala aurait été de la partie si le destin n'en avait pas décidé autrement.

Le centre de la salle était occupé par des tables équipées de terminaux encastrés pour permettre d'envoyer des renseignements cryptés provenant de mille sources différentes. Des déflecteurs évitaient même aux serveurs de lire par-dessus l'épaule des administrateurs de rang intermédiaire qui dînaient d'un ou plusieurs verres tout en travaillant là. Et au fond de cet espace des tables en bois sombre véritable dans des box étaient réservées à une clientèle particulière et programmées en ce sens. Si quelqu'un situé en dessous d'un certain statut hiérarchique se risquait trop près, un jeune homme discret, à la coiffure parfaite, apparaissait et guidait l'égaré dans un autre secteur, avec des gens moins importants.

Avasarala sirotait son gin tonic pendant que les fils de la situation se nouaient et se dénouaient dans son esprit. Nguyen n'avait pas assez de poids pour dresser Errinwright contre elle. Se pouvait-il que les Martiens eux-mêmes aient exigé qu'elle soit mise à l'écart ? Elle essaya de se remémorer envers qui elle s'était montrée trop sèche, et dans quelles circonstances, mais aucun suspect ne lui parut convenir. Et même s'ils avaient décidé de l'éjecter de la partie, que pouvait-elle faire pour renverser la vapeur ?

Eh bien, si elle n'était pas en mesure de participer officiellement aux négociations avec les Martiens, elle était toujours en mesure d'entretenir des contacts informels par la bande. Elle sentit l'envie de rire monter en elle avant même de savoir pourquoi. Elle prit son verre, tapota la table pour lui faire savoir que quelqu'un d'autre était désormais autorisé à s'y asseoir, et se dirigea vers le comptoir. La musique faite d'arpèges doux égrenés sur des gammes tonales hypermodernes réussissait à être apaisante presque malgré elle. L'air sentait le parfum trop coûteux pour être utilisé sans goût. Alors qu'elle approchait du bar, elle vit les conversations s'enrayer, et des regards furtifs s'échanger entre les jeunes ambitieux. Elle imagina qu'ils se murmuraient : *Cette vieille peau ; qu'est-ce qu'elle fait ici ?*

Elle s'assit à côté de Draper. L'imposante Marine posa les yeux sur elle, et la lueur qui passa dans ses prunelles quand elle reconnut l'arrivante parut à celle-ci de bon augure. Le sergent ne savait peut-être pas avec exactitude qui était Avasarala, mais elle s'en était déjà fait une idée assez précise, manifestement. Intelligente, donc. Perspicace. Et, bon sang, cette femme était énorme. Pas grosse, seulement… *énorme*.

— Je vous offre un verre, sergent ? proposa Avasarala.

— J'en ai déjà vidé quelques-uns de trop, répondit l'autre, avant d'ajouter, après un très court silence : D'accord.

Avasarala arqua un sourcil et le barman déposa discrètement devant la Marine un autre verre de ce qu'elle buvait déjà.

— Vous avez fait forte impression, aujourd'hui…

— Mouais, grogna Draper, apparemment peu préoccupée par ce qui n'était pas un problème pour elle.

Thorsson va m'expédier loin d'ici. J'en ai fini, dans le coin. Bien fini.

— C'est juste. Vous avez accompli ce qu'on attendait de vous, de toute façon.

Draper la dévisagea sans hâte. Origines polynésiennes, devina Avasarala. Samoanes, peut-être. Un endroit où l'évolution avait rendu les êtres humains aussi solides que des montagnes. Les yeux du sergent s'étrécirent, et une flamme y brilla. Celle de la colère.

— Je n'ai rien fait du tout.

— Vous étiez présente. C'est tout ce qu'ils voulaient de vous.

— Comment ça ?

— Ils veulent me convaincre qu'ils n'ont rien à voir avec le monstre. Un des arguments qu'ils ont avancés est que leurs propres soldats – c'est-à-dire vous – n'étaient pas au courant de son existence. En vous faisant venir, ils montrent qu'ils n'ont pas peur de vous faire venir. C'est tout ce qu'ils ont besoin de prouver. Vous pourriez aussi bien rester assise sur votre pouce et discuter de la règle du hors-jeu dans n'importe quel sport la journée entière, ça leur conviendrait tout aussi bien. Vous n'êtes qu'un élément de leur dispositif.

Draper réfléchit à cette vision des choses, grimaça.

— Je crois que ça ne me plaît pas, lâcha-t-elle.

— Oui, eh bien, Thorsson est un petit enfoiré, mais si vous cessez de travailler avec les politiciens rien que pour cette raison, vous ne vous faites aucun ami.

La Marine réprima d'abord un petit rire, puis le laissa échapper. Le regard perçant qu'Avasarala posait sur elle la poussa à se reprendre.

— Cette créature qui a tué vos amis ? dit la vieille dame tandis que la Marine la regardait au fond des yeux. Elle ne venait pas de mon camp.

Draper inspira brusquement, comme si cette réflexion venait de titiller une de ses plaies encore fraîches. Ce qui n'était pas totalement faux. Elle réfléchit un moment.

— Ce n'était pas un des nôtres non plus.

— Bien. Au moins nous avons éclairci ce point.

— Mais ça ne change rien. Ils ne vont rien faire. Ils ne veulent pas en parler. Ça ne les intéresse pas. Vous savez quoi ? Ils se foutent de ce qui est arrivé tant qu'ils peuvent continuer de protéger leur petite carrière et se débrouiller pour que le rapport des forces ne penche pas du mauvais côté. Pas un seul qui se soucie de savoir ce que c'est que cette créature, ou d'où elle est sortie.

Le bar autour d'eux n'était pas silencieux, mais nettement moins bruyant. La parade de séduction n'était plus maintenant que le second sujet d'intérêt.

— Moi, je veux savoir, déclara Avasarala. En fait, on vient de me donner beaucoup de latitude pour découvrir ce qu'est cette créature.

Ce n'était pas entièrement vrai. On lui avait accordé des moyens importants afin qu'elle incrimine ou dédouane Vénus. Mais ce n'était pas très éloigné de ce qu'elle venait d'exposer, et c'était le cadre approprié pour ce qu'elle voulait.

— Vraiment ? dit Draper. Et qu'est-ce que vous allez faire ?

— Avant toute chose, vous engager. J'ai besoin d'un agent de liaison avec les forces militaires martiennes. Vous êtes toute désignée. Vous vous en sentiriez capable ?

Autour d'elles, plus personne ne parlait. La salle aurait aussi bien pu être déserte. Les seuls sons perceptibles étaient désormais la musique en sourdine, et le rire bas de Draper. Un homme d'âge mûr sentant l'eau de Cologne parfumée à l'essence de girofle et la cannelle passa lentement devant elles, attiré par ce calme soudain sans trop savoir ce qui se passait.

— J'appartiens au Corps des Marines de Mars, dit Draper. Mars. Vous travaillez pour les Nations unies. La

Terre. Nous ne sommes même pas citoyennes de la même planète. Vous ne pouvez pas m'engager.

— Je m'appelle Chrisjen Avasarala. Renseignez-vous.

Elles gardèrent le silence quelques secondes.

— Moi, c'est Bobbie, dit enfin Draper.

— Enchantée de faire votre connaissance, Bobbie. Venez donc travailler avec moi.

— Je peux y réfléchir ?

— Bien sûr, affirma Avasarala, et avec son terminal elle lui envoya son numéro personnel. Si, une fois que vous aurez réfléchi, vous acceptez de travailler pour moi, bien sûr.

Dans ses appartements réservés aux VIP, Avasarala régla le système d'ambiance sur le style de musique qu'Arjun devait écouter au même moment. S'il n'était pas déjà endormi. Elle lutta contre l'envie de l'appeler. Sangloter dans son terminal pour lui répéter combien elle l'aimait n'était pas quelque chose qu'elle était pressée de transformer en habitude. Elle ôta son sari et prit une longue douche chaude. Elle ne buvait pas souvent de l'alcool. D'habitude elle n'appréciait pas la façon dont cela émoussait son esprit. Ce soir la boisson semblait la détendre, et apporter à son cerveau le petit plus nécessaire pour voir plus clairement les différents aspects du problème.

Draper la tiendrait informée sur Mars, même si elle ne lui faisait pas un compte rendu quotidien du déroulement laborieux des négociations. C'était un bon début. Elle établirait d'autres contacts. Foster, du service des données, pouvait être inclus dans son dispositif. Il faudrait qu'elle commence à faire passer plus de tâches par lui. Qu'elle crée un lien entre eux. Il serait contre-productif de s'imposer et de jouer à être sa nouvelle meilleure amie juste parce qu'il traitait les demandes de cryptage pour Nguyen. Quelques petites attentions sans contrepartie, dans un premier temps. Ensuite seulement, elle le ferrerait. Qui d'autre pouvait-elle…

Son terminal sonna. Le timbre indiquait un message prioritaire. Elle coupa l'eau, prit un peignoir de bain, l'enfila et en noua doublement la ceinture avant de prendre l'appel. La perspective d'un peu d'exhibitionnisme par ce moyen de communication ne lui disait plus rien depuis des années, même quand elle avait trop bu. L'appel venait d'un membre des services de surveillance. L'image qui apparut était celle d'un homme dans la force de l'âge affublé de favoris énormes qui ne lui allaient pas du tout.

— Ameer ! Vieille canaille. Qu'avez-vous fait encore pour qu'ils vous obligent à travailler aussi tard ?

— J'ai déménagé à Atlanta, miss, répondit l'analyste avec un sourire tout en dents.

Il était le seul à l'appeler "miss", et elle ne lui avait pas parlé depuis trois ans.

— Je reviens de déjeuner. J'ai reçu un rapport non prévu et marqué pour vous, avec la mention "contacter immédiatement". J'ai essayé votre assistant, mais il n'a pas répondu.

— Il est jeune. Il lui arrive encore de dormir. Une faiblesse. Patientez le temps que j'établisse la procédure de confidentialité.

Le moment de bavardage amical était terminé. Avasarala activa le niveau de cryptage supérieur sur son terminal. Le témoin lumineux rouge passa au vert.

— Allez-y, dit-elle.

— Ça vient de Ganymède, miss. James Holden.

— Oui ?

— Il a bougé. Apparemment, il a eu rendez-vous avec un scientifique du coin. Un certain Praxidike Meng.

— Il est quoi, ce Meng ?

À Atlanta, Ameer ouvrit aussitôt un autre fichier.

— Botaniste, miss. A émigré sur Ganymède avec sa famille quand il était encore gamin. Études sur place. Travaille sur les variétés de soja acclimatées à un éclairage et une pression atmosphérique faibles. Divorcé, un enfant. Aucun lien connu avec l'APE ou un parti politique répertorié.

— Continuez.

— Holden, Meng et Burton ont quitté leur vaisseau. Ils sont armés, et ils sont entrés en contact avec un petit groupe de membres d'une firme de sécurité. Pinkwater.

— Combien dans ce groupe ?

— L'analyste sur zone ne l'a pas précisé, miss. Un petit groupe. Dois-je demander des précisions ?

— Combien de décalage avons-nous ?

Le regard sombre d'Ameer se détourna un instant.

— Quarante et une minutes, huit secondes, miss.

— Gardez la demande sous le coude. Si j'ai autre chose, autant tout envoyer d'un coup.

— L'analyste sur zone rapporte qu'Holden a discuté avec les types de la firme de sécurité, soit pour une renégociation de dernière minute, soit la rencontre était complètement due au hasard. Il semble qu'ils soient arrivés à un accord. Ils se sont tous dirigés vers un ensemble de tunnels désaffectés et en ont forcé l'accès.

— Un quoi ?

— Un réseau de tunnels qui n'est plus utilisé, miss.

— Et qu'est-ce que cette foutue expression est censée recouvrir ? Quelle étendue, ce réseau ? Où se trouve-t-il ?

— Dois-je demander des précisions ?

— Vous devriez vous rendre sur Ganymède et exiger des excuses de cet analyste à coups de pied dans le cul. Ajoutez une requête de clarification.

— Oui, miss, dit Ameer en ébauchant un sourire avant de subitement redevenir sérieux. Une mise à jour arrive. Un moment…

Ainsi donc l'APE avait quelque chose sur Ganymède. Peut-être quelque chose qu'ils avaient mis là, peut-être quelque chose qu'ils avaient trouvé. Dans les deux cas, ce mystérieux réseau désaffecté rendait les choses un peu plus intéressantes. Pendant qu'Ameer prenait connaissance de la mise à jour, elle réévalua sa position en se grattant distraitement le dos de la main. Elle avait cru qu'Holden était là en simple observateur. Une quelconque mission avancée de renseignement. Or il s'agissait peut-être de tout autre chose. S'il était venu dans le but de rencontrer ce Praxidike Meng, botaniste complètement inconnu, l'APE en savait peut-être déjà long sur le monstre de Bobbie Draper. Et en ajoutant à cela le fait que le supérieur d'Holden détenait le seul échantillon connu de la protomolécule, une explication quant à l'effondrement de Ganymède commençait à prendre forme.

Le tableau comprenait encore des zones d'ombre, cependant. Si l'APE avait joué avec la protomolécule, aucun indice n'en avait filtré. Et le profil psychologique de Fred Johnson ne cadrait pas avec des attaques terroristes. Ce vieux briscard était partisan du travail à l'ancienne, or l'attaque du monstre était inédite, aucun doute possible.

— Il y a eu une fusillade, miss. Holden et son groupe ont rencontré une résistance armée. Ils ont établi un périmètre de sécurité. L'analyste sur zone ne peut pas les approcher.

— Une résistance ? Je croyais que ce réseau était désaffecté ? Sur qui tirent-ils, alors ?

— Dois-je demander des précisions ?

— Bordel de merde !

À quarante minutes-lumière de distance, quelque chose d'important se passait, et elle se trouvait là, dans une chambre qui n'était pas la sienne, à tenter de comprendre la situation en collant son oreille contre la cloison. La frustration qu'elle éprouvait était presque une sensation physique. Comme si on l'écrasait de l'intérieur.

Quarante minutes pour l'émission. Quarante minutes pour la réception. Quoi qu'elle dise, quel que soit l'ordre qu'elle donnerait, il arriverait à destination presque une heure et demie après ce qui était clairement une situation évoluant rapidement.

— Arrêtez-le, décida-t-elle. Holden. Et aussi Burton, leurs copains de Pinkwater et ce mystérieux botaniste. Arrêtez-les tous. Immédiatement.

À Atlanta, Ameer marqua un temps d'hésitation.

— S'ils sont en pleine fusillade, miss…

— Alors envoyez les loups, faites cesser l'affrontement et arrêtez-les. Le temps de la surveillance est révolu. Exécution.

— Bien, miss.

— Recontactez-moi dès que ce sera fait.

— Oui, miss.

Elle observa Ameer pendant qu'il formulait l'ordre, le confirmait et l'expédiait. Elle pouvait quasiment imaginer son écran, le toucher de ses doigts. Elle aurait voulu qu'il aille plus vite, que son impatience dépasse la vitesse de la lumière et fasse exécuter l'ordre instantanément.

— L'ordre est parti. Dès que j'ai du nouveau de la part de l'analyste sur zone, je vous rappelle.

— Je ne bouge pas d'ici. Si je ne prends pas la communication, insistez jusqu'à ce que je me réveille.

Elle coupa la liaison et s'affala dans son fauteuil. Son cerveau était pareil à une ruche en effervescence. James Holden venait de changer la donne, une fois encore. Ce type possédait un réel talent pour cela, mais en soi cela ne clarifiait pas son rôle actuel. L'autre, ce Meng, était sorti de nulle part. Ce pouvait être une taupe, un acteur volontaire ou un appât inconscient envoyé pour entraîner l'APE dans un traquenard. Elle envisagea d'éteindre la lumière et d'essayer de dormir un peu, mais abandonna aussitôt. Mauvaise idée.

Elle préféra établir une connexion avec la base de données des Renseignements des Nations unies. Il s'écoulerait au moins une heure et demie avant qu'elle ait du nouveau. Dans l'intervalle, elle voulait découvrir qui était ce Praxidike, et pourquoi sa personne revêtait soudain une telle importance.

19

HOLDEN

— Naomi, prépare le vaisseau. Il faut qu'on quitte cette lune. Et tout de suite.

Autour d'Holden les filaments noirs s'étiraient, formant une toile d'araignée sombre dont il était le centre. Il était revenu sur Éros, de nouveau, et partout des milliers de corps se métamorphosaient en autre chose. Il croyait en être parti, et non : Éros ne cessait de revenir à lui. Lui et Miller s'en étaient sortis, mais la chose avait fini par avoir Miller quand même.

Et à présent elle était de retour, pour lui.

— Qu'est-ce qui se passe, Jim ? voulut savoir Naomi par l'intermédiaire du circuit comm intégré à sa tenue. Jim ?

— Prépare le vaisseau !

— C'est ce truc, dit Amos à l'adresse de Naomi. Comme sur Éros.

— Seigneur, ils… réussit à hoqueter Holden avant que la peur submerge ses pensées et lui ravisse la parole.

Son cœur cognait contre sa cage thoracique comme s'il voulait s'en échapper, et il dut vérifier son niveau d'oxygène sur l'affichage tête haute. Il avait l'impression que l'air manquait dans cette pièce.

Du coin de l'œil, quelque chose ayant vaguement la forme d'une main humaine lui parut trottiner vers le haut du mur en laissant dans son sillage une traînée brune poisseuse. Quand il pivota et braqua son arme dans cette direction, il ne vit qu'une tache de sang sous un peu de glace décolorée.

Amos s'approcha de lui, et son visage exprimait son inquiétude. D'un geste Holden lui ordonna de garder ses distances, puis il posa la crosse de son fusil sur le sol et prit appui sur une caisse, le temps de reprendre son souffle.

— M'est avis qu'on ferait mieux de sortir, lâcha Wendell.

Paula et lui aidaient l'homme atteint au ventre à se relever. Le blessé avait des difficultés à respirer. Une petite bulle de sang s'était formée à sa narine gauche, qui enflait et désenflait à chaque inspiration et expiration.

— Jim ? fit doucement la voix de Naomi dans l'oreille d'Holden. Jim ? J'ai tout vu par la caméra intégrée d'Amos, et je sais ce que ça veut dire. Je prépare le vaisseau. Les échanges cryptés dans votre coin ont presque cessé. Je pense que tout le monde est parti.

— Tout le monde est parti... répéta Holden en écho.

Les survivants de Pinkwater le regardaient fixement, et sur leur visage l'inquiétude cédait le pas à la peur, sa propre terreur les infectant, quand bien même ils n'avaient aucune idée de ce que signifiait le filament. Ils attendaient qu'il fasse quelque chose, et il savait qu'il devait agir, mais il n'arrivait pas à se décider. La toile d'araignée noire emplissait son esprit d'un déluge d'images fugaces qui se succédaient trop vite pour avoir un sens, comme une vidéo passée à haute vitesse : Julie Mao dans sa douche, ces filaments autour d'elle, son corps martyrisé devenu un cauchemar, des cadavres jonchant le sol d'une chambre antiradiations, ces sortes de zombies sortant d'un pas vacillant des rames de métro à Éros pour vomir des jets de bile brune sur tout le monde, chaque goutte de cette substance égale à une sentence de mort ; les enregistrements vidéo du spectacle d'horreur qu'Éros était devenu, un torse auquel n'était plus attaché qu'un bras se traînant dans le paysage dessiné par la protomolécule, pour accomplir quelque mission impossible à concevoir…

— Capitaine, dit Amos, et il vint toucher de la main le bras d'Holden.

Celui-ci eut un mouvement de recul si brusque qu'il faillit en perdre l'équilibre.

Il ravala le flot de salive citronnée qui montait dans sa gorge et dit :

— C'est bon, je suis là. Allons-y. Naomi. Appelle Alex. On a besoin du *Rossi*.

Elle mit une demi-seconde avant de répondre :

— Mais que fait-on pour le bloc…

— Tout de suite, Naomi ! s'écria-t-il. Maintenant, bordel ! Appelle Alex maintenant !

Elle ne dit rien, mais l'homme blessé au ventre poussa un dernier râle et tout son corps s'amollit quand il s'effondra, manquant entraîner Wendell au sol avec lui.

— Il faut y aller, dit Holden au chef des ex-Pinkwater. *Nous ne pouvons plus rien pour lui. Si nous restons, nous mourrons tous.*

Wendell acquiesça mais mit quand même un genou à terre et entreprit d'ôter la tenue renforcée de l'homme. Il n'avait pas compris le message. Amos décrocha de son harnais le petit kit médical d'urgence et s'accroupit à côté de Wendell pour s'occuper du blessé sous les yeux d'une Paula figée et livide.

Holden avait envie d'agripper le mécanicien et de le secouer jusqu'à ce qu'il comprenne.

— Il faut y aller, répéta-t-il. Amos, arrêtez ça, il faut partir immédiatement. Éros…

— Cap, avec tout le respect que je vous dois, on n'est pas sur Éros.

Il prit une seringue dans le médikit et fit une injection au blessé.

— Pas de chambres antiradiations, pas de zombies qui gerbent cette substance horrible. Juste cette boîte en verre cassée, un tas de types morts, et ces filaments noirs. On ne sait même pas ce que c'est, cette merde, mais on n'est pas sur Éros. Et on ne laisse pas ce gars derrière nous.

La petite part encore rationnelle de son esprit confirma à Holden qu'Amos avait raison. Mieux, la personne qu'il souhaitait toujours se croire n'aurait jamais envisagé d'abandonner même un inconnu, et encore moins quelqu'un qui avait reçu une blessure pour lui. Il s'obligea à prendre trois inspirations profondes et très lentes. Prax s'agenouilla à côté du mécanicien, la trousse de soins dans les mains.

— Naomi, dit Holden pour s'excuser d'avoir été aussi agressif avec elle.

— Alex est en route, répondit-elle d'une voix sèche sans être accusatrice. Il est à quelques heures. Franchir le blocus ne sera pas facile, mais il pense avoir un moyen de le faire. Où doit-il se poser ?

Il répondit avant même de prendre conscience qu'il avait arrêté sa décision :

— Dis-lui de se poser sur la même aire que le *Somnambule*. Celui-là, je vais le donner à quelqu'un. Retrouvenous à l'extérieur du sas, dès qu'on l'aura passé.

Il sortit la clef magnétique du *Somnambule* d'une poche de son harnais et la donna à Wendell.

— Elle vous mènera jusqu'au vaisseau que vous allez prendre. Considérez ça comme un paiement en nature des services rendus.

L'autre hocha la tête et empocha la clef, puis il se remit à s'occuper du blessé. L'homme respirait toujours.

— Il est transportable ? s'enquit Holden.

Il eut la satisfaction de constater que sa voix était redevenue ferme et claire, et il essaya de ne pas penser qu'il acceptait de laisser mourir cet homme une minute plus tôt seulement.

— Pas le choix, capitaine.

— Alors quelqu'un le transporte, ordonna Holden. Non, pas vous, Amos. J'ai besoin de vous en pointe.

— Je m'en charge, déclara Wendell. Avec ma main foutue, je ne peux pas tirer, de toute façon.

— Prax, aidez-le. On décampe d'ici.

Ils se déplacèrent à travers la base aussi rapidement qu'il était possible à des gens blessés. Ils repassèrent devant les cadavres des hommes et des femmes abattus quand ils arrivaient, et aussi ceux qu'ils n'avaient pas tués, ce qui était plus effrayant. Puis devant le petit corps de Katoa. Le regard de Prax s'attarda sur la dépouille de l'enfant, mais Holden le saisit par le pan de sa veste et le propulsa vers la porte.

— Ce n'est pas Mei, dit-il. Ralentissez-nous et je vous laisse derrière.

La menace le fit se sentir minable dès qu'elle franchit ses lèvres, mais elle n'était pas vaine. La petite fille enlevée du botaniste n'était plus leur priorité depuis qu'ils avaient découvert les filaments noirs. Et pour autant qu'il était honnête avec lui-même, laisser le scientifique derrière eux signifierait ne pas être présent quand ils retrouveraient sa fille transformée en monstre par la protomolécule, avec de la boue brune suintant d'orifices avec lesquels elle n'était pas née, tandis que les filaments noirs s'écoulaient de sa bouche et ses yeux.

L'ex-Pinkwater le plus âgé, celui laissé en arrière pour couvrir leur retraite, se précipita de lui-même pour aider à transporter le blessé. Prax le lui confia sans un mot et alla se placer derrière Paula qui scrutait le passage devant eux, son pistolet-mitrailleur prêt à cracher la mort.

Les tunnels et les couloirs qui leur avaient semblé d'une banalité ennuyeuse à l'aller distillaient au retour une atmosphère sinistre. La texture gelée qui avait évoqué à Holden des couches superposées de toiles d'araignée lui faisait maintenant penser aux veines de quelque créature vivante. Leurs pulsations étaient sans doute une illusion née de l'adrénaline qui brouillait sa vision.

Huit rems émanant de Jupiter et touchant la surface de Ganymède. Même avec la magnétosphère, huit rems par jour. À quelle vitesse la protomolécule se développerait-elle ici, avec l'apport continu d'énergie venu de Jupiter ? Éros était devenue quelque chose d'une effrayante puissance dès que la protomolécule avait investi la station. Quelque chose qui était capable d'accélérer sa croissance à des vitesses incroyables, en l'absence d'inertie. Quelque chose qui pouvait, si les rapports étaient exacts, modifier l'atmosphère et la composition chimique de Vénus. Et tout cela avec pour simple terreau un peu plus d'un million d'êtres humains hôtes et une masse rocheuse d'un millier de milliards de tonnes.

Ganymède hébergeait dix fois plus d'êtres humains et sa masse était plusieurs fois celle d'Éros. Que pouvait faire d'un tel butin l'ancienne arme extraterrestre ?

Amos ouvrit à la volée le dernier panneau de la base fantôme, et le petit groupe retrouva les tunnels en activité de Ganymède. Holden ne remarqua personne qui ait un comportement d'infecté. Pas de zombies décérébrés qui erraient en titubant. Pas de vomissures brunes maculant les murs et le sol, grouillantes du virus inconnu avide d'un hôte à contaminer. Aucune brute sous contrat avec Protogène poussant les gens vers la zone de massacre.

Protogène n'existe plus.

Une pensée dont Holden n'avait même pas été conscient s'imposa à son esprit. Protogène n'existait plus. Et il avait aidé à sa destruction. Il se trouvait là, dans la même pièce, quand l'architecte de l'expérience Éros était mort. La Flotte martienne avait réduit Phœbé à un nuage ténu de gaz que la gravité monstrueuse de Saturne avait très vite aspiré. Éros s'était écrasé dans l'atmosphère acide et brûlante de Vénus, où aucun vaisseau humain ne pouvait s'aventurer. Holden en personne avait pris à Protogène le seul échantillon existant de la protomolécule.

Alors qui avait apporté la protomolécule sur Ganymède ?

Il avait donné l'échantillon à Fred Johnson afin qu'il l'utilise comme moyen de pression lors des négociations de paix. L'Alliance des Planètes extérieures avait obtenu un certain nombre de concessions dans le chaos qui avait suivi la brève guerre entre les planètes extérieures. Mais pas tout ce qu'elle espérait. Les flottes des planètes intérieures qui croisaient en orbite autour de Ganymède en étaient la preuve.

Fred avait en sa possession l'unique échantillon de la protomolécule encore existant dans le système solaire. Parce qu'Holden le lui avait confié.

— C'était Fred, dit-il à haute voix, sans s'en rendre compte.

— Qu'est-ce qui était Fred ? demanda Naomi.

— Ça. Ce qui se produit ici. C'est lui qui l'a provoqué.

— Non, affirma la jeune femme.

— Pour chasser les planètes intérieures. Pour tester une sorte de super-arme, quelque chose. Mais c'est lui.

— Non, dit encore Naomi. Nous n'en avons pas la certitude.

L'air dans le passage s'était subitement enfumé, et l'odeur écœurante des cheveux et de la chair brûlés étouffa la réponse d'Holden. Amos leva une main pour stopper le groupe, et les ex-Pinkwater prirent des positions défensives. Le mécanicien avança jusqu'au carrefour suivant, risqua un œil prudent au-delà de sa position et se figea pour scruter l'embranchement de gauche avec insistance.

— Un truc moche est arrivé par là-bas, dit-il finalement. J'ai en visuel une demi-douzaine de morts, et encore plus de vivants qui ont l'air très contents de leur victoire.

— Armés ? fit le capitaine.

— Oh que oui…

L'Holden qui aurait tenté de négocier leur passage en parlementant, l'Holden que Naomi aimait et rêvait de voir revenir, cet Holden-là résista à peine avant de décider :

— Alors on déblaie le terrain.

Amos se pencha à l'intersection des deux tunnels et tira une longue rafale avec son fusil d'assaut.

— On y va, dit-il quand les échos des détonations se furent dissipés.

Les ex-Pinkwater soutenant leurs blessés franchirent rapidement le croisement et s'éloignèrent tout droit. Prax trottinait juste derrière eux, en balançant les bras en rythme. Holden fermait la marche, et un coup d'œil de côté lui révéla les cadavres en feu au centre du large tunnel latéral qu'il dépassait. Cette crémation devait être un message. Qu'ils s'entredévorent ne leur semblait donc pas assez atroce ?

Quelques corps gisaient en dehors du bûcher improvisé, et leur sang s'étalait sur le métal rouillé du sol. Le capitaine n'aurait pu dire si ces blessures étaient l'œuvre d'Amos. L'ancien Holden aurait posé la question. Le nouveau ne le fit pas.

— Naomi, dit-il pour entendre la voix de la jeune femme.

— Je suis là.

— Ça va mal, par ici.

— Est-ce que c'est…

Il perçut de l'effroi dans ces simples mots.

— Non. Pas la protomolécule. Mais les gens du coin risquent de se montrer agressifs. Verrouillage de tous les accès du vaisseau, lui dit-il sans réfléchir à ses paroles. Mets le réacteur en préchauffe. S'il nous arrive quelque chose, tu files et tu retrouves Alex. Et n'allez pas sur Tycho.

— Jim, je…

— N'allez pas sur Tycho. Fred est derrière tout ça. Ne retournez pas auprès de lui.

— Non, dit-elle.

Son nouveau mantra.

— Si nous ne sommes pas là dans une demi-heure, tire-toi. C'est un ordre, officier en second.

Au moins elle partirait d'ici, se dit-il. Quoi qu'il arrive sur Ganymède, Naomi s'en sortirait vivante. Une vision du cauchemar qu'était devenue Julie, morte dans sa douche mais affublée du visage de Naomi, lui vint à l'esprit. Il fut surpris par le petit cri de peine qui lui échappa. Amos tourna la tête vers lui, mais il lui fit signe de continuer.

Fred était responsable de tout cela.

Et si Fred était responsable, alors Holden l'était aussi.

Il avait passé une année à jouer au justicier inflexible, en appliquant la politique de Fred. Il avait pourchassé et détruit des vaisseaux pour que Fred puisse mener à bien sa grande expérience de gouvernement de l'APE. Il avait transformé l'homme qu'il était alors en celui qu'il était maintenant parce qu'une partie de lui-même croyait au rêve de Fred, à cette vision des planètes extérieures libérées et s'autogouvernant.

Et en secret, Fred avait préparé… cela.

Holden songea à tout ce qu'il avait mis de côté pour aider Fred à bâtir son ordre nouveau dans le système solaire. Il n'avait jamais emmené Naomi pour qu'elle rencontre sa famille sur Terre. Non que Naomi elle-même eût accepté d'aller sur Terre. Mais il aurait pu faire venir sa famille sur Luna, afin de la rencontrer. Père Tom aurait résisté. Il détestait voyager. Mais Holden ne doutait pas qu'en fin de compte il aurait réussi à les rassembler tous pour la rencontrer, une fois qu'il leur aurait expliqué combien elle était devenue importante pour lui.

Et le fait de connaître Prax, de voir son besoin de retrouver sa fille lui avait fait comprendre à quel point il voulait savoir ce que c'était qu'avoir un enfant. Expérimenter cette sorte d'avidité pour la présence d'un autre être humain. Présenter une autre génération à ses parents. Leur montrer que tous les efforts, toute l'énergie qu'ils avaient consacrés à sa personne n'étaient pas peine perdue, au contraire. Que lui aussi, à son tour, passait le flambeau. Il désirait, presque plus que tout ce qu'il avait pu désirer, voir leur expression quand il leur montrerait un enfant. Son enfant. L'enfant de Naomi.

Fred lui avait ravi tout cela, d'abord en lui faisant perdre son temps comme briseur de jambes de l'APE, et maintenant par sa trahison. Holden se le jura, s'il parvenait à quitter Ganymède il ferait payer Fred pour tout cela.

Amos stoppa le groupe une nouvelle fois, et Holden remarqua qu'ils étaient revenus au spatioport. Il s'extirpa de sa rêverie éveillée. Il ne se souvenait même pas comment ils étaient arrivés là.

— Ça a l'air tranquille, dit le mécanicien.

— Naomi, comment est la situation aux alentours du vaisseau ? demanda Holden.

La réponse de la jeune femme fut coupée net par un son électronique strident.

— Naomi ? Naomi ! cria-t-il.

Mais il n'y eut pas de réponse et il s'adressa à Amos :

— Allez, au vaisseau, en vitesse !

Le mécanicien et les ex-Pinkwater coururent vers les quais aussi vite que leurs blessures et leur camarade inconscient le leur permettaient. Holden les suivit en épaulant son fusil d'assaut dont il ôta la sécurité.

Ils foncèrent dans les couloirs courbes du secteur portuaire. Amos dispersait les piétons par ses cris tonitruants et la menace implicite de son fusil. Une vieille femme en hijab s'écarta de leur trajectoire comme une feuille emportée par une bourrasque d'orage. Elle était déjà morte. Si la protomolécule était lâchée dans la nature, tous les gens qu'Holden croisait ou dépassait étaient déjà morts : Santichai et Melissa Supitayaporn et tous les gens qu'ils étaient venus sauver sur Ganymède ; les émeutiers et les assassins qui s'étaient comportés en citoyens modèles de la station avant l'effondrement de leur écosystème social. Si la protomolécule était lâchée, tous étaient condamnés.

Alors pourquoi cela ne s'était-il pas produit ?

Holden mit de côté cette question. Plus tard – s'il y avait un "plus tard" –, il pourrait s'en soucier. Quelqu'un cria quelque chose à Amos, et celui-ci tira avec son fusil en direction du plafond. Si la sécurité du spatioport existait toujours, en exceptant les vautours qui essayaient de prélever leur dîme sur chaque chargement à l'arrivée, elle ne faisait rien pour les arrêter.

Quand ils l'atteignirent, l'écoutille extérieure du *Somnambule* était verrouillée.

— Naomi, tu es là ? dit Holden en fouillant dans sa poche à la recherche de son passe magnétique.

Elle ne se manifesta pas, et de son côté il lui fallut un temps avant de se souvenir qu'il avait donné la carte à Wendell.

— Wendell, ouvrez-nous.

Le chef des ex-Pinkwater ne répondit pas.

— Wendell…

Holden se tut en voyant l'autre qui, les yeux écarquillés, fixait quelque chose derrière lui. Il se retourna et découvrit cinq hommes – tous des Terriens – en tenue de combat renforcée, sans aucun insigne. Chacun avait une arme de gros calibre en mains.

Non, pensa Holden.

Il releva le canon de son arme et balaya le tunnel d'une longue rafale. Trois des hommes s'écroulèrent, leur tenue soudain ponctuée de fleurs rouges s'épanouissant. Le nouveau Holden s'en réjouit ; l'ancien resta calme. Peu importait qui ces hommes étaient. Qu'ils appartiennent à la sécurité de la station, aux forces d'une planète intérieure ou que ce soient seulement des mercenaires non rapatriés de la base fantôme maintenant détruite, il les tuerait tous pour qu'ils ne l'empêchent pas de sortir son équipage de cette lune infectée.

Il ne vit pas d'où vint la balle qui faucha sa jambe. L'instant précédent il se tenait debout et vidait son chargeur sur ses cinq ennemis, et le suivant une massue percutait la protection sur sa cuisse droite, ce qui le fit chuter brutalement. Alors qu'il tombait il aperçut les deux soldats en gris restants qui s'effondraient quand le fusil d'Amos poussa un long rugissement.

Il roula sur le côté et regarda si quelqu'un d'autre était touché. Découvrit alors que leurs cinq opposants maintenant à terre ne représentaient que la moitié des forces ennemies. Les ex-Pinkwater lâchaient leurs armes et levaient les mains à l'approche des cinq autres soldats en gris qui arrivaient dans le tunnel derrière eux.

Amos ne les avait pas vus. Il éjecta le chargeur vide de son arme et en tirait un plein de son harnais quand un des mercenaires braqua une arme énorme sur l'arrière de son crâne et pressa la détente. Le casque du mécanicien fut arraché, et le colosse s'abattit comme une masse sur le sol métallique, dans un bruit sourd. Du sang gicla à l'endroit de l'impact.

Holden essaya d'enclencher un autre chargeur dans son fusil d'assaut, mais ses mains refusaient de coopérer. Avant qu'il réarme, un des soldats avait couvert la distance les séparant et d'un coup de pied fit sauter l'arme loin du capitaine.

Celui-ci eut le temps de voir les membres toujours debout de l'équipe Pinkwater qui disparaissaient sous des sacs noirs avant qu'un même sac noir s'abatte sur sa tête et le plonge dans les ténèbres.

20

BOBBIE

On avait donné à la délégation martienne un ensemble de bureaux dans le bâtiment des Nations unies. Tout le mobilier était en bois véritable, les peintures décorant les murs des œuvres originales et non des reproductions. La moquette sentait le neuf. Pour Bobbie, ou bien tous les résidents du complexe des Nations unies y vivaient comme des rois, ou bien tout était fait pour impressionner les Martiens.

Quelques heures après sa rencontre avec Avasarala au bar, Thorsson l'avait appelée et avait exigé de la voir le lendemain. À présent elle patientait dans l'espace d'attente de leurs bureaux provisoires, assise sur un siège de style bergère aux coussins de velours vert et au bâti en merisier qui lui aurait coûté deux années de solde sur Mars. L'écran mural en face d'elle était réglé sur une chaîne d'infos, le son coupé, ce qui transformait le contenu diffusé en un diaporama d'images déroutantes et parfois macabres : deux présentateurs assis derrière un bureau dans une pièce bleue, une grande bâtisse en feu, une femme qui marchait dans un long couloir blanc en gesticulant, un vaisseau de guerre des Nations unies faisant relâche dans une station orbitale, ses flancs marqués de dommages sévères, un homme au visage rubicond qui parlait directement face à l'objectif, avec en arrière-plan un drapeau que Bobbie ne reconnut pas.

Tout cela signifiait à la fois beaucoup et rien. Quelques heures plus tôt, elle en aurait éprouvé de la frustration. Elle aurait eu envie de chercher la télécommande pour monter le son et ajouter le contexte aux informations qui lui étaient ainsi livrées en pâture.

Maintenant elle laissait les images se déverser comme l'eau d'un canal contournant un rocher.

Un jeune homme qu'elle avait aperçu plusieurs fois à bord du *Dae-Jung* mais à qui elle n'avait jamais parlé passa devant elle d'un pas pressé, en pianotant furieusement sur son terminal. Il avait traversé à moitié la pièce quand il déclara :

— Il est prêt à vous recevoir.

Il fallut un instant à Bobbie pour comprendre qu'il s'était adressé à elle. Apparemment sa cote avait baissé au point qu'elle ne méritait plus qu'on lui délivre les informations la concernant en la regardant. D'autres données sans importance. Un peu plus d'eau qui s'écoulait autour d'elle. Elle se mit debout avec effort et réprima un grognement. Sa marche de plusieurs heures à un g effectuée la veille l'avait plus marquée qu'elle ne le croyait.

Elle fut quelque peu surprise de découvrir que le bureau de Thorsson était un des plus petits de l'ensemble. On pouvait en déduire qu'il ne se souciait pas du statut implicitement conféré à son occupant par la taille du local occupé, ou qu'il était au sein de la délégation le membre le moins important à qui accorder un bureau. Mais la question ne présentait pas vraiment d'intérêt pour la militaire. Thorsson ne réagit pas à son entrée et garda la tête penchée sur le terminal de son bureau. De son côté, Bobbie se fichait d'être ignorée tout autant qu'elle se fichait de la leçon qu'il essayait de lui infliger par cette attitude. Par sa taille, cette pièce n'avait pas la place d'accueillir un siège pour les visiteurs, et ses jambes endolories constituaient une distraction suffisante pour elle.

— J'en ai peut-être fait trop, l'autre fois, dit-il enfin.

— Oh ? répondit Bobbie qui se demandait où elle pourrait dénicher un peu plus de ce thé au lait de soja.

Thorsson leva les yeux vers elle. Son visage affichait sa version momifiée d'un sourire chaleureux.

— Je vais être clair : il ne fait aucun doute que vous avez réduit notre crédibilité, avec votre numéro. Mais, comme Martens l'a souligné, je suis aussi coupable de ne pas avoir correctement évalué la profondeur de votre traumatisme.

— Ah, fit-elle.

Accrochée sur le mur derrière Thorsson, une photo encadrée représentant une haute structure métallique sur fond de paysage urbain était agrémentée de la légende : PARIS.

— C'est pourquoi, au lieu de vous renvoyer chez vous, je vous garde ici, avec le personnel. Vous aurez ainsi l'occasion de réparer le dommage que vous avez créé.

Bobbie le regarda droit dans les yeux pour la première fois depuis son arrivée.

— Pourquoi suis-je ici ?

L'ébauche de sourire disparut et fut remplacée par une moue tout aussi suggérée.

— Pardon ?

— Pourquoi suis-je ici ?

Elle voyait plus loin qu'une éventuelle sanction disciplinaire. Elle évaluait les difficultés qu'elle rencontrerait pour se faire réaffecter sur Ganymède si Thorsson refusait de la renvoyer sur Mars. S'il en décidait ainsi, aurait-elle seulement la possibilité de démissionner ? Quitter son unité pour acheter elle-même son billet de retour ? La perspective de ne plus appartenir au Corps des Marines l'emplit de tristesse, et c'était le premier sentiment réellement fort qu'elle éprouvait depuis un certain temps.

— Pourquoi êtes-vous… commença Thorsson, mais elle l'interrompit :

— Pas pour parler du monstre, on dirait. Franchement, si je ne suis ici que pour servir d'attraction, je préfère qu'on me renvoie chez moi, je crois. Il y a certaines choses que je pourrais faire…

— Vous êtes ici pour faire exactement ce que je vous dis de faire, et exactement quand je vous dis de les faire, rétorqua Thorsson d'une voix tendue. C'est bien compris, Marine ?

— Ouais.

Elle sentait l'eau s'écouler autour d'elle. Elle était un rocher. L'eau ne lui faisait rien.

— Il faut que j'y aille.

Elle tourna les talons et s'éloigna sans que Thorsson dise quoi que ce soit pour la retenir. Alors qu'elle traversait les locaux en direction de la sortie, elle vit Martens qui versait de la crème en poudre sur une tasse de café, dans le coin aménagé en cuisine. Il l'aperçut au même moment.

— Bobbie…

Il était devenu beaucoup plus familier avec elle, ces derniers jours. En temps normal elle y aurait vu les signes annonciateurs d'une proposition d'ordre sexuel ou romantique. Mais avec le psy elle avait la quasi-certitude que c'était simplement une autre technique dans sa panoplie de “réparation des Marines brisés”.

— Capitaine, salua-t-elle, et elle s'arrêta.

La porte exerçait sur elle une attraction presque physique, mais Martens s'était toujours montré bienveillant à son encontre, et elle avait l'étrange prémonition qu'elle ne reverrait plus aucune de ces personnes. Elle lui tendit la main, qu'il serra.

— Je m'en vais. Vous n'aurez plus à perdre votre temps avec moi.

Il la gratifia de son sourire sans joie.

— Malgré le fait que je n'ai pas l'impression d'être arrivé au moindre résultat avec vous, je ne crois pas non plus avoir perdu mon temps. Nous nous quittons amis ?

— Je… fit-elle, avant de s'interrompre un instant pour évacuer la boule qui venait de se former dans sa gorge. J'espère que tout ça n'a pas bousillé votre carrière, ou quoi que ce soit.

— Je ne me fais pas de souci pour ça, répondit-il.

Elle s'approchait déjà de la porte. Elle ne se retourna pas avant de sortir.

Dans le couloir, elle composa sur son terminal le numéro qu'Avasarala lui avait laissé. L'appel passa immédiatement sur boîte vocale.

— D'accord, dit-elle. J'accepte ce boulot.

Il y avait quelque chose d'à la fois libérateur et de terrifiant dans cette première journée à son nouvel emploi. Le début d'une nouvelle affectation, elle trouvait cela très déstabilisant, elle craignait toujours de ne pas être à la hauteur, de ne pas savoir accomplir la moindre tâche qu'on lui confierait, de ne pas être habillée comme il convenait, de dire quelque chose qui n'allait pas, ou d'être instantanément détestée par tout le monde. Mais si forte que soit cette appréhension, elle était supplantée par la conviction qu'avec cette nouvelle opportunité lui était offerte une chance de remodeler totalement l'image qu'elle voudrait donner d'elle-même, et la sensation – du moins pendant un temps – que tout était possible.

Même quand elle attendit patiemment qu'Avasarala daigne remarquer sa présence, cette impression ne faiblit pas.

La découverte du bureau de sa nouvelle supérieure directe renforça son idée que les locaux mis à disposition des Martiens avaient été choisis pour impressionner ses occupants. L'assistante du sous-secrétaire occupait un poste assez important pour que, d'un simple coup de fil, Bobbie soit soustraite à l'autorité de Thorsson et promue au rôle d'officier de liaison avec les Nations unies. Malgré tout, son nouveau bureau avait une moquette bon marché qui dégageait une odeur désagréable de tabac froid. Le mobilier était ancien, fatigué. Pas de sièges en merisier, ici. Les seuls éléments à sembler soignés étaient les fleurs fraîches et l'autel du bouddha.

Tout chez Avasarala disait son extrême lassitude. Les cernes sombres soulignant ses yeux n'étaient pas présents lors de leurs réunions officielles, et Bobbie ne les avait pas remarqués non plus dans l'éclairage discret du bar, quand elles s'étaient parlé. Dans son sari bleu, assise derrière son énorme bureau, cette femme paraissait très menue, comme une enfant qui joue à l'adulte. Seuls le gris des cheveux et les pattes-d'oie démentaient l'illusion. Bobbie l'imagina subitement en poupée bizarre, qui se plaignait tandis que les enfants lui tordaient bras et jambes et la forçaient à participer à des dînettes avec des animaux en peluche. L'image crispa les muscles de ses joues et elle eut du mal à refréner un sourire.

Avasarala tapotait sur un terminal posé devant elle, avec de petits grognements d'irritation. *Plus de thé pour vous, Mamie Poupée, vous en avez bu assez*, songea Bobbie, et elle dut réprimer son envie de rire.

— Soren, vous avez déplacé mes foutus fichiers. Je ne peux plus rien trouver, maintenant.

Le jeune homme guindé qui l'avait amenée dans le bureau puis s'était fondu dans l'environnement se racla la gorge. Le son fit sursauter Bobbie. Il se trouvait derrière elle, beaucoup plus proche qu'elle ne l'aurait pensé.

— Madame, vous m'avez demandé de déplacer plusieurs…

— Oui, oui, coupa Avasarala.

Et elle pianota avec encore plus d'énergie sur l'écran de son terminal, comme si cela allait faire mieux comprendre à l'appareil ce qu'elle attendait de lui. Cette réaction rappela à Bobbie celle des gens qui se mettent à parler plus fort quand ils essaient de communiquer avec quelqu'un ne comprenant pas leur langue.

— Ça va, ils sont là, dit la vieille femme d'un ton encore irrité. Pourquoi les avez-vous mis dans ce…

Elle tapota encore un instant avec fébrilité, et le terminal de Bobbie sonna.

— C'est le rapport et mes notes concernant la situation sur Ganymède, expliqua Avasarala. Lisez tout ça. Je ferai peut-être une mise à jour plus tard, quand j'aurai effectué poliment un petit interrogatoire.

Bobbie sortit son terminal et fit défiler rapidement les documents qu'elle venait de recevoir. Ils occupaient une centaine de pages. *Elle tient réellement à ce que je lise tout ça aujourd'hui ?* fut sa première pensée, puis : *Est-ce qu'elle vient vraiment de me communiquer toutes les informations dont elle dispose ?* Par contraste, la façon dont son propre gouvernement l'avait traitée récemment lui parut encore pire.

— Ça ne vous prendra pas longtemps, affirma sa nouvelle patronne. Il n'y a presque rien, dans tout ça. Beaucoup de verbiage pondu par des consultants trop bien payés qui croient pouvoir masquer leur ignorance réelle du sujet en en parlant deux fois plus longtemps.

Bobbie acquiesça, mais l'impression d'être dépassée par la situation commençait à supplanter l'excitation que généraient ces nouvelles opportunités qui lui étaient offertes.

— Madame, le sergent Draper a-t-il l'autorisation d'accès à ces… dit Soren.

— Oui. Je viens de l'autoriser. Bobbie ? Vous avez l'autorisation. Et vous, Soren, arrêtez donc de me les briser. Je n'ai plus de thé.

Bobbie fournit un effort conscient pour ne pas se retourner et regarder le secrétaire. La situation était déjà assez gênante sans souligner ainsi qu'il venait d'être humilié en présence d'une inconnue embauchée depuis exactement dix-sept minutes.

— Oui, madame, dit-il. Mais je me demandais s'il ne serait pas souhaitable que vous avertissiez la sécurité de votre décision d'autoriser le sergent. Ils aiment être tenus au courant de ce genre de détails.

— Gna-gna-gna, grommela Avasarala. C'est tout ce que j'ai entendu.

— Oui, madame.

Bobbie risqua enfin un regard qui alla de l'un à l'autre. Soren prenait un savon devant un nouveau membre de l'équipe qui, techniquement, était aussi l'ennemi. Il n'avait pourtant pas changé d'expression. Il donnait l'impression de tout faire pour mettre de bonne humeur une grand-mère au très mauvais caractère. Avasarala émit un claquement de langue qui traduisait son impatience.

— Je n'ai pas été assez claire ? Aurais-je perdu ma capacité à me faire comprendre ?

— Non, madame, répondit-il.

— Bobbie ? Vous m'avez comprise ?

— Ou-oui, madame.

— Bien. Alors sortez d'ici, tous les deux, et faites ce qui vous est demandé. Bobbie, lisez. Soren, du thé.

Bobbie fit demi-tour pour partir et se retrouva nez à nez avec Soren, qui avait les yeux fixés sur elle et le visage vide de toute expression. Ce qui, d'une certaine façon, était encore plus gênant qu'un soupçon de colère compréhensible.

Alors qu'elle le contournait, Avasarala dit derrière elle :

— Soren, attendez. Portez ça à Foster, au service de traitement des données.

Elle lui tendit ce qui ressemblait à une clef mémoire.

— Assurez-vous qu'il l'ait en sa possession avant qu'il parte d'ici aujourd'hui, ajouta-t-elle.

Soren inclina la tête, sourit et prit la clef.

— Bien sûr.

Quand lui et Bobbie eurent quitté le bureau d'Avasarala et que Soren eut refermé la porte derrière eux, la jeune femme laissa échapper une longue expiration sifflante et lui sourit.

— Waouh, c'était bizarre. Désolée pour le…

Elle se tut quand il lui prit la main, dans un geste qui se voulait d'apaisement.

— Ce n'est rien, dit-il. Aujourd'hui, elle est plutôt de bonne humeur, en fait.

Pendant qu'elle le regardait d'un air un peu abasourdi, il lui tourna le dos et lança la clef mémoire sur son bureau où elle glissa sous l'emballage d'un paquet de gâteaux à moitié vide. Il s'assit, coiffa des écouteurs et entreprit de faire défiler une liste de numéros sur son terminal encastré. S'il tenait toujours compte de sa présence, il n'en montrait rien.

— Vous savez, dit-elle après un moment, j'ai des trucs à lire, alors si vous êtes occupé je peux apporter pour vous cette clef au type du service de traitement des données. Je veux dire, si vous avez autre chose à faire.

Soren leva enfin vers elle un regard ironique.

— Pourquoi aurais-je besoin que vous le fassiez ?

Elle prit le temps de consulter l'heure sur son propre terminal avant de répondre :

— Eh bien, il est presque dix-huit heures, heure locale, et j'ignore à quelle heure vous arrêtez de travailler, ici, donc j'ai pensé que…

— Ne vous tracassez donc pas pour ça. En fait, tout mon boulot consiste à la rendre calme et satisfaite. Avec elle, tout est urgentissime. Donc rien ne l'est, si vous me comprenez. Je le ferai quand il faudra le faire. En attendant, cette chieuse peut aboyer un peu si ça lui fait plaisir.

La surprise glaça un instant Bobbie. Non, pas la surprise. La stupeur.

— Vous venez bien de la traiter de *chieuse* ?

— Et comment vous l'appelleriez, vous ? répliqua-t-il avec un sourire désarmant.

Ou était-ce un sourire moqueur ? Tout cela n'était-il qu'une vaste plaisanterie pour lui, Avasarala, Bobbie et le monstre sur Ganymède, aussi ? Elle s'imagina soudain en train de tirer hors de son siège et de force l'assistant fluet avec ses grands airs, pour lui briser les os. Sans qu'elle s'en rende compte, ses doigts se crispèrent. Mais elle se limita à remarquer :

— Mme la secrétaire semblait penser que la chose était plutôt importante.

Il la dévisagea une poignée de secondes.

— Ne vous tracassez pas pour ça, insista-t-il. Je suis sérieux : je sais comment faire mon boulot.

Elle resta immobile un long moment.

— Compris et enregistré, dit-elle enfin.

Bobbie fut arrachée au sommeil par une explosion tonitruante de musique. Elle se redressa d'un bloc dans un lit qui lui était quasiment étranger, au centre d'une chambre presque noyée dans l'obscurité. La seule source lumineuse perceptible était la lueur laiteuse très faible émanant de son terminal, à l'autre bout de la pièce. La musique cessa subitement de ressembler à une cacophonie atonale pour devenir la chanson qu'elle avait sélectionnée comme alarme pour la prévenir des appels quand elle s'était mise au lit. Quelqu'un cherchait à la joindre. Jurant en trois langues différentes, elle se mit à ramper vers l'extrémité du lit.

Le bord du matelas arriva de façon inattendue et la fit plonger tête la première vers le sol. Son corps à moitié endormi n'eut pas le réflexe de compenser la pesanteur terrestre plus affirmée. Elle réussit à ne pas se briser le crâne au prix de deux doigts de sa main droite endoloris.

Pestant encore plus fort, elle termina sa traversée de la chambre en direction du terminal toujours allumé. Quand elle l'atteignit enfin, elle prit la communication et dit :

— Si ce n'est pas pour m'annoncer la mort de quelqu'un, alors quelqu'un va mourir.

— Bobbie, dit simplement son interlocuteur.

Son esprit embrumé mit une seconde avant d'identifier la voix. *Soren*. Elle consulta l'heure sur son terminal : quatre heures onze, et se demanda s'il avait un peu trop bu et l'appelait pour la réprimander ou s'excuser. Ce ne serait pas l'événement le plus étrange à se produire dans ces vingt-quatre dernières heures.

Elle se rendit alors compte qu'il continuait de parler, et elle colla l'appareil à son oreille.

— ... vous attend au plus tôt, alors descendez ici, disait-il.

— Vous pouvez répéter ?

Il reprit du ton lent qu'on adopte pour s'adresser à un enfant un peu obtus :

— La patronne veut que vous descendiez au bureau, d'accord ?

Bobbie regarda l'heure une fois encore.

— Tout de suite ?

— Non. Demain, à l'heure habituelle. Elle m'a simplement demandé de vous appeler à quatre heures du matin pour être sûre que vous seriez bien là demain.

La flambée de colère qui embrasa Bobbie l'aida à finir de se réveiller. Elle desserra les dents juste assez longtemps pour répondre :

— Dites-lui que j'arrive.

Elle avança en tâtonnant vers le mur, le longea et arriva au panneau qui s'alluma à son contact. Une deuxième pression du doigt déclencha l'éclairage de la chambre. Avasarala lui avait déniché un petit meublé proche des bureaux. L'endroit n'était pas plus spacieux qu'une chambre bon marché sur Cérès. Une grande pièce qui servait à la fois de salon et de chambre, une autre plus petite qui contenait la salle de bains et les toilettes, et enfin un réduit faisant office de cuisine. Son sac marin était abandonné dans un coin, et elle en avait sorti quelques effets personnels, mais le gros de ses possessions était toujours empaqueté. Elle avait lu jusqu'à une heure du matin et n'avait pas pris la peine de faire autre chose ensuite, sinon se brosser les dents, avant de s'écrouler dans le lit amovible qu'elle avait descendu du plafond.

Alors qu'elle détaillait la pièce du regard tout en essayant de s'éveiller, elle eut un moment de lucidité totale, comme si des lunettes fumées qu'elle ignorait porter lui étaient enlevées d'un coup, la laissant à cligner des yeux dans la lumière. Elle était là, qui s'extrayait du lit après trois heures de sommeil pour aller rencontrer une des femmes les plus puissantes du système solaire, et son esprit était accaparé par l'envie de ranger impeccablement ses quartiers et celle de battre comme plâtre un certain collègue. Oh, et elle ne l'oubliait pas, elle était Marine de carrière et venait d'accepter un poste consistant à travailler avec le pire ennemi actuel de son gouvernement, tout cela simplement parce qu'un officier des services de renseignement de la Flotte l'avait prise en grippe. Et pour couronner le tout, elle désirait retourner sur Ganymède afin de commettre un meurtre, sans d'ailleurs avoir la moindre idée de ce que sa victime était.

Cette vision abrupte et claire comme le cristal de la situation aberrante dans laquelle elle semblait se trouver maintenant ne dura que quelques secondes, puis les brumes du manque de sommeil revinrent, la laissant avec le simple sentiment dérangeant qu'elle avait omis de faire quelque chose d'important.

Elle enfila l'uniforme qu'elle portait la veille, se rinça la bouche, puis sortit.

⚡

Le modeste bureau d'Avasarala était bondé. Bobbie identifia au moins trois civils aperçus lors de sa première réunion sur Terre. L'un d'eux était l'homme au visage lunaire qui, elle l'avait appris plus tard, s'appelait Sadavir Errinwright, le supérieur d'Avasarala et probablement le deuxième homme le plus puissant sur Terre. Les deux étaient engagés dans une conversation intense quand elle entra, et Avasarala ne remarqua pas son arrivée.

Bobbie repéra un petit groupe de personnes en uniforme et s'approcha d'elles, mais elle vit que c'étaient des généraux ou des amiraux, et elle changea de cap. Elle finit près de Soren, la seule autre personne isolée dans la pièce. Il ne lui accorda même pas un regard, mais la pose qu'il affectait semblait diffuser ce charme troublant, puissant et manquant de sincérité. Bobbie songea soudain qu'il était tout à fait le type de mâle avec qui elle pouvait coucher lorsqu'elle avait assez bu, mais jamais elle ne lui aurait fait confiance pour assurer ses arrières au combat. À la réflexion, non, elle ne serait jamais assez ivre.

— Draper ! lança Avasarala d'une voix forte quand elle eut enfin noté sa présence.

— Oui, madame ?

Bobbie avança d'un pas tandis que toutes les autres personnes dans la pièce interrompaient leurs conversations et tournaient la tête vers elle. Les poches sous les yeux d'Avasarala étaient tellement prononcées qu'elles semblaient plus trahir un mal non diagnostiqué qu'une extrême fatigue.

— Vous êtes mon officier de liaison, nom de Dieu, alors établissez la liaison avec les vôtres.

— Que s'est-il passé ?

— La situation autour de Ganymède vient de passer au merdier des merdiers, dit la vieille femme. Nous sommes en guerre ouverte.

21

PRAX

Prax était agenouillé, les mains ligotées dans le dos par un bracelet cranté. Il avait mal aux épaules. Il avait mal quand il relevait la tête, et il avait mal quand il la laissait retomber. Amos gisait face contre terre. Prax le crut mort jusqu'à ce qu'il voie les mêmes menottes qui lui maintenaient les poignets attachés sur les reins, comme lui. Les projectiles non létaux que leurs kidnappeurs avaient tirés dans l'arrière du crâne du mécanicien avaient laissé là une énorme bosse violacée. Pour la plupart, les autres – Holden, certains mercenaires de Pinkwater, même Naomi – étaient dans des positions comparables à la sienne, mais pas tous.

Quatre ans plus tôt, ils avaient subi une invasion de papillons nocturnes. Une étude en vase clos avait déraillé, et des mites d'un gris-brun longues de plus de deux centimètres avaient envahi son dôme. Ils avaient construit un piège à chaleur : quelques gouttes de phéromones artificielles sur un échantillon de fibres résistantes à la chaleur, le tout placé sous les énormes unités d'éclairage à spectre large et grandes ondes. Les insectes s'étaient trop approchés, et ils avaient grillé. L'odeur de leurs petits corps carbonisés avait empuanti l'air des jours durant, et elle était rigoureusement identique à celle dégagée par le bistouri à cautérisation que leurs ravisseurs utilisaient sur l'ex-Pinkwater blessé. Une fumerolle blanchâtre s'élevait de la table en plastique moulé sur laquelle on l'avait étendu.

— Je suis seulement… marmonna l'homme perdu dans les brumes de l'anesthésie. Allez-y, continuez sans moi. Je vous rejoindrai…

— Un autre vaisseau, juste là, indiqua la femme penchée sur le blessé.

Elle avait les traits épais, une verrue sous l'œil gauche et ses gants chirurgicaux étaient poisseux de sang.

— Je le vois. C'est bon, répondit l'homme au cautérisateur en appliquant la pointe métallique de son instrument dans la plaie béante au ventre de son patient.

Le craquement sec d'une décharge électrique claqua, puis un autre mince panache de fumée blanche s'éleva de la blessure.

Amos roula brusquement sur lui-même. Son nez était réduit à l'état de masse pourpre informe, et son visage était ensanglanté.

— Beud-êdre gueu je be drombe, cabidaine, mais je ne grois bas gueu ces tybes sont de la séguridé de la stadion, réussit-il à articuler.

L'endroit où Prax s'était retrouvé quand on lui avait ôté sa capuche n'avait rien d'un local des forces de sécurité. La pièce ressemblait à un ancien bureau, le genre de lieu occupé par un inspecteur des expéditions dans le temps, avant le début de la cascade : un long bureau avec un terminal incorporé, l'éclairage encastré au plafond, une plante verte morte – *Sansevieria trifasciata* – dont les longues feuilles brun-vert pourrissaient. Les gardes, ou les soldats ou quoi qu'ils soient, s'étaient montrés très méthodiques et efficaces. Les prisonniers étaient tous alignés contre un mur, chevilles et poignets ligotés. Leurs terminaux, armes et effets personnels étaient entassés le long du mur opposé, avec deux hommes ayant pour seule fonction de veiller à ce que personne n'y touche. Les tenues renforcées qu'ils avaient ôtées à Holden et Amos étaient empilées sur le sol, à côté de leurs armes. Ces dispositions une fois prises, les deux que Prax jugeait constituer l'équipe médicale du groupe s'étaient mis au travail sur celui de leurs otages qui était le plus gravement blessé. Ils n'avaient encore eu le temps de s'occuper de personne d'autre.

— Une idée de qui ils sont ? demanda Wendell à voix basse.

— Pas l'APE, répondit Holden.

— Ce qui laisse pas mal de suspects potentiels, fit remarquer le capitaine de Pinkwater. Il y a quelqu'un que vous auriez irrité dont je devrais me méfier ?

Holden prit un air peiné et ébaucha un haussement d'épaules, du moins autant que sa situation le lui permettait.

— J'en ai toute une liste…

— Un autre saignement, là, dit la femme.

— Vu, répondit l'homme au cautérisateur.

Un craquement, un peu de fumée, l'odeur de chair brûlée.

— Sans vouloir vous vexer, capitaine Holden, je commence à regretter de ne pas vous avoir descendu quand j'en avais l'occasion, dit Wendell.

— Je ne trouve pas ça vexant, lui affirma Holden.

Quatre de leurs ravisseurs revinrent dans la pièce. Tous avaient le type morphologique trapu des Terriens. L'un d'eux, le teint sombre, la frange des cheveux grisonnante et l'air autoritaire, parlait bas mais avec beaucoup de véhémence dans le micro relié à sa gorge. Son regard passa sur les prisonniers, sans vraiment les voir. Comme s'ils n'étaient que des caisses. En apercevant Prax il hocha la tête, mais pas à l'intention du botaniste.

— Ils sont tous stables ? demanda-t-il au duo médical.

— Si j'avais le choix, je ne bougerais pas celui-ci, répondit la femme.

— Et si vous ne l'aviez pas ?

— Il survivra, probablement. Gardez la gravité au minimum jusqu'à ce que je puisse l'amener à une vraie unité médicale.

— Excusez-moi, dit Holden, quelqu'un aurait-il l'amabilité de m'expliquer ce qui se passe ici, bordel ?

Il aurait aussi bien pu apostropher les murs.

— Nous avons dix minutes, déclara l'homme à la peau sombre.

— Un transport ?

— Pas encore. Les locaux sécurisés.

— Magnifique, maugréa la femme.

— Parce que si vous voulez nous poser des questions, continua Holden, il faudrait commencer par emmener tout le monde loin de Ganymède. Si vous voulez que vos hommes restent humains, il faut partir. Dans le labo où nous étions, il y a la protomolécule.

— Je veux qu'ils soient déplacés deux par deux, ordonna le chef.

— Bien, monsieur, répondit la femme.

— Vous m'écoutez ? s'écria Holden. La protomolécule est libérée dans cette station.

— Ils ne nous écoutent pas, Jim, lui glissa Naomi.

— Ferguson, Mott, dit le chef. Au rapport.

Le silence retomba sur la pièce pendant que quelqu'un, quelque part, transmettait son rapport à l'homme basané.

— Ma fille a disparu, intervint Prax. Ce vaisseau a emmené ma fille.

Ils ne l'écoutaient pas non plus. Il ne s'était pas attendu à ce qu'il en soit autrement. À l'exception d'Holden et son équipage, personne ne lui avait accordé d'attention. Le chef des ravisseurs se pencha en avant, l'air profondément concentré. Prax sentit les poils sur sa nuque se hérisser. Un pressentiment.

— Répétez ça, dit l'homme à son interlocuteur invisible et, un moment plus tard : *Nous* tirons ? Qui est-ce, *nous* ?

L'autre répondit. L'homme et la femme qui soignaient l'ex-Pinkwater blessé et les gardes des armes observaient leur chef. Tous demeuraient impassibles.

— Compris. Commando Alpha, nouveaux ordres : allez au spatioport et réquisitionnez un transport. Usage de la force autorisé. Je répète : usage de la force autorisé. Sergent Chernev, je veux que vous tranchiez les liens aux jambes des prisonniers.

Un des gardes qui surveillaient les armes sursauta.

— Tous, monsieur ?

— Tous. Et nous aurons besoin d'une civière, pour celui-là.

— Que se passe-t-il, monsieur ? demanda le sergent d'une voix tendue par la perplexité et la crainte.

— Ce qui se passe, c'est que je viens de vous donner un ordre, répondit son chef en se dirigeant vers la porte d'un pas décidé. Alors : *exécution*.

Prax sentit la lame trancher son lien par une vibration brutale au niveau de ses chevilles. Il n'avait pas pris conscience de l'engourdissement de ses pieds jusqu'à ce que l'impression d'avoir ses extrémités transpercées par mille aiguilles très fines lui fasse monter les larmes aux yeux. Se tenir debout était douloureux. Au loin retentit un choc, comme celui d'un conteneur vide tombant d'une grande hauteur. Le sergent libéra les jambes d'Amos et se tourna vers Naomi qui se trouvait à côté de lui. Un garde surveillait toujours leurs armes. Le duo médical refermait la plaie de l'ex-Pinkwater avec un gel à l'odeur douceâtre. Le sergent se pencha vers la jeune femme.

Le regard entre Holden et le mécanicien fut le seul indice que Prax saisit. Aussi naturellement qu'un homme se rendant aux toilettes, Holden se mit à marcher vers la porte.

— Eh ! s'exclama le garde près des armes.

Il braqua un fusil aussi gros que son bras. Holden posa sur lui un regard plein d'innocence. Au même moment, derrière l'homme, Amos remontait violemment le genou pour en frapper à la tête le sergent courbé vers Naomi. Prax laissa échapper un petit couinement de surprise et le fusil se pointa sur lui. Il voulut lever les mains en l'air, mais elles étaient toujours attachées dans son dos. Wendell avança d'un seul pas et du pied poussa la femme médecin dans la ligne de tir du garde.

Naomi avait posé un genou sur la gorge du sergent dont le visage virait au rouge foncé. Holden frappa l'homme au cautérisateur au creux interne du genou à l'instant où Amos attaquait le garde au fusil. L'appareil de cautérisation heurta le sol dans une gerbe d'étincelles, avec un bruit pareil à celui d'un doigt tapant sèchement une plaque de verre. Paula avait le poignard du sergent à la main et elle s'activait fébrilement à sectionner la lanière crantée autour des poignets de l'ex-Pinkwater le plus proche. L'homme au fusil donna un coup de coude à Amos dont les poumons se vidèrent instantanément. Holden bondit sur le médecin, le jeta au sol et l'immobilisa en lui écrasant les bras avec ses genoux. Amos fit quelque chose que Prax ne put voir, et l'homme au fusil poussa un grognement en se pliant en deux.

Paula trancha la sangle crantée aux poignets de son collègue au moment où la femme médecin se penchait pour ramasser le fusil. L'ex-Pinkwater libéré arracha de son holster le pistolet du sergent à terre et en pressa le canon sur la tempe de la femme. Elle allait le menacer avec le fusil, mais un quart de seconde trop tard.

Tout le monde se figea. La femme médecin sourit.

— Raté, dit-elle simplement, et elle laissa tomber l'arme sur le sol.

Le tout n'avait pas pris plus de dix secondes.

Avec le poignard, Naomi trancha méthodiquement tous les liens restants pendant qu'Holden déconnectait les systèmes de communication sur les tenues grises des ennemis, pour ensuite leur entraver les chevilles et les poignets avec d'autres lanières crantées. Une inversion parfaite des rôles tenus par les uns et les autres un moment plus tôt. Prax se frotta les poignets pour rétablir la circulation dans ses doigts, et il eut l'image absurde du chef au teint sombre qui revenait dans la pièce pour lui aboyer des ordres au visage. Un autre bruit sourd se fit entendre, un autre conteneur énorme tombant au sol et résonnant comme un tambour géant.

— Je veux juste que vous sachiez à quel point j'apprécie les soins que vous avez prodigués à mes hommes, dit Wendell aux deux qui constituaient l'équipe médicale.

La femme lui suggéra un acte grossier et déplaisant, mais elle le fit en souriant.

Holden fouillait dans leurs effets.

— Wendell, fit-il en lançant à celui-ci une clef magnétique. Le *Somnambule* est toujours à vous, mais vous devez le rejoindre immédiatement et filer d'ici.

— Vous prêchez un convaincu, répondit le chef des ex-Pinkwater. On prend la civière. Pas question de le laisser derrière nous, et il faut décamper avant l'arrivée de leurs renforts.

— Oui, monsieur, répondit Paula.

Il se tourna vers Holden.

— Vous rencontrer a été une expérience intéressante, capitaine. Faisons en sorte qu'elle ne se reproduise pas.

Holden acquiesça et lui serra la main sans cesser d'ajuster la tenue renforcée qu'il venait de passer. Amos l'imita, puis il redistribua à chacun ses armes et ses effets personnels. Holden vérifia le chargeur de son fusil avant de disparaître par la même porte qu'avait empruntée l'homme basané. Amos et Naomi étaient sur ses talons. Prax dut trotter pour les rattraper. Une autre détonation retentit, celle-là moins lointaine. Prax crut sentir la glace vibrer sous ses pieds, mais ce n'était peut-être que son imagination.

— Qu'est-ce… Qu'est-ce qui se passe ?

— La protomolécule se répand, dit Holden qui tendit un terminal à Naomi. L'infection se propage.

— Je ne grois bas que c'est ce gui arribe, grommela Amos.

Avec une grimace il serra son nez dans les doigts de sa main droite et lui appliqua une torsion brusque. Quand il ôta sa main, son nez paraissait presque droit. Il écrasa chaque narine tour à tour pour souffler violemment par l'autre un caillot de sang, puis inspira bruyamment.

— C'est mieux.

— Alex ? dit Naomi dans son terminal. Alex, dites-moi que cette liaison fonctionne toujours. Parlez-moi.

Sa voix chevrotait un peu.

Un autre bruit soudain, celui-là plus puissant que tout ce que Prax avait pu entendre dans sa vie. Les vibrations ne pouvaient plus être le fruit de son imagination, à présent : elles le firent tomber au sol. L'air charriait une odeur étrange qui rappelait celle du fer surchauffé. L'éclairage de la station clignota, baissa et s'éteignit. Les LED bleu pâle de la signalisation pour une évacuation d'urgence prirent le relais. Une sirène à basse pression se mit à mugir, sa plainte trois-tons conçue pour se diffuser dans une atmosphère de plus en plus raréfiée. Quand Holden parla, ce fut d'un ton qui semblait songeur, presque détaché :

— Ou alors, ils bombardent la station.

La station Ganymède était une des premières implantations humaines permanentes créées dans la zone des planètes extérieures. Elle avait été imaginée dans un esprit de durée, non seulement sur le plan architectural mais aussi avec l'optique de s'insérer dans le grand mouvement d'expansion vers les ténèbres bordant les confins du système solaire. L'éventualité d'une catastrophe était dans ses gènes depuis le début. Elle avait été la station la plus sûre de tout le système jovien. Son seul nom était évocateur de nouveau-nés et de dômes abritant des moissons abondantes. Mais les mois écoulés depuis la chute des miroirs avaient écorné cette belle image, et miné sa structure.

Les portes pressurisées supposées contenir toute perte d'atmosphère dans une zone restreinte avaient été bloquées en position ouverte lorsque les systèmes hydrauliques locaux étaient tombés en panne. Les réserves d'urgence avaient été utilisées, mais pas remplacées. Tout ce qui, au marché noir, pouvait s'échanger contre de la nourriture ou un vol vers ailleurs avait été dérobé, et troqué. L'infrastructure sociale de Ganymède avait déjà amorcé sa lente descente vers un effondrement inévitable. Le pire des scénarios catastrophe envisagés n'avait pas prévu cela.

Prax se tenait dans l'espace commun décoré d'arcades où Nicola et lui s'étaient vus lors de leur premier rendez-vous amoureux. Ils avaient mangé ensemble dans une petite *dulcería*, avaient bu du café et flirté. Il se souvenait encore des courbes de son visage et du frisson délicieux éprouvé quand elle lui avait pris la main. La place où la *dulcería* s'était trouvée offrait maintenant l'image d'un chaos total. Une douzaine de passages convergeaient vers cet espace, et une marée humaine s'y déversait. Ces gens essayaient d'atteindre le spatioport, ou bien cherchaient à s'enfoncer le plus profond possible dans la lune avec l'espoir que toute cette glace les protégerait, ou à gagner un quelconque endroit qu'ils pensaient sûr.

Le seul foyer qu'il ait jamais connu s'écroulait autour de lui. Des milliers de gens allaient périr dans les quelques heures à venir. Prax le savait, et une part de lui-même était horrifiée par cette certitude. Mais il savait aussi que Mei s'était trouvée à bord de ce vaisseau, et que donc elle ne serait pas une des futures victimes. Il devait toujours la sauver, et pas seulement de la situation actuelle. Cette pensée rendait le présent supportable.

— D'après Alex, c'est chaud, là-bas, dit Naomi aux quatre autres alors qu'ils traversaient les ruines au pas de course. Vraiment chaud. Il ne pense pas réussir à atteindre le spatioport.

— Il y a cette autre aire d'atterrissage, fit remarquer Prax. Nous pourrions aller là.

— C'est le plan qu'on suit, répondit Holden. Naomi, donne les coordonnées de la base scientifique à Alex.

— Compris, fit-elle au moment où Amos levait la main comme un écolier en classe.

— Celle avec la protomolécule ? demanda-t-il.

— C'est la seule aire d'atterrissage secrète que j'aie à proposer, répliqua Holden.

— Ouais, pas faux…

Quand le capitaine se tourna vers Prax, son visage avait le teint blafard que confèrent la tension et la peur.

— Bon, c'est vous qui êtes du coin, Prax. Nos tenues renforcées supportent le vide, mais il faut trouver des combinaisons pressurisées, pour vous et Naomi. Nous allons devoir traverser un véritable enfer, et sans traîner. Je n'aurai pas le temps de faire un détour ou de chercher quelque chose deux fois. Vous prenez la tête. Vous vous en sentez capable ?

— Oui, répondit le botaniste.

Les combinaisons furent faciles à trouver. Elles étaient assez communes pour n'avoir aucune véritable valeur à la revente, et elles étaient à disposition dans tous les postes d'urgence peints de couleurs vives. Sur les axes principaux, tout ce qui pouvait être utile avait déjà été pris, mais il leur fut facile de bifurquer dans un passage étroit menant au complexe moins fréquenté où Prax avait eu l'habitude d'emmener Mei patiner. Les combinaisons disponibles là étaient vert et orange afin que les sauveteurs puissent aisément les repérer. Des tenues de camouflage auraient mieux convenu à la situation. Les masques dégageaient une odeur de plastique neuf, et les articulations étaient de simples anneaux cousus. Le système de chauffage intégré paraissait mal entretenu et susceptible de prendre feu s'il était utilisé trop longtemps. Une détonation retentit, suivie de deux autres, chacune plus proche que la précédente.

— Charges nucléaires, dit Naomi.

— Ou des projectiles magnétiques, répondit Holden, sur le même ton que s'ils discutaient de la météo.

Prax haussa les épaules.

— N'importe, un tir touchant un tunnel signifie de la vapeur surchauffée.

Il ferma le dernier joint de sa tenue, au côté, et vérifia l'affichage tête haute vert de mauvaise qualité qui lui promit une alimentation en oxygène correcte. Le système de chauffage passa au jaune un instant, avant de revenir au vert.

— Vous et Amos, vous vous en tirerez si vos tenues sont solides, mais je ne crois pas que nous ayons la moindre chance, Naomi et moi.

— Génial, bougonna Holden.

— J'ai perdu le *Rossi*, annonça la jeune femme. Non, j'ai perdu toute la connexion. Je passais par le *Somnambule*. Il a dû décoller.

Ou il a été détruit. La même pensée se lisait sur tous les visages. Personne ne l'exprima.

— Par là, indiqua Prax. Il y a un tunnel de service que nous empruntions tout le temps, quand j'étais à l'université. Nous pouvons contourner le complexe de l'Arche de Marbre et continuer à partir de là.

— Si tu le dis, mon pote, fit Amos.

Son nez s'était remis à saigner, et dans le faible éclairage bleuté de son casque le sang paraissait noir.

C'était son dernier trajet. Quoi qu'il arrive, Prax ne reviendrait jamais ici, parce qu'*ici* n'existerait plus. La dernière fois qu'il avait parcouru le tunnel de service, c'était au pas de course et en compagnie de Jaimie

Loomis et Tanna Ibtrahmin-Sook, pour aller acheter de quoi se défoncer. Le vaste amphithéâtre au plafond bas sous le centre de traitement de l'eau, où il avait passé son premier internat, était lézardé, et le réservoir risquait de céder. Il ne noierait pas les passages très rapidement, mais ceux-ci seraient submergés en deux jours. Et dans deux jours cela n'aurait plus d'importance.

Ce qui ne luisait pas dans le halo pâle des LED de l'éclairage de secours restait plongé dans la pénombre. Une pellicule de gadoue recouvrait le sol, le système de chauffage s'efforçant de compenser toute cette folie sans y parvenir. Par deux fois ils rencontrèrent un obstacle, d'abord une porte pressurisée toujours fonctionnelle, puis une chute de glace. Ils ne croisèrent presque personne. Tous les autres se hâtaient vers le spatioport. Prax les menait maintenant à l'exact opposé.

Un autre passage long et courbe, puis une rampe de construction qu'ils gravirent, un tunnel désert, et…

La porte en acier bleuté qui leur bloquait le chemin n'était pas verrouillée, seulement fermée en mode sécurité. L'indicateur signalait du vide de l'autre côté. Une des frappes célestes qui pilonnaient Ganymède avait causé des dégâts dans cette zone. Prax fit halte, le temps qu'il visualise en trois dimensions l'architecture de sa station. Si la base secrète se trouvait *là-bas*, et que lui était *ici*, alors…

— Nous n'y arriverons pas, dit-il.

Les autres gardèrent le silence un instant.

— Ce n'est pas la bonne réponse, fit Holden. Trouvez-en une autre.

Le botaniste prit une longue inspiration. S'ils retournaient sur leurs pas, ils pouvaient descendre d'un niveau, obliquer plein ouest et tenter de rejoindre le tunnel par en dessous… mais une explosion assez puissante pour pénétrer jusqu'ici avait presque certainement endommagé aussi le niveau immédiatement inférieur. S'ils continuaient vers la vieille station de métro, ils trouveraient peut-être un passage de service – il n'aurait pas affirmé qu'il en existait un, mais c'était possible – qui mènerait dans la bonne direction. Trois autres déflagrations se firent entendre, qui ébranlèrent la glace. Avec un son pareil à une batte de base-ball géante frappant la balle, la paroi derrière eux se fissura.

— Prax, mon pote, le plus tôt sera le mieux, dit Amos.

Ils avaient des combinaisons pressurisées, le vide ne les tuerait donc pas s'ils ouvraient ce panneau. Mais il y aurait probablement des débris qui barreraient le passage. Toute frappe assez forte pour pénétrer jusqu'ici avait dû…

Avait dû…

— Nous n'y arriverons pas… par les tunnels de la station, déclara Prax. Mais nous pouvons remonter. Rejoindre la surface et y arriver par là-haut.

— Et comment ferons-nous ça ? demanda Holden.

Trouver un accès non condamné leur prit vingt minutes, mais Prax finit par réussir. À peine assez large pour que trois hommes y marchent de front, il appartenait à une unité de service automatisée desservant les dômes extérieurs. L'unité elle-même avait été pillée depuis longtemps, et dépouillée d'une partie de son matériel, mais le sas fonctionnait toujours sur ses propres batteries. Naomi et Prax l'actionnèrent, refermèrent le panneau intérieur, lancèrent le cycle et ouvrirent le panneau extérieur. La pression s'échappant forma un coup de vent factice pendant un instant, puis il n'y eut plus rien. Le botaniste sortit à la surface de Ganymède.

Il avait vu des images de ce qu'était l'aurore sur Terre. Jamais il n'aurait imaginé contempler un tel spectacle dans les ténèbres de son propre ciel. Et pourtant des traînées vertes, bleues et dorées s'étiraient là, non pas juste au-dessus de lui mais d'un bout à l'autre de l'horizon : c'étaient les leurres, les débris et la dispersion des gaz émanant du plasma qui refroidissait. À plusieurs kilomètres de là, un projectile magnétique heurta la surface de la lune, et l'onde de choc les jeta au sol. Prax resta étendu un moment, à observer le geyser d'eau propulsé dans l'obscurité avant de retomber sous forme de neige. C'était magnifique. La partie rationnelle, scientifique de son esprit s'efforçait de calculer la quantité d'énergie transférée à la lune quand un obus en tungstène la percutait. L'effet devait être comparable à celui d'une bombe nucléaire miniature, sans le problème des radiations. Il se demanda si le projectile s'arrêterait avant d'atteindre le noyau en nickel-fer de Ganymède.

La voix d'Holden lui parvint par le pauvre système radio intégré à sa combinaison. Les fréquences basses du spectre sonore étaient très mauvaises et le capitaine parlait comme un personnage de dessin animé :

— Bon, de quel côté, maintenant ?

— Je ne sais pas, dit Prax qui se mit à genoux et désigna une portion de l'horizon. C'est par là, quelque part.

— Il me faut plus que ça.

— Je n'ai jamais été à la surface, expliqua le scientifique. Sous un dôme, oui, évidemment. Mais directement à l'extérieur ? Je veux dire, je sais que nous ne sommes pas loin, mais j'ignore comment y arriver.

— D'accord, fit Holden.

Dans le vide immense au-dessus de leurs têtes, quelque chose d'énorme et de très lointain détona. Ce fut comme cette ampoule qui apparaît dans les vieilles bandes dessinées pour signifier que le personnage a une idée.

— Nous pouvons y arriver, poursuivit le Terrien. Nous pouvons trouver la solution. Amos, allez vers cette colline, là-bas, et voyez ce que vous pouvez apercevoir. Prax et Naomi, on va dans cette direction.

— Je ne pense pas que ce soit nécessaire, dit la jeune femme.

— Et pourquoi ?

Elle leva la main et pointa le doigt sur ce qui se trouvait derrière Holden et Prax.

— Parce que je suis à peu près certaine que le *Rossi* est en train de se poser là-bas, expliqua-t-elle.

22

HOLDEN

L'aire d'atterrissage secrète se trouvait dans le creux d'un petit cratère. Lorsqu'Holden arriva au sommet de la pente et vit le *Rossinante* en contrebas, le relâchement soudain de tension l'étourdit, et il se rendit compte à quel point il avait été effrayé ces dernières heures. Mais le *Rossi* était arrivé à bon port, et son esprit rationnel avait beau lui répéter qu'ils couraient toujours un danger terrible, c'était un soulagement. Alors qu'il faisait halte pour reprendre son souffle, la scène fut éclairée par une lumière blanche aveuglante, comme si quelqu'un avait pris une photo au flash. Il leva les yeux à temps pour voir disparaître en orbite un nuage de gaz éblouissant.

Des gens continuaient de mourir là-haut, dans l'espace, juste au-dessus d'eux.

— Oh là là ! s'exclama Prax. C'est plus grand que je m'y attendais.

— Une corvette, répliqua Holden avec de la fierté dans la voix. Unité d'escorte de la Flotte, classe *Frégate*.

— Je ne comprends pas ce que ça veut dire, avoua le botaniste. On dirait un gros burin avec une tasse à café renversée à l'arrière.

— C'est le propulseur… intervint Amos.

— Suffit, coupa Holden. Tout le monde au sas.

Le mécanicien passa devant. Il descendit la pente du cratère sur les talons, en décrivant des moulinets avec les bras pour garder l'équilibre. Prax suivit, et pour une fois il n'eut pas besoin d'être aidé. Naomi venait en troisième, avec l'aisance que lui conférait une existence passée dans des gravités diverses. Elle réussit même à paraître gracieuse.

Holden ferma la marche. Il s'était préparé à glisser et dévaler honteusement jusqu'en bas, et il fut agréablement surpris de ne pas connaître cette humiliation.

Alors qu'ils rebondissaient sur le sol plat du cratère en direction du vaisseau, le sas externe de celui-ci s'ouvrit, révélant Alex dans une combinaison de combat martienne et armé d'un fusil d'assaut. Dès qu'ils furent assez près pour se faire entendre dans le brouhaha radio orbital, Holden lança :

— Alex ! Mon vieux, ça fait plaisir de vous voir !

— Salut, capitaine, répondit le pilote, et même son accent traînant exagéré ne put dissimuler son soulagement. Je ne savais pas trop comment serait cette zone d'atterrissage. Personne à vos trousses ?

Amos gravit en trombe la rampe d'accès et serra Alex dans une étreinte d'ours affectueux qui décolla l'autre du plancher.

— Putain, ça fait du bien d'être de retour au bercail ! s'exclama-t-il.

Prax et Naomi les rejoignirent. La jeune femme tapota l'épaule du Martien au passage.

— Beau boulot. Merci.

Holden fit une pause en haut de la rampe et scruta le ciel une dernière fois. Les explosions et les traînées lumineuses de la bataille en cours y étaient toujours visibles. Lui revint soudain à l'esprit le souvenir viscéral du gamin qu'il avait été dans le Montana, observant une nuit les nuées orageuses que les éclairs illuminaient de l'intérieur.

Alex contempla le spectacle un moment avec lui, puis il glissa :

— Ça a été un peu mouvementé, pour arriver ici.

Le capitaine passa un bras autour de ses épaules.

— Merci d'être venu nous chercher.

Quand le sas eut terminé son cycle et une fois tout le monde débarrassé des combinaisons, Holden fit les présentations.

— Alex, voici Prax Meng. Prax, vous avez devant vous le meilleur pilote de tout le système solaire : Alex Kamal.

Prax lui serra la main.

— Merci de m'aider à retrouver Mei.

Le Martien fronça les sourcils en une question muette à l'intention du capitaine, mais un petit signe de ce dernier évita qu'elle ne soit formulée à haute voix.

— Un plaisir de faire votre connaissance, se contenta de dire le pilote.

— Alex, fit Holden, préparez le décollage, mais on ne bouge pas tant que je ne suis pas installé dans le siège du copilote.

— Compris, répondit l'autre avant de se diriger vers l'avant de l'appareil.

Prax détaillait du regard la soute.

— Tout est de guingois ici, remarqua-t-il.

Naomi le prit par la main et le guida vers l'échelle qui semblait maintenant être posée sur le sol.

— Le *Rossi* ne passe pas beaucoup de temps sur le ventre. Nous sommes sur le flanc, et en temps normal cette paroi sur votre droite est le plancher.

— On a grandi en gravité restreinte et on n'a pas passé beaucoup de temps en l'air, apparemment, hein ? commenta Amos. Mon vieux, vous n'allez pas prendre votre pied avec ce qui va suivre.

— Naomi, dit Holden, aux ops et harnachée. Amos, amenez Prax au poste d'équipage, et ensuite descendez à la salle des machines pour préparer le *Rossi* à un trajet qui va secouer.

Avant qu'ils se séparent, Holden posa la main sur l'épaule du botaniste.

— Le décollage et le vol vont être brusques et assez remuants. Si vous n'avez pas l'habitude des voyages à plusieurs g, il est probable que vous trouviez l'expérience très désagréable.

— Ne vous inquiétez pas pour moi, répondit Prax en s'efforçant de faire bonne contenance.

— Je sais que vous êtes un coriace. Vous n'auriez pas pu survivre aux dernières semaines, sinon. Vous n'avez rien à prouver, à ce stade. Amos va vous mener au poste d'équipage. Prenez une cabine sans nom sur la porte. Ce sera désormais la vôtre. Installez-vous dans la couchette anti-crash et bouclez le harnais. Ensuite, enfoncez la touche lumineuse verte du panneau sur votre gauche. La couchette vous injectera un mélange de substances à effets sédatifs qui vous éviteront la rupture d'un vaisseau sanguin, si nous devons mettre la gomme.

— Ma cabine ? dit Prax avec une note curieuse dans la voix.

— Nous allons vous trouver de quoi vous habiller et tout ce qu'il vous faut dès que nous serons sortis de là. Vous pourrez tout garder là.

— Ma cabine… répéta le petit homme.

— Ouais, votre cabine, confirma le capitaine.

Il voyait bien que Prax s'évertuait à maîtriser le nœud qui se formait dans sa gorge, et il se rendit compte de ce que cette simple offre de confort et de sécurité pouvait représenter après ce que le botaniste avait enduré durant le mois écoulé.

Les yeux du chercheur étaient humides.

— Allez, on va vous installer, dit Amos.

Il le poussa vers l'arrière et le poste d'équipage.

Holden prit la direction opposée, traversa les ops où Naomi s'était déjà sanglée dans son siège devant un des postes, et passa dans le cockpit. Il s'installa à la place du copilote et boucla son harnais.

— Cinq minutes, annonça-t-il sur le système comm général du vaisseau.

— Donc, dit Alex en étirant le mot sur deux syllabes pendant qu'il effectuait les dernières vérifications, nous recherchons quelqu'un qui s'appelle Mei ?

— La gamine de Prax.

— Et c'est ce que nous faisons maintenant ? On dirait que le but de notre mission dévie un peu, non ?

Holden acquiesça. Retrouver des fillettes disparues ne figurait pas sur leur mandat d'origine. C'était le genre de travail dévolu à Miller. Et il n'avait jamais été capable d'expliquer clairement sa conviction que cette petite fille perdue était au centre de tout ce qui était arrivé sur Ganymède.

— Je pense que cette gamine est au centre de tout ce qui s'est passé sur Ganymède, lâcha-t-il d'un ton nonchalant.

— D'accord, répondit simplement Alex qui enfonça une touche sur la console, par deux fois, et se rembrunit. Aïe, on a un rouge sur le tableau de bord ; "Sas non étanche, niveau soute". On a peut-être pris un pruneau pendant la descente. Ça a été assez chaud, pour arriver ici.

— On ne va pas réparer maintenant, décida Holden. On garde le vide dans la soute la plupart du temps, de toute façon. Si l'étanchéité du sas intérieur est correcte, on coupe l'alarme et on y va.

— Compris, dit Alex en éteignant le voyant et le circuit d'alerte.

— Une minute, dit le capitaine sur le circuit comm puis, au pilote : Il y a un truc que j'aimerais savoir…

— Quoi donc ?

— Comment vous avez réussi à vous glisser dans ce merdier au-dessus de nous pour venir, et comment vous comptez le retraverser maintenant ?

Alex éclata de rire.

— Il suffit de ne jamais figurer en tête de liste des menaces détectées, pour n'importe qui d'autre. Et d'avoir déjà filé quand ils décident de venir vérifier, bien entendu.

— Vous avez gagné une augmentation, plaisanta Holden.

Il entama le compte à rebours. À 1, le *Rossi* bondit de la surface de Ganymède sur quatre piliers de vapeur surchauffée.

— Mettez-nous en position pour une poussée maxi dès que vous le pourrez, dit Holden avec dans la voix le vibrato artificiel que lui infligeait le grondement du décollage.

— Si vite ?

— Il n'y a rien en dessous qui ait de l'importance, répondit le capitaine en pensant aux restes de filaments noirs aperçus dans la base secrète. Vous pouvez tout faire fondre.

— D'accord, dit Alex et, une fois que l'appareil fut bien orienté : Je lui fais donner tout ce qu'il a.

Même avec le "jus" qui incendiait ses veines, Holden s'évanouit pendant un moment. Quand il revint à lui, le *Rossi* brinquebalait de droite et de gauche. Le son irritant des alarmes emplissait le cockpit.

— Holà, chérie, disait Alex à mi-voix. Tout doux, ma grande…

— Naomi, dit Holden, les yeux rivés sur la masse rouge lumineuse du tableau d'alerte, en faisant son possible pour décrypter les informations malgré son cerveau sous-irrigué. Qui nous tire dessus ?

— Tout le monde.

Elle semblait aussi sonnée que lui.

— Exact, approuva le pilote. Elle ne plaisante pas.

La tension gommait en partie son accent texan.

L'essaim de signaux d'alerte qui s'affichaient commençait à faire sens, et Holden vit que ses équipiers disaient vrai. Il semblait que la moitié des vaisseaux des planètes intérieures positionnés de ce côté de Ganymède leur avait lancé au moins un missile. Il entra le code de commande pour basculer tous les systèmes d'armement en position de tir libre et confia au mécanicien le contrôle de tous les canons de défense rapprochée situés à l'arrière.

— Couvrez nos miches, Amos, lui dit-il.

Alex faisait de son mieux pour esquiver les missiles en approche, mais c'était une cause perdue d'avance. Rien de ce qui fonctionnait avec de la chair à l'intérieur ne pouvait distancer l'alliance du métal et de la silicone.

— Comment va-t-on… commença Holden.

Il se tut pour cadrer dans son collimateur un missile qui venait par tribord avant, secteur couvert par les CDR. Un des canons cracha une longue salve. Le missile fut assez vif pour effectuer un virage serré et éviter la destruction, mais son changement brutal de trajectoire leur octroya quelques secondes de répit.

— Callisto est de notre côté de Jupiter, dit Alex, en référence à la grosse lune proche de Ganymède. On va entrer dans son ombre.

Holden vérifia les vecteurs des vaisseaux qui les avaient pris pour cible. Si un seul d'entre eux se lançait à leur poursuite, le coup de poker d'Alex ne leur octroierait que quelques minutes de répit. Mais aucun ne parut le faire. De la dizaine d'unités qui les avait attaqués, plus de la moitié étaient légèrement ou sérieusement endommagés, et les autres continuaient de se battre entre eux.

— On dirait qu'on a été la menace numéro un de tout le monde pendant un instant, commenta Holden. Mais ça n'a plus l'air d'être le cas.

— Ouais, désolé pour ça ; je ne sais pas trop pourquoi c'est arrivé.

— Je ne vous accuse de rien, tint à préciser Holden.

L'infrastructure du *Rossi* frémit, et Amos poussa une exclamation de joie dans le système comm général.

— Faut pas essayer de caresser le derrière de ma chérie !

Deux des missiles les plus proches venaient de disparaître du tableau des menaces.

— Beau boulot, Amos, dit Holden.

D'après les dernières estimations du temps avant impact, le mécanicien leur avait fait gagner trente secondes.

— Merde, cap, c'est le *Rossi* qui fait tout, répondit Amos. Je me contente de l'encourager à s'exprimer pleinement.

— On va aller se planquer derrière Callisto, annonça Alex. Une petite diversion serait appréciée.

— D'accord, fit le capitaine. Naomi, d'ici dix secondes balance-leur tout ce que tu peux. Il faut les aveugler pendant un petit moment.

— Compris.

Il la voyait presque s'affairer à préparer un assaut massif pour affoler les mesures laser et radio adverses.

Le *Rossinante* sembla faire un bond en avant, et le satellite Callisto emplit soudain l'écran avant d'Holden. Alex les précipitait vers le satellite à une vitesse suicidaire. Au dernier moment il modifia brusquement la trajectoire afin de les mettre en orbite rasante.

— Trois… Deux… Un… Maintenant, dit-il.

Le *Rossi* plongea queue surbaissée vers la surface et la survola de si près qu'Holden eut l'impression de pouvoir ramasser la neige au sol s'il passait la main par le sas extérieur. Au même moment l'assaut du brouillage massif déclenché par Naomi frappa les senseurs des missiles à leur poursuite, les rendant sourds et aveugles pendant que leurs processeurs cherchaient à percer cette muraille de parasites.

Le temps que le pilote reprenne totalement possession du *Rossinante*, le vaisseau avait été propulsé autour de Callisto par la gravité et son propre élan, selon un nouveau cap et à une vitesse extrême. Deux des missiles tentèrent vaillamment de changer de direction et de continuer la traque, mais tous les autres s'égaillèrent ou percutèrent la lune. Le *Rossi* avait acquis une avance énorme sur ses deux derniers adversaires et pouvait prendre tout son temps pour les abattre.

— Nous avons réussi, lâcha Alex.

Holden trouva l'incrédulité perceptible dans cette simple phrase plutôt troublante. Ils avaient donc frôlé la catastrophe de si près ?

— Je n'en ai jamais douté, affirma-t-il. Emmenez-nous à Tycho. Un demi-g. Je serai dans ma cabine.

Quand ils eurent fini, Naomi s'affala de son côté de la couchette qu'ils partageaient. La sueur collait les boucles noires de ses cheveux à son front, et elle était pantelante. Lui aussi.

— C'était… vigoureux, dit-elle.

Holden acquiesça, mais il n'avait pas encore assez de souffle pour parler. Quand il était descendu du cockpit, elle avait déjà défait son harnais de sécurité et l'attendait. Elle l'avait agrippé à deux mains pour un baiser si fougueux qu'il en avait eu la lèvre inférieure fendue. Il ne l'avait même pas remarqué. Ils avaient bien failli ne pas atteindre la cabine encore habillés. Ce qui s'était passé ensuite, il n'en gardait maintenant qu'un souvenir flou, malgré ses jambes lasses et l'élancement dans sa lèvre.

Naomi roula sur lui et sortit de la couchette.

— Il faut que j'aille aux toilettes, expliqua-t-elle en passant un peignoir avant de se diriger vers la porte.

Toujours incapable de parler, il se limita à un hochement de tête.

Il prit ses aises au milieu de la couche pendant un moment, bras et jambes étendus. À la vérité, les cabines du *Rossi* n'avaient pas été conçues pour accueillir deux occupants, et encore moins les couchettes anti-crash qui servaient de lits. Mais au cours de l'année écoulée il avait passé de plus en plus de nuits dans la cabine de Naomi, jusqu'à ce que cela devienne leur cabine, en quelque sorte, et qu'il ne dorme plus du tout ailleurs. Ils ne pouvaient pas partager la couchette pendant les périodes à plusieurs g, mais jusqu'à maintenant ils avaient réussi à ne jamais être endormis lorsque le vaisseau effectuait ce genre de manœuvres. Une tendance qui avait toutes les chances de perdurer.

Il commençait à somnoler quand Naomi revint. Elle lança une serviette humide et froide sur son ventre nu.

— Waouh, c'est, euh, vivifiant ! dit-il en se redressant en sursaut.

— Elle était chaude quand je suis sortie du jet.

— Ça, c'est ce que j'appelle une formulation tendancieuse, remarqua-t-il en s'essuyant le torse.

Elle sourit, s'assit sur le bord de la couchette et lui enfonça un doigt dans les côtes.

— Tu arrives encore à penser au sexe ? Je croyais que nous avions évacué ce genre de préoccupation.

— Frôler la mort a un effet merveilleux sur mes facultés de récupération.

Toujours enveloppée dans son peignoir, elle grimpa sur la couchette et s'installa à côté de lui.

— Tu sais, dit-elle, ça a toujours été mon idée. Et je suis toujours en faveur de la réaffirmation de la vie par le sexe.

— Pourquoi ai-je l'impression qu'il manque un “mais” à la fin de ta phrase ?

— Mais…

— Ah, nous y voilà.

— Il y a une chose dont il faut qu'on discute. Et il me semble que le moment est bien choisi.

Holden se positionna sur le flanc et prit appui sur un coude, face à elle. Une mèche épaisse retombait sur le visage de la jeune femme, et il la repoussa de son autre main.

— Qu'est-ce que j'ai fait ? demanda-t-il.

— Ce n'est pas exactement quelque chose que tu as fait, mais plutôt ce que nous nous apprêtons à faire, corrigea-t-elle.

Il posa la main sur son bras mais attendit la suite. Le tissu soyeux du peignoir collait à la peau mouillée qu'il recouvrait.

— Je m'inquiète, expliqua-t-elle. J'ai peur que nous n'allions sur Tycho pour faire quelque chose de vraiment risqué.

— Naomi, tu n'étais pas là, tu n'as pas vu…

— Je l'ai vu, Jim. Par l'intermédiaire de la caméra incorporée à la combi d'Amos. Et je sais ce que c'est. Je sais à quel point ça t'effraie. Ça m'effraie terriblement, moi aussi.

— Non, fit-il, et il fut surpris de la colère dans sa propre voix. Non, tu ne sais pas. Tu n'étais pas sur Éros quand c'est arrivé. Tu n'as jamais…

— Eh, ça va : j'étais là. Peut-être pas au pire moment. Pas comme toi, répondit-elle sans se départir de son calme. Mais j'ai aidé à transférer ce qui restait de toi et de Miller jusqu'à l'infirmerie du bord. Et je t'y ai vu essayer de mourir. On ne peut pas se contenter d'accuser Fred de…

— En ce moment même, et je dis bien en ce moment même, Ganymède est peut-être en train de se métamorphoser.

— Non…

— Si. C'est très possible. Comme il est très possible que nous laissions derrière nous deux millions de morts qui ne savent pas encore que leur fin est toute proche. Melissa et Santichai ? Tu te souviens d'eux ? Eh bien imagine-les dépouillés des parties d'eux-mêmes que la protomolécule juge utile de prélever sur eux. Imagine-les en morceaux. Parce que si cette saloperie est lâchée sur Ganymède, c'est ce qu'ils vont devenir.

— Jim, dit Naomi sur le ton de la mise en garde, c'est très exactement ce dont je parle. L'intensité de tes sentiments n'est pas une preuve. Tu es sur le point d'accuser un homme qui est ton ami et ton boss depuis un an de tuer peut-être toute la population d'une lune. Ce n'est pas le Fred que nous connaissons. Et il ne mérite pas que tu le traites comme ça.

Holden se mit en position assise, en partie pour s'écarter physiquement de Naomi, parce qu'il était irrité qu'elle ne partage pas entièrement ses vues.

— C'est moi qui ai confié à Fred le dernier échantillon restant de la protomolécule. Je le lui ai confié, et il était devant moi quand il m'a juré que jamais il ne s'en servirait. Mais ce n'est pas ce que j'ai vu en bas. Tu dis de lui que c'est mon ami, mais il n'a jamais fait que ce qui l'arrange pour atteindre ses objectifs. Même quand il nous a aidés, ça faisait partie de son jeu politique.

— Des expériences sur les enfants enlevés ? dit Naomi. Une lune tout entière – et une des plus importantes dans les planètes extérieures – mise en péril et peut-être même complètement dévastée ? Ça te paraît vraiment crédible ? Tu trouves que ça ressemble à Fred Johnson ?

— L'APE veut Ganymède encore plus que l'une ou l'autre des planètes intérieures, dit Holden, admettant enfin ce qu'il redoutait depuis qu'ils avaient découvert les filaments noirs. Et elle ne la lui donnera jamais.

— Arrête, dit-elle.

— Peut-être qu'il essaie de les chasser, ou bien il leur a vendu l'échantillon en échange de la lune. Ça expliquerait au moins la présence massive des planètes intérieures que nous avons constatée…

— Non. Arrête ça. Je ne veux pas rester assise à t'entendre te convaincre de ces élucubrations.

Il voulut répondre, mais elle se plaça face à lui et posa doucement une main sur sa bouche.

— Je n'aime pas le nouveau Jim Holden que tu es devenu. Le type qui préfère dégainer son flingue plutôt que discuter ? Je sais qu'être le VRP de l'APE a été un sale boulot, je sais aussi que nous avons dû faire un tas de choses très moches au nom de la protection de la Ceinture. Mais c'était encore toi. Je te voyais sous la surface, qui attendais la bonne occasion pour revenir.

Il écarta de son visage la main de la jeune femme.

— Naomi…

— Ce type qui brûle d'envie d'un duel au pistolet dans la grand-rue de Tycho ? Ce n'est pas du tout Jim Holden. Je ne connais pas cet homme-là, ajouta-t-elle avec un froncement de sourcils, et son visage s'assombrit. Non, ce n'est pas vrai. Je le connais, en fait. Mais il s'appelait Miller.

Pour Holden, le plus horrible fut le calme avec lequel elle se comporta. Elle n'éleva pas la voix, ne parut jamais en colère. Au lieu de cela, et c'était infiniment pire, il ne perçut en elle que tristesse et résignation.

— Si c'est ce que tu es devenu, il faut que tu me largues quelque part. Je ne peux pas continuer avec toi plus longtemps, déclara-t-elle. Je me retire de la partie.

23

AVASARALA

Debout devant la fenêtre, Avasarala contemplait la brume matinale. Au loin, un transport décollait. Il chevaucha un jet de gaz d'échappement qui avait l'apparence d'une colonne nuageuse d'un blanc vif, et un instant plus tard il avait disparu. Elle avait mal aux mains. Elle savait que certains des photons qui atteignaient ses yeux à cet instant provenaient d'explosions qui s'étaient produites à des minutes-lumière de là. La station Ganymède, naguère l'endroit sans atmosphère le plus sûr qui soit, transformée en zone de guerre, puis en désert. Elle ne pouvait pas plus discerner la lumière de sa mort qu'isoler dans l'océan une molécule particulière de sel, mais elle savait qu'elle était là, et ce fait était comme une plaie ouverte pour elle.

— Je peux demander confirmation, proposa Soren. Nguyen devrait rédiger son rapport de commandement d'ici dix-huit heures. Quand nous l'aurons…

— Nous saurons ce qu'il a dit, coupa-t-elle sèchement. Et je peux vous le réciter dès maintenant. Les forces martiennes ont adopté une attitude menaçante, et il s'est vu contraint de réagir de façon agressive. Conneries de blabla. *Où a-t-il eu les vaisseaux ?*

— Il est amiral, remarqua son secrétaire. Je croyais qu'ils étaient à sa disposition.

Elle se tourna. Le jeune homme paraissait fatigué. Il s'était levé bien avant l'aube. Comme eux tous. Il avait les yeux injectés, le teint cireux.

— J'ai personnellement démantelé ce groupe de commandement, dit-elle. Je l'ai émietté jusqu'à ce qu'on puisse le diluer dans une baignoire. Et le voilà qui aligne une puissance de feu suffisante pour filer une rouste à la Flotte martienne ?

— Apparemment.

Elle retint une envie soudaine de cracher. Le grondement des moteurs du transport arriva enfin à ses oreilles, le son assourdi par la distance et la vitre. La lumière n'était déjà plus là. Pour son esprit en manque de sommeil, ce phénomène était très comparable au jeu politique dans le système jovien ou la Ceinture. Quelque chose se produisait – elle savait que cette chose se produisait – mais elle ne l'entendait qu'après les faits. Quand il était trop tard.

Elle avait commis une erreur. Nguyen était un belliciste. Le type d'homme qui adolescent pensait qu'on pouvait résoudre n'importe quel problème en tapant assez longtemps dessus. Jusqu'à maintenant, tout ce qu'il avait fait était aussi subtil que briser des rotules à coups de barre de fer. Et aujourd'hui il avait recomposé son commandement sans qu'elle en ait vent. Et il l'avait fait exclure des négociations avec les Martiens.

Ce qui signifiait qu'il n'était le véritable auteur de rien de tout cela. Nguyen œuvrait pour quelqu'un, ou bien il agissait au sein d'une cabale. Elle n'avait pas senti qu'il était du genre à accepter les seconds rôles, donc celui qui tirait les ficelles l'avait prise complètement au dépourvu. Elle jouait contre des ombres, et elle détestait cela.

— On n'y voit pas clair, dit-elle.

— Je vous demande pardon ?

— Trouvez-moi comment il s'est procuré ces vaisseaux, ordonna-t-elle. Et faites-le avant d'aller vous coucher. Je veux un compte rendu complet. D'où les unités remplaçantes sont venues, qui les a commandées, quelle justification a été donnée. Tout.

— Vous désirez aussi un petit verre de liqueur, madame ?

— Absolument ! dit-elle en s'appuyant mollement sur le bureau. Vous faites du bon travail. Un jour il se pourrait même que vous obteniez un véritable emploi.

— Je suis impatient que ce jour arrive, madame.

— Elle est toujours dans le coin ?

— Dans son bureau, répondit Soren. Dois-je vous l'envoyer ?

— Ça devrait déjà être fait.

Quand Bobbie entra dans la pièce, un papier en main, le contraste qu'elle présentait avec tout ce qui l'environnait frappa Avasarala. Ce n'était pas seulement son accent ou sa stature différente qui trahissait une enfance passée dans la gravité restreinte de Mars. Dans le milieu de la politique, sa compétence physique visible la distinguait. Elle donnait l'impression d'avoir été tirée du lit en plein milieu de la nuit, exactement comme eux tous, mais chez elle cela lui allait bien. Ce pouvait être utile, ou pas. En tout cas, cette singularité méritait qu'on s'en souvienne.

— Qu'est-ce que vous avez ? demanda Avasarala.

Le front de la Marine se plissa.

— J'ai contacté quelques personnes au commandement, mais en général elles ne savent pas du tout qui je suis. J'ai dû passer autant de temps à les convaincre que je travaillais pour vous qu'à leur parler de Ganymède.

— C'est une leçon à retenir. Les bureaucrates martiens sont des abrutis préoccupés de leur seul intérêt. Qu'ont-ils dit ?

— En détail ?

— En résumé.

— C'est vous qui avez attaqué.

Avasarala se renfonça dans son siège. Elle avait mal au dos, aux genoux, et le nœud de tristesse et d'indignation toujours présent juste sous son cœur semblait plus serré que de coutume.

— Bien sûr nous l'avons fait, fit-elle. Et la délégation ?

— Déjà partie, répondit Bobbie. Ils diffuseront une déclaration demain sur la mauvaise foi des Nations unies lors des négociations. Ils en sont encore à se disputer sur le choix des termes.

— Qui a la main ?

Bobbie secoua la tête. Elle ne comprenait pas la question.

— Sur quels termes se disputent-ils, et quel camp veut quels termes ? demanda Avasarala.

— Je l'ignore. C'est important ?

Bien sûr, c'était important. La différence entre *Les Nations unies font preuve de mauvaise foi dans les négociations* et *Les Nations unies ont fait preuve de mauvaise foi dans les négociations* risquait de se mesurer en centaines de vies. Ou en milliers. Avasarala essaya de contenir son impatience, ce qui ne lui était pas naturel.

— Bon, fit-elle. Voyez s'il y a autre chose que vous pouvez me trouver.

Bobbie lui tendit le papier qu'elle tenait. Avasarala le prit.

— Qu'est-ce que c'est ?

— Ma démission. Je me suis dit que vous voudriez que toute la paperasserie soit en règle. Nous sommes en guerre, maintenant, donc je vais repartir. Pour prendre ma nouvelle affectation.

— Qui vous a rappelée ?

— Personne, pour l'instant. Mais…

— Vous voulez bien vous asseoir ? J'ai l'impression de parler du fond d'un puits, quand je suis assise et vous debout.

La Marine s'exécuta. Avasarala prit le temps d'une longue inspiration avant de poser sa question :

— Est-ce que vous avez envie de me tuer ?

Déconcertée, Bobbie cligna des yeux sans répondre, et avant qu'elle ouvre la bouche Avasarala leva une main pour lui intimer le silence.

— Je suis une des personnes les plus puissantes des Nations unies. Nous sommes en guerre. Alors, est-ce que vous avez envie de me tuer ?

— Je… suppose que oui ?

— Non, vous n'en avez pas envie. Vous voulez découvrir qui a tué vos hommes, et vous voulez que les politicards arrêtent de graisser les rouages avec le sang des Marines. Et nom de Dieu ! Vous savez quoi ? Je veux la même chose que vous.

— Mais j'appartiens aux forces armées de Mars, et je suis en service actif, répliqua Bobbie. Si je continue à travailler pour vous, je me rends coupable de trahison.

À la façon dont elle exposait sa vision des choses, ce n'était ni une plainte ni une accusation.

— Ils ne vous ont pas rappelée, argua Avasarala. Et ils ne le feront pas. Le code qui régit les contacts diplomatiques en temps de guerre est presque exactement le même chez vous que chez nous, et il fait dix mille pages écrites en caractères microscopiques. Si vous recevez un ordre de mission maintenant, je peux émettre assez d'objections et de demandes de clarification pour que vous mouriez de vieillesse derrière votre bureau. Si vous voulez tuer quelqu'un pour le compte de Mars, vous ne trouverez pas de meilleure cible que moi. Si vous voulez mettre un terme à ce conflit imbécile et découvrir qui est réellement derrière tout ça, retournez à votre poste et trouvez qui veut quelle formulation.

Bobbie resta silencieuse un long moment, puis :

— Vous en parlez comme si c'était une simple figure de rhétorique, mais ça aurait un certain sens que je vous tue. Et je peux le faire.

Un petit frisson glacé parcourut l'échine d'Avasarala, mais elle ne le laissa pas atteindre son visage.

— Je veillerai à ne pas mettre trop en valeur ce point, à l'avenir. Et maintenant, retournez au travail.

— Oui, madame.

Bobbie se leva et quitta la pièce. Avasarala gonfla les joues et se vida lentement les poumons. Elle proposait à des Marines martiens de la massacrer dans son propre bureau. Elle avait vraiment besoin de se reposer. Son terminal sonna. Un rapport prioritaire non prévu venait de lui être expédié, et son bandeau rouge sombre s'affichait sur l'écran, masquant son agencement habituel. Elle l'ouvrit et s'apprêta à apprendre d'autres mauvaises nouvelles concernant Ganymède.

C'était sur Vénus.

Sept heures plus tôt, l'*Arboghast* était encore un destroyer de troisième génération sorti treize ans auparavant des Chantiers Bush, et reconverti en unité militaire scientifique entre-temps. Depuis huit mois il était en orbite de Vénus. La majeure partie des données par scan dont Avasarala disposait venait de ce vaisseau.

L'événement qu'elle observait avait été enregistré par les deux stations lunaires de télescopes à spectre large qui avaient eu la chance de se trouver au bon angle au bon endroit, ainsi que par une dizaine de systèmes de surveillance optique embarquée. L'ensemble des données collectées formait un tout cohérent.

— Repassez-le, ordonna-t-elle.

Michael-Jon de Uturbé était technicien de terrain quand elle avait fait sa connaissance, quelque trente ans plus tôt. Il était maintenant *de facto* à la tête de la commission scientifique spéciale, et il avait aussi épousé la camarade de chambre d'Avasarala à l'université. Depuis, le peu de cheveux qui n'étaient pas tombés avaient blanchi, sa peau brune s'était un peu relâchée sur l'ossature de son visage, mais il n'avait pas changé d'eau de Cologne et sentait le même parfum bon marché aux notes florales.

Il avait toujours été quelqu'un d'extrêmement réservé, presque sauvage. Afin de garder le contact, elle prenait soin de ne pas exiger trop de lui. Son petit bureau encombré était situé à quelques centaines de mètres seulement du sien, et elle l'avait vu à cinq reprises durant les dix dernières années, chaque fois lorsqu'elle avait besoin de comprendre au plus vite quelque chose d'obscur et de complexe.

Il toucha deux fois du doigt son terminal, et les images redéfilèrent du début. L'*Arboghast* était de nouveau indemne et flottait au-dessus des brumes colorées des nuages vénusiens. L'affichage temporel progressait seconde par seconde.

— Expliquez-moi au fur et à mesure, dit-elle.

— Hun. Eh bien, nous commençons au pic. Il est parfaitement identique à celui relevé la dernière fois, quand Ganymède a entamé sa descente vers l'enfer.

— Excellent. Ça nous fait des données détaillées pour deux points de repère.

— C'est arrivé avant les combats, précisa-t-il. Une heure avant, peut-être un peu moins.

Cela s'était produit pendant le combat d'Holden. Mais comment Vénus avait-elle pu réagir au raid d'Holden sur Ganymède ? Les monstres de Bobbie avaient-ils joué un rôle dans cet affrontement ?

— Ensuite la radio émet le signal. Juste – il figea l'enregistrement... là. Un champ massif, entre trois et sept secondes. Il regardait, mais il savait où regarder. À cause de tous les scans en activité, j'imagine. Ça a dû éveiller son attention.

— D'accord.

Il relança l'enregistrement. Le grain de la résolution devint un peu plus grossier, et il émit un petit soupir satisfait.

— Voilà qui est intéressant, dit-il comme si le reste ne l'était pas. Une émission de radiations quelconques. Elle a créé des interférences dans tous les systèmes télescopiques à l'exception d'une installation strictement limitée à l'observation du spectre visible, sur Luna. Le phénomène n'a duré que dix secondes. Le jaillissement de micro-ondes qui a suivi est une réaction normale du scanning actif.

Vous paraissez déçu, faillit remarquer Avasarala, mais l'excitation morbide liée à ce qui allait suivre l'en empêcha. L'*Arboghast*, avec cinq cent soixante-douze âmes à son bord, se délita dans un nuage. Les plaques de la coque se détachèrent par rangées bien ordonnées. Les éléments de l'infrastructure et les ponts se désolidarisèrent. Les compartiments moteur s'éloignèrent les uns des autres. Dans l'image devant elle, tout l'équipage se trouvait subitement exposé au vide spatial. À cet instant précis, tous ces gens mouraient, mais ils n'étaient pas encore morts. C'était comme regarder l'animation d'un plan de construction : les quartiers de l'équipage ici, la section des machines là, les plaques entourant le propulseur qui s'écartaient… Tout cela rendait le phénomène encore plus monstrueux.

— Et là, c'est particulièrement intéressant, dit Michael-Jon en figeant l'enregistrement. Observez ce qui se passe quand nous poussons l'agrandissement.

Ne me les montrez pas, voulut répondre Avasarala. *Je ne veux pas les voir mourir.*

La vue sur laquelle il zooma n'était pas celle d'un être humain, mais un ensemble complexe de conduites entremêlées. Il avança lentement, image par image, et la définition devint plus floue.

— Ça prend feu ? demanda-t-elle.

— Quoi ? Oh, non, non. Attendez, je vais nous rapprocher.

L'image parut à nouveau bondir en avant. Le flou n'était qu'une illusion créée par une foule de petites pièces de métal : boulons, écrous, connecteurs, joints toriques. Elle plissa les yeux pour mieux voir. Ce n'était pas non plus un nuage. Plutôt comme de la limaille de fer sous l'influence d'un aimant, chaque pièce minuscule alignée devant ou derrière les autres.

— L'*Arboghast* n'a pas été déchiqueté, soliloqua Michael-Jon. Il a été désassemblé. On dirait qu'il y a eu une quinzaine de vagues distinctes, chacune défaisant un autre niveau de l'ensemble. Le tout a complètement dépouillé le vaisseau, jusqu'à la dernière vis.

Avasarala inspira lentement, expira de même, recommença, encore et encore, jusqu'à ce que le son de l'air devienne doux, quand la peur et l'incrédulité eurent assez diminué pour qu'elle puisse les chasser à l'arrière de son esprit.

— Qu'est-ce qui fait ça ? demanda-t-elle enfin.

La question était de pure forme. Il n'y avait aucune réponse, bien entendu. Aucune force connue de l'humanité ne pouvait provoquer ce dont elle venait d'être témoin. Son ami ne le comprit pas ainsi.

— Les étudiants en fin de cycle connaissent ça, dit-il avec ce qui ressemblait presque à de l'enthousiasme. Mon épreuve finale en dessin industriel était très comparable à ça. Ils nous ont tous donné des machines, et nous avons dû les démonter et trouver à quoi elles servaient. On gagnait des points si on remettait un schéma d'amélioration de l'ensemble.

Un moment plus tard et d'un ton mélancolique, il ajouta :

— Ensuite il fallait assembler le tout de nouveau, bien sûr.

Sur l'écran, la rigidité et l'ordre des pièces de métal en suspension se désagrégea. Boulons et poutrelles, larges plaques en céramique et joints se mirent à dériver suivant des trajectoires chaotiques quand ce qui les maintenait ensemble cessa d'agir. Soixante-dix secondes entre le début du phénomène et sa fin. Un peu plus d'une minute, et pas un tir de riposte. Parce qu'il n'y avait rien de précis à prendre pour cible.

— L'équipage ?

— Ça a mis en pièces les combinaisons. Cette chose n'a pas pris la peine de toucher aux corps. Peut-être les a-t-elle considérés comme des unités logiques, ou bien elle savait déjà tout de l'anatomie humaine.

— Qui a vu ce document ?

Il eut un petit rictus d'étonnement, qui se transforma en moue.

— *Ce* document, ou une version de *ce* document ? Nous sommes les seuls à disposer tous les deux d'une telle qualité de définition, mais cette affaire concerne Vénus. Tous ceux qui regardaient ont vu. On n'est pas dans le secret d'un labo.

Elle ferma les yeux, se pinça l'arête du nez entre le pouce et l'index comme si elle luttait contre un début de migraine pendant qu'elle s'efforçait de garder son masque en place. Mieux valait sembler avoir mal. Mieux valait paraître impatiente. La peur l'ébranlait avec la brutalité d'une attaque, comme quelque chose arrivant à quelqu'un d'autre. Les larmes montèrent à ses yeux, et elle se mordit la lèvre inférieure pour mieux les refouler. Elle afficha le localisateur sur son terminal. Nguyen ? Hors de question, même s'il était assez proche pour discuter. Nettleford fonçait vers la station Cérès avec une dizaine de vaisseaux, et elle n'était pas entièrement certaine de lui. Souther.

— Vous pouvez envoyer une version de ce document à l'amiral Souther ?

— Oh, non. Ce doc n'a pas reçu l'autorisation de diffusion.

Avasarala posa sur lui un regard vide.

— Vous l'autorisez à la diffusion ? s'enquit Michael-Jon.

— J'autorise sa transmission à l'amiral Souther. Envoyez-le immédiatement, je vous prie.

Avec un petit hochement de tête il tapota avec la pointe de ses deux auriculaires. Avasarala sortit son propre terminal et adressa ce simple message à Souther : VISIONNEZ ET APPELEZ-MOI. Quand elle se mit debout, ses jambes étaient douloureuses.

— C'était un plaisir de vous revoir, dit Michael-Jon sans la regarder. Nous devrions dîner ensemble, un de ces soirs.

— Faisons donc ça, approuva-t-elle, et elle partit.

Il faisait froid dans les toilettes pour dames. Elle s'immobilisa devant le lavabo, mains posées à plat sur le granite. Elle n'était pas habituée à se sentir impressionnée, ou effrayée. Toute son existence avait été un combat constant pour maîtriser la situation, en convainquant, en menaçant ou en charmant quiconque devait l'être afin que les choses aillent dans la direction qu'elle préférait. Les rares fois où l'univers implacable avait prévalu sur sa volonté la hanteraient à jamais : un séisme au Bengale, quand elle n'était encore qu'une enfant, une tempête en Égypte qui les avait coincés pendant quatre jours dans leur hôtel, avec Arjun, alors que les vivres manquaient, la mort de leur fils. Chacun de ces événements avait retourné contre elle sa prétention affichée d'assurance et de fierté, pour la laisser recroquevillée au fond de son lit, chaque nuit pendant les semaines suivantes, les doigts crispés telles des serres, ses rêves gangrenés de cauchemars.

Cette fois, c'était pire. Auparavant elle pouvait se consoler avec l'idée que l'univers était dépourvu de toute intention, se raisonner en se disant que tous ces événements terribles n'étaient que les fruits accidentels de paramètres aléatoires et de forces aveugles. La fin de l'*Arboghast* ne correspondait pas du tout à cette théorie. Elle était intentionnelle et inhumaine. C'était comme regarder Dieu en face et ne déceler aucune trace de compassion sur son visage.

En frissonnant, elle prit son terminal. Arjun répondit presque immédiatement. D'après la crispation de sa mâchoire et la douceur de son regard, elle devina qu'il avait vu une version du drame. Et que ses pensées n'avaient pas été pour le destin de l'humanité, mais pour elle. Elle essaya de sourire, mais c'était trop dur. Les larmes coulèrent sur ses joues. Il laissa échapper un sourire compréhensif et baissa les yeux.

— Je t'aime énormément, dit-elle. Le fait de te connaître me permet de supporter l'insupportable.

Il sourit encore, et les rides qui apparurent lui allaient bien. Avec l'âge, il devenait encore plus séduisant. Comme si le garçon au visage trop rond et au sérieux presque comique qui se glissait par sa fenêtre pour lui lire des poèmes en pleine nuit n'avait attendu que de devenir l'homme d'aujourd'hui.

— Je t'aime, je t'ai toujours aimée, et si nous ressuscitons je t'aimerai dans cette nouvelle vie.

Avasarala laissa échapper un unique sanglot, essuya ses yeux d'un revers de main et hocha la tête.

— Tout va bien, alors, dit-elle.

— Tu retournes au travail ?

— Je retourne au travail. Il se peut que je rentre tard.

— Je serai là. Tu peux me réveiller.

Ils restèrent silencieux un moment, puis elle mit fin à la communication. L'amiral Souther n'avait pas appelé. Errinwright n'avait pas appelé. L'esprit d'Avasarala bondissait de tous côtés comme un chien affolé attaquant un transport de troupes. Elle se mit debout, s'obligea à poser un pied devant l'autre. Le simple acte physique de la marche parut lui éclaircir les idées. Les chariots électriques légers attendaient de la ramener à son bureau, mais elle les négligea et quand elle arriva à destination elle avait presque recouvré son calme.

Bobbie était assise à son poste, courbée sur sa tâche, et par contraste avec la taille impressionnante de la femme le meuble semblait sorti d'une salle de classe de primaire. Soren était ailleurs, ce qui convenait très bien. Il n'avait pas bénéficié d'une véritable formation militaire. Avasarala s'assit sur le coin du bureau de son assistant.

— Alors, disons que vous vous retrouvez dans une position retranchée, avec une menace très sérieuse qui vous arrive dessus, d'accord ? Disons que vous êtes sur une lune, et qu'un troisième camp a lancé une comète sur vous. Menace très sérieuse. Vous comprenez ?

Bobbie la dévisagea une seconde, perplexe, puis accepta le jeu avec un haussement d'épaules.

— D'accord, lâcha-t-elle.

— Alors pourquoi choisir d'engager le combat avec vos voisins ? Simplement parce que vous êtes effrayée, et que vous voulez réagir ? Est-ce que vous pensez que les salopards du camp d'en face sont responsables de ce gros caillou qui va vous tomber dessus ? Vous êtes stupide à ce point ?

— On parle de Vénus et des affrontements dans le système jovien, là, décrypta Bobbie.

— La métaphore est transparente, je le reconnais, dit Avasarala. Alors, pourquoi agissez-vous de cette façon ?

Bobbie se renversa contre le dossier de sa chaise, et le plastique émit un craquement sous le déplacement de poids. Elle plissa les yeux, ouvrit la bouche, la referma en fronçant les sourcils, et se lança enfin :

— Je raffermis ma position. Si j'utilise mes ressources pour arrêter cette comète, dès que la menace n'existera plus je perdrai la partie. L'autre camp me tombera dessus alors que j'ai le pantalon sur les chevilles. Boum. Si je lui botte le cul la première, quand ce sera fini avec la comète, je gagnerai la partie.

— Mais si vous coopérez…

— Alors il faut faire confiance à l'autre, remarqua Bobbie, manifestement sceptique.

— Il y a un million de tonnes de glace qui va vous tuer tous les deux. Pourquoi diable ne feriez-vous pas confiance à l'autre ?

— Tout dépend. L'autre, c'est un Terrien ? Nous avons deux puissances militaires majeures dans le système, plus ce que les Ceinturiens peuvent bricoler. Ce qui nous fait trois camps, avec une histoire commune compliquée. Quand ce qui doit se passer sur Vénus arrivera, quoi que ce soit, quelqu'un voudra avoir déjà toutes les cartes en mains.

— Et si les deux camps – la Terre et Mars – font ce même calcul, nous allons dépenser toute notre énergie à nous préparer pour la guerre après celle-là.

— Exact, dit Bobbie. Eh oui, c'est comme ça que nous perdrons tous ensemble.

24
PRAX

Prax était assis dans sa cabine. Pour un endroit où dormir, à bord d'un vaisseau, elle était grande. Spacieuse, même, quoique sa superficie totale soit inférieure à celle de sa chambre sur Ganymède. Il était installé sur le matelas empli de gel contre lequel l'accroissement de la gravité le pressait et lui donnait l'impression que ses bras et ses jambes pesaient plus qu'en réalité. Il se demanda si cette sensation de se sentir soudain plus lourd – en particulier le changement discontinu lors des voyages spatiaux – déclenchait une réaction pareille à celle entraînée par la fatigue. Le sentiment d'être tiré vers le sol ou le lit ressemblait beaucoup aux symptômes d'une extrême lassitude physique, et on pouvait facilement penser que dormir un peu y remédierait, arrangerait les choses.

— Ta fille est probablement morte, dit-il à voix haute.

Il guetta la réaction de son corps.

— Ta fille est probablement morte.

Cette fois il ne se mit pas à pleurer, ce qui était signe d'amélioration.

Ganymède était à un jour et demi derrière lui et déjà trop petite pour être repérée à l'œil nu. Jupiter avait la forme d'un disque terne, de la taille d'un ongle d'auriculaire, qu'éclairait la lumière d'un soleil à peine plus impressionnant qu'une étoile très brillante. Sur un plan intellectuel, il savait qu'ils se dirigeaient vers le soleil puisqu'ils sortaient du système jovien en direction de la Ceinture.

Dans une semaine le soleil aurait près de deux fois sa taille actuelle, et il serait toujours insignifiant. Dans le contexte d'une telle immensité, avec des distances et des vitesses aussi supérieures à tout ce qui avait un sens d'après l'expérience humaine, il semblait que rien ne devait avoir d'importance. Il aurait dû accepter le fait qu'il n'était pas présent quand Dieu avait créé les montagnes, que ce soient celles de la Terre ou celles de Ganymède, ou quelque part encore plus loin dans ces ténèbres infinies. Il se trouvait dans une minuscule boîte en métal et en céramique qui transformait la matière en énergie afin de lancer une demi-douzaine de primates à travers un vide plus vaste que des millions d'océans. En comparaison, comment quoi que ce soit pouvait avoir de l'importance ?

— Ta fille est probablement morte, dit-il encore.

Cette fois les mots calèrent dans sa gorge et commencèrent à l'étouffer.

C'était à cause de cette sensation d'être subitement en sécurité, se dit-il. Sur Ganymède, il avait eu la peur pour l'engourdir. La peur, la malnutrition, la routine qu'il s'était imposée et la possibilité de se mettre en mouvement à tout instant, de faire quelque chose, même si c'était totalement inutile. Aller relire les panneaux d'affichage, faire la queue dans la file d'attente du poste de sécurité, courir dans les couloirs et compter les nouveaux impacts de balle dans leurs murs.

À bord du *Rossinante*, il avait dû ralentir. S'arrêter. Il n'y avait rien à faire pour lui ici, sinon attendre que se termine la longue plongée vers la station Tycho. Il n'avait rien pour se distraire. Pas de station – même mourante – où errer. Seulement la cabine qu'on lui avait attribuée, son terminal, quelques combinaisons trop grandes pour lui d'une demi-taille. Une petite pochette contenant les articles de toilette basiques. C'était tout ce qui lui restait. Et assez de nourriture et d'eau potable pour que son cerveau se remette à fonctionner.

À chaque heure qui passait, il avait l'impression de se réveiller un peu plus. Il ne se rendait compte de ce que son corps et son esprit avaient subi que depuis qu'il allait mieux. Chaque fois il croyait être revenu à la normale, et peu après il découvrait que non, il n'avait pas totalement récupéré.

Aussi avait-il entrepris de s'explorer, en sondant la blessure qui béait au centre de son univers personnel, un peu comme on presse le bout de la langue dans le creux laissé à la gencive par une dent arrachée.

— Ta fille, dit-il à travers les larmes, est probablement morte. Mais si elle n'est pas morte, tu dois la trouver.

Cela lui parut mieux. Ou, si ce n'était pas mieux, au moins plus juste. Il se pencha en avant, mains crispées l'une sur l'autre, et y appuya son menton. Prudemment, il repensa au cadavre de Katoa gisant sur sa table. Quand son esprit se rebella et voulut passer à autre chose, n'importe quoi d'autre, il le fit revenir à cette image et substitua Mei au garçonnet. Paisible, inerte, morte. Le chagrin monta d'un endroit situé juste au-dessus de son estomac, et il assista au phénomène comme si celui-ci se produisait hors de son corps.

Durant ses études, il avait collecté des données pour une étude sur le *Pinus contorta*. De toutes les variétés de pins croissant sur Terre, le pin de Murray s'était révélé le plus robuste dans un environnement à gravité restreinte. Sa tâche avait consisté à ramasser les cônes tombés et à les brûler pour récupérer les graines. Dans la nature, cette espèce de pin ne géminait pas sans feu : la résine contenue dans ses cônes attisait les flammes, même si cela signifiait la mort de l'arbre parental. Pour que tout aille mieux, il fallait que tout aille plus mal. Pour survivre, cette espèce végétale devait étreindre ce à quoi elle ne pouvait survivre.

Il comprenait très bien ce mécanisme.

— Mei est morte, dit-il. Tu l'as perdue.

Il n'avait pas à attendre que cette idée cesse de le faire souffrir. Elle ne cesserait jamais de le faire souffrir. Mais il ne pouvait pas la laisser se développer au point de se laisser submerger. Il avait l'impression de s'infliger un dommage spirituel permanent, mais c'était la stratégie qu'il avait adoptée. Et de ce qu'il pouvait voir, elle paraissait porter ses fruits.

Son terminal sonna. Sa séance de deux heures venait de s'achever. Il essuya ses larmes avec le dos de sa main, prit une profonde inspiration, vida ses poumons et se leva. Deux heures, deux fois par jour, soit assez de temps dans les flammes pour qu'il reste compact, dur, dans ce nouvel environnement avec moins de liberté et plus de calories. Assez pour qu'il demeure fonctionnel. Il se lava le visage dans la salle d'eau commune et se dirigea vers la coquerie.

Le pilote – Alex, c'était son prénom – se tenait à côté de la machine à café et discutait par l'intermédiaire de l'unité comm encastrée dans la cloison. Il avait la peau plus sombre que Prax, la chevelure noire qui commençait à se raréfier et à se marquer de gris. Il s'exprimait avec cet étrange accent traînant qu'affectaient certains Martiens.

— J'ai huit pour cent, et ça baisse.

Son interlocuteur poussa joyeusement une exclamation obscène. Amos.

— Je te le répète, le joint est fendu, insista Alex.

— Je suis allé voir deux fois déjà, répondit le mécanicien.

Le pilote ôta un mug décoré du mot *Tachi* de sous le bec verseur du percolateur.

— La troisième fois sera la bonne.

— Ça va, attends.

Alex but une longue gorgée de café, eut un claquement de langue appréciateur et, remarquant la présence de Prax, le salua d'un petit mouvement de tête.

— On se sent mieux ? demanda-t-il.

— Oui. Enfin, je crois. Je ne sais pas trop.

Le pilote alla s'asseoir à une des tables. La pièce avait été conçue dans un souci d'efficacité militaire, toute en courbes douces et angles arrondis pour minimiser les chocs si quelqu'un s'y faisait surprendre par un impact ou une manœuvre brusque. On avait désactivé l'écran de contrôle affichant l'inventaire des denrées disponibles par interface biométrique. Un vaisseau offrant un haut niveau de sécurité, qu'on négligeait un peu. Le nom ROSSINANTE s'étalait sur la cloison en lettres aussi larges que la main du botaniste, et quelqu'un y avait ajouté au crayon un bouquet de narcisses. Le dessin semblait tout à fait déplacé et en même temps parfaitement à sa place. Quand il y réfléchissait, tout à bord paraissait faire écho à ce paradoxe apparent. L'équipage, par exemple.

— Vous êtes bien installé ? Besoin de quelque chose ?

— Tout va bien, répondit Prax. Merci.

— Ils nous ont pas mal cabossés quand nous sommes partis. J'ai traversé quelques mauvais moments, mais c'est derrière nous.

Prax acquiesça et prit un sachet alimentaire au distributeur. C'était une pâte granuleuse à base de blé et de miel, de texture douce et dense, avec un arrière-goût de raisins secs. Il s'attabla machinalement, et le pilote sembla prendre cette attitude pour une invite à poursuivre la conversation.

— Combien de temps êtes-vous resté sur Ganymède ?

— La majeure partie de mon existence, répondit le petit homme. Ma famille est partie alors que ma mère était enceinte. Ils ont d'abord travaillé sur la Terre et Luna, où ils ont économisé pour aller s'installer sur les planètes extérieures. Ils ont eu une affectation assez brève sur Callisto, avant.

— Les Ceinturiens ?

— Pas exactement. Ils ont appris que les contrats étaient plus intéressants au-delà de la Ceinture. C'était complètement dans l'optique "bâtissez un avenir meilleur pour votre famille". Le rêve de mon père, en fait.

Alex but un peu de café.

— Et donc, ce prénom, Praxidike ? C'est d'après la lune ?

— Oui. Ils ont été un peu ennuyés quand ils se sont rendu compte que c'était féminin, le nom d'une déesse grecque. Mais personnellement ça ne m'a jamais dérangé. Ma femme, ou plutôt mon ex-femme, le trouvait très joli. D'ailleurs c'est sans doute à cause de lui qu'elle m'a remarqué, au départ. Pas facile de se singulariser, et sur Ganymède vous ne pouvez pas faire trois pas sans croiser un titulaire de doctorat. Enfin si, vous pouvez sûrement.

Le silence ensuite fut juste assez long pour que Prax devine ce qui allait suivre et s'y prépare.

— J'ai appris que votre fille était portée disparue, dit Alex. J'en suis désolé.

— Elle est probablement morte, récita Prax exactement comme il s'était entraîné à le faire.

— Ça a un rapport avec ce labo que vous avez découvert en bas, non ?

— Je pense que oui. Ça doit être ça. Ils l'ont enlevée juste avant les premiers incidents. Elle et plusieurs autres de son groupe.

— Son groupe ?

— Elle souffre d'immunosénescence prématurée. Depuis la naissance.

— Ma sœur a eu la maladie des os de verre. Dur. C'est pour cette raison qu'ils l'ont enlevée ?

— Je suppose que oui. Pour quelle autre raison kidnapper une enfant comme ça ?

— Travail comme esclave, ou commerce sexuel, dit Alex à mi-voix. Mais je ne vois pas pourquoi on choisirait des enfants qui ont des problèmes de santé. C'est vrai, vous avez vu la protomolécule en bas ?

— Il semblerait, dit Prax.

Sa pochette alimentaire commençait à refroidir dans sa main. Il savait qu'il aurait dû manger plus, et il en avait envie car le goût en était très bon, mais une pensée le troublait. Il l'avait déjà décortiquée, quand il était distrait et affamé. Maintenant qu'il était à bord de ce cercueil civilisé fonçant dans le vide, ces vieilles interrogations recommençaient à s'entremêler dans son esprit. "Ils" avaient ciblé spécifiquement les enfants appartenant au même groupe que Mei. Des enfants souffrant de déficiences du système immunitaire. Et ils travaillaient sur la protomolécule.

— Le capitaine était sur Éros, dit Alex.

— Ça a dû être une grande perte pour lui quand c'est arrivé, répondit le botaniste pour alimenter la conversation.

— Non, je ne veux pas dire qu'il vivait là : il se trouvait sur la station quand c'est arrivé. Nous étions tous là, mais c'est lui qui y est resté le plus longtemps. En fait, il a vu comment tout a commencé. Les premiers infectés. Tout ça.

— Vraiment ?

— Ça l'a changé, au moins en partie. Je volais déjà avec lui quand nous nous traînions avec ce vieux transport de glace entre Saturne et la Ceinture. Il ne m'appréciait pas trop, à l'époque, je crois. Aujourd'hui, c'est comme si nous formions une famille. On a connu de foutus moments ensemble.

Prax aspira longuement sur l'embout de sa pochette alimentaire. Refroidie, la pâte avait moins le goût de blé et plus celui de miel et de raisin. Ce n'était pas aussi bon. Il se remémora l'expression de peur sur le visage d'Holden lorsqu'ils avaient découvert les filaments noirs, les accents d'une panique difficilement contrôlée dans sa voix. Tous ces détails prenaient sens, à présent.

Et comme s'il avait été convoqué par cette pensée, le capitaine apparut sur le seuil de la coquerie, avec sous le bras un boîtier en aluminium dont la base était équipée de plaques électromagnétiques. Un casier personnel conçu pour rester en place même sous plusieurs g. Prax en avait déjà vu du même modèle, mais il n'avait jamais eu besoin d'en utiliser un. Jusqu'à maintenant, la gravité était pour lui une constante.

— Capitaine, dit Alex avec un salut rudimentaire, tout va bien ?

— J'apporte juste quelques petites choses à ma cabine, répondit Holden.

La tension dans sa voix était perceptible. Prax eut soudain la sensation d'être un intrus dans une situation d'ordre privé, mais pas plus Alex qu'Holden ne le lui confirmèrent par leur attitude. Le second repartit dans la coursive. Quand il fut assez loin pour ne pas entendre, le pilote soupira.

— Un problème ? demanda Prax.

— Mouais. Mais ne vous en faites pas, ça ne vous concerne pas. Un truc qui couve depuis un bout de temps.

— J'en suis désolé.

— Bah, ça devait arriver. Mieux vaut régler la chose, d'une façon ou d'une autre.

Il feignait la décontraction, mais l'anxiété était perceptible dans sa voix. Prax se rendit compte qu'il aimait bien cet homme. Le terminal mural tinta avant de transmettre le timbre d'Amos :

— Tu as quoi, maintenant ?

Alex approcha le terminal en déployant le bras articulé, et pianota sur l'écran avec les doigts d'une main pendant que l'autre tenait toujours son mug de café. L'appareil clignota, et les données se convertirent en graphiques et tables.

— Dix pour cent, lut le pilote. Non : douze. Ça augmente. Tu as trouvé quoi ?

— Un joint endommagé. Et ouais, t'es foutrement intelligent. On a autre chose ?

Alex consultait encore le terminal quand Holden revint dans la pièce, sans son casier cette fois.

— Le dispositif des senseurs bâbord a pris un coup. Les principaux ont l'air HS.

— D'accord, fit Amos. On va changer ces méchants garçons.

— Il y a peut-être une autre solution au problème, pour éviter de ramper sur l'extérieur d'un vaisseau en mouvement, remarqua Holden.

— Je peux effectuer cette réparation, cap, dit Amos.

Malgré la définition sonore assez relative du haut-parleur mural, on sentait bien l'indignation du mécano. Holden grimaça.

— Une petite glissade et l'échappement vous grillera et vous serez réduit à une poignée d'atomes éparpillés. Laissons les techniciens de Tycho s'en occuper. Alex, autre chose ?

— Un défaut mémoire dans le système de navigation. Sûrement un circuit cramé qui s'est mal régénéré, expliqua le pilote. La soute est toujours dans le vide. Le système radio est aussi mort qu'une momie, sans raison apparente. Les terminaux individuels sont muets. Et une des nacelles médicales débite des codes erronés, alors évitez de tomber malades.

Holden se dirigea vers la machine à café et choisit sa boisson. Son mug portait le mot *Tachi*, lui aussi. Prax se rendit subitement compte que tous ces récipients étaient frappés de cette mention, et il se demanda qui ou ce qu'était un Tachi.

— La soute a besoin d'une réparation externe ? demanda le capitaine sans se retourner.

— Aucune idée, répondit Alex. Laissez-moi le temps de vérifier.

Avec un petit soupir, Holden prit son café et passa la main sur les plaques en acier brossé du percolateur. Prax se racla la gorge.

— Excusez-moi, fit-il. Monsieur ? Je me disais, si vous réparez la radio ou qu'il y a un faisceau de ciblage libre, y aurait-il moyen que j'utilise un moment le système de communication ?

— Nous essayons plutôt de ne pas nous faire remarquer, actuellement, répondit le Terrien. Quel message voulez-vous envoyer ?

— J'ai besoin de faire quelques recherches. Les données disponibles sur Ganymède, quand ils ont enlevé Mei. Il y a des images de la femme qui était avec elle, et si je réussis à découvrir ce qui est arrivé au Dr Strickland… J'ai été sur un système bridé par la sécurité depuis le jour où elle a disparu. Même si ce ne sont que les réseaux et les bases de données publics, ce serait une bonne façon de commencer.

— Et c'est ça ou rester assis à vous morfondre en attendant d'arriver à Tycho, conclut Holden. D'accord. Je vais demander à Naomi de vous donner un accès au système du *Rossi*. J'ignore s'il y a quelque chose dans les fichiers de l'APE, mais vous feriez bien d'y jeter un œil également.

— Vraiment ?

— Bien sûr. Ils possèdent une base de données très correcte pour la reconnaissance faciale. C'est dans leur périmètre sécurisé, il est donc possible que vous ayez besoin d'un de nous pour formuler la demande.

— Et vous seriez d'accord ? Je ne voudrais pas vous créer des problèmes avec l'APE.

Le sourire du capitaine était chaleureux et détendu.

— Vous n'avez vraiment pas à vous inquiéter pour ça, dit-il. Alors, Alex, qu'est-ce qu'on a ?

— Apparemment, le sas de la soute ne ferme pas hermétiquement, ce que nous savions déjà. Possible qu'on ait essuyé un tir qui l'a perforé. Je vérifie les enregistrements vidéo… Une minute…

Holden changea de position pour regarder par-dessus l'épaule du pilote. Prax avala encore un peu de pâte nutritive avant de céder à la curiosité. Une image de la soute pas plus large que la paume du botaniste occupait un coin supérieur de l'écran. La majeure partie du chargement était calée sur des palettes électromagnétiques collées aux plaques les plus proches de la large porte, mais certaines s'étaient détachées des autres, et la gravité les maintenait sur le plancher. L'ensemble paraissait un peu surréaliste et évoquait un dessin d'Escher. Alex recalibra l'image et zooma sur la porte de la soute. Dans un coin, une large portion de la cloison était incurvée vers l'intérieur, et l'éclat du métal était visible là où le choc avait fendu les couches externes. Une pincée d'étoiles apparaissait par le trou.

— Bon, au moins ça n'a rien de subtil, commenta Alex.

— Qu'est-ce qui a frappé la coque ? demanda Holden.

— Sais pas, capitaine, répondit le pilote. Pas de trace de brûlure, pour autant que je puisse en juger. Mais un projectile magnétique n'aurait pas plié le métal de cette façon. Il aurait simplement laissé une perforation nette. Et la soute n'est pas percée des deux côtés.

Il poussa l'agrandissement pour mieux étudier les bords de la brèche. Effectivement, il n'y avait pas de marques de brûlure, mais de fines taches noires s'étalaient sur le métal de la porte et sur le pont. Prax fronça les sourcils. Il ouvrit la bouche pour dire quelque chose, la referma.

Holden exprima ce que le petit botaniste venait de penser :

— C'est bien la trace d'une main, là ? Alex ?

— Ça y ressemble, capitaine, mais…

— Écartez-vous. Montrez-nous le plancher.

Elle était petite. Discrète. Facile à ne pas détecter sur une image aussi réduite. Mais elle était bien là. La trace laissée par une main maculée d'une substance noire qui, Prax le soupçonnait fortement, était rouge à l'origine. Le dessin très reconnaissable de cinq doigts nus. Une longue traînée de ténèbres.

Le pilote la remonta.

— La soute baigne dans le vide total, c'est bien ça ? voulut savoir Holden.

— Depuis un jour et demi, confirma Alex.

La décontraction n'était plus de mise. Ils étaient tous très concentrés.

— Sur la droite, ordonna le capitaine.

— À vos ordres.

— C'est bon, stop. Qu'est-ce que c'est ?

Le corps était pelotonné en position fœtale, à l'exception des mains dont les paumes se pressaient contre la cloison. Il demeurait parfaitement immobile, comme s'il était soumis à plusieurs g et qu'il était comprimé contre le pont, écrasé par son propre poids. La chair était noir anthracite et rouge sang. Prax n'aurait pu dire s'il s'agissait d'un homme ou d'une femme.

— Alex, nous aurions un passager clandestin ?

— En tout cas je suis certain qu'il ne figure pas sur le manifeste de chargement.

— Et il se serait frayé un chemin à bord avec ses seules mains nues ?

— On dirait que c'est peut-être ça, monsieur.

— Amos ? Naomi ?

— Je regarde ça, moi aussi, dit la voix de la jeune femme par le terminal un moment avant le sifflement bas d'Amos.

Prax repensa à ces bruits mystérieux de violence dans le labo, aux cadavres des gardes qu'ils n'avaient pas combattus, au cube de verre éventré, avec ses filaments noirs. Ils avaient là le sujet de l'expérience qui s'était échappé du labo. Il s'était enfui sur la surface gelée et morte de Ganymède, et avait attendu là de trouver un moyen pour quitter la lune. Prax sentit la chair de poule qui remontait le long de ses bras.

— D'accord, souffla Holden. Mais c'est mort, n'est-ce pas ?

— Je ne le pense pas, répondit Naomi.

25

BOBBIE

Le terminal personnel de Bobbie remplit son rôle et sonna le réveil militaire à quatre heures trente, heure locale. Ce qui aurait fait jurer ses camarades et elle-même, quand elle était Marine et qu'elle avait encore des camarades avec qui jurer. Elle avait laissé son terminal dans le salon, sur le sol, à côté du fin matelas déroulé qui lui servait de lit, avec le volume réglé assez haut pour que ses oreilles carillonnent, du moins si elle s'était trouvée dans la même pièce. Mais elle était déjà levée depuis une heure. Dans la salle de bains minuscule, le bruit n'était plus qu'une nuisance qui résonnait dans tout le petit appartement. Ses échos lui rappelèrent qu'elle n'avait quasiment pas de mobilier, et rien aux murs.

Aucune importance. Elle ne recevrait jamais personne ici.

Ce réveil militaire était une petite plaisanterie vacharde que Bobbie se faisait à elle-même. L'armée martienne s'était constituée des siècles après qu'on avait cessé d'utiliser trompettes et tambours pour transmettre des informations aux troupes, et les Martiens ne connaissaient pas la nostalgie qu'éprouvaient les soldats des Nations unies pour de telles choses. La première fois que Bobbie avait entendu ce type de sonnerie, c'était alors qu'elle regardait une vidéo sur l'histoire militaire. Elle avait eu la satisfaction de constater que si l'équivalent martien était irritant, avec ses bêlements électroniques atonaux, il ne le serait jamais autant que le tintamarre par lequel on réveillait les gars de la Terre.

Mais à présent elle n'appartenait plus au Corps des Marines de Mars.

— Je n'ai pas trahi, dit-elle au miroir.

La Bobbie du reflet ne parut pas convaincue.

Après la troisième sonnerie de trompette, son terminal lâcha un bip et se réfugia dans un silence maussade. Elle tenait la brosse à dents dans sa main depuis une demi-heure. La pâte dentifrice commençait à durcir sur sa surface. Elle la passa sous l'eau chaude pour la ramollir et se mit à se brosser les dents.

— Je n'ai pas trahi, soliloqua-t-elle, la brosse rendant les mots inintelligibles. Non.

Pas même alors qu'elle était là, dans la salle de bains de cet appartement fourni par les Nations unies, à se brosser les dents avec du dentifrice des Nations unies et à rincer le lavabo avec de l'eau fournie par les Nations unies. Pas alors qu'elle serrait entre ses doigts une bonne vieille brosse martienne et qu'elle frottait jusqu'à faire saigner ses gencives.

— Non, je n'ai pas trahi, dit-elle encore, et elle défia son reflet de la contredire.

Elle rangea la brosse dans sa petite poche de toilette, rapporta le tout dans le salon et le coinça dans son duvet. Tout ce qu'elle possédait était rassemblé dans ce duvet. Il faudrait qu'elle lève très vite le camp quand les siens la rappelleraient. Et ils allaient le faire. Elle recevrait un message prioritaire sur son terminal, encadré par le liseré rouge et gris clignotant du commandement militaire martien. Ils lui diraient qu'elle devait rejoindre son unité sur-le-champ. Qu'elle était toujours des leurs.

Qu'elle n'avait pas trahi en survivant.

Elle lissa son uniforme, empocha le terminal maintenant silencieux et vérifia sa coiffure dans le miroir fixé à côté de la porte. Son chignon était si compact qu'il faisait presque l'effet d'un lifting. Pas un cheveu ne dépassait.

— Je n'ai pas trahi, déclara-t-elle au miroir.

Celui-ci paraissait plus ouvert à cette idée que son alter ego de la salle de bains.

— Absolument pas, ajouta-t-elle avant de sortir en claquant la porte derrière elle.

Une des petites bicyclettes disponibles partout dans le complexe lui permit de pousser la porte du bureau trois minutes avant cinq heures. Soren était déjà là. Quelle que soit l'heure à laquelle elle venait, il était toujours à son poste avant elle. Soit il dormait sur place, soit il l'espionnait pour savoir à quelle heure elle réglait son réveil pour le lendemain.

— Bobbie, dit-il en guise de salut, avec un sourire fugace qui ne cherchait même pas à sembler sincère.

Elle ne put se résoudre à lui répondre, aussi hocha-t-elle simplement la tête avant de s'écrouler sur son siège. Un coup d'œil aux fenêtres enténébrées du bureau d'Avasarala lui apprit que la vieille dame n'était pas encore arrivée. Elle afficha la liste de ses tâches sur l'écran encastré.

— Elle m'a fait ajouter un tas de gens, dit Soren en référence aux personnes que Bobbie était supposée contacter en sa qualité d'officier de liaison mandaté par les forces armées martiennes. Elle tient absolument à mettre la main sur la première mouture de la déclaration martienne concernant Ganymède. C'est votre mission prioritaire de la journée. Bien compris ?

— Pourquoi ? répliqua-t-elle. La déclaration a été diffusée hier. Nous l'avons lue tous les deux.

Il poussa un soupir, comme s'il était las de devoir tout lui expliquer, mais le sourire qui l'accompagnait démentait cette interprétation.

— Voyons, Bobbie. C'est comme ça qu'on joue à ce jeu. Mars fait une déclaration qui condamne nos agissements. Nous nous débrouillons pour dénicher une des premières versions de cette déclaration. Si celle que nous trouvons est plus dure que celle diffusée, alors quelqu'un du corps diplomatique a fait en sorte de l'adoucir. Ce qui signifie qu'ils veulent éviter l'escalade. Si la déclaration était plus conciliante à l'origine, alors ils vont délibérément vers l'escalade, pour provoquer une réaction de notre part.

— Mais puisqu'ils savent que vous allez vous procurer ces premières moutures, tout ça ne signifie rien. Ils vont faire en sorte de vous laisser avoir les fuites qui vous donneront l'impression qu'ils souhaitent que vous ayez.

— Ah, vous commencez à comprendre, dit Soren. Ce que votre adversaire souhaite que vous pensiez constitue une information très utile pour déterminer ce qu'il pense réellement. Alors dénichez cette première mouture, d'accord ? Et faites-le avant la fin de la journée.

Mais personne ne veut plus me parler parce que je suis la Martienne apprivoisée par les Nations unies, et même si je n'ai pas trahi il est très possible que tout le monde pense le contraire.

— D'accord.

Elle afficha la liste de noms augmentée et établit sa première demande de connexion du jour.

— Bobbie ! lança Avasarala depuis son bureau.

Tous les moyens électroniques d'obtenir son attention étaient disponibles, mais la jeune femme n'avait presque jamais vu la vieille dame y recourir. Elle ôta son oreillette et se leva. La grimace railleuse que lui adressa Soren était du type psychique : pas un trait de son visage ne changea.

— Madame ? dit Bobbie en avançant d'un pas dans le bureau de sa supérieure. Vous avez crié ?

— Personne n'aime les gros malins, grommela Avasarala sans lever le nez du terminal encastré devant elle.

Où est ma version initiale de ce rapport ? C'est presque l'heure du déjeuner.

Bobbie se redressa un peu et joignit les mains dans son dos.

— Madame, j'ai le regret de vous informer que je n'ai trouvé personne qui accepte de me communiquer une des premières versions de ce rapport.

Avasarala leva enfin les yeux vers elle.

— Vous êtes au garde-à-vous ? Seigneur… Je ne vais pas vous envoyer devant le peloton d'exécution. Vous avez appelé tous les noms de la liste ?

— Oui, j'ai…

Elle se tut, inspira à fond et fit trois pas de plus dans la pièce.

— Personne n'a accepté de me parler, dit-elle d'un ton posé.

La vieille femme arqua un sourcil blanc comme neige.

— Intéressant.

— Ah oui ? fit Bobbie.

Avasarala lui sourit, et c'était un sourire franc, chaleureux, puis elle prit une théière en fer noire et emplit deux petites tasses.

— Asseyez-vous, dit-elle en désignant un des fauteuils disposés devant son bureau et, comme sa subordonnée restait debout : Sérieusement, asseyez-vous, bon sang. Cinq minutes à parler avec vous dans cette position et je ne peux plus rabaisser la tête pendant une heure.

Bobbie s'assit, hésita une seconde et prit une des tasses. Celle-ci n'avait pas une contenance très supérieure à un petit verre à alcool, et le thé très sombre qui l'emplissait dégageait une odeur déplaisante. Elle en but quelques gouttes et se brûla la pointe de la langue.

— C'est du lapsang souchong, précisa Avasarala. Mon mari l'achète pour moi. Qu'en pensez-vous ?

— J'en pense qu'il sent pareil que les pieds d'un clochard, répondit Bobbie.

— Sans blague ? Mais Arjun l'adore, et ce n'est pas si mauvais, une fois qu'on s'est habitué.

Bobbie acquiesça, but une petite gorgée mais s'abstint de tout commentaire.

— Bon, d'accord, fit Avasarala pour clore le sujet. Donc vous êtes la Martienne mécontente de son sort qui s'est laissé tenter de basculer dans l'autre camp par une vieille dame très puissante ayant un tas de cadeaux brillants à lui offrir. Dans la catégorie “traîtres”, vous appartenez à la pire espèce, parce qu'en fin de compte tout ce qui vous est arrivé depuis que vous avez débarqué sur Terre découle de votre tendance à la bouderie.

— Je…

— Fermez-la, maintenant, chérie, une grande personne est en train de parler.

Bobbie se tut et but encore un peu de ce thé atroce.

— Mais, poursuivit Avasarala avec toujours ce même sourire doux qui multipliait les rides de son visage, si j'étais de l'autre équipe, vous savez à qui j'enverrais des tuyaux foireux ?

— À moi ?

— À vous. Parce que vous cherchez désespérément à prouver votre valeur auprès de votre nouvelle patronne, et donc ils peuvent vous fournir des renseignements complètement faux sans se soucier de savoir que tout ça vous mettra dans la merde à plus ou moins longue échéance. Si j'étais un des crânes d'œuf du contre-espionnage martien, j'aurais déjà recruté un de vos plus proches amis là-bas, et je m'en servirais pour vous fourguer des montagnes d'informations erronées.

Mes plus proches amis sont tous morts, songea Bobbie.

— Mais personne ne…

— … ne vous parle plus là-bas. Ce qui signifie deux choses. Un, ils essaient toujours de comprendre à quoi je joue en vous gardant ici, et deux, ils n'ont pas mis en place une campagne de désinformation parce qu'ils sont dans le brouillard autant que nous. Vous serez contactée par quelqu'un, d'ici une semaine à peu près. On vous demandera de faire fuiter des informations glanées ici, mais on vous le demandera d'une façon qui reviendra à vous fournir en retour un tas de faux renseignements. Si vous vous montrez loyale et que vous espionnez pour eux, très bien. Si vous ne le faites pas et que vous me révélez ce qu'ils vous ont demandé, très bien aussi. Avec un peu de chance, ils pourront gagner sur les deux tableaux.

Bobbie reposa la tasse sur le bureau. Elle crispa les mains en deux poings.

— C'est pour ça que tout le monde déteste les politiciens, dit-elle.

— Faux. On nous déteste parce que nous détenons le pouvoir. Vous, ce n'est pas ainsi que votre esprit fonctionne, et je respecte ça. Je n'ai pas le temps de vous expliquer certaines choses, ajouta-t-elle, et son sourire disparut comme s'il n'avait jamais été là, alors partez simplement du principe que je sais ce que je fais, et que si j'exige de vous l'impossible c'est parce que même vos échecs finiront par aider notre cause.

— *Notre* cause ?

— Nous faisons partie de la même équipe, ici. L'équipe Ne-Perdons-Pas-Ensemble. C'est bien nous, non ?

Bobbie coula un regard rapide au bouddha dans son autel, qui lui souriait sereinement. *Un simple membre de l'équipe*, semblait dire son visage joufflu.

— Oui, dit-elle. C'est bien nous.

— Alors virez vos fesses d'ici et allez rappeler tout ce beau monde. Et cette fois, notez en détail qui refuse de vous aider et les termes exacts avec lesquels on vous le fait comprendre. D'accord ?

— Reçu cinq sur cinq, madame.

— Bien, dit Avasarala, et le sourire doux réapparut à ses lèvres. Sortez de mon bureau, maintenant.

La familiarité peut engendrer le mépris, mais Bobbie n'avait jamais beaucoup apprécié Soren. Après plusieurs jours passés en sa compagnie obligée, l'antipathie qu'elle éprouvait naturellement pour lui avait atteint un degré inédit. Quand il ne l'ignorait pas, il se montrait condescendant. Il parlait trop fort au terminal, même si elle s'efforçait de mener une conversation de son côté. Parfois il s'asseyait sur le coin de son bureau, pour bavarder avec des visiteurs. Et il abusait de l'eau de Cologne.

Le pire : il grignotait des biscuits à longueur de journée.

C'était impressionnant, au vu de son extrême minceur, et en règle générale Bobbie n'était pas du genre à se soucier des habitudes diététiques d'autrui. Mais il faisait provision de sa marque favorite au distributeur installé dans la salle de repos, et la machine proposait ces douceurs dans des paquets dont le papier aluminium crissait chaque fois qu'il plongeait la main dedans. Au début, ce n'était qu'un bruit anodin, un peu exaspérant. Mais après quelques journées entières à subir le Théâtre Sonore Criss, Crok, Crump et Smack, elle en eut soudain assez. Elle écourta son dernier appel inutile, se tourna et le fusilla du regard. Il fit mine de n'avoir rien remarqué et tapota sur le terminal de son bureau.

— Soren…

Elle voulait lui demander de déverser tous les biscuits de ce maudit paquet dans une assiette, ou sur une serviette en papier, afin qu'elle n'entende plus cet insupportable froissement d'emballage. Mais avant qu'elle ait pu prononcer plus que son nom il leva un doigt pour la faire taire et désigna son oreillette.

— Non, dit-il, ce n'est pas vraiment une bonne idée…

Bobbie ne savait pas trop s'il s'adressait à elle ou à son interlocuteur lointain. Elle se leva donc et alla s'asseoir sur le bord du bureau de Soren. Il lui lança un regard incendiaire, mais elle répondit d'un sourire aimable et articula silencieusement : "J'attendrai." Le rebord du meuble grinça un peu sous son poids.

Il fit pivoter son siège de façon à lui tourner le dos.

— Je comprends, dit-il. Mais le moment est mal choisi pour discuter de… je vois. Je pourrais certainement… Oui, je vois. Foster ne va pas… Oui. Oui, je comprends tout à fait. J'y serai.

Il se replaça face à elle et coupa la communication.

— Quoi ?

— Je déteste vos biscuits. Les crissements continuels de l'emballage vont me rendre folle.

— Les biscuits ? répéta-t-il, l'air complètement ahuri.

Elle songea que c'était peut-être la première émotion vraie qu'il laissait transparaître devant elle.

— Oui, vous pourriez les mettre dans une…

Elle n'eut pas le temps de terminer : il prit le paquet et le jeta dans le recycleur à côté de son bureau.

— Satisfaite ?

— Eh bien…

— Je n'ai pas de temps à vous consacrer maintenant, sergent.

— Très bien.

Elle retourna à sa place.

Il continuait de s'agiter comme s'il voulait ajouter quelque chose, et elle jugea préférable de ne pas appeler la personne suivante de sa liste. Elle attendrait qu'il parle. Cette histoire avec les gâteaux avait probablement constitué une erreur de sa part. En réalité, ce n'était vraiment pas grand-chose. Si elle n'avait pas été soumise à une telle pression, elle ne se serait sans doute pas focalisée sur ce genre de détails. Quand il se déciderait enfin à rompre le silence, elle lui présenterait ses excuses pour s'être comportée aussi agressivement, et ensuite elle lui offrirait un paquet de biscuits. Mais il se leva sans dire un mot.

— Soren, je…

Sans lui prêter la moindre attention, il déverrouilla un tiroir de son bureau et en sortit un petit objet en plastique noir. Probablement parce qu'elle venait de l'entendre prononcer le nom de Foster, Bobbie reconnut la clef mémoire qu'Avasarala avait confiée à l'assistant quelques jours plus tôt. Foster travaillant au service de traitement des données, elle en déduisit qu'en accomplissant cette petite tâche il se ménageait un répit de quelques minutes loin de ce bureau.

Jusqu'à ce qu'il se dirige vers les ascenseurs.

Au début de sa prise de fonctions, Bobbie avait été la personne à tout faire, et on l'avait chargée d'apporter certaines choses au service de traitement des données, ou au contraire d'aller y chercher un document quelconque. Elle savait donc que leurs bureaux étaient situés au même étage et dans la direction opposée à celle des ascenseurs.

— Hum…

Elle se sentait lasse. Elle était à moitié malade à cause de la culpabilité, et elle n'était même pas certaine des raisons pour lesquelles elle la ressentait. Et puis elle n'aimait pas cet homme. L'intuition qui s'imposa à son esprit résultait presque certainement de sa propre paranoïa et d'une vision confuse de la réalité.

Elle se leva et le suivit.

— C'est vraiment idiot, soliloqua-t-elle à voix basse.

Elle salua d'un sourire un jeune huissier qui la croisa d'un pas pressé. Elle mesurait plus de deux mètres sur une planète de nains. Jamais elle ne réussirait à se fondre dans le paysage.

Soren prit un ascenseur. Elle fit halte devant les portes qui avaient déjà coulissé et attendit. À travers les battants en aluminium et céramique, elle l'entendit demander à quelqu'un de presser la touche du rez-de-chaussée. Il descendait donc au niveau de la rue. Elle prit une autre cabine et fit de même.

Bien entendu il n'était visible nulle part quand elle sortit.

Une géante martienne courant à travers le hall d'entrée d'un complexe des Nations unies risquait d'attirer un peu trop l'attention, et elle renonça aussitôt à cette option. L'incertitude, la crainte de l'échec et un début de désespoir assaillirent les lisières de son esprit.

Elle devait oublier que c'était un immeuble de bureaux. Oublier qu'il n'y avait pas d'ennemis en armes, et que sa section n'était pas là, sur ses talons. *Oublie tout ça, et considère la logique de la situation sur le terrain. Pense tactique. Sois maligne.*

— Il faut que je sois maligne, marmonna-t-elle.

Une petite femme en rouge qui venait d'arriver devant l'ascenseur l'entendit et lui lança :

— Quoi ?

— Il faut que je sois maligne, lui répondit-elle. Je ne peux pas me lancer à moitié armée.

Même pas pour faire quelque chose d'aberrant et de stupide.

— Je… vois, dit la femme.

Elle se mit à écraser le bouton d'appel avec frénésie. Juste à côté du panneau de contrôle de l'ascenseur se trouvait un terminal public gratuit. Si vous ne pouvez pas localiser la cible, réduisez la liberté de mouvement de la cible. Faites en sorte qu'elle vienne à vous. Voilà. Bobbie enfonça la touche correspondant au comptoir de la réception. Un système automatisé et doté d'une voix aussi réaliste que sexuellement ambiguë demanda comment elle pouvait lui être utile.

— Veuillez contacter Soren Cottwald et lui dire qu'il est demandé au comptoir de la réception, dans le hall, répondit-elle.

À l'autre bout de la ligne, l'ordinateur la remercia d'avoir sollicité les services du système automatisé gratuit des Nations unies et mit fin à la communication.

Soren n'avait peut-être pas emporté son terminal, ou bien son appareil était réglé pour ne pas signaler les appels entrants. Ou bien il allait tout simplement ignorer celui-ci. Elle trouva une banquette offrant une vue dégagée sur la réception et déplaça un ficus en pot pour se dissimuler.

Deux minutes plus tard, Soren arriva en trottant au comptoir d'accueil, la chevelure plus ébouriffée qu'à l'accoutumée. Il devait déjà être sorti dans la rue quand il avait reçu le message. Il se mit à parler avec un des réceptionnistes humains. Bobbie se déplaça dans le hall pour rejoindre un petit kiosque proposant du café et de quoi grignoter, et se cacha de son mieux derrière. Après avoir interrogé son écran un moment, la réceptionniste indiqua le terminal près des ascenseurs. Soren se rembrunit, fit quelques pas dans cette direction, puis s'arrêta, regarda nerveusement autour de lui et repartit soudain vers la sortie.

Bobbie le suivit.

Dès qu'elle fut dehors, la taille de la Martienne fut à la fois son point fort et son point faible. Dominer la foule d'une tête et demie lui permettrait de rester à bonne distance de sa cible qui se hâtait sur le trottoir. Elle apercevait le sommet de son crâne à un demi-bloc d'immeubles d'elle. Dans le même temps, s'il se retournait il repérerait instantanément cette géante qui dépassait d'un bon tiers de mètre le commun des mortels.

Mais il ne regarda pas en arrière. En vérité, il paraissait très pressé et fendait les groupes de personnes encombrant les alentours du complexe des Nations unies avec une impatience manifeste. Il ne jeta pas un seul coup d'œil derrière lui, n'effectua aucun détour et ne ralentit pas en arrivant devant une surface réfléchissante.

Il avait montré de la nervosité en répondant à l'appel, et il fournissait maintenant des efforts visibles pour ne pas sembler irrité, malgré la colère qui bouillonnait en lui.

Il faisait contre mauvaise fortune bon cœur. Bobbie sentit ses muscles se détendre, ses articulations fonctionner avec plus de souplesse, et son intuition se rapprocher de la certitude.

Après trois blocs il bifurqua subitement et s'engouffra dans un bar.

Bobbie fit halte à quelques dizaines de mètres et étudia la situation. La façade de l'établissement, qui répondait au nom original de *Chez Pete*, était en verre fumé. Pour vous réfugier quelque part et voir si quelqu'un vous suivait, c'était l'endroit idéal. Peut-être était-il devenu malin.

Peut-être pas.

Elle approcha de la porte d'entrée. Si elle était surprise à le filer, les conséquences seraient négligeables. Il la détestait déjà. L'acte le plus éthiquement blâmable qu'elle commettait se limitait à quitter son poste en avance pour se rendre dans un bar du voisinage. Qui allait moucharder sur sa conduite ? Soren ? Le type qui avait lui aussi quitté son travail trop tôt et s'était rendu dans le même satané bar ?

S'il était bien à l'intérieur et ne faisait rien de plus répréhensible que savourer une bière, elle irait droit vers lui, s'excuserait pour cette histoire de gâteaux et lui offrirait un autre verre.

Elle poussa la porte et pénétra chez Pete.

Sa vision mit un moment pour s'adapter au changement subit entre l'après-midi ensoleillée au-dehors et la salle à l'éclairage tamisé. Elle distingua alors un long comptoir en bambou tenu par un barman humain, une demi-douzaine de box avec autant de consommateurs, et pas de Soren. L'air sentait la bière et le popcorn brûlé.

Les clients lui lancèrent un regard furtif avant de replonger le nez dans leur verre et continuer leurs conversations murmurées.

Soren était-il ressorti aussitôt par l'arrière pour la semer ? Elle ne croyait pas qu'il l'ait repérée, mais elle n'était pas vraiment entraînée à mener une filature. Elle allait demander au barman s'il avait vu un type traverser son établissement au pas de charge, et où ce type avait bien pu passer, quand elle remarqua la pancarte qui au fond de la salle indiquait TABLES DE BILLARD avec une flèche pointée sur la gauche.

Elle se rendit au fond de la salle, obliqua vers la gauche et découvrit une deuxième salle, plus petite, où se trouvaient quatre tables de billard et deux hommes. L'un était Soren.

Ils se tournèrent vers elle d'un même mouvement quand elle apparut sur le seuil de la pièce.

— Salut, dit-elle.

Soren lui souriait, mais il souriait toujours. Le sourire était pour lui un artifice protecteur. Un camouflage. L'autre individu était bâti en athlète, et il portait une tenue décontractée à l'excès qui semblait vouloir coller trop parfaitement à l'ambiance supposée d'une salle de billard un peu minable. Sa mise jurait avec une coupe de cheveux très militaire et la raideur de son port. Bobbie eut instantanément l'impression qu'elle avait déjà vu ce visage, mais dans un cadre très différent. Elle essaya de se le représenter en uniforme.

— Bobbie, fit Soren en lançant à son compagnon un regard furtif avant de détourner les yeux. Vous jouez ?

Il ramassa une queue de billard abandonnée sur une des tables et entreprit d'en enduire l'extrémité de craie. Bobbie ne lui fit pas remarquer qu'il n'y avait aucune bille sur aucune des tables, et qu'une pancarte juste derrière lui spécifiait : BILLES À LOUER – DEMANDER AU BAR.

L'autre ne dit rien mais glissa quelque chose dans sa poche. Entre ses doigts Bobbie eut le temps d'apercevoir un bout de plastique noir.

Elle sourit. Elle savait maintenant où elle avait déjà vu cet homme.

— Non, répondit-elle à Soren. Ce n'est pas un jeu très populaire, là d'où je viens.

— À cause de l'ardoise pour les tables, je suppose, rétorqua-t-il.

Son sourire devint un peu plus naturel, et beaucoup plus froid. Il souffla la poussière de craie sur le bout de la queue et fit un pas de côté, sur la gauche de la Martienne.

— Trop lourd pour les premiers vaisseaux de colons, ajouta-t-il.

— Ça se pourrait, dit Bobbie qui recula pour que l'encadrement de la porte protège ses flancs.

Le compagnon de Soren la dévisageait.

— Il y a un problème ? demanda-t-il.

Elle prit Soren de vitesse en répondant :

— À vous de me le dire. Vous étiez présent à la réunion tardive qui s'est tenue dans le bureau d'Avasarala quand la situation sur Ganymède a viré au bordel. Vous appartenez à l'état-major de Nguyen, n'est-ce pas ? Lieutenant Quelque Chose…

— Vous vous enfoncez, Bobbie, dit Soren.

Il tenait la queue de billard avec légèreté dans sa main droite.

— Et je sais que notre ami ici présent vous a remis quelque chose que sa patronne lui avait demandé de porter au service de traitement des données, il y a de ça quelques jours, continua-t-elle. Je parie que vous ne travaillez pas dans ce service. Je me trompe ?

Le subordonné de Nguyen fit un pas vers elle, l'air menaçant, et Soren s'écarta un peu plus sur la gauche.

Bobbie éclata de rire.

— Sérieusement, dit-elle en toisant Soren. Soit vous arrêtez de tripoter cette queue de billard, soit vous la rangez dans un endroit intime.

Il baissa les yeux sur la queue dans sa main, comme s'il était surpris de la voir là, et il la posa sur la table la plus proche.

— Quant à vous, dit Bobbie à l'adresse de l'autre, vous voir essayer de passer par cette porte sans l'ouvrir serait pour moi le meilleur moment du mois.

Sans déplacer les pieds elle fit passer son poids en avant et fléchit légèrement les coudes.

L'homme la considéra fixement, un long moment. Elle lui décocha un sourire en retour.

— Allez, fit-elle. Je vais finir par m'ankyloser si vous continuez à me taquiner comme ça.

Il leva les mains, dans un geste hésitant entre la garde de combat et un signe de reddition. Sans quitter la Martienne des yeux, il tourna juste un peu la tête vers Soren et dit :

— C'est votre problème. Débrouillez-vous avec.

Il recula au ralenti de deux pas, puis tourna les talons, traversa la pièce et sortit par un couloir que Bobbie ne pouvait voir d'où elle se trouvait. Une seconde plus tard, elle entendit une porte claquer.

— Merde, grogna-t-elle. Je suis sûre que j'aurais marqué plus de points auprès de la vieille si j'avais récupéré cette clef mémoire.

Soren se mit à glisser discrètement vers l'issue arrière. Elle couvrit la distance les séparant avec l'agilité d'un félin en chasse. Elle le saisit par le col de sa chemise et le souleva du sol jusqu'à ce que leurs nez se touchent presque. Pour la première fois depuis longtemps, elle sentait son corps déborder de vie et d'énergie.

— Qu'est-ce que vous allez faire ? demanda-t-il avec un sourire crispé. Me passer à tabac ?

— Nan, répondit-elle en adoptant l'accent traînant exagéré de Mariner Valley. Je vais te dénoncer, mon gars.

26

HOLDEN

Holden observait le monstre frémissant qui se recroquevillait contre la cloison de la soute. Sur l'écran de contrôle, il avait un aspect fragile, menu, décoloré, granuleux. Le capitaine se concentra sur sa respiration. *Inspire à fond, sans te presser, et remplis tes poumons au maximum. Ensuite expire lentement. Un temps d'arrêt. Recommence. Ne craque pas devant l'équipage.*

— Eh bien, voilà notre problème du moment, dit Alex après un moment.

Il essayait de plaisanter. Il venait de plaisanter. En temps normal, Holden aurait ri de son accent trop prononcé et du ton clairement comique. Alex pouvait être très drôle, avec un humour froid, très distancié.

À cet instant précis, le capitaine dut crisper les poings pour s'empêcher de l'étrangler.

— Je monte, annonça Amos.

Et au même moment, Naomi dit :

— Je descends.

— Alex, fit Holden en feignant un calme qu'il était loin de ressentir, quel est l'état du sas de la soute ?

— Étanche. Aucune fuite.

Une bonne chose, car si effrayé qu'il soit par la protomolécule, le Terrien savait que celle-ci n'avait rien de magique. Elle possédait une masse et occupait un espace défini. Si pas une seule molécule d'oxygène ne pouvait se glisser par les joints du sas, il avait la quasi-certitude que pas une parcelle du virus ne pouvait se répandre ailleurs. Mais…

— Alex, augmentez le taux d'O_2, ordonna-t-il. Le plus possible, sans risquer de faire exploser le vaisseau.

La protomolécule était anaérobie. Si la moindre partie de cette chose réussissait à entrer, il voulait qu'elle baigne dans un milieu aussi hostile qu'il était possible.

— Et retournez dans le cockpit, poursuivit-il. Enfermez-vous à l'intérieur. Si cette matière poisseuse vient à se répandre dans l'appareil, je veux que vous ayez le doigt sur le bouton de surcharge du réacteur.

Alex fronça les sourcils et se gratta le crâne.

— Ça semble un peu exagéré…

Holden lui agrippa un bras au niveau du biceps, rudement. Le pilote écarquilla les yeux et il leva les mains dans un geste automatique de reddition. À côté de lui, Prax eut une mimique d'incompréhension et d'inquiétude. Ce n'était pas la meilleure manière d'instiller la confiance. En d'autres circonstances, cela aurait chagriné Holden.

— Alex, dit-il sans pouvoir s'empêcher de trembler même en crispant les doigts sur le bras de l'autre, est-ce que je peux compter sur vous pour transformer ce vaisseau en nuage de gaz si cette saloperie s'introduit ici ? Parce que si ce n'est pas le cas vous pouvez considérer que vous êtes relevé de vos fonctions et consigné dans vos quartiers dès maintenant.

Alex le surprit, non en réagissant par la colère mais en posant les deux mains sur ses avant-bras. Le visage du pilote était grave, mais son regard restait compréhensif.

— Je me boucle dans le cockpit et je me prépare à saborder l'appareil. Bien compris, monsieur. Le contreordre éventuel ?

— Il viendra de Naomi ou de moi, répondit Holden avec un soupir de soulagement silencieux.

Il n'avait pas eu à dire : *Si cette chose arrive ici et nous tue, mieux vaut pour vous mourir en faisant exploser le vaisseau.* Il lâcha le bras du pilote et celui-ci rompit également le contact pour ensuite reculer d'un pas, son large visage sombre crispé par l'inquiétude. La panique qui menaçait de submerger Holden risquait d'y parvenir s'il laissait quiconque manifester de la sympathie pour lui, et c'est pourquoi il déclara sèchement :

— Maintenant, Alex. Faites-le maintenant.

Le pilote hocha la tête, sembla vouloir ajouter quelque chose mais s'abstint de le faire et se dirigea vers l'échelle menant au cockpit. Naomi descendit par là quelques secondes plus tard, et Amos monta de la salle des machines peu après.

Ce fut la jeune femme qui prit la parole en premier :

— C'est quoi, le plan ?

Ils étaient assez intimes pour qu'Holden détecte la tension mal dissimulée derrière ces quelques mots. Il s'accorda deux respirations avant de répondre :

— Amos et moi allons voir si nous pouvons l'éjecter par les portes de la soute. Ouvre-les pour nous.

— Compris, dit-elle, et elle repartit vers le poste des ops.

Amos scrutait le visage du capitaine d'un regard interrogateur.

— Alors, cap, comment on s'y prend pour l'"éjecter" ?

— Eh bien, j'envisageais de le faire en la canardant avec toute la puissance de feu disponible, et ensuite d'anéantir tout ce qui peut en rester au lance-flammes. Donc nous ferions bien de nous équiper.

Le mécanicien acquiesça.

— Bordel. J'ai presque l'impression d'avoir déjà bousillé cette saloperie.

Holden n'était pas claustrophobe.

Aucun individu choisissant une carrière constituée principalement de longs voyages dans l'espace ne l'était.

Même si on réussissait à tricher lors des simulations et qu'on maquillait son profil psychologique, un seul trajet suffisait en général pour différencier les gens capables de supporter de longues périodes en milieu confiné et ceux qui perdaient les pédales et devaient être maintenus sous sédation pendant tout le retour.

Lorsqu'il n'était encore qu'aspirant, Holden avait passé des jours entiers dans des unités de reconnaissance si exiguës que vous ne pouviez pas vous pencher pour vous gratter le pied. Il avait rampé entre les coques externes et internes de plusieurs vaisseaux de guerre. Il lui était même arrivé de rester vingt et un jours attaché à une couchette anti-crash, pour un vol à plusieurs g entre Luna et Saturne. Et il n'avait jamais fait de cauchemars où il se retrouvait écrasé ou enterré vivant.

Pour la première fois depuis une quinzaine d'années de navigation au long cours, l'appareil à bord duquel il était lui paraissait trop petit. Pas simplement exigu : horriblement exigu. Il se sentait coincé, comme un animal pris au piège.

À moins de quinze mètres de l'endroit qu'il occupait actuellement, ce qui avait été une personne maintenant infectée par la protomolécule était assis dans la soute. Et il n'avait nulle part où aller pour s'en éloigner.

Le fait d'enfiler sa tenue de combat renforcée n'aida pas du tout à estomper cette impression de confinement.

Le premier élément à mettre était ce que les bleus surnommaient la capote intégrale. Il s'agissait d'un épais justaucorps noir constitué de couches multiples alternant Kevlar, caoutchouc, gel réactif aux impacts, ainsi qu'un réseau dense de senseurs destinés à détecter toute blessure et relever les données vitales. Par-dessus venait la combinaison pressurisée, un peu plus lâche et pourvue elle aussi de couches de gel obstructeur permettant de réparer instantanément toute déchirure ou perforation par projectile. Enfin il fallait se harnacher avec les différentes pièces de l'armure capable de dévier un tir d'arme à haute vélocité ou d'encaisser l'énergie d'une décharge laser.

Pour Holden, c'était comme s'envelopper dans son propre suaire.

Mais même avec toutes ces couches superposées et son poids, l'ensemble n'était pas aussi effrayant que la combi à exosquelette que les Marines portaient lors des patrouilles de reconnaissance. Les gars de la Flotte l'appelaient "le cercueil ambulant", par référence au fait que toute attaque assez puissante pour percer cette tenue liquéfiait le Marine à l'intérieur, de sorte qu'il n'était pas nécessaire de la lui ôter ensuite : il suffisait de balancer le tout dans la tombe. C'était une image, bien sûr, mais la perspective d'entrer dans la soute avec sur le dos quelque chose qu'il ne pourrait pas mouvoir sans une source d'énergie artificielle l'aurait terrifié. Et si les batteries tombaient en panne ?

Certes, une belle armure décuplant la force naturelle aurait sans doute été très pratique si on cherchait à expulser des monstres du vaisseau.

— C'est à l'envers, dit Amos en pointant l'index vers la cuisse du capitaine.

— Merde…

Le mécanicien avait raison. Holden était tellement perturbé qu'il avait mal mis une pièce de son armure.

— Désolé, mais j'ai de petites difficultés à me concentrer, en ce moment.

— Le trouillomètre à zéro, approuva le mécanicien.

— Eh bien, je ne dirais pas…

— Je ne parlais pas de vous mais de moi, précisa le colosse. Je les ai à zéro rien qu'à l'idée d'entrer dans la soute avec cette chose dedans. Et je n'ai même pas vu de près Éros se transformer en boue dégueulasse. Alors je pige très bien. Je suis au diapason avec vous, Jim.

Pour autant qu'Holden s'en souvenait, c'était la première fois que cette brute aimable l'appelait par son prénom. Il le remercia d'un mouvement de tête et s'employa à réparer son erreur.

— Ouais, fit-il. Je me suis emporté contre Alex parce qu'il n'avait pas assez peur.

Amos en avait fini avec sa tenue, et il sortit son fusil automatique préféré de son casier.

— Sans déc' ?

— Eh oui. Il a fait une plaisanterie et, comme je suis mort de trouille, je me suis énervé contre lui et j'ai menacé de le relever de son poste.

— Vous pouvez faire ça ? C'est quand même le seul pilote que vous avez sous la main…

— Non, Amos. Non, je ne peux pas le virer de ce vaisseau, pas plus que je ne peux vous virer, ou Naomi. À nous tous, nous ne formons même pas un squelette d'équipage. Nous sommes ce qui reste quand il n'y a pas de squelette.

— Vous craignez que Naomi laisse tomber ?

Le mécanicien avait parlé d'un ton calme, mais ses paroles firent à Holden l'effet d'un coup de massue. Il sentit ses poumons se vider d'eux-mêmes sous le choc, et il dut à nouveau se concentrer un moment sur sa respiration.

— Non, répondit-il enfin. Ou plutôt : oui, je le crains. Mais ce n'est pas ce qui me fait le plus peur, actuellement.

Il prit son fusil d'assaut et l'examina, puis le rangea dans son casier et l'échangea contre un gros pistolet sans recul. Ses projectiles ne provoquaient aucune réaction et donc ne l'enverraient pas voler en arrière s'il tirait en apesanteur.

— Je vous ai vu mourir, lâcha-t-il sans regarder l'autre.

— Hein ?

— Je vous ai vu mourir. Quand cette équipe de kidnappeurs, quels qu'ils soient, nous est tombée dessus. Sous mes yeux, un d'entre eux vous a logé une balle dans la nuque, et vous êtes tombé au sol face la première. Il y avait du sang partout.

— Ouais, mais j'ai…

— Je sais que ce n'était pas un tir mortel. Ils nous voulaient vivants, je l'ai bien compris, comme j'ai compris que votre nez s'est cassé quand vous avez heurté le sol, et que tout ce sang venait de là. Tout ça, je le sais *maintenant*. Mais sur le moment, j'ai seulement vu que vous vous faisiez abattre d'une balle dans la nuque.

Amos enclencha un chargeur et arma son fusil, mais il ne dit rien.

— Tout ça est vraiment fragile, dit Holden en englobant d'un geste de la main son compagnon et le vaisseau. Cette petite famille que nous formons. Une erreur, et quelque chose d'irremplaçable est perdu.

Amos le considérait à présent d'un air renfrogné.

— C'est encore à propos de Naomi, c'est ça ?

— Non ! Je veux dire : oui. Mais non. Quand je vous ai cru mort, j'en ai eu les jambes coupées. Et à cet instant où je vous parle, j'ai besoin de ne penser qu'à virer cette chose du vaisseau. Or je suis obsédé par la peur de perdre un membre de l'équipage.

Amos eut une moue approbatrice, passa son arme à la bretelle et s'assit sur le banc à côté de son casier.

— Je pige. Alors, qu'est-ce que vous voulez faire ?

À son tour, Holden glissa un chargeur plein dans son pistolet.

— Je veux virer de mon vaisseau ce putain de monstre. Alors, s'il vous plaît, promettez-moi de ne pas mourir. Ça m'aiderait beaucoup.

— Capitaine, répondit le mécano avec un large sourire, ce qui me tuera aura déjà tué tous les autres avant. Je suis né pour être le dernier à rester debout. Vous pouvez me faire confiance pour ça.

La panique et la peur ne quittèrent pas Holden. Elles l'oppressaient toujours autant. Mais au moins il ne se sentait plus aussi seul face à elles.

— Alors allons nous débarrasser de ce passager clandestin.

⚡

L'attente dans le sas menant à la soute parut interminable, le temps que le panneau intérieur se verrouille hermétiquement, que les pompes aspirent tout l'air contenu dans cet espace restreint et que le cycle ouvre enfin le panneau extérieur. Holden vérifia nerveusement son arme une demi-douzaine de fois supplémentaires. Amos resta immobile, un peu avachi sur lui-même, son énorme fusil nonchalamment calé au creux de son bras. Le bon côté des choses, en admettant qu'il y ait un bon côté à cette attente, était qu'avec le vide dans la soute le sas pouvait faire autant de bruit qu'il voulait, cela n'alerterait pas la créature de leur présence.

Le dernier son extérieur s'estompa, et Holden n'entendit plus que sa propre respiration. Un voyant jaune s'alluma à côté du panneau extérieur du sas pour les avertir que le vide régnait de l'autre côté.

Le capitaine connecta une ligne comm au terminal du sas. La radio était toujours hors service dans tout le vaisseau.

— Alex, dit-il, on va entrer. Coupez les moteurs.

— Bien compris, répondit le pilote.

La gravité baissa brutalement. Holden enclencha les commandes à glissière dans ses talons pour activer les semelles magnétiques de ses bottes.

La soute du *Rossinante* était encombrée. Haute de plafond et étroite, elle occupait le côté tribord de l'appareil, entre la coque externe et la salle des machines. À bâbord, un espace équivalent abritait le réservoir d'eau. Le *Rossi* était un vaisseau de guerre. Le transport d'une cargaison n'était pas son objectif prioritaire.

L'inconvénient était que pendant toute poussée la soute se transformait en un puits avec les portes au fond. Les diverses caisses occupant l'espace étaient arrimées à des supports rivés dans la coque ou fixés au sol par des patins électromagnétiques. Avec une gravité qui risquait de propulser quelqu'un dans une chute de sept mètres jusqu'aux portes, il serait impossible de combattre efficacement.

Avec la microgravité, la soute devenait un long couloir offrant de multiples cachettes où se mettre à couvert.

Holden passa le premier. Il marcha le long de la cloison grâce à ses bottes magnétiques et s'abrita derrière une grosse caisse contenant les réserves de projectiles pour les canons de défense rapprochée du vaisseau. Alex suivit et prit position derrière une autre caisse, à deux mètres de là.

En contrebas, le monstre semblait endormi. Il restait recroquevillé sans bouger contre la cloison séparant la soute de la salle des machines.

— C'est bon, Naomi, tu peux ouvrir, dit Holden.

Il secoua la longueur de câble audio pour la décrocher d'un angle de la caisse et lui donna un peu de mou.

— Ouverture des portes, annonça-t-elle d'une voix qui semblait frêle et un peu brouillée dans le casque du capitaine.

Les panneaux au fond de la soute s'ouvrirent dans le silence, révélant plusieurs mètres carrés d'obscurité piquetée d'étoiles. La créature ne remarqua rien, ou n'y prêta aucune attention.

— Il leur arrive d'hiberner, non ? demanda Amos.

Le câble audio qui reliait sa combinaison au sas ressemblait à un cordon ombilical high-tech.

— Comme Julie, quand elle a été infectée, ajouta le mécanicien. Elle a hiberné dans cette chambre d'hôtel, sur Éros, pendant deux semaines.

— Possible, répondit Holden. Comment allons-nous procéder ? Je suis presque d'avis de descendre jusqu'à elle, de saisir cette chose et de la balancer dehors. Mais je n'aime pas du tout l'idée de la toucher.

— Ouais, faudrait pouvoir ne pas revenir avec nos combis sur nous, approuva Amos.

Holden se souvint subitement d'un jour, dans sa jeunesse, quand il était rentré après avoir joué dehors. Il avait dû ôter tous ses vêtements dans le vestibule avant que mère Tamara lui permette d'accéder au reste de la maison. Ce serait très comparable, mais beaucoup plus froid.

— Je regrette qu'on n'ait pas une perche, dit-il en regardant autour de lui les différents objets rangés dans la soute, dans l'espoir d'en trouver un qui puisse remplir ce rôle.

— Euh… Capitaine ? fit Amos. Il nous regarde.

Holden tourna la tête et se rendit compte que le mécanicien disait vrai. La créature n'avait pas bougé, hormis la tête, et elle les observait avec attention, ses prunelles illuminées de l'intérieur d'un éclat bleuté irréel.

— D'accord, marmonna-t-il. Elle n'hiberne pas.

— Vous savez, si j'arrive à la décrocher de la cloison avec un ou deux tirs bien ajustés, et qu'Alex met la gomme, elle voltigera par la porte et se prendra en pleine tronche les jets d'échappement. Ça devrait suffire.

— Il faut bien réfléchir à…

Avant qu'il ait pu terminer sa phrase la soute fut illuminée d'une série d'éclairs lumineux quand l'arme d'Amos cracha. Le monstre fut touché à plusieurs reprises et roula mollement dans le vide en direction des portes.

— Alex, mets la sau…

La créature entra en action. Elle lança un bras vers la cloison, et son membre parut s'étirer pour atteindre sa cible, puis elle effectua une traction si brutale que les plaques d'acier se gauchirent. Elle s'élança vers le haut de la soute à une rapidité telle que, lorsqu'elle heurta la caisse derrière laquelle Holden s'abritait, les patins magnétiques furent décollés du sol. Le décor sembla tournoyer quand l'impact rejeta le Terrien en arrière. La caisse suivit le mouvement tout aussi vite. Le capitaine percuta rudement la cloison une fraction de seconde avant la caisse, et les patins magnétiques se collèrent à ce nouveau support en lui coinçant une jambe.

Quelque chose dans son genou craqua sous le choc, et la douleur colora en rouge son univers pendant un moment.

Amos se mit à tirer sur le monstre à bout portant, mais la créature le frappa presque nonchalamment d'un revers de main qui envoya le colosse dans le sas avec assez de violence pour déformer le panneau intérieur. Dès que l'étanchéité de celui-ci fut compromise, la porte extérieure se referma. Holden voulut bouger, mais sa jambe était immobilisée par la caisse, et avec des électroaimants conçus pour retenir sur place un quart de tonne de chargement à dix g, il n'était pas près de pouvoir la libérer. Les témoins des commandes de la caisse qui permettaient de neutraliser l'aimantation luisaient de l'orange vif indiquant un verrouillage, à dix centimètres hors de sa portée.

Le monstre pivota pour lui faire face. Ses yeux bleus étaient beaucoup trop grands pour sa tête, lui donnant un aspect enfantin étrange. Il tendit une main surdimensionnée.

Holden tira jusqu'à ce que son arme soit vide.

Les missiles miniatures que le pistolet sans recul utilisait comme munitions explosèrent en de petits nuages de lumière et de fumée en touchant la créature, et chacun la repoussa un peu plus en arrière en même temps qu'il lui arrachait un morceau de torse. Des filaments noirs jaillirent des blessures et fusèrent dans la soute telle une représentation dessinée d'une projection de sang. Quand le dernier projectile la frappa, la créature fut arrachée de la cloison et repoussée vers les portes béantes.

Le corps roula sur lui-même en direction du large carré de ténèbres étoilées, et Holden se prit à espérer. À moins d'un mètre de l'expulsion vers l'infini, la chose déploya un bras et agrippa l'arête d'une caisse. Le Terrien avait vu la force que possédaient ces mains, et il sut que le monstre ne lâcherait pas prise.

— Capitaine ! cria Amos dans son oreille. Holden, vous êtes toujours avec nous ?

— Ici. J'ai un petit problème.

Alors qu'il parlait, la chose se hissa sur la caisse qu'elle avait accrochée, s'y assit et s'immobilisa. Une gargouille hideuse revenue soudain à son état minéral.

— Je vais déclencher l'ouverture d'urgence et venir vous chercher, dit le mécano. La porte intérieure est foutue, donc on perdra un peu d'atmo, mais pas trop…

— D'accord, mais faites vite, répondit Holden. Je suis coincé. Il faut que vous désactiviez les aimants de cette caisse.

Un instant plus tard, le sas s'ouvrit dans une bouffée d'atmosphère. Amos allait entrer dans la soute quand le monstre bondit de sa caisse, saisit la cloison d'une main et de l'autre un lourd conteneur en plastique qu'il lança sur l'intrus. L'énorme projectile heurta la cloison avec assez de force pour qu'Holden sente la vibration à travers sa combinaison, et rata la tête d'Amos de quelques centimètres. Le mécanicien tomba à la renverse en jurant, et la porte du sas se referma sur lui aussitôt.

— Désolé, dit-il. J'ai paniqué. Laissez-moi le temps de rouvrir cette…

— Non ! s'écria Holden. Ne touchez plus à cette putain de porte. Je suis coincé derrière deux foutues caisses, maintenant. Les mouvements de la porte vont finir par sectionner mon cordon audio, et je n'ai aucune envie de me retrouver coincé ici sans radio.

Apparemment satisfaite que le sas se soit refermé, la créature revint auprès de la cloison mitoyenne avec la salle des machines et se roula en boule de nouveau. Les tissus déchiquetés des plaies laissées par le pistolet d'Holden étaient animés de faibles pulsations.

— Je le vois, capitaine, intervint Alex. Si je mets les gaz, je pense que je peux le faire gicler hors de la soute.

— Non ! s'exclamèrent Naomi et Amos en même temps.

— Non, répéta la jeune femme. Regarde où Holden se trouve, sous ces caisses. Si nous passons d'un coup à plusieurs g, ça lui brisera tous les os du corps, en admettant qu'il ne soit pas projeté à l'extérieur lui aussi.

— Ouais, elle a raison, renchérit le mécano. La manœuvre le tuerait. C'est hors de question.

Holden écouta quelques secondes les membres de son équipage qui discutaient de la meilleure manière de le garder en vie, et il vit que le monstre s'était blotti contre la cloison et semblait avoir replongé dans le sommeil.

— Bon, fit-il pour interrompre les autres, une poussée à plusieurs g me réduirait certainement en morceaux, dans la situation actuelle. Mais ça ne signifie pas que ce n'est pas une solution à envisager.

Les paroles qui lui parvinrent sur le canal radio lui semblèrent émises depuis un autre monde. Dans un premier temps il ne reconnut même pas la voix du botaniste.

— Eh bien, dit Prax, voilà qui est intéressant.

27

PRAX

Lorsqu'Éros s'était éteinte, tout le monde avait observé sa fin. La station avait été conçue pour l'extraction de données scientifiques, et chaque modification, mort et métamorphose avait été capturée, enregistrée et diffusée dans tout le système solaire. Ce que les gouvernements de la Terre et de Mars s'étaient ingéniés à occulter avait fuité dans les semaines et les mois suivants. La façon dont les gens avaient vu la chose dépendait plus de qui ils étaient que de la teneur des documents filmés. Pour certains, c'était un événement. Pour d'autres, un signe. Et pour beaucoup plus que Prax n'aimait à le penser, le tout avait été un spectacle d'une décadence terrible – un *snuff movie* filmé en immersion totale.

Comme tous les autres membres de son équipe, Prax avait visionné ces diffusions. L'ensemble avait pris pour lui des allures d'énigme. La tendance à appliquer la logique de la biologie conventionnelle aux effets de la protomolécule avait été irrésistible, et en très grande partie infructueuse. Considérés individuellement, les éléments étaient captivants – ces courbes spiralées si semblables à celle d'une coquille de nautile, la signature thermique des corps infectés qui suivait des schémas presque identiques à ceux de certaines fièvres hémorragiques. Mais il n'en était rien ressorti de probant.

À coup sûr quelqu'un, quelque part, s'était vu allouer les subsides nécessaires pour étudier ce qui s'était passé, mais le travail de Prax ne pouvait attendre, et il était revenu à ses sojas. La vie avait continué. Ce n'avait pas été une obsession, seulement une énigme connue de tous, que quelqu'un d'autre devrait résoudre.

Dépourvu de poids, le chercheur flottait devant un poste des ops non utilisé et observait ce que retransmettaient les caméras de sécurité. La créature voulut atteindre le capitaine Holden, et le capitaine Holden lui tira dessus, encore et encore. Prax vit les jets de filaments expulsés du dos de la chose par les impacts des projectiles. Le phénomène était familier, aucun doute sur ce point. Il était présent dans toutes les scènes marquantes des enregistrements d'Éros.

Le monstre se mit à rouler sur lui-même. Sa morphologie n'était pas très éloignée de celle d'un être humain. Une tête, deux bras, deux jambes. Pas de structures autonomes, pas de mains ou de côtes adaptées à une fonction différente.

Aux commandes, Naomi laissa échapper un hoquet. Le son était étrange à entendre, dans cet air qu'ils partageaient et non retransmis par le canal comm, et il possédait une forme d'intimité qui le mit un peu mal à l'aise. Mais il y avait autre chose, de plus important. Une sensation floue flottait aux frontières de son esprit, comme s'il avait la tête emplie de coton. Il identifia cette impression. Il pensait à quelque chose sans en être encore conscient.

— Je suis coincé, dit Holden. Il faut que vous désactiviez les aimants de cette caisse.

La créature se trouvait maintenant à l'autre bout de la soute. Alors qu'Amos entrait, elle s'agrippa d'une main et de l'autre propulsa une caisse de belle taille. Malgré l'image de mauvaise qualité, Prax put distinguer le dessin net du trapèze et des deltoïdes massifs, les muscles grossis à un point effrayant. Et pas spécialement déplacés. La protomolécule agissait donc selon certaines contraintes d'ordre morphologique. Quelle que soit la nature exacte de la créature, celle-ci ne produisait pas ce que les échantillons d'Éros avaient produit. La chose dans la soute relevait indubitablement de la même technologie, mais elle était destinée à une application différente. Le tampon de coton bougea.

— Non ! Ne touchez plus à cette putain de porte. Je suis coincé derrière deux foutues caisses, maintenant.

La créature revint près de la cloison, à l'endroit où elle se reposait auparavant. Elle se pelotonna là, et on voyait nettement les pulsations qui agitaient ses blessures. Mais elle ne s'était pas *installée* là. Avec les moteurs coupés, il n'y avait pas la moindre gravité pour la maintenir en place. Si elle se trouvait bien à cet endroit, il y avait forcément une raison.

— Non ! s'exclama Naomi.

Elle se tenait aux arceaux de sécurité fixés près des commandes, et son visage avait pris un teint cendreux.

— Non. Regarde où Holden se trouve, sous ces caisses. Si nous passons d'un coup à plusieurs g, ça lui brisera tous les os du corps, en admettant qu'il ne soit pas projeté à l'extérieur lui aussi.

— Ouais, elle a raison, dit Amos d'un ton qui semblait las, peut-être sa manière d'exprimer la tristesse. La manœuvre le tuerait. C'est hors de question.

— Bon, une poussée à plusieurs g me réduirait certainement en morceaux, dans la situation actuelle. Mais ça ne signifie pas que ce n'est pas une solution à envisager.

Contre la cloison, la créature remua. Le geste était d'une amplitude très restreinte, mais il était bien là. Prax zooma du mieux qu'il put. Une énorme main griffue – griffue mais toujours pourvue de quatre doigts alignés et d'un pouce préhensile – prenait appui contre la tôle, tandis que l'autre la déchirait. La première couche de la paroi, treillage fin et isolant, se délita en longues bandes caoutchouteuses. Une fois cet obstacle déchiqueté, la créature s'attaqua à l'acier blindé en dessous. De fins copeaux de métal flottèrent bientôt dans le vide à côté d'elle, reflétant la lumière comme de petites étoiles. Mais pourquoi faisait-elle cela ? Si elle cherchait à causer des dommages structurels au vaisseau, il y avait mille façons plus efficaces de procéder. Ou alors elle essayait de se frayer un chemin à travers la cloison, pour atteindre quelque chose, pour suivre un signal…

Le tampon de coton disparut, laissant place à l'image d'une pousse jaillissant d'une graine. Il sentit qu'il souriait. *Eh bien, voilà qui est intéressant.*

— Qu'est-ce qu'il y a, doc ? demanda Amos.

Prax comprit qu'il avait dû formuler sa pensée à voix haute.

— Hem, fit-il le temps de trouver les mots qui expliqueraient au mieux ce qu'il venait de voir. Elle essaie d'accroître son taux d'exposition aux radiations. Je veux dire… la version de la protomolécule lâchée sur Éros se nourrissait de l'énergie dégagée par les radiations, il me semble logique que celle-là fasse de même…

— Celle-là ? dit Alex. Comment ça ?

— Cette version. Celle-là a visiblement été conçue pour réprimer la plupart des mutations. Elle a très peu modifié le corps qui lui sert d'hôte. Elle paraît être sujette à des limitations nouvelles, mais avoir toujours besoin d'une source de radiations.

— Mais pourquoi, doc ? fit Amos qui cachait mal son impatience. Pourquoi penser qu'elle a besoin de radiations ?

— Oh, mais parce que nous avons coupé les moteurs, et que le réacteur fonctionne maintenant au ralenti, donc elle essaie d'atteindre le cœur de la source.

Il y eut un court silence, puis Alex grommela une obscénité.

— D'accord, dit Holden. Donc on n'a pas le choix. Alex, il faut que vous viriez cette chose du vaisseau avant qu'elle traverse la cloison. Pas le temps d'élaborer un nouveau plan d'action.

— Capitaine, répondit le pilote. Jim…

— Je serai dans la soute une seconde après que cette saloperie aura été expulsée, affirma Amos. Si vous n'êtes plus là, cap, ça aura été un honneur de servir sous vos ordres.

Prax agita les mains, comme si son geste pouvait attirer leur attention. Le mouvement l'envoya décrire une courbe dans le poste des ops.

— Attendez. Non. Le nouveau plan d'action, il est là. Elle recherche une source de radiation. Elle est comme une racine qui se dirige vers l'eau.

Naomi s'était tournée vers lui alors qu'il roulait dans le vide. Elle lui parut pivoter encore, et le cerveau de Prax la resitua sous lui, engagée dans une spirale qui l'éloignait. Il ferma les yeux un instant.

— Il va falloir nous guider, déclara Holden. Et vite. Comment la contrôler ?

— Changez la source, répondit le botaniste. Combien de temps vous faudrait-il pour assembler un conteneur avec quelques isotopes radioactifs non protégés ?

— Tout dépend, doc, répondit Amos. Il vous en faut quelle quantité ?

— Juste un peu plus que ce que dégage le réacteur actuellement, expliqua le botaniste.

Naomi le saisit et le plaça devant un arceau de sécurité qu'il agrippa.

— Un appât, dit-elle. Vous voulez bricoler quelque chose qui pour elle ressemble à une nourriture meilleure, et vous en servir pour l'attirer hors du vaisseau.

— C'est ce que je viens de dire. Ce n'est pas ce que je viens de dire ?

— Pas exactement, non, répondit-elle.

Sur l'écran, la créature constituait peu à peu un petit nuage de copeaux métalliques. Prax ne l'aurait pas juré, parce que la résolution de l'image était trop mauvaise, mais il lui semblait bien que la main de la chose changeait de forme à mesure qu'elle creusait. Il se demanda dans quelle mesure les restrictions imposées à l'expression de la protomolécule prenaient en compte les blessures et la cicatrisation. Le processus de régénération constituait une phase propice pour une défaillance des limitations imposées. Si la chose commençait à changer, elle risquait de ne plus s'arrêter.

— Quoi qu'il en soit, je pense que nous devrions sans doute faire vite, précisa Prax.

Le plan était simple. Amos entrerait dans la soute et libérerait le capitaine dès que les portes extérieures se seraient refermées sur l'intrus. Aux ops, Naomi déclencherait leur fermeture à l'instant où la créature se serait lancée à la poursuite de l'appât radioactif. De son côté Alex redémarrerait les moteurs quand la manœuvre ne risquerait plus de tuer Holden. Et l'appât – un cylindre d'un demi-kilo dans une fine enveloppe de plomb, pour ne pas attirer le monstre trop tôt – serait apporté par le sas principal et jeté dans le vide par le seul membre d'équipage restant.

Prax flottait à l'intérieur du sas, l'appât serré dans le gant épais de sa combinaison pressurisée. Les regrets et l'incertitude submergeaient son esprit.

— Ce serait peut-être mieux qu'Amos se charge de cette partie, fit-il. À dire vrai, je n'ai jamais effectué de sortie hors vaisseau…

— Désolé, doc, mais j'ai un capitaine de quatre-vingt-dix kilos à ramener à bord.

— On ne pourrait pas automatiser la manœuvre ? Avec un bras articulé pris au labo…

— Prax… laissa tomber Naomi, et la douceur du ton charriait le poids de mille *bougez-votre-cul-et-faites-le*.

Le petit homme vérifia les attaches étanches de sa tenue une fois de plus. Tous les voyants de contrôle étaient au vert. Cette combinaison était bien plus perfectionnée que celle qu'il portait en quittant Ganymède. Il y avait vingt-cinq mètres entre le sas du personnel près de l'avant du vaisseau et les portes extérieures de la soute, situées à la poupe. Il tira sur le câble radio pour s'assurer qu'il était solidement fixé à la prise du sas.

C'était là une autre question à ne pas négliger. Les perturbations radio étaient-elles un effet des émanations naturelles du monstre ? Prax essaya d'imaginer comment un tel phénomène pouvait être généré biologiquement. Ces effets cesseraient-ils dès la créature expulsée de l'appareil ? Quand elle serait anéantie par la fournaise des rejets des tuyères ?

— Prax, dit Naomi. C'est le bon moment.

— D'accord. J'y vais.

Le panneau extérieur du sas entama son cycle de déverrouillage. La première impulsion du botaniste fut de s'élancer dans les ténèbres comme il l'aurait fait dans une grande pièce. La seconde fut de se mettre sur les genoux et les mains et de garder son corps aussi proche que possible du plancher. Il tenait l'appât dans une main et il se servit des arceaux rivés au sol pour progresser et sortir.

Autour de lui, l'obscurité était terriblement oppressante. Le *Rossinante* n'était qu'un radeau de métal et de peinture sur un océan. Plus qu'un océan. Les étoiles l'enveloppaient dans toutes les directions, les plus proches à plusieurs centaines de vies de voyage, puis d'autres plus loin, et d'autres plus loin encore. L'impression d'être un astéroïde ou une lune minuscule confronté à un ciel trop vaste lui chavira l'esprit et il se retrouva au sommet de l'univers, à contempler un abîme sans fond. C'était comme ces illusions visuelles qui vous font voir la forme d'un vase, ensuite celle de deux profils humains, puis à nouveau le vase, selon la vitesse de perception. Prax sourit et écarta largement les bras pour embrasser le néant, alors même qu'un début de nausée se faisait sentir à l'arrière de sa langue. Il avait lu quantité de comptes rendus décrivant l'euphorie consécutive à une expérience extravéhiculaire, mais ce qu'il éprouvait maintenant était très différent de ce qu'il avait imaginé. Il était l'œil de Dieu, qui s'abreuvait à la lumière d'étoiles innombrables, et il était un grain de poussière posé sur un grain de poussière, accroché par ses bottes magnétiques à la coque d'un vaisseau à la puissance infiniment supérieure à la sienne et sans aucune importance face à cette immensité. Le système audio de sa combinaison crachotait à cause des radiations de fond émises lors de la naissance de l'univers, et des voix irréelles murmuraient dans les parasites.

— Eh, doc ? dit Amos. Un problème dehors ?

Prax regarda autour de lui. Il s'attendait presque à découvrir le mécanicien juste à côté. L'univers blanc laiteux des étoiles était tout ce qu'il vit. Elles étaient si nombreuses qu'elles auraient dû additionner leur éclat pour donner une lumière éblouissante, songea-t-il. Or le *Rossinante* était sombre, à l'exception des voyants de sa combinaison et, vers l'arrière du vaisseau, un nuage nébuleux à peine discernable, là où l'atmosphère intérieure s'était échappée.

— Non, répondit-il. Aucun problème.

Il voulut avancer d'un pas, mais sa tenue refusa de bouger. Il tira avec effort sur sa jambe pour décoller le pied de la coque. Le bout de sa botte se déplaça de un centimètre et s'arrêta. La panique lui embrasa la poitrine. Quelque chose ne fonctionnait pas dans ses semelles magnétiques. À ce rythme il n'arriverait jamais aux portes de la soute avant que la créature ait réussi à creuser assez profond pour atteindre la salle des machines et le réacteur lui-même.

— Euh… j'ai un problème, annonça-t-il. Je ne peux pas bouger les pieds.

— Et les contrôles par glissières latérales, sur les semelles, ils servent à quoi ? répliqua Naomi.

— Oh, c'est vrai, fit Prax en réglant les tirettes pour que l'adhérence s'accorde à la puissance qu'il développait. Tout va bien. Ne vous en faites pas.

En réalité il n'avait encore jamais marché avec des bottes magnétiques, et la sensation était des plus étranges. Sur la majeure partie du mouvement, sa jambe lui paraissait libre, presque hors de son contrôle, mais quand la semelle se rapprochait de la coque il y avait un instant, très court, un point critique, pendant lequel la force d'attraction prenait le dessus et rabattait son pied vers la surface de métal. Il avança ainsi, pas à pas, en flottant et en étant brutalement attiré vers son support. Il ne voyait plus les portes de la soute, mais il était conscient de leur position. De là où il se trouvait et en regardant vers l'arrière, elles étaient sur la gauche de la tuyère. Mais du côté droit de l'appareil. *Non, à tribord. Ils disent tribord, sur les vaisseaux.*

Il savait qu'une fois franchi le rebord de métal sombre qui marquait l'extrémité de la structure, la créature creusait dans la cloison, griffait dans les chairs du vaisseau en direction de son cœur. Si elle devinait ce qui était en train de se passer – si elle avait suffisamment de capacités cognitives pour élaborer un raisonnement, même basique –, elle pouvait très bien surgir de la soute et se précipiter sur lui. Le vide n'était pas mortel pour elle. Il s'imagina essayant de s'échapper à pas lourds, dans ces bottes magnétiques incapacitantes, pendant que la créature le taillait en pièces. Il prit une longue inspiration frémissante et brandit l'appât.

— C'est bon, dit-il. Je suis en position.

— Rien ne vaut le moment présent, fit Holden d'une voix tendue par la souffrance qu'il essayait de rendre légère.

— C'est sûr, répondit Prax.

Penché très bas vers la coque, il appuya sur la touche de la petite minuterie, puis il se redressa et, sollicitant chaque muscle de son corps, il lança le petit cylindre dans le vide. L'objet s'éloigna, brilla un instant dans la lumière venant de l'intérieur de la soute, et disparut. Prax eut soudain la certitude nauséeuse d'avoir sauté une étape, que l'enveloppe en plomb n'allait pas se détacher comme elle était supposée le faire.

— Elle bouge, dit Holden. Elle l'a senti. Elle va sortir.

Et elle apparut, de longs doigts noirs qui se replièrent sur le bord de l'accès à la soute, puis le corps sombre qui se hissa hors du vaisseau comme s'il était né pour vivre dans l'abîme. Ses yeux luisaient d'un éclat bleu. Prax n'entendait rien hormis sa respiration paniquée. Tel un animal dans les grandes savanes primordiales de la Terre, il éprouva le besoin de rester immobile et silencieux, quand bien même la créature ne l'aurait pas entendu crier dans le vide de l'espace.

La chose bougea. Ses yeux effrayants se fermèrent, s'ouvrirent, se refermèrent. Elle bondit. La lumière constante des étoiles fut éclipsée par son passage.

— Sortie, dit Prax qui fut aussitôt stupéfait par la fermeté de sa voix. Elle est sortie du vaisseau. Refermez la soute, tout de suite.

— Compris, répondit Naomi. Fermeture de la soute.

— Je vais arriver, cap, déclara Amos.

— Je vais m'évanouir, lui répondit Holden.

Mais d'après l'intonation ironique du Terrien, Prax était à peu près sûr qu'il plaisantait.

Dans les ténèbres, une étoile s'éteignit, pour réapparaître presque aussitôt. Et une autre, voisine. Mentalement, Prax suivait le trajet décrit. Un autre point lumineux clignota.

— Je lui chauffe le dos, dit Alex. Prévenez-moi quand vous êtes tous en sécurité, d'accord ?

Le botaniste scrutait l'obscurité, aux aguets. L'éclat de l'étoile demeurait stable. Celle-ci n'aurait-elle pas dû s'éteindre un instant, comme les autres ? Avait-il commis une erreur d'appréciation ? Ou la créature décrivait-elle une boucle ? Si elle était capable de se diriger dans le vide absolu, avait-elle pu remarquer qu'Alex remettait le réacteur en service ?

Prax se retourna vers le sas principal.

Un peu plus tôt le *Rossinante* lui avait semblé ridiculement minuscule, un cure-dent en suspension sur un océan d'étoiles, et à présent la distance le séparant du sas était énorme. Il déplaça un pied, et l'autre, en essayant de courir sans jamais avoir les deux semelles décollées en même temps de la coque. Le système intégré aux bottes magnétiques leur interdisait de se soulever en même temps, et le pied en arrière était bloqué tant que celui en avant n'était pas en contact avec le support. Un fourmillement avait envahi l'échine du petit homme, et il se faisait violence pour ne pas regarder en arrière. Il n'y avait rien derrière lui, et s'il y avait quelque chose le voir n'y changerait rien. La ligne droite que traçait son câble audio devenait une courbe qui traînait à sa suite à mesure qu'il avançait. Il tira dessus pour le retendre.

Les petits voyants verts et jaunes sur le pourtour du sas ouvert l'appelaient comme dans un rêve. Il s'entendit gémir doucement, mais le son fut noyé dans le torrent d'insanités que déversait Holden.

— Qu'est-ce qui se passe, en bas ? demanda Naomi d'un ton sec.

— Le capitaine n'est pas trop dans son assiette, répondit Amos. M'est avis qu'il s'est peut-être foulé quelque chose.

— J'ai l'impression d'avoir accouché par les genoux, dit Holden. Mais ça ira.

— On peut mettre la sauce ? s'enquit Alex.

— Pas encore, fit Naomi. Les portes de la soute sont aussi hermétiquement closes qu'elles peuvent l'être tant que nous ne les avons pas fait réparer, mais le sas avant n'est pas fermé.

— J'y suis presque, intervint Prax.

Ne me laissez pas ici. Ne me laissez pas dans l'abîme avec ce monstre.

— Parfait, dit Alex. Prévenez-moi dès que je peux nous faire décamper d'ici.

Dans les entrailles du vaisseau, Amos émit un son léger. Prax atteignit le sas et s'y engouffra d'une traction si violente que les articulations de sa combinaison grincèrent. Il tira sur le câble audio pour le ramener vers lui, se lança contre la cloison et martela les commandes jusqu'à ce que le cycle s'enclenche et que le panneau extérieur se ferme. Dans le faible éclairage du sas maintenant clos, le botaniste pivota au ralenti sur les trois axes. Le panneau extérieur était toujours fermé. Rien ne le déchirait, aucune paire d'yeux bleus luisants n'apparaissait avant de se rapprocher de lui. Il heurtait mollement la cloison opposée quand le son distant d'une pompe à air annonça la présence d'atmosphère.

— Je suis à l'intérieur, dit-il. Dans le sas.

— L'état du capitaine est stable ? demanda Naomi.

— Pourquoi ? Il l'a déjà été ? railla le mécanicien.

— Je vais bien. Mal à un genou, c'est tout. Tirons-nous d'ici.

— Amos ? fit Naomi. Je vois que vous êtes toujours dans la soute. Il y a un problème ?

— Possible. Notre clandestin a laissé quelque chose derrière lui.

— N'y touchez pas ! aboya Holden. Nous apporterons un chalumeau et nous cramerons ça jusqu'à le réduire à l'état d'atomes.

— Je ne crois pas que ce soit une bonne idée, répondit Amos. J'ai déjà vu ce genre de truc, et ça ne réagit pas bien du tout à la flamme d'un chalumeau.

Prax se mit en position verticale et régla ses bottes pour rester légèrement aimanté au plancher. Un tintement venu du panneau intérieur lui indiqua qu'il pouvait sans risque ôter sa combinaison et retourner dans le vaisseau. Il préféra activer un des écrans muraux, et cala l'image sur une vue de la soute. Holden flottait près du sas intérieur. Accroché à une échelle rivée à la cloison, Amos examinait quelque chose de petit et de luisant qui semblait collé à la coque.

— Qu'est-ce que c'est, Amos ? demanda Naomi.

— Bah, faudrait que je nettoie un peu de cette saloperie qui tache le tout, mais ça ressemble beaucoup à une charge incendiaire classique. Pas très grosse, mais sûrement assez puissante pour vaporiser dans les deux mètres carrés.

Un court silence suivit. Prax déverrouilla le joint étanche de son casque qu'il souleva au-dessus de sa tête, et il emplit ses poumons de l'air baignant le vaisseau. Il passa à la vue d'une caméra extérieure. Le monstre dérivait derrière l'appareil, soudain visible de nouveau dans la faible clarté provenant de la soute, et il rétrécissait peu à peu en même temps que la distance s'accroissait. Il était recroquevillé autour de son appât radioactif.

— Une bombe, fit Holden. En clair, vous me dites que cette chose a laissé *une bombe* ?

— Et foutrement particulière, en plus, si vous me demandez mon avis, répondit le mécanicien.

— Amos, avec moi dans le sas de la soute, ordonna le capitaine. Alex, qu'y a-t-il encore à faire avant de pouvoir brûler ce monstre ? Prax est revenu à bord ?

— Vous êtes dans le sas ? demanda le pilote.

— Maintenant, nous y sommes. Allez-y.

— Pas besoin de le dire deux fois, répondit Alex. Accrochez-vous, pour l'accélération.

La cascade biochimique créée par l'euphorie, la panique et la réaffirmation de sa propre sécurité ralentit le temps de réaction de Prax, et quand le *Rossinante* s'élança il n'avait pas les jambes exactement sous lui. Il fut renversé, poussé vers la cloison, et son crâne cogna contre le montant du panneau intérieur. Mais il n'en avait cure. Il se sentait merveilleusement bien. Il avait fait sortir le monstre, et cette chose brûlait maintenant dans le sillage redoutable du vaisseau, sous ses yeux.

C'est alors qu'un dieu furieux frappa le flanc de l'appareil et l'envoya tournoyer dans le vide. Prax fut arraché du sol, et l'adhérence limitée de ses semelles magnétiques n'y put rien. Le panneau extérieur du sas se précipita vers lui, et le monde sombra dans les ténèbres.

28

AVASARALA

Il y eut un autre pic. Un troisième. Seulement ces deux fois il n'y avait apparemment aucune chance que les monstres de Bobbie y soient pour quelque chose. Alors peut-être… peut-être qu'il s'agissait d'une simple coïncidence. Ce qui amenait à une question : si la chose ne venait pas de Vénus, d'où ?

Le monde entier avait toutefois conspiré pour la distraire de sa tâche.

— Elle n'est pas la personne que nous pensions, madame, dit Soren. Moi aussi, je me suis fait avoir par cette pauvre Martienne esseulée. Elle est douée.

Avasarala se renfonça dans son siège. Le rapport des services de renseignements sur son écran montrait la femme qu'ils avaient appelée Roberta Draper en tenue civile. Cette mise la faisait paraître plus impressionnante, si c'était possible. Le nom enregistré était Amanda Telelé. Élément opérationnel indépendant travaillant pour les Renseignements de Mars.

— J'étudie toujours l'affaire, ajouta Soren. Il semble qu'une Roberta Draper ait réellement existé, mais qu'elle ait péri sur Ganymède avec les autres Marines.

Avasarala chassa ces paroles d'un geste et déroula le rapport. Des enregistrements de messages stéganographiques envoyés par des circuits détournés entre la prétendue Bobbie et un agent martien actif connu sur Luna, qui commençaient le jour où elle avait été recrutée par la vieille dame. Celle-ci s'attendait à ce que l'étau de la peur, l'impression de trahison lui compriment la poitrine. Rien ne vint. Elle passa à d'autres sections du rapport, engrangea d'autres informations et guetta une réaction physique à ces révélations. Toujours rien.

— Nous avons enquêté dans cette direction pour quelle raison ? demanda-t-elle.

— Une intuition, expliqua son assistant. Sa façon de se comporter dès qu'elle n'était plus en votre présence. Elle se montrait un peu trop… fuyante, je trouvais. Quelque chose qui clochait chez elle. J'ai donc pris l'initiative. J'ai dit que ça venait de vous.

— Afin que je ne passe pas pour une abrutie intégrale du fait que j'ai personnellement invité une taupe dans mon bureau ?

— Il m'a semblé que c'était plus poli de procéder ainsi, éluda-t-il. Si vous cherchez un moyen de me récompenser pour mes bons offices, j'accepte bien volontiers les primes et les promotions.

— Je n'en doute pas, grogna-t-elle.

Il attendit, légèrement penché en avant, en appui sur ses orteils. Il attendait qu'elle donne l'ordre de faire arrêter Bobbie et de la soumettre à un débriefing complet de la part du contre-espionnage. Comme euphémisme, "débriefing complet" comptait parmi les plus obscènes, mais ils étaient en guerre avec Mars, et un agent de talent implanté au cœur des Nations unies connaîtrait des choses d'une valeur inestimable.

En ce cas, pourquoi n'ai-je aucune réaction à tout ça ? s'interrogea Avasarala.

Elle tendit une main vers l'écran, suspendit son geste, reposa la main en fronçant les sourcils.

— Madame ? dit Soren.

C'était un détail infime, inattendu. Il venait de se mordre la lèvre inférieure. Un mouvement minime, presque invisible. Comme le tic révélateur à la table de poker. Et quand elle le vit, elle sut.

Il n'y avait pas besoin d'y réfléchir, de décortiquer la chose, de doute ou de réflexion après coup. C'était simplement là, aussi clair dans son esprit que si elle l'avait toujours su, complet, parfait. Soren était nerveux parce que le rapport qu'elle étudiait ne tiendrait pas sous un examen rigoureux.

Il ne tiendrait pas parce que c'était un faux.

C'était un faux parce que son propre assistant travaillait pour quelqu'un d'autre, quelqu'un qui voulait contrôler l'information arrivant sur le bureau d'Avasarala. Nguyen avait reconstitué sa petite flotte, et elle n'en avait rien su : parce que c'était Soren qui surveillait l'acheminement des données. Quelqu'un avait compris qu'il faudrait la contrôler. La manipuler. Tout cela avait été pensé et mis en place bien avant que Ganymède commence à sombrer. Ils avaient anticipé l'apparition du monstre sur Ganymède.

Et donc c'était Errinwright qui tirait les ficelles.

Il l'avait laissée exiger des négociations de paix, il lui avait permis de croire qu'elle avait sapé l'autorité de Nguyen, il l'avait autorisée à prendre Bobbie dans son équipe. Tout cela uniquement pour qu'elle n'ait pas de soupçons.

Ce n'était pas une projection de Vénus qui s'était échappée. Il s'agissait d'un projet militaire. Une arme que la Terre désirait posséder afin de briser ses rivaux avant que le projet extraterrestre sur Vénus ait terminé ce qu'il avait entrepris, quoi que ce soit. Quelqu'un – Mao-Kwikowski, très probablement – avait conservé un échantillon de la protomolécule dans un laboratoire secret, en avait fait une arme et avait ouvert les enchères.

L'attaque sur Ganymède avait constitué d'une part une preuve de la valeur de cette arme, d'autre part un coup dévastateur porté à l'approvisionnement des planètes extérieures. L'APE n'avait jamais figuré sur la liste des enchérisseurs. Et puis Nguyen s'était rendu dans le système jovien, James Holden et son petit botaniste étaient entrés en scène à un moment ou un autre de cette phase, et Mars avait compris qu'elle allait perdre le marché.

Avasarala se demandait combien Errinwright avait donné à Jules-Pierre Mao pour enchérir sur Mars. Il s'était forcément vu offrir plus que de l'argent.

La Terre était sur le point d'obtenir sa première arme protomoléculaire, et Errinwright avait laissé Avasarala en dehors de la manœuvre parce qu'elle n'allait pas aimer ce qu'il s'apprêtait à en faire, quoi qu'il ait en tête. Or elle était une des très rares personnes dans le système solaire en capacité de l'arrêter.

Elle se demanda si elle était toujours du nombre.

— Merci, Soren, dit-elle. J'apprécie. Nous savons où elle se trouve ?

— Elle vous cherche, répondit son assistant avec l'esquisse d'un sourire matois. Il se peut qu'elle vous croie endormie. Il est très tard.

— Dormir ? Oui, je me souviens vaguement de ce concept, fit-elle. Très bien. Il va falloir que je m'entretienne avec Errinwright.

— Désirez-vous que je la fasse arrêter ?

— Non, je ne le désire pas.

La déception fut à peine perceptible.

— Comment devrions-nous agir ? demanda-t-il.

— Je vais en discuter avec Errinwright. Vous pouvez m'apporter du thé ?

— Oui, madame, répondit-il, et il sortit sans quasiment se redresser de sa courbette.

Elle se laissa aller au fond de son fauteuil. Son esprit était calme, son corps alerte et détendu à la fois, comme si elle venait d'achever une méditation particulièrement longue et efficace. Elle lança la requête de connexion et attendit de voir combien de temps Errinwright ou son assistant mettrait à répondre. Dès qu'elle eut fait la demande, celle-ci fut étiquetée ATTENTE PRIORITAIRE. Trois minutes plus tard, Errinwright était en ligne. Il parlait par l'intermédiaire de son terminal personnel, et l'image tressautait au rythme des cahots du véhicule dans lequel il se déplaçait. Là où il était, il faisait nuit.

— Chrisjen ! dit-il. Il y a un problème ?

— Rien de particulier, répondit-elle en maudissant mentalement la connexion car elle aurait aimé voir son visage, le voir lui mentir. Soren m'a fait part d'éléments nouveaux et intéressants. Nos services de renseignements pensent que mon officier de liaison martien est une espionne.

— Vraiment ? dit Errinwright. Voilà qui est fâcheux. Vous la faites arrêter ?

— Je ne crois pas. Je pense plutôt à me servir d'elle. Mieux vaut manipuler un ennemi que l'on a démasqué. Vous n'êtes pas de cet avis ?

L'hésitation fut très courte :

— Bonne idée. Faites donc ça.

— Merci, monsieur.

— Puisque je vous ai en ligne, je voulais vous demander quelque chose. Vous avez une affaire qui nécessite votre présence au bureau, ou vous pourriez travailler depuis un vaisseau ?

Elle sourit. C'était donc l'étape suivante.

— À quoi pensez-vous ?

La voiture d'Errinwright atteignit une portion de chaussée plus égale et son visage devint plus clair sur l'écran. Il portait un costume noir sur une chemise blanche à col montant, sans cravate. Cette mise lui donnait de faux airs de prêtre.

— Ganymède. Il nous faut montrer que nous prenons très au sérieux ce qui s'y passe. Le secrétaire général souhaite que quelqu'un de haut rang se rende là-bas en personne. Pour faire un rapport sur l'aspect humanitaire de la situation. Et comme vous êtes en pointe sur le sujet, il a pensé que vous seriez la personne idoine pour nous représenter. De mon côté, je me suis dit que vous auriez aussi l'occasion de creuser cette histoire d'attaque initiale.

— Nous sommes en pleine guerre chaude, remarqua-t-elle. Je ne pense pas que la Flotte aura très envie d'affecter une de ses unités au transport de mes vieux os jusque là-bas. Et puis, je coordonne l'enquête sur Vénus, non ? Carte blanche et tout ce qui s'ensuit.

Errinwright sourit exactement comme s'il était sincère.

— Je me suis arrangé pour vous. Jules-Pierre Mao doit aller dans un de ses yachts de Luna à Ganymède pour superviser les opérations d'aide humanitaire engagées par son entreprise. Il a proposé une place à bord. Les conditions de voyage seront bien meilleures que celles que vous obtiendriez par le service. La bande passante sera probablement meilleure aussi. Vous pourrez continuer à surveiller Vénus depuis le yacht.

— Mao-Kwik est entré au gouvernement ? On ne m'en a rien dit, glissa-t-elle.

— Nous sommes tous dans le même camp. Mao-Kwik a autant intérêt que n'importe qui d'autre à ce qu'on prenne soin de ces gens.

La porte s'ouvrit et Roberta Draper entra dans le bureau d'Avasarala. La Marine avait vraiment mauvaise mine, avec le teint cendreux de quelqu'un qui n'a pas fermé l'œil depuis trop longtemps. Ses mâchoires étaient tétanisées. D'un mouvement de menton, Avasarala lui désigna un siège.

— Il me faut une grande largeur de bande passante, dit-elle à Errinwright.

— Ce ne sera pas un problème. Vous serez en priorité absolue sur tous les canaux de communication.

La Martienne s'assit de l'autre côté du bureau, très en dehors du cône couvert par la caméra. Elle crispa les mains sur ses cuisses, coudes collés aux côtes, comme un lutteur prêt à entrer dans la cage. Avasarala s'obligea à ne pas la regarder.

— Je peux y réfléchir ?

Errinwright rapprocha le terminal de son visage rond qui emplit tout l'écran.

— Chrisjen, j'ai dit au secrétaire général que ça risquait de ne pas marcher. Même avec le meilleur des yachts, se rendre dans le système jovien n'a rien d'un voyage d'agrément. Si vous avez trop à faire ou que ce voyage ne vous tente pas, dites-le-moi sans fausse gêne et je trouverai quelqu'un d'autre. Personne ne sera aussi bien que vous, c'est tout.

— Qui pourrait l'être ? feignit-elle de plaisanter, alors qu'intérieurement elle bouillait de rage. Très bien. Vous m'avez convaincue. J'embarque quand ?

— Le départ du yacht est prévu dans quatre jours. Désolé que le délai soit aussi bref, mais je n'ai eu confirmation qu'il y a une heure à peine.

— Un don du ciel.

— Si j'étais croyant, je dirais que tout ça a une signification. Je ferai communiquer tous les détails à Soren.

— Mieux vaut me les adresser directement, dit Avasarala. Soren aura déjà beaucoup à faire.

— Comme vous voudrez.

Son patron avait secrètement déclenché une guerre. Il travaillait avec les mêmes entreprises qui avaient laissé le génie sortir de la lampe sur Phœbé, sacrifié Éros et menacé toute l'humanité. C'était un petit garçon effrayé vêtu d'un costume de luxe qui cherchait la bagarre en croyant pouvoir l'emporter. Elle lui sourit. Des gens bien, hommes et femmes, avaient déjà péri à cause de lui et de Nguyen. Des enfants étaient morts sur Ganymède. Les Ceinturiens allaient se battre pour la moindre calorie. Certains succomberaient à la faim.

Les joues rebondies d'Errinwright s'affaissèrent d'un millimètre. Ses sourcils se froncèrent imperceptiblement.

Il savait qu'elle savait. Parce que, bien sûr, il savait. À leur niveau, les joueurs ne trompaient pas l'adversaire. Ils gagnaient alors même que leurs opposants voyaient très précisément ce qui se passait. Tout comme il était en train de gagner contre elle, à cette seconde.

— Vous vous sentez bien ? demanda-t-il. Je crois qu'en dix ans c'est la première de nos conversations dans laquelle vous n'avez rien dit de vulgaire.

Elle décocha une petite grimace à l'écran et tendit les doigts comme si elle pouvait caresser le visage de son interlocuteur.

— Connard, dit-elle posément.

Quand la communication fut coupée, elle se prit la tête dans les mains un moment, souffla et inspira bruyamment, en se concentrant. Lorsqu'elle se redressa, Bobbie l'observait.

— Bonsoir, dit la vieille dame.

— J'ai essayé de vous joindre, déclara la Martienne. Toutes mes demandes de connexion ont été bloquées.

Avasarala laissa échapper un petit grognement.

— Il faut que je vous parle de quelque chose, dit le sergent. Ou plutôt, de quelqu'un : Soren. Vous vous souvenez, ces données dont vous vouliez qu'il s'occupe, il y a quelques jours ? Il les a transmises à quelqu'un d'autre. Je ne sais pas qui, mais c'est un militaire. J'en suis sûre et certaine.

C'est donc ce qui lui a foutu la trouille, songea Avasarala. Pris la main dans le pot de confiture. Ce pauvre imbécile avait sous-estimé sa petite Marine.

— Très bien, dit-elle.

— Je comprends bien que vous n'avez aucune raison de me croire sur parole, se défendit Bobbie, mais… Bon, d'accord. Pourquoi vous riez ?

Avasarala se leva et étira les bras jusqu'à ce que les articulations de ses épaules soient agréablement douloureuses.

— À cet instant précis, vous êtes littéralement la seule personne de mon équipe en qui je peux avoir vraiment confiance. Vous vous rappelez, quand j'ai dit que cette chose sur Ganymède, ce n'était pas nous ? Ce n'était pas nous, mais maintenant c'est nous. Nous l'avons achetée, et je pense que nous projetons de nous en servir contre vous.

Bobbie se mit debout d'un bloc. Son visage simplement trop pâle un instant plus tôt était devenu livide.

— Je dois en référer à ma hiérarchie, déclara-t-elle, d'une voix épaisse, étranglée.

— Non, inutile. Ils sont au courant. Et pour le moment, vous ne pouvez rien prouver, tout comme moi. Allez leur en parler maintenant et ils diffuseront la nouvelle, que nous nous empresserons de démentir, et blablabla. Notre plus gros problème, c'est que vous allez retourner sur Ganymède avec moi. On m'y envoie.

Elle expliqua tout à la Martienne : le faux rapport des Renseignements concocté par Soren, et ce qu'il impliquait ; la trahison d'Errinwright, et la mission sur Ganymède à bord du yacht de Mao-Kwik.

— Vous ne pouvez pas faire ça, commenta Bobbie.

— Ça me fait vraiment mal au sein gauche, reconnut Avasarala. Ils vont espionner toutes mes conversations, mais ils le font sans doute déjà ici. Et s'ils m'envoient sur Ganymède, je vous fiche mon billet qu'il ne se passera strictement rien là-bas. Ils veulent me tenir à l'écart jusqu'à ce qu'il soit trop tard pour changer le cours des événements. Enfin, c'est ce qu'ils s'efforcent de faire. Parce que je ne vais pas me laisser mettre hors-jeu.

— Vous ne pouvez pas embarquer sur ce vaisseau, dit Bobbie. C'est un piège.

— Bien sûr, c'est un piège, admit Avasarala avec un geste vague de la main pour balayer l'objection. Mais c'est un piège dans lequel je dois entrer. Que je refuse une demande émanant du secrétaire général ? Si la chose se sait, tout le monde commencera à penser que je suis sur le point de me retirer. Personne ne soutient un joueur qui sera sans pouvoir l'année prochaine. Nous jouons une partie qui se déroule sur le long terme, c'est pourquoi il faut paraître solide sur le long terme. Errinwright en est bien conscient, c'est même pour ça qu'il a adopté cette tactique.

Au-dehors, une autre navette décollait. Elle entendait déjà le rugissement de la combustion, et elle sentait la pression de la poussée et de la gravité artificielle qui l'éloignaient du sol. Trente années s'étaient écoulées sans qu'elle sorte du puits de gravité de la Terre. La suite n'allait pas être très agréable pour elle.

— Si vous montez à bord de ce yacht, ils vous tueront, dit Bobbie en détachant chaque mot avec un soin lugubre.

— C'est comme ça que cette partie se joue, répondit Avasarala. Ce qu'ils…

La porte s'ouvrit de nouveau. Soren avait un plateau en mains. La théière était en fonte, et il n'y avait qu'une seule tasse, sans anse, en émail. Il ouvrit la bouche pour dire quelque chose, vit Bobbie. Il était aisé d'oublier la corpulence de la jeune femme tant qu'un homme du gabarit de l'assistant ne se faisait pas encore plus petit en sa présence.

— Mon thé ! Excellent. Vous en voulez, Bobbie ?

— Non.

— Très bien. Posez ça là, Soren. Je ne vais pas le boire pendant que vous le tenez. Bien. Servez-moi.

Elle le regarda tourner le dos à la Martienne. Les mains de son assistant ne tremblaient pas, elle devait lui accorder ce point. Elle garda le silence en attendant qu'il lui présente le thé, comme un chiot qui rapporte à sa maîtresse le jouet qu'elle a lancé. Quand ce fut fait elle souffla sur la surface du liquide brûlant pour chasser le fin voile de vapeur qui s'en élevait. Il prit soin de ne pas pivoter assez pour voir Bobbie.

— Autre chose, madame ?

Elle sourit. Combien de personnes ce garçon avait-il tuées simplement en lui mentant ? Elle ne le saurait jamais avec précision, pas plus que lui, d'ailleurs. Le mieux qu'elle puisse faire était de s'assurer qu'il n'ait pas *une seule* victime de plus à son actif.

— Soren, dit-elle, ils vont savoir que c'était vous.

C'en était trop. Il lança un regard par-dessus son épaule. Puis il reposa les yeux sur la vieille femme, le visage décomposé.

— De qui parlez-vous ? fit-il en tentant une dernière fois son numéro de charme.

— Eux. Si vous comptez sur eux pour vous aider dans votre carrière, je tiens à ce que vous le compreniez : ils ne lèveront pas le petit doigt pour vous. Le genre de types pour qui vous travaillez ? Dès qu'ils apprendront que vous avez merdé, vous ne serez plus rien pour eux. Ils ne tolèrent pas l'échec.

— Je…

— Moi non plus. Veillez à ne laisser aucun effet personnel à votre poste.

Elle le regarda droit dans les yeux. L'avenir qu'il avait planifié, pour lequel il s'était compromis, auquel il s'était modelé, cet avenir venait de s'écrouler. Une existence dépendant des aides de l'État se profilait à sa place. Ce n'était pas suffisant. Ce n'était pas suffisant du tout. Mais c'était toute la justice qu'elle pouvait appliquer dans un délai aussi court.

Quand la porte se fut refermée sur lui, Bobbie se racla la gorge.

— Que va-t-il lui arriver ? demanda-t-elle.

Avasarala goûta son thé. Vert, frais, parfaitement préparé, puissant et velouté, sans la moindre amertume.

— Qui en a quelque chose à foutre ? répliqua-t-elle. Le yacht de Mao-Kwik part dans quatre jours. Ça ne nous laisse pas beaucoup de temps. Et aucune de nous deux ne va pouvoir aller aux chiottes sans que les méchants en soient informés. Je vais vous passer une liste des gens avec qui je dois boire un verre ou déjeuner avant notre départ. Votre boulot consistera à arranger tout ça.

— Je suis votre secrétaire particulière, maintenant ? grommela Bobbie.

— Vous et mon mari êtes les deux seules personnes vivantes qui à ma connaissance n'essaient pas de me mettre des bâtons dans les roues. Voilà où j'en suis, à cette heure. Il faut aller au charbon, et je ne peux compter sur personne d'autre. Alors oui. Vous êtes ma secrétaire particulière. Vous êtes mon garde du corps. Vous êtes mon psychiatre. Tout ça. Vous.

Bobbie baissa la tête et souffla longuement, narines dilatées. Elle pinça les lèvres et secoua sa tête massive une fois – à gauche, puis à droite, et retour au centre.

— Vous êtes vraiment dans la merde, lâcha-t-elle.

Avasarala but une autre gorgée de thé. Elle aurait dû être anéantie. En larmes. On l'avait coupée de son propre pouvoir, on s'était joué d'elle. Jules-Pierre Mao avait été assis là, à moins d'un mètre de l'endroit où elle se tenait maintenant, et il avait ri sous cape tout le temps de leur entrevue. Errinwright, Nguyen, d'autres encore participaient à sa petite cabale. Ils l'avaient piégée. Elle était restée là, au fond de son fauteuil, à tirer les ficelles et rendre service en croyant qu'elle agissait réellement. Depuis des mois, des années peut-être, elle n'avait pas remarqué qu'elle était tenue à l'écart.

Ils l'avaient ridiculisée. Elle aurait dû éprouver une humiliation intense, au lieu de quoi elle ne s'était jamais sentie aussi vivante. C'était sa partie, et si elle était en retard à la mi-temps cela signifiait une seule chose : ils pensaient qu'elle allait perdre. Il n'y avait rien de mieux qu'être sous-estimé.

— Vous avez une arme ?

Bobbie faillit éclater de rire.

— Ils n'aiment pas que des soldats martiens se baladent enfouraillés dans les locaux des Nations unies, madame. Je dois même déjeuner avec des couverts en plastique. Nous sommes en guerre.

— D'accord, très bien. Dès notre embarquement sur le yacht, vous êtes chargée de ma sécurité. Vous allez donc avoir besoin d'une arme. Je vais arranger ce détail pour vous.

— Vous pouvez faire ça ? Franchement, quand même, je préférerais avoir ma tenue de combat.

— Votre tenue de combat ? Quelle tenue ?

— J'avais une combinaison de combat renforcée quand je suis arrivée ici. L'enregistrement vidéo du monstre vient de sa caméra intégrée. On m'a dit qu'on la confiait à vos spécialistes pour confirmer que c'était bien l'enregistrement d'origine, sans aucun trucage.

Avasarala dévisagea Bobbie tout en sirotant son thé. Michael-Jon saurait où trouver cette tenue. Elle l'appellerait dès demain matin, et ferait en sorte que la combinaison soit apportée à bord du yacht de Mao-Kwik, avec une désignation anodine sur l'emballage : GARDE-ROBES, par exemple.

Croyant sans doute que la vieille femme n'était pas convaincue, sa toute nouvelle assistante poursuivit :

— Sérieux. Donnez-moi un flingue, je suis une Marine. Récupérez cette tenue de combat pour moi, je suis une terreur.

— Si nous l'avons toujours, vous la récupérerez.

— Alors c'est bon, conclut Bobbie.

Elle sourit. Pour la première fois depuis leur rencontre, Avasarala eut peur d'elle.

Dieu ait pitié de celui qui te force à mettre cette tenue.

29

HOLDEN

La gravité revint dès qu'Alex remit le moteur en marche, et Holden descendit en flottant vers le plancher du sas intérieur de la soute à un demi-g confortable. Aucune raison d'aller vite, maintenant que le monstre avait été expulsé du vaisseau. Il leur fallait simplement mettre de la distance entre l'appareil et la créature, et la griller au passage dans le jet du propulseur, pour qu'elle soit décomposée en particules subatomiques. Même la protomolécule ne pourrait survivre à une réduction au niveau ionique.

Il l'espérait, en tout cas.

Quand il toucha le pont, il avait l'intention de se tourner vers le moniteur mural pour consulter les écrans des caméras arrière. Il voulait assister au spectacle de cette chose se calcinant, mais au moment où il entra en contact avec le plancher une douleur fulgurante explosa dans son genou. Il poussa un cri et s'affaissa.

Amos se laissa dériver dans sa direction, enclencha ses semelles magnétiques et commença à s'agenouiller auprès de lui.

— Ça va, cap ? fit-il.

— Bien. Je veux dire, bien dans la catégorie je-crois-que-je-me-suis-pété-le-genou.

— Ouais. Une blessure articulaire est beaucoup moins douloureuse en microgravité, pas vrai ?

Holden allait répliquer vertement lorsqu'un marteau géant frappa le flanc du vaisseau. La coque résonna comme un gong. Le moteur du *Rossi* s'arrêta presque instantanément, et l'appareil partit dans une vrille serrée. Amos fut rejeté loin de lui et traversa le sas pour aller percuter le panneau extérieur. Holden glissa au ras du plancher et s'arrêta debout contre la cloison, près du mécanicien. Son genou blessé se déroba sous lui et la douleur fut si violente qu'il faillit s'évanouir. D'un mouvement du menton il appuya sur une touche à l'intérieur de son casque, et sa combinaison renforcée lui injecta une dose massive d'amphétamines et d'analgésiques. En quelques secondes, son genou le faisait encore souffrir, mais d'une façon atténuée, qu'il pouvait aisément ignorer. Le rétrécissement de son champ de vision disparut et le sas redevint baigné d'une lumière très vive. Son cœur se mit à battre la chamade.

— Alex, dit-il, et il connaissait la réponse avant d'avoir posé la question, qu'est-ce que c'était ?

— Quand nous avons passé la créature au chalumeau, la bombe dans la soute a explosé, expliqua le pilote. Nous avons des avaries sérieuses au niveau de la soute, à la coque extérieure et dans la salle des machines. Le système de sécurité du réacteur l'a coupé automatiquement. La soute s'est transformée en deuxième propulseur au moment de l'explosion et ça nous a lancés dans une vrille. Je n'ai plus aucun contrôle sur le vaisseau.

Amos poussa un grognement et remua les membres.

— Ça craint…

— Il faut enrayer cette vrille, dit Holden. De quoi avez-vous besoin pour réenclencher les stabilisateurs ?

— Jim, intervint Naomi, je crains que Prax n'ait été blessé dans le sas. Il ne bouge plus.

— Il est en train de mourir ?

L'hésitation dura une seconde de trop.

— Sa combi ne l'analyse pas comme ça.

— Alors l'appareil d'abord, décida le capitaine. Les premiers soins ensuite. Alex, la radio est remise, et l'éclairage est revenu. Donc il n'y a plus d'interférences, et les batteries doivent être toujours en état. Pourquoi ne pouvez-vous pas enclencher les stabilisateurs ?

— On dirait que… les pompes primaire et secondaire sont HS. Pas de pression hydraulique.

— Confirmation, fit Naomi un instant plus tard. La primaire ne se trouvait pas dans la zone de l'explosion. Si elle est grillée, la salle des machines doit être dans un sale état. La secondaire se trouve sur le pont au-dessus. Elle n'aurait pas dû être touchée physiquement, mais il y a eu un gros pic de puissance juste avant que le réacteur coupe. Ça peut l'avoir grillée, ou avoir déclenché un disjoncteur.

— D'accord, on s'en occupe. Amos, dit Holden qui se dirigea vers la porte extérieure du sas de la soute, sur laquelle le mécanicien gisait. Vous êtes avec moi ?

Le colosse répondit par l'affirmative en faisant un geste d'une main, à la mode ceinturienne, avant de grogner :

— Ça m'a juste coupé le souffle, rien de plus.

— Faut se relever, mon grand, lui dit le capitaine.

Il se remit lui-même sur pied. Dans la gravité partielle engendrée par leur mouvement de rotation, ses jambes lui paraissaient lourdes, surchauffées, et aussi raides que des piquets. Sans tous les produits qui couraient dans ses veines, le seul fait de se tenir debout l'aurait certainement fait hurler. Il redressa Amos, ce qui accentua encore la pression sur sa blessure.

Je vais le payer plus tard, pensa-t-il, mais l'effet des amphétamines semblait rendre très lointain ce plus tard.

— Hein ? bredouilla le mécanicien.

Il devait être commotionné. Holden veillerait à ce qu'il soit médicalement assisté quand ils auraient repris le contrôle de leur vaisseau.

— Il faut atteindre la pompe hydraulique du circuit secondaire, lui expliqua-t-il, en se forçant à parler lentement malgré les drogues. Quel est le point d'accès le plus rapide ?

— Le magasin de la salle des machines, répondit Amos avant de fermer les yeux et de sembler s'assoupir debout.

— Naomi, tu peux prendre le contrôle de sa combi depuis ton poste ?

— Oui.

— Alors injecte-lui une dose massive de speed. Je ne peux pas le traîner derrière moi, et j'ai besoin de lui.

— Compris, dit-elle.

Quelques secondes plus tard, les yeux du mécanicien s'ouvrirent subitement.

— Merde. Je m'étais endormi ?

Il avait encore la voix pâteuse, mais on sentait derrière ses paroles une sorte d'énergie sauvage.

— Il faut aller au point d'accès du magasin. Pour y prendre ce que vous estimerez nécessaire afin de remettre la pompe en route. Un disjoncteur s'est peut-être déclenché, ou bien une partie du câblage a grillé. On se retrouve là-bas.

— D'accord.

Amos s'aida des arceaux de sécurité rivés au plancher pour atteindre le panneau intérieur du sas. Un instant plus tard, il l'avait ouvert et disparaissait de l'autre côté.

Avec le mouvement rotatif du vaisseau, la gravité maintenait Holden à mi-distance du plancher et de la cloison tribord. Les échelles et les arceaux disposés pour faciliter les déplacements en gravité restreinte n'étaient évidemment pas orientés dans le bon sens. Cela n'aurait pas posé de problème réel s'il avait eu quatre membres fonctionnels, mais sa jambe inutile rendrait la manœuvre plus difficile.

Et, bien entendu, dès qu'il aurait dépassé le point central de giration de l'appareil, tout s'inverserait.

Pendant un moment, sa perspective changea. L'effet de Coriolis secouait vicieusement les os internes de ses oreilles, et il se retrouva à chevaucher une carapace de métal perdue dans une chute libre permanente. Puis il fut sous elle, au risque de se faire écraser. Le sang lui monta au visage et il eut une suée brutale annonçant la nausée tandis que son cerveau cherchait un scénario acceptable pour expliquer ces sensations déroutantes de tournoiement. Du menton il activa certaines commandes de sa combinaison et s'injecta une dose massive d'anti-nauséeux.

Sans s'accorder le temps de réfléchir, il saisit les arceaux du plancher pour rejoindre le sas intérieur ouvert. Il aperçut Amos qui emplissait un seau en plastique d'outils et de matériel qu'il tirait de casiers et de tiroirs.

— Naomi, dit Holden, Je vais jeter un coup d'œil à la salle des machines. Il reste des caméras qui retransmettent, là-bas ?

Elle produisit une sorte de grognement dégoûté qu'il interpréta comme étant une réponse négative et déclara :

— J'ai des systèmes en rideau partout dans le vaisseau. Soit ils sont détruits, soit ils ne sont plus alimentés.

Il se hissa au-dessus de l'écoutille pressurisée qui séparait le magasin de la salle des machines. Sur le panneau, un voyant d'état clignotait rageusement en rouge.

— Merde, exactement ce que je craignais.

— Quoi ?

— Tu n'as pas non plus les relevés environnementaux, évidemment ?

— Pas ceux de la salle des machines. Tout est en rade.

Il poussa un long soupir.

— Bon. Le système de l'écoutille indique une absence d'atmosphère de l'autre côté. Cette charge incendiaire a créé une brèche dans la coque, et la salle des machines baigne dans le vide.

— Oh ! oh ! fit Alex. La soute est dans la même situation.

— Et la porte extérieure de la soute est endommagée, ajouta Naomi. Et le sas.

— Et la tête, alouette, maugréa Amos. Démerdons-nous pour stabiliser cette poubelle et ensuite je passerai à l'extérieur pour l'examiner.

— Il a raison, faisons les choses dans l'ordre, décida Holden.

Il lâcha l'écoutille et se mit sur ses pieds. Il parcourut d'un pas chancelant la cloison fortement inclinée jusqu'au panneau d'accès devant lequel Amos l'attendait maintenant, son seau à la main. Pendant que le mécanicien utilisait une clef dynamométrique pour déboulonner le panneau, Holden reprit :

— En fait, Naomi, chasse tout l'air du magasin aussi. Plus d'atmosphère en dessous du pont 4. Et déverrouille les sécurités au cas où il nous faudrait ouvrir l'écoutille de la salle des machines.

Amos dévissa le dernier boulon et dégagea le panneau de la cloison. Au-delà s'étendait un espace sombre et étroit, encombré de tuyaux et de câbles entremêlés.

— Oh, souffla Holden. Serait peut-être pas inutile de préparer un SOS, si nous ne pouvons pas réparer ça.

— Ouais, c'est vrai qu'il y a un tas de gens dans le secteur que nous avons vraiment envie d'appeler à la rescousse, surtout en ce moment, fit Amos, goguenard.

Il se glissa dans l'étroit passage entre les deux coques et disparut. Le capitaine le suivit. À deux mètres de l'écoutille l'espace était occupé par la forme massive et complexe de la pompe qui régulait la pression hydraulique des propulseurs de manœuvre. Amos s'arrêta devant le mécanisme et entreprit d'en ôter certains composants. Holden patienta derrière lui, le manque de place l'empêchant de voir ce que faisait le mécanicien.

— Ça ressemble à quoi ? demanda-t-il après avoir écouté pendant quelques minutes Amos qui s'activait en jurant à voix basse.

— Ça m'a l'air bien, ici, répondit le mécano. Je vais quand même changer le disjoncteur, par sécurité. Mais à mon avis, ce n'est pas la pompe qui pose problème.

Merde.

À reculons, Holden ressortit par l'écoutille de maintenance et remonta en rampant à moitié la pente jusqu'à celle de la salle des machines. Le voyant de contrôle avait troqué sa lumière rouge vif contre un jaune morose maintenant qu'il n'y avait plus d'atmosphère des deux côtés de l'accès.

— Naomi, il faut que j'entre dans la salle des machines. Pour voir ce qui s'y est passé. Tu as désactivé les sécurités ?

— Oui. Mais je n'ai aucun senseur pour ce secteur. La salle pourrait baigner dans les radiations…

— Mais tu as des senseurs ici, dans le magasin, non ? Si j'ouvre l'écoutille et que tu relèves une alerte radiations, fais-le-moi savoir. Je refermerai immédiatement.

— Jim, dit-elle, et la sécheresse qui avait habité sa voix chaque fois qu'elle s'était adressée à lui pendant la journée écoulée s'atténua un peu, combien de fois peux-tu t'exposer à une dose massive de radiations avant que ça te rattrape ?

— Une fois encore, au moins ?

— Je vais dire au *Rossi* de préparer une couchette à l'infirmerie, lâcha-t-elle, sans totalement plaisanter.

— Alors une qui ne balance pas des données erronées.

Il ne s'accorda pas le temps de réfléchir et déclencha le mécanisme de l'écoutille. Il retint sa respiration pendant qu'elle s'ouvrait, s'attendant à découvrir chaos et destruction de l'autre côté, suivi immédiatement après par l'alarme radiations de sa combinaison.

Il ne vit qu'un petit trou dans la coque, tout près de la source de l'explosion. Tout le reste était en place.

D'une traction il passa par l'accès et se retint à la force des bras un moment, le temps d'examiner ce qui l'entourait. L'énorme réacteur nucléaire qui occupait le centre du compartiment paraissait indemne. Côté tribord, la coque s'incurvait vers l'intérieur de façon précaire, avec ce trou calciné en son centre, tel un volcan miniature qui se serait formé là. Holden frissonna en imaginant la quantité d'énergie nécessaire pour courber ainsi l'épaisse coque blindée antiradiation, et en constatant que le réacteur avait bien failli être percé. Combien de joules supplémentaires pour passer d'une cloison rudement perforée à une brèche franche dans le caisson de confinement ?

— Bon sang, on a frôlé la cata, dit-il à haute voix et à personne en particulier.

— J'ai changé tous les éléments auxquels j'ai pu penser, l'informa Amos. Le problème vient d'ailleurs.

Holden lâcha le bord de l'écoutille et se laissa tomber d'un demi-mètre vers la coque inclinée sous lui, pour ensuite glisser jusqu'au plancher. Le seul autre dommage visible était un gros morceau du placage de la coque qui saillait de la cloison opposée, de l'autre côté du réacteur. Il ne voyait pas comment ce projectile avait pu arriver là sans passer au travers du réacteur, à moins qu'il n'ait contourné l'obstacle en ricochant à deux reprises contre la coque. Rien ne suggérait que la première hypothèse était la bonne, c'était donc la seconde qu'il fallait valider, si incroyable que ce soit.

— Oui, on a vraiment frôlé la cata…

Il toucha du bout des doigts le fragment de métal dentelé. Il s'était enfoncé de cinq bons centimètres dans la cloison. Un impact largement assez puissant pour avoir transpercé l'enveloppe de confinement protégeant le réacteur. Ou pire.

— Je me branche sur ta caméra, dit Naomi qui poussa un petit sifflement étonné, un moment plus tard. Sans blague. Les parois dans cette section sont bourrées de câblage. On ne peut pas les entailler sans endommager quelque chose.

Holden tenta de retirer le fragment de la cloison avec sa main, mais il échoua.

— Amos, apportez des pinces et de quoi réparer des câbles.

— Donc personne n'est en situation de détresse ? dit Naomi.

— Non. Mais si quelqu'un pouvait braquer une caméra sur l'arrière, pour me prouver que malgré tous ces ennuis nous avons effectivement néantisé cette saloperie de bestiole, ce serait vraiment super.

— Je l'ai vue disparaître de mes propres yeux, capitaine, dit Alex. Ce n'est plus que du gaz, maintenant.

Allongé sur une des couchettes automatisées de l'infirmerie, Holden laissait le vaisseau examiner sa jambe. Régulièrement un bras articulé venait tâter son genou, lequel avait gonflé jusqu'à atteindre la taille d'un melon, tendant la peau comme celle d'un tambour. Mais les systèmes d'urgence faisaient également en sorte de le maintenir sous sédation constante, de sorte que les contacts et pressions qu'on lui infligeait demeuraient indolores.

Le panneau d'information près de sa tête le mit en garde contre tout mouvement, et deux bras articulés immobilisèrent sa jambe tandis qu'un troisième insérait un tuyau flexible aussi fin qu'une aiguille dans son genou et entamait une procédure arthroscopique. Il nota une vague sensation de tiraillement.

Prax était étendu sur la couchette voisine. Il avait la tête bandée là où un bout de peau large de trois centimètres avait été recollé. Il gardait les yeux fermés. Amos, qui en fin de compte ne souffrait d'aucune commotion, seulement d'une bosse de plus au crâne, était sous les ponts, occupé à bricoler des réparations sur tout ce que la bombe du monstre avait endommagé, ce qui incluait la pose d'une pièce isolante temporaire pour boucher la brèche de la coque, dans la salle des machines. Ils ne pourraient pas remettre en état les portes de la soute avant d'arriver sur Tycho. Alex les emmenait vers cette destination tranquillement, à un quart de g, afin de faciliter le travail.

Ce contretemps n'ennuyait pas Holden. Pour tout dire, il n'était pas pressé de revenir sur Tycho et de raconter à Fred ce qu'il avait vu. Plus il y pensait, plus il prenait du recul par rapport à sa panique première, et plus il estimait que Naomi avait vu juste. Il aurait été aberrant que Johnson soit impliqué.

Mais il n'en était pas complètement sûr. Et il lui fallait en être sûr.

Prax marmonna quelque chose et porta une main à sa tête. Il commença à tirer sur son pansement.

— À votre place, je n'y toucherais pas, lui dit Holden.

Le botaniste acquiesça et referma les yeux. Il s'endormit, ou essaya de s'endormir. L'auto-doc retira le tube du genou d'Holden, aspergea la jambe d'antiseptique et l'enveloppa dans un bandage serré. Le Terrien attendit que l'appareil médical ait terminé sa tâche, puis il se plaça de côté sur la banquette et tenta de se lever. Même à un quart de g, sa jambe ne pouvait pas le porter. Il sautilla à cloche-pied jusqu'à un casier et y prit une béquille.

Alors qu'il passait devant la couche du chercheur, celui-ci agrippa son bras. Sa poigne était étonnamment vigoureuse.

— Elle est morte ?

— Ouais, dit Holden en lui tapotant la main. On l'a eue. Merci.

Prax ne répondit pas. Il roula simplement sur le flanc et se mit à trembler. Il fallut un moment au capitaine avant de comprendre que le petit homme sanglotait. Il sortit de l'infirmerie sans rien dire d'autre. Qu'y avait-il d'autre à dire ?

Il emprunta l'échelle-ascenseur pour monter, avec l'idée de se rendre aux ops pour y prendre connaissance des rapports détaillés d'avarie que Naomi et le *Rossi* compilaient. Il fit halte au niveau du pont du personnel quand il entendit deux personnes discuter. La teneur de l'échange lui échappait, mais il reconnut la voix de Naomi et ce ton qu'elle utilisait lorsqu'elle parlait de façon intime.

Les voix provenaient de la coquerie. Se sentant un peu l'âme d'un voyeur, Holden se rapprocha de cet endroit jusqu'à discerner le sens de ce qui se disait.

— C'est plus que ça, affirmait la jeune femme.

Holden faillit entrer dans la coquerie, mais quelque chose dans l'inflexion de cette phrase l'en dissuada. Il avait le sentiment affreux qu'elle parlait de lui. D'eux. De la raison qui la poussait à partir.

— Pourquoi faudrait-il que ce soit plus que ça ? répondit son interlocuteur.

Amos.

— Vous avez presque battu à mort un homme avec une conserve de poulet, sur Ganymède, répondit la jeune femme.

— Il voulait retenir une gamine en otage pour obtenir un peu de bouffe ? Qu'il crève. S'il était là, je l'éclaterais tout de suite, pareil.

— Vous avez confiance en moi, Amos ?

Son ton était plein de tristesse. Plus que cela. Elle avait peur.

— Plus qu'en n'importe qui, répondit le mécanicien.

— J'ai une trouille monstre. Jim se précipite pour faire quelque chose de vraiment idiot sur Tycho. Ce type que nous emmenons avec nous a l'air d'être au bord de la crise de nerfs.

— Bah, il a…

— Et vous, coupa-t-elle. Je compte sur vous. Je sais que vous protégez toujours mes arrières, quelles que soient les circonstances. Sauf peut-être maintenant, parce que l'Amos que je connais ne bat pas presque à mort un gamin, quelle que soit la quantité de poulet exigée par le gamin. J'ai l'impression que tout le monde est en train de perdre la tête. Et j'ai besoin de comprendre, parce que tout ça me fait vraiment, vraiment peur.

Holden éprouva l'envie soudaine d'entrer dans la coquerie, de lui prendre la main, de la serrer contre lui. Le désarroi qu'il percevait dans sa voix le lui ordonnait, et pourtant il se retint. Une longue pause suivit. Il entendit un grattement, suivi du son du métal heurtant le verre. Quelqu'un diluait du sucre dans son café. Les bruits étaient si nets qu'il pouvait quasiment voir la scène.

— Donc, Baltimore, dit Amos, d'une voix aussi détendue que s'il allait parler de la météo. Pas une ville très jolie. Vous avez déjà entendu parler de presser le citron. Le trafic de citrons ? Le harponnage au citron ?

— Non. C'est une drogue ?

— Non, dit le mécanicien en riant. Non, quand vous pressez un citron, c'est que vous mettez une pute sur le trottoir jusqu'à ce qu'elle se fasse engrosser, et ensuite vous la réservez aux clients qui prennent leur pied avec les femmes enceintes. Et dès qu'elle a eu son môme, vous la remettez sur le trottoir. Avec les restrictions sur la procréation, se taper une femme enceinte est devenu le fin du fin, pour certains détraqués.

— Mais… le trafic de citrons ? dit Naomi en s'efforçant de dissimuler son dégoût.

— Les mômes ? Ils sont nés dans l'illégalité, mais ils ne disparaissent pas comme ça, pas tout de suite, poursuivit Amos. Ils ont leur utilité, eux aussi.

Holden sentit sa poitrine se serrer un peu. C'était un sujet auquel il n'avait jamais réfléchi. Quand Naomi parla, une seconde plus tard, l'horreur de la jeune femme fit écho à la sienne.

— Mon Dieu, souffla-t-elle.

— Dieu n'a rien à voir là-dedans, dit Amos. Il n'y a pas de dieu dans le trafic de citrons. Mais certains des mômes finissent dans les gangs de souteneurs. D'autres dans la rue…

— Il y en a qui finissent par trouver une place sur un vaisseau, pour quitter la planète et ne jamais y revenir ? demanda Naomi d'un ton contrôlé.

— Peut-être, répondit le mécano, toujours aussi platement. Peut-être que certains y arrivent. Mais dans leur grande majorité… ils finissent par disparaître. Ils ne sont plus utiles. Pour la plupart.

Pendant un temps, personne ne parla. Aux menus bruits qu'ils produisaient, Holden sut qu'ils buvaient leur café.

— Amos, dit-elle enfin d'une voix un peu enrouée. Je n'avais jamais…

— C'est pour ça que j'aimerais bien retrouver cette gamine avant que quelqu'un se mette à la presser, et qu'elle disparaisse. J'aimerais faire ça pour elle.

Il parut avoir du mal à continuer, et s'interrompit pour tousser avant de reprendre :

— Pour son père.

Holden crut qu'ils en avaient fini, et il allait s'éloigner sans bruit quand il entendit Amos qui ajoutait, d'un ton redevenu calme :

— Ensuite je ferai la peau au fumier qui l'a enlevée.

30

BOBBIE

Avant de travailler pour Avasarala aux Nations unies, Bobbie n'avait jamais entendu prononcer l'expression Entreprises Mao-Kwikowski, ou bien elle n'y avait pas prêté attention. Sans même le savoir elle avait pourtant passé toute sa vie à porter, manger, voyager Mao-Kwik. Quand elle eut épluché tous les dossiers qui lui avaient été transmis, elle ne put que s'avouer stupéfaite par le gigantisme et l'influence de la firme. Des centaines de vaisseaux, des dizaines de stations, des millions d'employés. Jules-Pierre Mao était à la tête d'avoirs considérables sur toutes les planètes et lunes habitables du système. Sa fille âgée de dix-huit ans avait possédé sa propre chaloupe de course. Et c'était la fille qu'il n'aimait pas.

Bobbie essaya de s'imaginer assez fortunée pour être propriétaire d'un vaisseau destiné uniquement à des compétitions, et elle n'y arriva pas. Que cette même jeune femme se soit enfuie et soit devenue une rebelle de l'APE en disait certainement beaucoup sur la relation existant entre opulence et accomplissement personnel, mais le sergent des Marines n'était pas très doué pour ce genre de considérations philosophiques.

Elle avait connu une enfance classique de la classe moyenne martienne. Son père avait servi en qualité de sous-officier pendant vingt ans, dans les Marines bien entendu, avant de se reconvertir dans la sécurité privée, comme consultant. La famille de Bobbie avait toujours vécu dans un logement agréable. Ses deux frères aînés et elle avaient accompli leurs études primaires dans un établissement privé, puis les garçons étaient entrés à l'université sans même avoir besoin de contracter un prêt étudiant. En grandissant elle ne s'était jamais considérée comme pauvre.

Maintenant, si.

La possession de son propre appareil de course n'était pas qu'un simple signe de richesse. C'était l'échelon supérieur de la richesse, une dépense ostentatoire qui aurait convenu aux anciennes lignées royales de la Terre, l'équivalent d'une pyramide de pharaon équipée d'un propulseur à réaction. Bobbie avait d'abord estimé que c'était là l'extravagance la plus ridicule dont elle ait jamais entendu parler.

Et puis elle était descendue de la navette et avait posé le pied sur L5, la station privée de Jules-Pierre Mao.

L'industriel ne garait pas ses vaisseaux en orbite, sur une station publique. Il n'utilisait même pas une station des entreprises Mao-Kwik. L5 était une station spatiale privée, parfaitement fonctionnelle, placée en orbite de la Terre et réservée uniquement à ses appareils personnels, et le tout était aussi rutilant qu'un paon faisant la roue. Cette vision atteignait un degré d'extravagance qu'elle n'avait jamais imaginé.

Elle pensait aussi que tout cela faisait de Mao lui-même quelqu'un d'extrêmement dangereux. Tous ses actes étaient une affirmation de sa liberté envers toute contrainte. Cet homme n'avait aucune limite. L'assassinat d'une personnalité politique de haut rang au sein des Nations unies était sans doute une sale affaire. Elle pouvait se révéler très coûteuse. Mais elle ne présenterait finalement aucun risque pour un homme aussi riche et aussi puissant.

Mais Avasarala ne s'en rendait pas compte.

— Je déteste la gravité engendrée par la rotation, dit la vieille femme en buvant une petite gorgée de son thé fumant.

Elles se trouvaient sur la station depuis trois heures seulement, pour attendre que le chargement soit transféré de la navette à bord du yacht de Mao, mais on leur avait alloué une suite comprenant quatre chambres, chacune avec sa salle de bains, autour d'un grand salon. Un écran géant déguisé en baie vitrée offrait une vue d'un croissant de Terre aux continents voilés de nuages, sur le fond noir de l'espace. Elles disposaient également d'une cuisine totalement équipée, jusqu'à ses trois employés dont la tâche la plus complexe était pour l'instant d'avoir remplacé l'assistant de la sous-secrétaire dans la cérémonie du thé. Bobbie envisagea de commander un festin, juste pour les aider à tromper leur ennui.

— Je n'arrive pas à croire que nous allons grimper à bord d'un yacht appartenant à cet homme, dit-elle. Vous avez déjà vu quelqu'un d'aussi riche aller en taule, vous ? Ou même être poursuivi en justice ? Ce type pourrait sûrement se pointer ici, vous vider un chargeur en plein visage devant les caméras et s'en sortir sans être inquiété.

Avasarala lui rit au nez. Bobbie dut maîtriser un brusque accès de colère. Ce n'était que sa peur cherchant un prétexte pour s'exprimer.

— La partie ne se joue pas comme ça, expliqua la vieille femme. Personne ne se fait abattre. On marginalise le vaincu. C'est bien pire.

— Faux. J'ai vu des gens se faire descendre. J'ai vu mes amis prendre une balle. Quand vous dites : "La partie ne se joue pas comme ça", vous parlez pour des gens comme vous. Pas comme moi.

Le visage de sa patronne se ferma.

— Oui, c'est ce que je voulais dire, concéda-t-elle. Le niveau auquel nous jouons applique des règles particulières. C'est comme le jeu de go. Tout dépend des influences qu'on exerce. Il faut contrôler le plateau de jeu sans l'occuper.

— Il y a aussi le poker, comme jeu, fit Bobbie. Mais parfois les mises grimpent tellement qu'un des joueurs décide qu'il est plus simple de tuer l'adversaire et de repartir avec l'argent. Ça arrive tout le temps.

Avasarala acquiesça sans répondre immédiatement. Visiblement elle réfléchissait à ce que la Martienne venait de dire. Celle-ci sentit sa colère se transformer en un élan d'affection inattendu pour cette vieille dame ronchonne et arrogante.

Laquelle reposa sa tasse et plaça ses mains sur ses cuisses.

— D'accord. J'ai bien compris le message, sergent. Je pense que c'est improbable, mais je suis heureuse que vous soyez ici pour l'évoquer.

Mais vous ne le prenez pas au sérieux, voulut lui crier Bobbie. Elle n'en fit rien et préféra commander un sandwich champignons-oignons au domestique qui se tenait disponible, un peu en retrait. Pendant que sa garde du corps se restaurait, Avasarala but son thé à petites gorgées, grignota un biscuit et devisa avec légèreté de la guerre et de ses petits-enfants. Bobbie s'évertua à ponctuer le discours sur la guerre de petits bruits approbateurs, et les anecdotes concernant les enfants de mimiques attendries. Mais en réalité ses pensées tournaient toutes autour du cauchemar tactique qu'allait constituer la protection de sa supérieure dans un vaisseau spatial sous contrôle ennemi.

Sa combinaison renforcée se trouvait dans une grande caisse étiquetée TENUES DE CÉRÉMONIE qu'on chargeait à bord du yacht de Mao alors même qu'elles patientaient. Elle aurait aimé s'éclipser pour la revêtir. Elle ne remarqua pas qu'Avasarala avait cessé de parler depuis un bon moment déjà.

— Bobbie, dit la vieille dame sans avoir l'air de vraiment se formaliser, mes histoires sur mes petits-enfants adorés vous ennuient ?

— Ouais, répondit la Martienne. Ouais, c'est ça : elles m'ennuient.

Elle avait cru que la station Mao était l'étalage de richesse le plus ridicule qu'elle pourrait voir dans sa vie. Jusqu'à ce qu'elles embarquent sur le yacht.

Si la station ne manquait pas d'une certaine extravagance, son existence servait au moins une fonction définie, celle de garage orbital personnel de Jules-Pierre Mao, l'endroit où il pouvait regrouper sa flotte privée. Derrière le clinquant extérieur se cachait un vrai centre de réparation et d'entretien, parfaitement équipé avec mécaniciens et équipes de spécialistes qui travaillaient réellement.

Le yacht, le *Guanshiyin*, avait la taille d'un transport classique qui aurait pu accueillir deux cents passagers, mais il ne comportait qu'une douzaine de cabines grand luxe. Sa soute était juste assez vaste pour contenir l'approvisionnement nécessaire à une longue croisière. L'appareil n'était pas particulièrement rapide. De fait, selon les standards en vigueur c'était un échec patent comme vaisseau spatial utile.

Mais son rôle n'était pas l'utilité.

Le rôle du *Guanshiyin* était d'offrir tout le confort. Un confort qui se devait d'être aussi extravagant que le reste.

C'était comme le hall d'entrée d'un hôtel, avec sous vos pieds une moquette épaisse et douce, et au-dessus de votre tête des lustres en cristal véritable qui scintillaient dans la lumière. Tout endroit qui aurait pu présenter un angle net avait été arrondi. Adouci. Les murs étaient tapissés de bambou brut et de fibres naturelles. La première pensée de Bobbie fut que le tout devait être très difficile à nettoyer, la seconde que cette difficulté était intentionnelle.

Chaque suite occupait presque un pont entier, avec salle de bains dans toutes les chambres, centre média, salle de jeux et salon avec un bar bien garni. Cette dernière pièce était équipée d'un écran gigantesque relayant une vue de l'extérieur qui n'aurait pas eu une meilleure définition au naturel. À côté du bar, un monte-plats et un interphone permettaient de se faire servir tous les mets désirés que préparaient à la demande et de jour comme de nuit les chefs étoilés embarqués.

La moquette était si épaisse que, Bobbie l'aurait parié, les bottes à semelles magnétiques étaient inopérantes ici. Mais peu importait. Un vaisseau tel que celui-ci ne tombait jamais en panne et ne devait jamais stopper les moteurs pendant un vol. Les gens voyageant à bord du *Guanshiyin* n'avaient sans doute jamais enfilé une combinaison pressurisée de toute leur vie.

Dans sa salle de bains, toute la robinetterie et les installations fixes étaient plaquées or.

Bobbie et Avasarala étaient installées dans le salon, en compagnie du chef d'une des équipes de sécurité des Nations unies, un homme grisonnant aux manières agréables, d'origine kurde et répondant au nom de Cotyar. Lors de leur première rencontre, la Marine s'était quelque peu inquiétée. Il avait plus l'air d'un professeur d'université amical que d'un soldat. Puis elle l'avait vu vérifier les différentes pièces de la suite qu'Avasarala occuperait avec l'efficacité que donne une longue pratique, mettre au point les mesures de sécurité et diriger son groupe de protection, et ses craintes s'étaient évanouies.

— Eh bien, premières impressions ? demanda Avasarala sans ouvrir les yeux, du fond d'un fauteuil luxueux.

— Cet endroit n'est pas sécurisé, répondit Cotyar, et son accent parut exotique aux oreilles de Bobbie. Nous ne devrions pas discuter de sujets sensibles ici. Votre chambre a été sécurisée pour avoir de telles conversations sans aucun risque.

— C'est un piège, déclara Bobbie.

Avasarala ouvrit les yeux, se pencha en avant et fusilla la Martienne d'un regard dur.

— Nous n'en avons pas encore fini avec ces foutaises ?

— Elle a raison, insista Cotyar d'un ton posé bien qu'il soit visiblement ennuyé d'aborder ces sujets dans un lieu non sécurisé. J'ai déjà compté quatorze membres d'équipage sur ce vaisseau, et je pense que c'est là moins d'un tiers de l'effectif embarqué. Je dispose d'un groupe de protection de six éléments…

— Sept, interrompit Bobbie en levant la main.

— Puisque vous le dites, enchaîna Cotyar avec un hochement de tête. Sept, donc. Nous n'avons le contrôle sur aucun des systèmes de cet appareil. Un assassinat serait aussi simple que d'isoler hermétiquement ce pont et d'en pomper tout l'air.

Bobbie pointa l'index sur lui et lâcha :

— Vous voyez ?

Avasarala eut un geste de la main, comme si elle chassait des mouches imaginaires.

— Niveau communications, ça ressemble à quoi ?

— C'est du costaud, répondit l'homme de la sécurité. Nous avons installé un réseau privé et nous profitons d'un faisceau de ciblage et de tout le matériel radio pour votre usage personnel. La largeur de bande est confortable, mais il faudra prendre en compte un délai croissant dans les transmissions à mesure que nous nous éloignerons de la Terre.

— Bien, fit Avasarala.

Elle sourit, et c'était la première fois depuis qu'elle était à bord. Elle avait cessé de paraître lasse depuis quelque temps déjà, affichant cette expression indéfinissable qu'ont les gens pour qui la fatigue est devenue un mode de vie.

— Rien de tout cela n'est sécurisé, insista Cotyar. Nous sommes en mesure de sécuriser notre réseau interne, mais s'ils surveillent les données entrantes et sortantes qui transitent par notre matériel nous serons dans l'incapacité de le détecter. Nous n'avons aucun accès au centre opérationnel du vaisseau.

— Et c'est précisément la raison de ma présence ici, dit la vieille dame. Me mettre en bouteille, m'envoyer faire un long voyage et lire toute ma foutue correspondance.

— Nous aurons de la chance s'ils se contentent de ça, remarqua Bobbie.

La fatigue évidente de sa supérieure lui rappelait qu'elle était elle-même épuisée. Elle se sentit céder à la somnolence un instant.

Avasarala termina sa phrase, Cotyar lui répondit par l'affirmative, et elle se tourna vers la Martienne.

— Vous êtes d'accord ?

Bobbie essaya de remonter le fil de la conversation et échoua complètement.

— Euh… Je…

— Vous tombez pratiquement de votre siège. À quand remonte votre dernière vraie nuit de sommeil ?

— Sûrement aussi loin que pour vous, rétorqua la jeune femme.

La dernière fois que mes camarades de section étaient encore en vie, quand vous ne cherchiez pas à empêcher le système solaire de s'embraser. Elle guetta un autre commentaire acerbe, une observation sur son inaptitude à assumer son poste si elle était aussi affaiblie.

— Pas faux, commenta simplement Avasarala, et Bobbie sentit un autre petit élan d'affection pour elle. Mao a prévu un grand dîner ce soir, pour nous souhaiter la bienvenue à bord. Je veux que vous soyez de la fête, Cotyar et vous. Il jouera son rôle de chef de ma sécurité rapprochée, donc il restera au fond de la salle, l'air menaçant.

Bobbie ne put s'empêcher de rire. Cotyar sourit et lui adressa un clin d'œil.

— Et vous, poursuivit Avasarala, vous serez ma secrétaire particulière, ce qui vous permettra de baratiner les gens. Essayez de sentir l'ambiance qui règne au sein de l'équipage, et dans le vaisseau en général. D'accord ?

— Bien reçu.

Avasarala adopta alors le ton particulier qu'elle prenait pour demander un service déplaisant à exécuter :

— J'ai remarqué un officier qui vous reluquait lors de l'accueil et des présentations, dans le sas.

Bobbie hocha la tête. L'attention dont elle avait été l'objet ne lui avait pas échappé. Certains hommes étaient attirés par les femmes imposantes, et quand un frisson lui avait parcouru la nuque elle avait senti que celui-là en faisait peut-être partie. Ils traînaient souvent des problèmes personnels non résolus avec leur mère, et en règle générale elle préférait éviter ce genre d'individus.

— Une chance que vous le caressiez dans le sens du poil pendant le dîner ? termina Avasarala.

Bobbie s'esclaffa, et elle s'attendait à ce que les deux autres partagent sa réaction. Mais Cotyar lui-même l'observait comme si la demande formulée était parfaitement recevable.

— Euh, non, dit la Marine.

— Vous venez de dire "non" ?

— Ouais : non. Non et non. Merde, non, quoi ! *Nein und abermals nein. Niet. La. Siei*, débita la Martienne avant de s'arrêter parce qu'elle ne connaissait pas d'autre langue dans laquelle exprimer son refus. Et là, ça me met un peu en rogne, je dois dire.

— Je ne vous demande pas de coucher avec lui.

— Et c'est une bonne chose, parce que je ne me sers pas du sexe comme d'une arme, répondit Bobbie. Comme armes, j'utilise les armes.

⁂

— Chrisjen ! s'exclama Jules-Pierre Mao.

Il enveloppa la main d'Avasarala dans la sienne et la secoua doucement.

Le seigneur de l'empire Mao-Kwik dominait sa vénérable invitée d'une bonne tête. Il avait le genre de visage séduisant qui donnait à Bobbie l'envie instinctive de l'apprécier, et un début de calvitie non enrayée médicalement prouvant qu'il ne se souciait pas de ce qu'on pouvait en penser. Le choix de ne pas recourir à sa fortune pour effacer un problème aussi simple qu'un front dégarni renforçait de fait l'assurance émanant de toute sa personne. Il portait un pull ample et un pantalon en coton qui tombaient sur lui aussi parfaitement que le meilleur des costumes taillés sur mesure. Quand Avasarala lui présenta sa prétendue secrétaire, il sourit et la salua d'un petit hochement de tête, sans lui accorder plus qu'un regard distrait.

— Votre personnel est installé à sa convenance ?

La question posée laissait entendre que la vue de Bobbie lui avait rappelé la présence à bord des autres sous-fifres d'Avasarala.

La Martienne serra les dents mais conserva une expression neutre.

— Oui, répondit la vieille dame.

Elle posa une main sur l'avant-bras que lui offrait son hôte qui la guida vers une table aux dimensions titanesques. Ils étaient entourés par un essaim d'hommes en veste blanche et nœud papillon noir. L'un d'eux se précipita pour reculer un siège de la table. Jules-Pierre désigna la place à Avasarala qui s'y assit.

— Le chef Marco nous a promis quelque chose de spécial, ce soir.

— Et les réponses franches ? Elles sont aussi au menu ? demanda Bobbie alors qu'un serveur tirait une chaise pour elle.

Jules-Pierre s'installa à la place qui lui était réservée, en tête de tablée.

— Des réponses ?

La Marine ignora le potage fumant qu'un des serveurs plaça devant elle. Mao ajouta un peu de sel au sien et se mit à le goûter comme s'ils avaient une conversation anodine.

— Vous avez gagné, vous autres. L'assistante du sous-secrétaire est à bord de ce vaisseau. Plus de raison de nous raconter des craques, donc. Qu'est-ce qui se mijote ?

— Une mission d'aide humanitaire, répondit-il.

— Conneries, lâcha Bobbie qui glissa un regard rapide à Avasarala, laquelle se contentait de sourire. Ne me racontez pas que vous avez deux mois à consacrer à un transport jusqu'à Jupiter uniquement pour superviser l'acheminement de riz et de cartons de jus de fruits. Et vous ne pourriez pas embarquer assez d'aide alimentaire de secours sur cet appareil pour servir un seul repas à tous les gens de Ganymède, donc encore moins pour faire la différence sur le long terme.

Mao se redressa sur son siège, et les vestes blanches s'affairèrent dans toute la salle pour débarrasser les assiettes de soupe. Celle de Bobbie fut retirée tout aussi prestement que les autres, quand bien même elle n'y avait pas touché.

— Roberta… commença Mao.

— Ne m'appelez pas Roberta.

— *Sergent*, vous devriez interroger vos supérieurs en poste aux Affaires étrangères des Nations unies, plutôt que moi.

— J'aimerais beaucoup le faire, mais on dirait bien que poser des questions ne fait pas partie des règles de ce *jeu*.

Le sourire de Mao était chaleureux, un peu condescendant, et très artificiel.

— J'ai mis mon vaisseau à la disposition de madame la sous-secrétaire afin qu'elle voyage dans les meilleures conditions pour sa nouvelle mission. Et bien que vous ne les ayez pas encore rencontrés, il y a actuellement à bord des gens dont l'expertise sera très précieuse aux habitants de Ganymède, une fois que vous serez arrivés.

Bobbie était auprès d'Avasarala depuis assez longtemps pour comprendre que la partie se déroulait juste sous ses yeux. Mao se moquait d'elle. Il savait que tout cela n'était que de la poudre aux yeux, et il savait qu'elle le savait aussi. Mais aussi longtemps qu'il conserverait son calme et offrirait des réponses apparemment raisonnables, personne ne pourrait le prendre en défaut. Il était trop puissant pour être traité de menteur les yeux dans les yeux.

— Vous êtes un menteur, et… commença-t-elle, mais quelque chose qu'il venait de dire la fit s'interrompre. Attendez une minute. "Une fois que *vous* serez arrivés" ? Vous ne venez pas ?

— Je crains que non.

Il sourit à la veste blanche qui déposa une autre assiette devant lui. Celle-ci contenait un poisson entier, avec sa tête et ses yeux figés.

Décontenancée, Bobbie se tourna vers Avasarala qui considérait maintenant leur hôte d'un air moins aimable.

— J'avais cru comprendre que vous dirigiez en personne cet effort humanitaire, remarqua-t-elle.

— C'était aussi mon intention première. Mais j'ai bien peur que d'autres affaires ne m'interdisent ce projet. Dès que nous aurons savouré cet excellent repas, je prendrai la navette pour retourner à la station. Bien entendu, ce vaisseau et tout son équipage demeureront à votre disposition jusqu'à ce que notre travail vital sur Ganymède soit achevé.

Avasarala le dévisagea sans rien dire. Pour la première fois devant sa garde du corps, la vieille dame restait muette de saisissement.

Un serveur apporta son plat de poisson à Bobbie pendant que leur luxueuse prison glissait tranquillement en direction de Jupiter, à un quart de g.

Avasarala n'ouvrit pas la bouche pendant le trajet en ascenseur les ramenant à leur suite. Dans le salon, elle fit halte juste le temps de prendre une bouteille de gin au bar, et d'un doigt elle ordonna à la Martienne de la suivre. Bobbie entra derrière elle dans la chambre principale, Cotyar sur ses talons.

Une fois la porte fermée et lorsque le responsable de sa sécurité eut scanné les lieux avec son terminal spécial pour vérifier l'absence de tout micro, Avasarala déclara :

— Bobbie, réfléchissez dès maintenant à une façon de prendre le contrôle de ce vaisseau, ou de le quitter.

— Oubliez ça, répondit l'intéressée. Allons saisir cette navette avec laquelle Mao part en ce moment même. Nous sommes encore à proximité de sa station, sinon il ne la prendrait pas.

À sa grande surprise, Cotyar l'approuva :

— Je suis de l'avis du sergent. Si nous voulons partir de cet appareil, la navette sera plus facile à réquisitionner et à contrôler face à un équipage hostile.

Avasarala s'assit sur le bord de son lit et se vida lentement les poumons dans ce qui se termina par un soupir.

— Je ne peux partir maintenant. Ça ne marche pas de cette manière.

— Encore ce putain de jeu ! grinça Bobbie.

— Oui, rétorqua sèchement la vieille femme. Oui, ce putain de jeu. Mes supérieurs m'ont donné pour ordre de faire ce voyage. Si je pars maintenant, je sors de la partie. Ils seront très polis et prétendront une maladie subite, ou l'épuisement, mais l'excuse qu'ils me procureront sera aussi la raison qu'ils avanceront pour que je ne continue pas mon boulot. Je n'aurai rien à craindre, et je serai impuissante. Tant que je prétends faire ce qu'ils attendent de moi, je peux continuer à travailler. Je reste l'assistante du sous-secrétaire à l'Exécutif. Je conserve tous mes contacts. Toute mon influence. Si je file maintenant, je perds tout ça. Et si je perds tout ça, ces enfoirés peuvent tout aussi bien me faire abattre, si ça leur chante.

— Mais…

— Mais si je continue à jouer le jeu, enchaîna Avasarala, ils trouveront un moyen de m'isoler. Une avarie inexpliquée dans le système comm, quelque chose. N'importe quoi pour me retirer du réseau. Quand ça se produira, j'exigerai du capitaine qu'il déroute ce vaisseau pour rallier la station la plus proche afin de réparer. Si je ne me trompe pas, il refusera.

— Ah, fit Bobbie.

— Oh, dit Cotyar un instant plus tard.

— Oui, conclut Avasarala. Et quand ça se produira, je déclarerai qu'il s'agit d'une arrestation illégale perpétrée sur ma personne, et vous vous emparerez de cet appareil.

31

PRAX

À chaque jour qui passait, la question se faisait plus pressante : quelle serait la prochaine étape ? La situation ne lui paraissait pas si différente des premiers jours, ces jours affreux sur Ganymède, quand il avait dressé des listes destinées à lui indiquer comment se comporter. Mais à présent il ne recherchait plus Mei. Il recherchait Strickland. Ou la femme mystérieuse qui apparaissait sur la vidéo. Ou la personne qui avait construit le labo secret. De ce point de vue, il était beaucoup mieux qu'auparavant.

D'un autre côté, il avait fouillé Ganymède. Désormais son champ d'investigation était sans limites.

Le décalage temporel avec la Terre – ou Luna, en fait, puisque Persis-Strokes Security Consultants était basé en orbite et non à l'intérieur du puits de gravité de la planète – dépassait légèrement les vingt minutes. Cela rendait impossible toute conversation suivie, et dans les faits la femme au visage en lame de couteau sur son écran exécutait une série de vidéos promotionnelles tournant de plus en plus autour de ce qu'il voulait entendre.

— Nous avons établi un partenariat d'échange de renseignements avec Pinkwater, actuellement la firme de sécurité et de protection qui dispose de la présence physique et opérationnelle la plus importante sur les planètes extérieures, dit-elle. Nous avons également des contrats de réciprocité avec Al Abbiq et Hélice-Étoile. Grâce à ces entreprises amies, nous pouvons engager des actions immédiates, soit directement, soit par leur intermédiaire, sur quasiment toute station ou planète du système.

Prax hocha la tête. C'était exactement ce dont il avait besoin. Quelqu'un ayant des yeux partout, des contacts partout. Quelqu'un en mesure de l'aider.

— Je vous joins une autorisation de déblocage de fonds. Nous aurons besoin d'un règlement pour les frais de traitement, mais nous ne vous facturerons rien de plus tant que nous ne serons pas convenus de l'étendue que vous souhaitez pour l'enquête. Dès que ces paramètres seront actés, je vous ferai parvenir une proposition de services détaillée avec une feuille de calcul détaillée, et nous pourrons décider d'un commun accord du travail qui vous convient le mieux.

— Merci, dit Prax.

Il afficha le document, le signa électroniquement et le retourna. Il faudrait trente minutes en vitesse-lumière pour qu'il atteigne Luna. Vingt minutes pour le retour. Qui pouvait dire combien de temps entre les deux ?

C'était un début. Il pouvait en tirer un peu de satisfaction, au moins.

Il régnait à bord du *Rossinante* un calme qui sentait une sorte d'impatience dont Prax ne connaissait pas la source exacte. L'arrivée à la station Tycho, mais ensuite il n'était sûr de rien. Abandonnant sa couchette, il passa par la coquerie déserte pour emprunter l'échelle vers les ops et le cockpit. L'habitacle encombré baignait dans une clarté diffuse donnée principalement par la lumière du tableau de bord et celle des écrans à haute définition qui retransmettaient sur deux cent soixante-dix degrés la vision du champ d'étoiles, avec un soleil lointain et la masse croissante de la station Tycho, une oasis dans le vide immense.

— Salut, doc, dit Alex depuis son poste. Vous venez admirer le panorama ?

— Si… je veux dire, si ça ne vous ennuie pas.

— Aucun problème. Je n'ai pas de copilote depuis que nous sommes en possession du *Rossi*. Sanglez-vous à sa place. Je vous demande juste une chose : s'il arrive quelque chose, ne touchez à rien.

— Entendu.

Prax se cala dans le siège anti-crash. Dans un premier temps, la station lui parut grossir au ralenti. Les deux anneaux à rotation alternée étaient à peine plus grands que son pouce, la sphère qu'ils entouraient de la taille d'une bulle de chewing-gum. À mesure qu'ils se rapprochaient, néanmoins, la texture floue des bords de la sphère de construction se précisa en bras articulés géants et autres grues à portique tournés vers une forme étrangement aérodynamique. L'infrastructure du vaisseau en chantier était encore visible, ses longerons d'acier et de céramique ouverts à l'espace tels des os. De petites lucioles clignotaient à l'intérieur et à l'extérieur de l'ensemble : machines à souder et des postes d'étanchéité au travail, encore trop éloignés pour être distingués.

— C'est un vaisseau atmosphérique ?

— Non. On dirait assez, pourtant, d'après sa forme. C'est le *Chesapeake*. Enfin, ce sera. Conçu pour supporter des accélérations prolongées à plusieurs g. Je crois qu'ils ont parlé de le tester à huit g continus sur deux ou trois mois.

— Dans quelle direction ? demanda Prax en effectuant un petit calcul mental. Ce sera forcément hors de l'orbite de… n'importe quelle planète.

— Oui, il ira très loin. Ils l'envoient après le *Nauvoo*.

— Le vaisseau générationnel qui était censé précipiter Éros dans le soleil ?

— Celui-là même. Ils ont coupé ses moteurs quand le plan a raté, mais le *Nauvoo* continue sur sa lancée. Il n'était pas terminé, si bien qu'ils ne peuvent par le ramener par télécommande. C'est pourquoi ils construisent un vaisseau pour le faire. J'espère que ça réussira. Le *Nauvoo* était un sacré morceau. Mais bien sûr, même s'ils le ramènent ça n'empêchera pas les Mormons d'intenter un procès pour réclamer le démantèlement de Tycho, s'ils trouvent comment s'y prendre.

— Pourquoi serait-ce si difficile ?

— L'APE ne reconnaît pas les cours de la Terre et de Mars, et l'Alliance a celles de la Ceinture dans sa poche. Donc ça reviendrait un peu à gagner devant une cour qui ne compte pas, ou perdre devant une qui compte.

— Oh, fit Prax.

Sur les écrans la station Tycho grossissait à vue d'œil, et les détails commençaient à apparaître. Prax n'aurait pu dire pour quelle raison précise, mais en l'espace d'un battement de cœur il prit conscience de la taille réelle de la station devant lui et laissa échapper une petite exclamation. La construction sphérique devait mesurer un demi-kilomètre de diamètre et ressemblait à deux dômes agricoles collés l'un à l'autre par leur base. Peu à peu la grande structure industrielle emplit les écrans, la clarté des étoiles fut remplacée par la lumière des éclairages de sécurité et le reflet que renvoyait une bulle d'observation vitrée. Des moteurs énormes permettaient de déplacer la station entière, comme une cité spatiale, en n'importe quel point du système solaire. Des articulations mobiles d'une grande complexité, pareilles aux cardans d'un siège anti-crash géant, reconfiguraient alors tout l'ensemble lorsque la gravité de la poussée remplaçait celle de la rotation.

Prax en avait le souffle coupé. L'élégance et la fonctionnalité de cette prouesse technique s'étalaient devant lui, aussi belle et simple qu'une feuille d'arbre ou qu'un groupe de racines. Contempler quelque chose d'aussi semblable à un végétal en pleine croissance, mais conçu par des esprits humains, était un spectacle qui lui inspirait un émerveillement révérencieux teinté de crainte.

C'était là le summum de ce que "créativité" signifiait, l'impossible rendu réel.

— C'est du bel ouvrage, dit-il.

— Mouais, approuva Alex avant de parler dans le canal comm général du vaisseau : Nous sommes arrivés. Tout le monde se harnache pour l'accostage. Je passe en manuel.

Prax se leva à demi de son siège.

— Est-ce que je dois retourner dans ma cabine ?

— Là où vous êtes maintenant, c'est aussi bien que n'importe où ailleurs. Bouclez quand même votre harnais, au cas où on se cognerait à quelque chose, répondit le pilote puis, sa voix prenant des accents plus rudes et formels : Contrôle de Tycho, ici le *Rossinante*. Autorisation d'accoster ?

Prax perçut une voix assourdie qui ne s'adressait qu'à Alex.

— Bien reçu, dit celui-ci. Sommes en phase d'approche.

Dans les drames et les films d'action que le botaniste avait pu voir sur Ganymède, le pilotage d'un vaisseau ressemblait à un exercice plutôt athlétique. Les héros en sueur s'arcboutaient sur des commandes récalcitrantes. Alex n'offrait pas du tout ce spectacle. Il tenait les commandes avec des gestes calmes, mesurés. Une petite tape et Prax sentit un changement de gravité, son siège s'adaptant sous lui de quelques centimètres. Puis une autre tape, une autre modification. L'écran principal afficha un tunnel à travers l'espace délimité en bleu et or qui se rapprocha et glissa vers la droite pour se connecter au côté de l'anneau rotatif.

Prax observa la masse de données envoyées à Alex et lui demanda :

— Pourquoi piloter, avec tout ça ? Le vaisseau ne pourrait pas accoster seul, en automatique ?

— Pourquoi piloter ? répéta l'autre en riant. Parce que c'est amusant, doc. Parce que c'est amusant.

Les longs rectangles éclairés d'une lumière bleutée marquant le dôme d'observation de Tycho étaient si nettement dessinés que Prax pouvait distinguer les gens qui le regardaient. Il en oublia presque que les écrans du cockpit n'étaient pas des fenêtres : l'envie subite le saisit de faire un signe de la main à ces gens, pour qu'ils lui répondent de même.

La voix d'Holden résonna sur le canal personnel d'Alex, les paroles incompréhensibles mais le timbre parfaitement clair.

— Ça se présente bien, répondit le pilote. Encore dix minutes.

Le siège anti-crash se déplaça sur le côté, et la large surface de la station s'incurva vers le bas lorsqu'Alex accorda la trajectoire à la rotation. La génération de seulement un tiers de g sur un anneau de cette taille exigeait des forces inertielles écrasantes, mais sous la conduite experte du pilote, le vaisseau et la station tournèrent ensemble lentement et en douceur. Avant son mariage, Prax avait assisté à un numéro de danse basé sur les traditions néotaoïstes. La première heure de la démonstration lui avait paru d'un ennui abyssal, mais ensuite l'enchaînement de ces mouvements délicats et parfaitement coordonnés des bras, des jambes et du torse l'avait empli d'un ravissement croissant. Le *Rossinante* se plaça de flanc près d'un sas en saillie avec la même grâce que le chercheur avait vue dans cette danse, mais dans un sentiment de puissance contenue parce que, il en avait conscience, au lieu de muscles et de peau c'étaient là des tonnes d'acier hautement résistant et de réacteurs nucléaires en action.

Le vaisseau se colla à son poste d'arrimage après une dernière correction, accompagnée d'un ultime ajustement des sièges sur cardans, pas plus important que les petites modifications qui avaient ponctué la trajectoire d'approche. Il y eut un bruit sec et surprenant quand les attaches d'accostage de la station se plaquèrent à la coque.

— Contrôle de Tycho, dit Alex. Ici le *Rossinante*. Accostage effectué. Sas verrouillé. Les crampons sont tous en place. Pouvez-vous confirmer ?

Après un moment, un murmure.

— Merci à vous aussi, Tycho, dit le pilote. C'est bon d'être de retour.

À l'intérieur du vaisseau, la gravité s'était subtilement modifiée. Au lieu que ce soit la poussée du moteur qui crée l'illusion de poids, c'était maintenant la rotation de l'anneau auquel l'appareil était arrimé. Prax avait l'impression de pencher légèrement sur le côté quand il se tenait debout, et il dut lutter contre le réflexe de compenser cette sensation en s'inclinant dans l'autre sens.

Holden se trouvait dans la coquerie lorsque le botaniste y entra. La machine à café servait un liquide noir et brûlant, et l'écoulement était à peine courbe. L'effet de Coriolis, crut se souvenir le petit homme d'après ce qu'il avait appris pendant ses études. Amos et Naomi arrivèrent ensemble. Ils étaient maintenant tous réunis, et Prax jugea que c'était une bonne occasion de les remercier de ce qu'ils avaient fait pour lui. Pour Mei, qui était probablement morte. La souffrance gravée sur les traits d'Holden le stoppa net dans son élan.

Naomi se tenait face à lui, un sac marin passé à la bretelle.

— Tu t'en vas, constata le capitaine.

— C'est bien ça, répondit-elle d'une voix légère mais aux inflexions chargées de sous-entendus.

Prax les regarda fixement.

— Alors très bien, fit Holden.

Pendant une poignée de secondes, personne ne bougea. Puis la jeune femme s'avança vivement et déposa un baiser rapide sur la joue du Terrien. Il eut l'ébauche d'un mouvement des bras pour l'étreindre, mais elle s'était déjà écartée et s'engouffrait dans la coursive du pas décidé de quelqu'un qui sait où il va. Holden prit son café. Amos et Alex échangèrent un regard.

— Euh, capitaine ? dit le pilote.

En comparaison de la voix de l'homme qui venait d'arrimer un vaisseau de guerre à propulsion nucléaire à un anneau de métal en plein espace interplanétaire, celle-ci paraissait maintenant hésitante, anxieuse.

— Nous devons chercher un nouveau second ?

— Nous ne cherchons rien tant que je ne le dis pas, rétorqua le Terrien avant d'ajouter, un peu plus calmement : Mais, bon Dieu, j'espère que non.

— Oui, monsieur. Moi aussi.

Les quatre hommes restèrent plantés là pendant un long moment de malaise. Amos fut le premier à rompre le silence :

— Vous savez, cap, la piaule que j'ai louée est pour deux. Si vous voulez l'autre couchette, elle est à vous.

— Non. Je vais rester sur le *Rossi*. Vous pourrez me joindre ici.

Il avait parlé sans les regarder, et il s'appuya d'une main à la cloison.

— Vous en êtes bien sûr ? insista le mécanicien, et une fois encore Prax eut le sentiment qu'il y avait dans cette question plus qu'il ne pouvait saisir.

— *Je* ne vais nulle part, scanda Holden.

— D'accord, compris.

Le botaniste se racla la gorge, et Amos lui saisit le coude.

— Et vous ? demanda-t-il. Vous savez où vous allez pieuter ?

Le petit discours qu'il avait préparé – *Je voulais vous dire à tous que j'ai très sincèrement apprécié...* – entra en collision avec la question, faisant dérailler ses deux trains de pensée.

— Je voulais… Hem… Non, mais…

— Impec, alors. Prenez votre barda, vous pouvez venir avec moi.

— Eh bien, oui. Merci. Mais je voulais d'abord vous dire à tous…

Amos abattit une main puissante sur son épaule.

— Peut-être plus tard, hein ? Pour l'instant, si vous veniez avec moi, simplement ?

Holden était maintenant appuyé de l'épaule contre la cloison. Il avait les mâchoires crispées, comme un homme qui lutte contre l'envie de hurler, de vomir ou de pleurer. Ses yeux contemplaient le vaisseau sans le voir. Le chagrin monta en Prax comme s'il contemplait son propre reflet dans un miroir.

— Oui, dit-il. D'accord.

⚡

L'appartement d'Amos était encore plus exigu que les cabines du *Rossinante* : deux zones individuelles, un espace commun moitié moins grand que la coquerie, et une salle de bains avec un lavabo escamotable et les toilettes collées à la douche. Si le mécanicien avait été présent, l'endroit aurait immanquablement engendré un sentiment de claustrophobie.

Mais il s'était assuré que Prax s'installe bel et bien dans les lieux, avait pris une douche rapide et était ressorti aussitôt pour se perdre dans les vastes passages de la station. Il y avait des plantes partout, surtout dans un but décoratif, apparemment. La courbure des ponts était si douce que le botaniste pouvait presque se croire revenu dans une section peu familière de Ganymède, avec son appartement à quelques minutes en métro. Mei y serait, à attendre son retour. Quand la porte d'entrée se fut refermée sur le mécanicien, il sortit de sa poche son terminal et se connecta au réseau local.

Il n'y avait toujours pas de réponse de Persis-Strokes, mais il était sans doute encore trop tôt pour en escompter une. Pour le moment, son problème principal était l'argent. S'il voulait payer ces services, il ne pouvait pas le faire seul.

Ce qui impliquait donc Nicola.

Il régla son terminal et braqua la caméra sur lui. Sur l'écran il paraissait émacié, amaigri. Les semaines de sous-alimentation l'avaient desséché, et le temps passé sur le *Rossinante* n'avait pas suffi à le remettre complètement d'aplomb. Il ne le serait peut-être plus jamais. Ces joues creuses sur l'écran, il les aurait peut-être jusqu'à la fin de ses jours. Mais ce n'était pas un problème. Il se mit à enregistrer.

— Salut, Nici. Je voulais savoir si tu allais bien. Je suis arrivé sur la station Tycho, mais je n'ai toujours pas retrouvé Mei. Je fais appel aux services de consultants en sécurité. Je leur ai transmis tout ce que je sais. Ils m'ont donné l'impression d'être des gens vraiment capables. Le problème, c'est qu'ils sont chers. Ça risque de coûter très cher. Et elle est peut-être déjà morte.

Il dut s'interrompre un moment pour reprendre son souffle.

— Elle est peut-être déjà morte, répéta-t-il. Mais je dois tout tenter. Je sais que tu n'es pas dans une situation financière mirobolante, ces temps-ci. Je sais que tu dois penser à ton nouveau mari. Mais si tu pouvais aider, ne serait-ce qu'un petit peu… Pas pour moi. Je ne te demande rien pour moi. C'est seulement pour Mei. Seulement pour elle. Si tu peux donner quelque chose pour elle, c'est la dernière chance.

Il se tut à nouveau, hésitant entre *Merci* et *C'est bien le moins que tu puisses faire, merde* en guise de conclusion. Finalement il se contenta de stopper l'enregistrement qu'il envoya.

Le décalage entre Cérès et la station Tycho était de quinze minutes, selon leurs positions actuelles. Et même ainsi il ignorait quelle heure il était là-bas. Il expédiait peut-être son message en pleine nuit, ou au moment du dîner. Et si elle n'avait rien à lui dire ?

C'était sans importance. Il se devait d'essayer. S'il savait qu'il avait tout tenté, il réussirait peut-être à dormir.

Il enregistra et valida des messages pour sa mère, son ancien coloc pendant ses études qui occupait maintenant un poste sur la station Neptune, son ancien directeur de thèse. Chaque fois l'histoire était un peu plus facile à raconter. Les détails commençaient à s'articuler, l'un menant au suivant. Ils lui permettaient de ne pas parler de la protomolécule. Au mieux, le sujet les aurait effrayés. Au pire, ils auraient cru que la perte de sa fille avait entraîné celle de son esprit.

Pour le dernier message, il s'assit sans hâte. Il y avait encore une chose qu'il pensait devoir faire maintenant qu'il avait accès aux communications. Et ce n'était pas ce qu'il désirait.

Il commença l'enregistrement.

— Basia, c'est Praxidike. Il faut que tu le saches, je sais que Katoa est mort. J'ai vu son corps. Il n'avait pas l'air… Il n'avait pas l'air d'avoir souffert. Et je me suis dit, si j'étais à ta place, cette question… cette question serait encore pire. Je suis désolé. Je suis juste…

Il coupa, envoya le message puis rampa sur le lit étroit. Il s'était attendu à quelque chose de dur et d'inconfortable, mais le matelas était aussi agréable que s'il était doublé d'une couche de gel anti-crash, et il s'endormit facilement, pour se réveiller quatre heures plus tard, comme si quelqu'un avait rallumé son cerveau en ouvrant un interrupteur. Amos n'était pas encore revenu. Toujours aucune réponse de Persis-Strokes. Prax enregistra un message poli pour avoir des nouvelles, savoir si le premier ne s'était pas perdu en cours de transmission, puis il se ravisa et l'effaça. Il prit une longue douche, se lava deux fois les cheveux et enregistra une nouvelle demande de renseignements, avec cette fois un air un peu moins hágard.

Dix minutes après l'envoi, le tintement annonçant une réception retentit. Intellectuellement il était conscient que ce ne pouvait être déjà la réponse. Avec le décalage, son appel n'avait pas encore atteint Luna. Quand il consulta son terminal, il découvrit que c'était Nicola. Le visage en cœur de son ex-femme lui sembla plus âgé que dans son souvenir. Un peu de gris apparaissait à ses tempes. Mais quand elle arbora un sourire doux et triste, il crut avoir vingt ans de nouveau, être assis face à elle dans le grand parc, avec les pulsations de la musique bhangra dans l'air et les lasers qui traçaient des œuvres d'art vivantes sur le dôme de glace au-dessus d'eux. Il se remémora ce qu'avait été son amour pour elle.

— J'ai reçu ton message, disait-elle. Je… Je suis tellement désolée, Praxidike. J'aimerais pouvoir faire plus. La situation n'est pas brillante ici, sur Cérès. Je vais parler à Taban. Il gagne plus que moi, et s'il comprend ce qui s'est passé il voudra peut-être aider, lui aussi. Pour moi.

"Prends soin de toi, mon cher. Tu as l'air fatigué.

Sur l'écran, la mère de Mei se pencha en avant et figea l'enregistrement. Une icône s'afficha avec le code d'autorisation de transfert pour une somme de quatre-vingts reáls FusionTek. Prax consulta les taux de change et convertit la monnaie de la firme en dollars des Nations unies. Cela équivalait à presque une semaine de salaire. C'était loin d'être suffisant, même si la somme représentait un sacrifice important pour elle.

Il repassa le message depuis le début, le mit en pause entre deux mots. Nicola le regardait depuis l'écran du terminal, les lèvres juste assez entrouvertes pour qu'il aperçoive l'éclat pâle des dents. Ses yeux étaient tristes et espiègles à la fois. Pendant très longtemps il avait pensé que c'était son âme qui y transparaissait, et non le résultat d'un simple accident physiologique qui lui donnait cette expression de joie entravée. Il s'était trompé.

Alors qu'il était assis, perdu dans les souvenirs et les rêveries, un nouveau message lui parvint. De Luna. Persis-Strokes. Avec un sentiment oscillant entre l'appréhension et l'espoir, il ouvrit le document joint. À la première série de chiffres, son cœur se serra.

Mei était peut-être quelque part, toujours vivante. Strickland et ses acolytes se trouvaient certainement avec elle. On pouvait les localiser. On pouvait les arrêter. La justice devait s'exercer.

Mais il ne pouvait pas se l'offrir.

32

HOLDEN

Allongé sur un chariot d'examen dans la salle des machines du *Rossinante*, Holden relevait les dégâts subis et en prenait note pour les équipes de réparation de Tycho. Tous les autres étaient partis. *Certains en font plus que d'autres*, songea-t-il.

REMPLACER CLOISON TRIBORD SDM.
DOMMAGES SÉRIEUX SUR RACCORDEMENTS CÂBLES HAUTE TENSION ; PEUT-ÊTRE CHANGER BOÎTE DE DÉRIVATION.

Deux lignes de texte représentant des centaines d'heures de travail, des centaines de milliers de dollars de matériel. Mais aussi les conséquences d'avoir été à deux doigts d'un anéantissement fulgurant du vaisseau et de son équipage. Cette description en deux phrases lapidaires semblait presque sacrilège. En bas de page il répertoria les équipements civils peut-être disponibles sur Tycho et qui pouvaient être montés sur son vaisseau de guerre martien.

Derrière lui, un écran mural débitait en continu un programme d'infos diffusé depuis Cérès. Il l'avait allumé pour garder l'esprit occupé pendant qu'il bricolait sur l'appareil et prenait des notes.

C'était du vent, bien évidemment. Sam, l'ingénieur de Tycho qui dirigeait d'habitude leurs réparations, n'avait pas besoin de son aide, pas plus que des listes de matériel nécessaire qu'il dressait pour elle. À tous points de vue, elle était bien plus qualifiée pour accomplir la tâche qu'il s'imposait en ce moment même. Mais dès qu'il lui aurait donné le résultat de ses vérifications, il n'aurait plus aucune raison de rester à bord. Il devrait alors aller demander à Fred Johnson des explications concernant la présence de la protomolécule sur Ganymède.

Et peut-être qu'en agissant ainsi il perdrait Naomi.

Si ses soupçons initiaux s'avéraient et que Fred avait effectivement utilisé la protomolécule comme monnaie d'échange ou, pire encore, comme arme, Holden le tuerait. Il n'en doutait pas plus qu'il ne doutait de son nom, et il redoutait cette éventualité. Que cet acte constitue un crime passible de la peine capitale et qu'il soit presque assurément abattu juste après l'avoir commis avait finalement moins d'importance que le fait qu'en agissant ainsi il prouvait de façon définitive que Naomi avait raison de le quitter. Qu'il était bien devenu l'individu que la jeune femme craignait de le voir devenir. Simplement, un autre inspecteur Miller prompt à appliquer une justice expéditive crachée par le canon de son arme. Mais chaque fois qu'il imaginait la scène, Fred reconnaissant sa culpabilité et implorant sa grâce, Holden ne se voyait pas l'épargner après ce qu'il avait fait. Il se rappelait avoir été le genre d'hommes à opter pour une autre solution, mais il ne parvenait plus à se rappeler ce que l'on ressentait quand on était ce genre d'hommes.

S'il se trompait et que Johnson n'avait aucun lien avec la tragédie de Ganymède, alors elle aurait eu raison depuis le début, et il se serait simplement montré trop entêté pour le voir. Avec un peu de chance, il déploierait assez d'humilité dans ses excuses pour la reconquérir. La stupidité était généralement considérée comme un crime moins grave que l'option meurtrière.

Mais si Fred *n'était pas* celui qui avait joué à Dieu avec le supervirus extraterrestre, c'était bien pire pour l'humanité dans sa globalité. Il était très déplaisant de penser que la vérité qui serait la pire solution pour l'humanité serait aussi la meilleure pour lui. Sur un plan purement intellectuel, il savait qu'il n'hésiterait pas une seconde à se sacrifier, ou à renoncer à son bonheur personnel, si cela permettait de sauver le reste du monde. Mais cela ne l'empêchait pas d'entendre la petite voix qui lui murmurait, du fond de son cerveau : *Qu'ils aillent tous se faire foutre, je veux récupérer la femme que j'aime.*

Un détail à moitié oublié franchit les frontières de son subconscient et il inscrivit FILTRES À CAFÉ SUPPLÉMENTAIRES sur sa liste d'éléments nécessaires.

Le panneau mural derrière lui émit le signal d'alarme une demi-seconde avant que son terminal personnel sonne pour l'avertir que quelqu'un était entré dans le sas et demandait la permission de monter à bord. Il tapota l'écran pour passer sur la caméra surveillant le panneau extérieur du sas et vit Alex et Sam qui attendaient dans le couloir. Sam était toujours l'adorable femme lutin rousse en salopette trop grande pour elle dont il gardait le souvenir. Elle portait une énorme boîte à outils et riait. Alex dit autre chose et l'hilarité de la mécanicienne en chef redoubla au point qu'elle faillit laisser tomber son équipement. Avec l'interphone éteint, la scène aurait pu être extraite d'un film muet.

Holden l'alluma et dit :

— Je vous ouvre.

Un autre contact du doigt sur l'écran enclencha le cycle de déverrouillage du panneau extérieur. Sam fit un signe de la main en direction de l'objectif et pénétra dans le sas.

Quelques minutes plus tard, l'écoutille pressurisée de la salle des machines s'ouvrit dans un claquement métallique et l'échelle-ascenseur ronronna en descendant. Sam et Alex quittèrent le petit monte-charge, et la jeune femme laissa choir ses outils avec fracas sur le pont de métal.

— Quoi de neuf ? dit-elle en serrant un instant le capitaine dans ses bras. Vous avez encore réussi à transformer ma beauté en passoire ?

— *Votre* beauté ? dit Alex.

— Pas cette fois, répondit Holden en désignant les cloisons endommagées de la salle des machines. Une bombe a explosé dans la soute, a percé un trou là et projeté des morceaux de ferraille dans cette boîte de dérivation.

Sam poussa un petit sifflement.

— Soit ces morceaux de ferraille ont pris soin de le contourner, soit votre réacteur sait comment les esquiver.

— Combien de temps, d'après vous ?

— Pour la coque, c'est simple, dit-elle en pianotant sur son terminal avant de se tapoter les dents de devant avec l'angle de l'appareil. Nous pouvons placer une rustine d'une seule pièce en passant par la soute. Ce sera beaucoup plus facile. La boîte de dérivation, ça prendra plus longtemps, mais pas énormément. Disons quatre jours, si je mets mes gars dessus tout de suite.

— Bien, fit Holden avec une grimace digne d'un homme contraint de continuer à avouer ses méfaits. On a aussi la porte arrière de la soute qui est endommagée. Il faudra la réparer, ou la changer. Et le sas de la soute aussi en a pris un coup.

— Deux trois jours de plus, alors, estima Sam qui s'accroupit et entreprit de sortir certains outils de sa boîte. Ça ne vous dérange pas que je prenne quelques mesures ?

— Je vous en prie.

— Vous regardez beaucoup les infos ? demanda la chef mécanicienne en indiquant les experts qui devisaient sur l'écran mural. Ganymède est foutu, hein ?

— Ouais, dit Alex. Dans un sale état.

— Mais pour l'instant il n'y a que Ganymède, ajouta Holden. Ce qui signifie forcément quelque chose ; et quelque chose que je n'ai pas encore compris.

— Naomi reste avec moi, pour le moment, lâcha Sam comme s'ils n'avaient parlé que de ce sujet.

Il sentit ses traits se figer. Il lutta contre cette réaction et se força à sourire.

— Ah. Super.

— Elle ne veut pas en parler, mais si je découvre que vous lui avez fait une crasse, je me sers de ça sur votre queue.

Elle brandit une clef dynamométrique. Il ne put réprimer un rire trop nerveux qui s'éteignit très vite, et il se résigna à paraître mal à l'aise.

— Je considère que j'ai été averti à la loyale, dit-il. Comment va-t-elle ?

— Elle est calme, répondit Sam. Bon, j'ai toutes les données nécessaires. Il faut que j'aille à la fabrication, maintenant, qu'ils me découpent la rustine pour ce trou dans la coque. À plus tard.

— Salut, Sam, dit Alex.

Il la suivit du regard tandis qu'elle empruntait l'échelle-ascenseur. L'écoutille se referma derrière elle.

— J'ai vingt ans de trop, et certainement pas la plomberie qui lui correspond, mais cette fille me plaît bien, ça, j'en suis sûr.

— Avec Amos, vous vous échangez ce béguin à tour de rôle ? demanda Holden. Ou devrais-je m'inquiéter que vous régliez ça par un duel au pistolet, à l'aube ?

— Mon amour est un amour tout de pureté platonique, répondit Alex avec un petit sourire. Jamais je ne le souillerais en faisant réellement quelque chose.

— Le genre d'amour sur lequel les poètes écrivent, quoi.

Alex s'appuya de l'épaule contre un mur et examina ses ongles.

— Alors, et si on parlait de la situation de l'officier en second ?

— N'en parlons pas.

— Oh si, parlons-en, insista le pilote en s'avançant d'un pas et en croisant les bras comme un homme qui n'entend pas céder. Je balade ce zinc ici et là, en solo, depuis plus d'un an maintenant. Et ça ne marche que parce que Naomi est un second très efficace : elle resserre tous les boulons qui en ont besoin. Si nous la perdons, nous ne pouvons plus voler. C'est une évidence.

Holden glissa le terminal qu'il utilisait dans sa poche et s'adossa contre le carénage du réacteur.

— Je le sais. Je le sais. Je n'ai jamais cru qu'elle ferait vraiment ça.

— Partie ? dit Alex.

— Ouais.

— Nous n'avons jamais abordé la question du salaire, remarqua le pilote. Nous n'en touchons pas.

— Un salaire ?

Holden se rembrunit en observant Alex et tambourina brièvement des doigts contre le réacteur derrière lui. Le bruit résonna comme dans une tombe de métal.

— La plus petite piécette de ce que Fred nous a donné qui n'a pas été dépensée pour nos besoins a atterri sur le compte que j'ai ouvert. Si vous avez besoin d'argent, trente-cinq pour cent du total vous reviennent.

Alex secoua la tête, agita les mains.

— Non, ne vous méprenez pas. Je n'ai pas besoin d'argent, et je n'ai jamais pensé que vous nous voliez. Je fais simplement remarquer que nous n'avons jamais demandé à être payés.

— Et alors ?

— Alors ça prouve que nous ne sommes pas un équipage normal. Nous ne sommes pas sur ce vaisseau pour l'argent, ou parce qu'un gouvernement nous a recrutés. Nous sommes là parce que c'est là que nous voulons être. Nous croyons à ce que nous faisons, et nous voulons participer à ce que vous faites. Dès que nous perdons cette foi, autant chercher un vrai boulot payé.

— Mais Naomi… commença Holden.

— Était votre nana, répondit Alex dans un rire. Bon sang, Jim, vous l'avez bien regardée ? Elle est tout à fait capable de se trouver un autre mec. En fait, si ça ne vous dérange pas, je…

— J'ai compris le message. J'ai tout fait foirer, c'est ma faute. J'en suis bien conscient. De tout. Je dois aller voir Fred et commencer à réfléchir à une façon de tout arranger.

— À moins que Fred ne soit à l'origine de tout ça.

— Oui, à moins que ce ne soit lui.

— Je me demandais quand vous finiriez par passer me voir, déclara Johnson lorsque son visiteur franchit le seuil du bureau.

Le militaire paraissait aller à la fois mieux et moins bien qu'une année plus tôt, quand Holden l'avait rencontré pour la dernière fois. Mieux parce que l'Alliance des Planètes extérieures présidée par Fred n'était plus une organisation terroriste mais un gouvernement de fait qui en cette qualité pouvait s'asseoir à la table diplomatique avec les planètes intérieures. Et Fred s'était coulé dans les habits d'administrateur avec un plaisir qu'il n'avait pas dû connaître en tant que combattant pour la liberté. C'était visible dans la décontraction de son port et cette esquisse permanente de sourire qui était devenue une sorte d'expression par défaut.

Moins bien parce que l'année qui venait de s'écouler et les pressions de la gouvernance l'avaient prématurément vieilli. Il avait le cheveu plus rare, qui tirait plus nettement sur le blanc, et son cou était devenu une confusion de chairs amollies et de muscles desséchés. Des cernes soulignaient ses yeux, certainement de façon permanente désormais. Sa peau couleur café ne portait pas encore beaucoup de rides, mais son teint grisonnait.

Pourtant le sourire qu'il adressa à son visiteur était sincère, et il contourna prestement le bureau pour lui serrer la main et l'accompagner jusqu'à un fauteuil.

— J'ai lu votre rapport sur Ganymède, dit-il. Parlez-m'en un peu plus. Vos impressions sur le terrain m'intéressent.

— Il y a autre chose…

Johnson alla se replacer derrière son bureau et hocha la tête.

— Allez-y.

Holden allait parler, mais il se retint au dernier moment. Fred l'observait. Son expression n'avait pas changé, mais son regard était plus aigu, plus concentré. Le capitaine fut soudain saisi par la crainte irrationnelle que son hôte sache déjà tout ce qu'il allait lui dire.

En vérité, Johnson lui avait toujours fait un peu peur. Il sentait chez cet homme une dualité qui le mettait mal à l'aise. Fred avait pris contact avec l'équipage du *Rossinante* au moment précis où ils avaient le plus besoin d'aide. Il était devenu leur patron, leur rempart contre la myriade d'ennemis qu'ils s'étaient faits pendant la dernière année. Et pourtant Holden ne parvenait pas à oublier que cet homme était toujours le colonel Frederick Lucius Johnson, le Boucher de la station Anderson. Quelqu'un qui avait consacré les dix années précédentes à aider à structurer et diriger l'Alliance des Planètes extérieures, une organisation qui ne reculait pas devant l'assassinat ciblé ou le terrorisme pour atteindre ses objectifs. C'était presque une certitude, Fred avait personnellement commandité certains de ces meurtres. Et il était très possible que le Fred Johnson chef de l'APE ait tué plus de gens que le colonel Fred Johnson, de la Flotte des Nations unies.

Refuserait-il vraiment d'utiliser la protomolécule pour avancer dans ses projets ?

Peut-être. Peut-être considérerait-il que c'était aller trop loin. Par ailleurs il s'était comporté en ami par le passé, il méritait donc une chance de défendre son honneur.

— Fred, je... dit Holden avant de s'interrompre.

Johnson hocha la tête de nouveau. Son sourire s'évanouit et fut remplacé par un air légèrement soucieux.

— Je sens que la suite ne va pas me plaire...

C'était dit sur le ton du constat.

Holden agrippa les accoudoirs du fauteuil et se mit debout. Il le fit avec un peu plus de vigueur qu'il ne l'aurait souhaité, et dans la gravité à 0,3 g que créait la rotation de la station, ses pieds décollèrent du sol un instant. Fred s'esclaffa, et son demi-sourire revint.

Ce fut le déclic. Le rire et le sourire cassèrent la paralysie de la peur qu'ils transformèrent en colère. Quand Holden reprit contact avec le plancher, il se pencha en avant et abattit violemment les deux mains paumes ouvertes sur le bureau devant lui.

— Ne commencez pas à rire ! Pas tant que je n'aurai pas la certitude que vous n'y êtes pour rien. Si vous êtes capable de faire ce que vous avez peut-être fait et de continuer à rire, je vous descends tout de suite.

Le sourire du militaire ne changea pas, mais quelque chose disparut de son regard. Il n'avait pas l'habitude d'être menacé, mais la chose ne lui était pas inconnue non plus.

— Ce que j'ai peut-être fait... dit-il.

Il ne tournait pas la phrase en question, il la répétait, simplement.

— C'est la protomolécule, Fred. C'est ce qui se passe sur Ganymède. Un labo avec des gamins comme cobayes, et cette saloperie de matière noire qui s'étend en filaments, plus une monstruosité qui a bien failli tuer tout le monde dans mon vaisseau. Voilà ma putain d'*impression sur le terrain*. Quelqu'un a joué avec cette chose, et maintenant elle est peut-être en liberté, pendant que les planètes intérieures se canardent en orbite autour de ce merdier.

— Et vous croyez que j'ai fait ça.

Une fois de plus, ce n'était pas une question mais un simple constat.

— Nous avons balancé cette saloperie sur Vénus ! s'écria Holden. Je vous ai donné le seul échantillon restant ! Et d'un coup Ganymède, le grenier à blé de votre futur empire, le seul endroit dont les flottes des planètes intérieures ne veulent pas perdre le contrôle, se met à déconner ?

Le mutisme fut la seule réponse de Fred, mais seulement pendant deux secondes.

— Vous êtes en train de me demander si je me sers de la protomolécule pour chasser de Ganymède les troupes des planètes intérieures, afin de renforcer mon contrôle sur les planètes extérieures ?

Le ton calme de Johnson fit prendre conscience à Holden de son propre emportement, et il s'accorda un moment pour respirer lentement et se calmer. Quand son pouls eut ralenti suffisamment, il répondit :

— Ouais. C'est précisément ça.

Le sourire du militaire s'accentua, sans jamais atteindre ses yeux.

— Ne commencez pas à me poser ce genre de questions.

— Quoi ?

— Au cas où vous l'auriez oublié, vous êtes employé par cette organisation.

Il se leva et se tint très droit. Dans cette position, il dominait son visiteur d'une bonne douzaine de centimètres. Son sourire ne faiblit pas, mais son maintien se modifia et son corps parut gagner en stature. Subitement, il paraissait très impressionnant. Holden recula d'un pas avant même de pouvoir s'en empêcher.

— Je ne vous dois rien en dehors des termes de notre dernier contrat, dit Johnson. Auriez-vous perdu complètement la tête, mon vieux ? Vous entrez ici comme un fou furieux, vous me hurlez au visage et vous *exigez* des réponses ?

— Personne d'autre n'a pu…

— Vous m'avez donné le seul échantillon existant dont nous avons connaissance, l'interrompit Fred. Mais vous partez du principe que si vous ne connaissez pas l'existence d'un autre échantillon, il n'existe pas. Je supporte vos délires depuis déjà plus d'un an, et cette conviction que l'univers vous doit des réponses. Sans parler de cette indignation flamboyante que vous brandissez comme une arme devant tout le monde. Mais je n'ai aucune raison de supporter vos excès. Et vous savez pourquoi ?

Holden secoua la tête sans desserrer les lèvres. S'il parlait, il avait peur que sa voix ne le trahisse.

— Parce que c'est moi le boss, nom de Dieu ! C'est moi qui dirige tous ces gens. Vous avez été d'une grande utilité, et il se peut que vous le soyez encore dans le futur. Mais j'ai assez de problèmes à gérer en ce moment sans que vous veniez lancer une autre de vos croisades à mes frais.

— Et donc… dit Holden en laissant traîner le dernier mot.

— Et donc vous êtes viré. C'était votre dernier contrat avec moi. Je ferai en sorte que les réparations sur le *Rossi* soient achevées, et je vous paierai, parce que je ne veux pas rompre un contrat. Mais j'estime que nous avons construit assez de vaisseaux pour assurer la sécurité dans notre espace sans votre aide, et même si ça n'était pas le cas je commence à en avoir marre de vous.

— Viré ? dit Holden.

— Et maintenant sortez en vitesse de mon bureau, avant que je décide de prendre aussi le *Rossi*. Ce vaisseau contient plus de pièces venues de Tycho que de pièces d'origine. Je pense que je pourrais très légitimement estimer qu'il nous appartient.

Holden recula vers la porte. Il se demandait si la menace était vraiment sérieuse. Fred ne le quittait pas des yeux, mais il ne bougea pas. Quand son visiteur atteignit la porte, Johnson dit simplement :

— Ce n'est pas moi.

Leurs regards s'aimantèrent un long moment, et l'un comme l'autre ils retinrent leur souffle.

— Ce n'est pas moi, répéta Fred.

— D'accord, fit Holden, et il sortit.

Quand la porte coulissa et lui cacha Fred, il laissa échapper un long soupir et s'affaissa contre le mur du couloir. Johnson avait raison sur un point : sa peur lui avait servi d'excuse pendant beaucoup trop longtemps. *Cette indignation flamboyante que vous brandissez comme une arme devant tout le monde.* Il avait vu l'humanité risquer l'extinction parce qu'elle était trop stupide. Ce spectacle l'avait ébranlé au plus profond de son être. Depuis Éros, il fonctionnait à la peur et à l'adrénaline.

Mais ce n'était pas une excuse. Plus maintenant.

Il sortait le terminal de sa poche pour appeler Naomi quand la réalité le frappa comme un projecteur qu'on allume. *Je suis viré.*

Pendant plus d'un an, il avait eu un contrat d'exclusivité avec Fred. La station Tycho était leur port d'attache, leur base opérationnelle. Sam avait passé presque autant de temps qu'Amos à réparer et régler le *Rossi*. Tout cela était fini. Il leur faudrait trouver un nouvel emploi, leurs propres ports d'attache, et acheter de quoi effectuer les réparations eux-mêmes. Plus de patron pour lui tenir la main. Pour la première fois depuis très longtemps, il était réellement un capitaine indépendant. Il lui faudrait mériter ce titre en gardant le vaisseau en activité et son équipage nourri. Il s'immobilisa un moment, le temps de bien appréhender son nouveau statut.

La sensation était des plus agréables.

33

PRAX

Amos avança le buste dans son siège. La masse physique impressionnante de l'homme rendait la pièce plus petite, et l'odeur d'alcool et de fumée froide émanait de lui comme d'un feu. Son expression n'aurait pu être plus douce.

— Je ne sais pas quoi faire, expliquait Prax. Je ne sais absolument pas quoi faire. Tout ça est ma faute. Nicola était juste… elle était tellement perdue, et tellement en colère. Chaque jour je me réveillais et j'observais son visage pendant qu'elle dormait encore, et tout ce que je voyais c'était ce piège qui la retenait. Et je savais que Mei allait grandir avec ça. Elle essaierait de se faire aimer par sa mère, alors que Nici ne désirait qu'une chose, être ailleurs. Et j'ai pensé que ce serait mieux pour tout le monde. Quand elle s'est mise à parler de s'en aller, j'étais prêt à l'accepter, vous comprenez ? Et quand Mei… Quand j'ai dû apprendre à Mei que…

Il baissa la tête, la prit dans ses mains et se mit à se balancer doucement d'avant en arrière.

— Vous allez encore être malade, doc ?

— Non. Ça va aller. Si je m'étais conduit en père plus responsable, elle serait encore là.

— On parle de l'ex-femme ou de la gamine, là ?

— Je ne parle pas de Nicola. Je veux dire : si j'avais été là pour Mei. Si je l'avais rejointe dès le début de l'alerte. Si je n'avais pas attendu dans le dôme. Et pour quoi ? Des plantes ? Elles sont mortes maintenant, de toute façon. J'en avais gardé une, mais je l'ai perdue, elle aussi. Je n'ai même pas réussi à en sauver une. Mais j'aurais pu aller là-bas, la chercher. Si j'avais…

— Vous savez bien qu'elle n'y était plus quand toute cette merde a commencé, hein ?

Prax secoua la tête. Il n'était pas décidé à laisser la réalité des faits lui offrir le pardon.

— Et maintenant, ça. J'avais une chance. Je m'en suis sorti. J'avais un peu d'argent. Et je me suis comporté comme un idiot. C'était sa dernière chance, et je l'ai ruinée idiotement.

— Ouais, bon… C'est un peu nouveau pour vous, doc.

— Elle aurait dû avoir un meilleur père. Elle *méritait* un meilleur père. Elle était tellement… C'était une petite fille tellement extraordinaire.

Pour la première fois, Amos le toucha. Sa large main se referma sur l'épaule du botaniste, pressant sur l'omoplate et la clavicule, et le forçant à se redresser. Les yeux du mécano étaient injectés, leur blanc marbré de rouge. Son haleine était chaude et aigre. L'incarnation tranquille d'un marin revenu d'une virée à terre. Mais ce fut d'une voix claire et ferme qu'il parla :

— Elle a un père au poil, doc. Vous vous faites du mouron pour elle, et c'est plus qu'un tas de gens.

Prax déglutit. Il se sentait las. Las de se montrer fort, de garder espoir, de rester déterminé et de se préparer au pire. Il ne voulait plus être dans sa propre peau. Il ne voulait être dans la peau de personne. La main d'Amos était comme une pince de manutention sur un vaisseau, qui l'empêchait d'aller tournoyer dans des ténèbres infinies. Et il voulait seulement qu'on le lâche.

— Elle n'est plus là, dit-il, et cela semblait une bonne excuse, une explication. Ils me l'ont prise, et je ne sais même pas où ils sont, et je ne peux pas la leur reprendre, et je n'y comprends rien.

— La partie n'est pas encore jouée.

Le botaniste acquiesça, non parce que ces paroles lui procuraient le moindre réconfort mais parce qu'il savait devoir agir ainsi à cet instant.

— Je ne la retrouverai jamais.

— Vous vous gourez.

Le signal annonçant son ouverture tinta, et la porte coulissa. Holden entra. Prax ne put définir immédiatement ce qui était différent chez lui, mais quelque chose était arrivé… l'avait changé… c'était évident. Le visage était le même, la tenue aussi. Curieusement, le chercheur se revit assis dans un amphithéâtre, lors d'un cours sur la métamorphose.

— Salut, fit le capitaine. Tout va bien ?

— Un peu secoués, répondit Amos.

Prax lut la même confusion sur les traits du colosse. Ils étaient tous deux conscients de la transformation, et aucun n'aurait pu l'analyser.

— Vous vous êtes envoyé en l'air, ou quoi, cap ? ajouta le mécanicien.

— Non.

— Je veux dire, c'est bien pour vous si c'est ce qui vous est arrivé. C'est juste que je ne m'étais pas imaginé…

— Je ne me suis pas envoyé en l'air, dit Holden d'un ton hésitant, avant d'afficher un sourire radieux et d'ajouter : J'ai été viré.

— Juste vous, ou bien nous sommes tous virés ?

— Nous tous.

— Hum, grogna Amos qui resta silencieux un moment puis, avec un haussement d'épaules : Bon.

— Il faut que je parle à Naomi, mais elle n'accepte pas les connexions venant de moi. Vous pensez que vous pourriez retrouver sa piste ?

La moue embarrassée du mécanicien aurait été la même s'il avait sucé le jus d'un vieux citron.

— Je ne cherche pas l'affrontement, souligna Holden. Nous ne nous sommes pas quittés comme il faut, c'est tout. Et c'est ma faute, donc je me dois de réparer ça.

— Je sais qu'il lui arrive de traîner dans ce bar dont Sam nous a parlé, la dernière fois. Le *Blauwe Blome*. Mais si vous vous comportez comme un gland, ce n'est pas moi qui vous ai tuyauté, hein.

— Pas de problème, affirma le capitaine. Merci.

Il pivota pour sortir mais s'immobilisa en plein mouvement. Il avait l'air de quelqu'un qui n'a pas totalement émergé d'un rêve.

— Qu'est-ce qui vous a secoués ? demanda-t-il. Vous avez dit que vous étiez secoués.

— Le doc voulait engager une firme de sécurité privée de Luna pour remonter la piste de la gamine. Ça n'a pas marché et il l'a pris plutôt mal.

Holden se rembrunit. Prax sentit une chaleur soudaine monter à son cou.

— Je croyais que c'était nous qui allions la retrouver, dit le capitaine qui paraissait sincèrement déconcerté.

— Le doc n'a pas été vraiment clair sur ce point.

— Ah, souffla Holden, et au botaniste : Nous allons retrouver votre fille. Vous n'avez pas besoin d'engager quelqu'un d'autre.

— Mais je n'ai pas de quoi vous payer, protesta mollement le petit homme. Tous mes comptes sont sur les systèmes de Ganymède, et même s'ils sont toujours là je n'y ai plus accès. Je crois que je peux rassembler à peu près mille dollars. Est-ce que ça sera suffisant ?

— Non, dit Holden. Ça ne suffira pas à acheter de l'air pour une semaine, et encore moins l'eau. Il va falloir que nous nous en occupions.

Il inclina la tête de côté, comme s'il écoutait quelque chose que lui seul pouvait entendre.

— J'ai déjà contacté mon ex-femme, précisa Prax. Et mes parents. Je ne vois personne d'autre.

— Et pourquoi pas tout le monde ? répliqua le capitaine.

⚡

— Je m'appelle James Holden, disait-il sur l'écran principal dans le poste de pilotage du *Rossinante*, et je suis ici pour solliciter votre aide. Il y a quatre mois, quelques heures avant la première attaque sur Ganymède, une petite fille atteinte d'une maladie génétique dangereuse pour sa vie a été enlevée dans sa garderie. Dans le chaos qui a…

Alex stoppa l'enregistrement. Prax voulut se redresser, mais le fauteuil de copilote qu'il occupait s'ajusta sur ses cardans pour compenser, et le botaniste se résigna à rester au fond de son siège.

— Je ne sais pas, dit le pilote installé devant les manettes. Le fond vert lui donne le teint un peu terreux, vous ne trouvez pas ?

Prax plissa un peu les paupières, scruta l'image, acquiesça.

— Ce n'est pas son teint naturel, approuva-t-il. Peut-être qu'en assombrissant un peu…

— Je vais essayer ça, dit Alex qui tapota sur son écran. En temps normal c'est Naomi qui se charge de ce genre de choses. La mise en forme des messages vidéo, ce n'est pas vraiment mon truc. Mais on va bien finir par y arriver. Et comme ça ?

— Mieux, jugea le chercheur.

— Je m'appelle James Holden, et je suis ici pour solliciter votre aide. Il y a quatre mois…

La présentation durait moins d'une minute. Il s'adressait directement à la caméra, et ils avaient enregistré cette partie avec le terminal d'Amos. Ensuite le mécanicien et Prax avaient passé une heure à essayer de créer le reste. C'était Alex qui avait suggéré d'utiliser l'équipement de bien meilleure qualité dont ils disposaient avec le *Rossinante*. Une fois cette décision prise, la suite avait été plus aisée à assembler. Le botaniste avait pris le début de ce qu'il avait fait pour Nicola et ses parents comme modèle. Alex l'avait aidé à enregistrer le reste – une explication de la condition de Mei ; l'enregistrement par les caméras de sécurité de Strickland et la femme mystérieuse emmenant la fillette de la garderie ; les images du laboratoire secret, y compris celles des filaments de la protomolécule ; des photos de Mei jouant dans les jardins publics ; et une très courte vidéo d'elle prise lors de son second anniversaire, quand elle s'était barbouillée le front avec le glaçage du gâteau.

Prax avait du mal à se regarder parler. Il avait déjà visionné un tas de messages de lui-même, mais l'homme à l'écran était plus maigre qu'il ne s'y était attendu. Plus vieux, aussi. Sa voix était plus haut perchée que celle que ses oreilles percevaient, et moins hésitante. Le Praxidike Meng qui allait apparaître à toute l'humanité sur les réseaux comms était un homme différent de lui, mais assez proche quand même. Et si cela pouvait aider à retrouver Mei, c'était parfait. Si cela pouvait la ramener, il était prêt à devenir n'importe qui.

Alex fit voltiger ses doigts sur les réglages pour réarranger la présentation et ajouter les images de Mei au petit discours d'Holden. Ils avaient ouvert un compte auprès d'une caisse de crédit basée dans la Ceinture qui avait une suite logicielle d'options pour des actions non commerciales et non enregistrées, de sorte que toute contribution était acceptée automatiquement. Prax observait le pilote au travail. Il était dévoré par l'envie de faire des commentaires ou de prendre la direction des opérations. Mais il n'y avait rien qu'il puisse faire de plus.

— Voilà. C'est ce que je peux obtenir de mieux.

— Alors c'est bon, décida Prax. Et maintenant, qu'est-ce qu'on en fait ?

Alex lui lança un regard qui semblait las mais brillait aussi d'excitation.

— On appuie sur la touche "envoi".

— Mais l'étape d'homologation…

— Il n'y a pas d'étape d'homologation, doc. Tout ça n'a rien à voir avec le gouvernement. Bordel, ça n'a rien à voir avec du commerce non plus. C'est juste nous, les combinards, qui filons dans l'espace et essayons de ne pas laisser nos fesses dans le jet du moteur.

— Oh, fit Prax. Vraiment ?

— Si vous traînez avec le capitaine assez longtemps, vous vous habituerez. Mais peut-être que vous devriez prendre un jour de plus, pour bien y réfléchir.

— Bien réfléchir à quoi ?

— À l'envoi de ce message. Si ça marche comme nous l'espérons, vous allez attirer l'attention sur vous. Beaucoup d'attention. Ça donnera peut-être ce qu'on souhaite, mais ça peut aussi donner autre chose. Tout ce que je veux dire, c'est qu'une fois l'œuf brouillé, vous ne pouvez plus le faire cuire à la coque.

Prax réfléchit une poignée de secondes. Les écrans luisaient doucement.

— Il s'agit de Mei, laissa-t-il tomber.

— Alors c'est parti, dit Alex en transférant le contrôle des communications au poste du copilote. Vous voulez lancer ce truc ?

— Où ira-t-il ? Je veux dire, où l'envoyons-nous ?

— C'est une simple diffusion. Elle sera probablement reprise par des relais dans la Ceinture. Mais il s'agit du capitaine, donc les gens vont regarder le message, le faire passer dans le réseau. Et…

— Et ?

— Nous n'avons pas fait apparaître notre passager clandestin dans l'enregistrement, mais le filament qui déborde de cette cage en verre ? C'est comme si nous annoncions que la protomolécule est toujours en liberté. Ça va amplifier la portée du truc.

— Et vous pensez que ça va aider ?

— La première fois que nous avons eu quelque chose dans ce genre-là, ça a déclenché une guerre, répondit le pilote. "Aider" est peut-être un mot un peu fort. Disons que ça va faire bouger les choses, sûrement.

Prax haussa les épaules et appuya sur la touche d'envoi.

— Torpilles tirées, dit Alex avec un petit rire.

Le botaniste dormit sur la station, bercé par le bourdonnement des recycleurs d'air. Amos était reparti, en lui laissant simplement un mot dans lequel il conseillait de ne pas l'attendre. C'était probablement son imagination, mais Prax avait l'impression de ne pas ressentir la gravité tournante de la même façon. Avec un diamètre aussi important que celui de Tycho, la force de Coriolis n'aurait pas dû avoir d'effets assez désagréables pour être remarqués, et certainement pas alors qu'il était étendu là, immobile, dans l'obscurité de sa chambre. Et pourtant il ne parvenait pas à être à son aise. Il ne pouvait oublier qu'il était en rotation, l'inertie le plaquant contre le matelas trop mince alors que son corps tentait de s'envoler dans le vide. La plupart du temps, à bord du *Rossinante*, il avait réussi à tromper ses craintes en se disant qu'il avait la masse rassurante d'une lune sous lui. C'était moins une fabrication de son esprit quant à la manière dont l'accélération était générée que ce que signifiait le phénomène.

Pendant que ses pensées s'effondraient en une lente spirale, des parcelles de sa personnalité s'effritant comme un météore à son entrée dans l'atmosphère, il éprouva un élan subit de gratitude. En partie pour Holden, et en partie pour Amos. Pour tout l'équipage du *Rossinante*, en fait. Rêvant à moitié, il se retrouva sur Ganymède. Il était affamé et parcourait les tunnels de glace avec la certitude que quelque part, non loin de là, une de ses variétés de soja avait été infectée par la protomolécule et le traquait pour se venger. Avec la logique aberrante des rêves, il était également sur Tycho où il cherchait du travail, mais tous les gens à qui il distribuait son CV refusaient et lui expliquaient qu'il lui manquait un diplôme ou une référence qu'il ne connaissait pas, ou ne comprenait pas. La seule chose qui rendait la situation supportable était la certitude profondément ancrée en lui que rien de tout cela n'était vrai. Qu'il dormait, et qu'à son réveil il serait dans un endroit sûr.

Ce qui le tira enfin du sommeil fut l'odeur capiteuse de la viande de bœuf. Ses paupières étaient collées comme s'il avait pleuré en dormant, les larmes laissant des résidus salés après s'être évaporées. De la douche provenaient des clapotements et le sifflement de l'eau. Il enfila sa combinaison pressurisée. Une fois de plus il se demanda pourquoi le nom TACHI était imprimé en grandes lettres dans le dos de la tenue.

Sur la table, le petit-déjeuner attendait : steak et œufs, tortillas de farine et café noir. De la vraie nourriture qui avait dû coûter une fortune. Comme il y avait deux assiettes, Prax en choisit une et se mit à manger. Tout cela avait probablement englouti le dixième de l'argent reçu de Nicola, mais c'était délicieux. Amos sortit de la douche en baissant la tête, une serviette autour des reins. La partie droite de son ventre était barrée par une large cicatrice blanche qui décentrait son nombril, et un tatouage presque photographique d'une jeune femme aux cheveux bouclés et aux yeux en amande recouvrait la poitrine au niveau du cœur. Le botaniste crut discerner un mot tracé sous le portrait, mais il ne voulut pas regarder trop fixement.

— Salut, doc, dit le mécanicien. Vous avez un peu moins sale tête.

— Je me suis reposé un peu.

Son imposant camarade passa dans sa propre chambre dont il referma la porte, et Prax poursuivit en haussant le ton pour être entendu :

— Je voulais vous remercier. Hier soir, je n'avais vraiment pas le moral. Et que vous et les autres puissiez aider ou pas à retrouver Mei…

— Et pourquoi on ne serait pas capables de la retrouver ? répondit Amos, sa voix quelque peu étouffée par l'obstacle de la porte. Vous ne seriez pas en train de perdre confiance en moi, hein, doc ?

— Non. Non, pas du tout. Je voulais seulement dire que ce que le capitaine et vous proposez, c'est… c'est énorme…

Le mécano réapparut, un grand sourire aux lèvres. Sa combinaison dissimulait tatouages et cicatrices, comme si rien de tout cela n'existait.

— J'avais bien compris. Je vous chambrais juste un peu. Le steak est bon ? On se demande où ils parquent leurs vaches, ici, pas vrai ?

— Oh non, c'est de la culture en vase clos. Ça se voit à la croissance des fibres musculaires. Vous voyez comment elles sont disposées, ici ? En fait ça permet d'obtenir plus facilement une viande persillée à la découpe.

— Sans déconner ? fit Amos qui s'assit en face de lui. J'ignorais.

— La microgravité augmente aussi les qualités nutritionnelles du poisson, poursuivit Prax malgré la bouchée d'œuf qu'il venait d'enfourner. Elle accroît la production de graisse saine. Personne ne sait pourquoi, mais il y a quelques études très intéressantes sur le sujet. On pense que c'est peut-être moins la gravité restreinte elle-même que le courant constant qu'on doit maintenir afin que les poissons ne s'arrêtent pas de nager, ce qui à moyen terme créerait une zone d'eau pauvre en oxygène où ils finiraient par suffoquer.

Amos déchira un morceau de tortilla et le trempa dans le jaune d'œuf.

— C'est à ça que ressemblent les conversations de la famille pendant les repas, hein ?

Le scientifique le regarda un instant sans comprendre.

— Assez, oui, répondit-il enfin. Pourquoi ? À quoi faites-vous allusion ?

L'autre rit de bon cœur. Il semblait d'excellente humeur. On décelait une décontraction inédite dans ses épaules, et quelque chose dans la tonicité de ses mâchoires avait changé. Prax se remémora la conversation avec le capitaine, la nuit précédente.

— Vous vous êtes envoyé en l'air, c'est ça ?

— Oh putain, que oui ! s'exclama le colosse. Mais ce n'est pas le meilleur…

— Ah bon ?

— Oh, ça a été un putain de bon moment, ça oui, mais il n'y a rien de mieux au monde que de décrocher un boulot juste après vous être fait lourder.

La réponse laissa Prax dérouté. Amos sortit son terminal d'une poche, le tapota rapidement et le fit glisser sur la table. L'écran était entouré du liseré rouge indiquant une transmission sécurisée, avec le nom de la caisse de crédit qu'Alex avait contactée la veille. Quand il vit le chiffre qui s'affichait pour le compte ouvert, le botaniste sentit ses yeux s'écarquiller.

— C'est… Est-ce que c'est… ?

— C'est largement assez pour que le *Rossi* vole pendant un mois, et nous avons récolté ça en sept heures, dit Amos. Vous venez d'embaucher votre équipe, doc.

— Je ne sais pas… Vraiment ?

— Et il n'y a pas que ça. Jetez un œil aux messages que vous avez reçus. Le capitaine a fait sensation, hier, mais votre gamine ? Toute cette merde qui s'est abattue sur Ganymède vient de se trouver un visage, et c'est le sien.

Prax alluma son propre terminal. La boîte de réception associée à la présentation qu'ils avaient diffusée contenait plus de cinq cents messages vidéo et un millier de textes. Il consulta les premiers. Des hommes et des femmes inconnus – certains en larmes – lui offraient leurs prières, leur colère et leur soutien. Un Ceinturien à la crinière grisonnante baragouinait en un patois à peu près incompréhensible. Pour ce qu'il en décryptait, l'homme lui proposait de tuer quelqu'un pour lui.

Une demi-heure plus tard, ses œufs s'étaient desséchés dans son assiette. Une femme de Cérès lui expliquait avoir perdu sa fille à la suite de son divorce, et lui envoyait ce qu'elle dépensait en un mois pour son tabac à chiquer. Sur Luna, un groupe de chercheurs en agroalimentaire avait organisé une quête et lui virait ce qu'il aurait touché en un mois s'il avait toujours eu son poste de botaniste. Séparé de lui par la moitié du système solaire, un vieux Martien à la peau chocolat et au crâne saupoudré d'une chevelure blanchâtre fixait la caméra avec gravité et l'assurait qu'il était avec lui.

Quand le message suivant débuta, il ressemblait à tous ceux qui l'avaient précédé. L'homme à l'image était très âgé – quatre-vingts, peut-être quatre-vingt-dix ans –, avec une demi-auréole de cheveux blancs à l'arrière du crâne et un visage parcheminé. Quelque chose dans son expression éveilla l'intérêt de Prax. Une sorte d'indécision.

— Docteur Meng, dit l'inconnu d'une voix brouillée qui rappela au botaniste les enregistrements de son propre grand-père, je suis désolé d'apprendre ce que vous et votre famille avez enduré. Ce que vous endurez, précisa-t-il après s'être passé la langue sur les lèvres. L'extrait de la vidéo de sécurité, dans votre présentation. Je crois que je connais l'homme qu'on y voit. Mais il ne s'appelle pas Strickland…

34

HOLDEN

D'après le répertoire de la station, le *Blauwe Blome* était réputé pour deux choses : une boisson baptisée le Blue Meanie et son grand nombre de tables de Golgo. Le guide touristique prévenait les clients éventuels que la station n'autorisait que deux Blue Meanie par consommateur à cause du mélange assez suicidaire d'éthanol, caféine et méthylphénidate. Avec un peu de colorant industriel bleu en prime, devina Holden.

Alors qu'il parcourait la section de Tycho réservée aux distractions, le guide commença à lui expliquer les règles du Golgo. Après quelques instants de confusion intense – *le but est d'être "emprunté" quand la défense dévie le lancer* –, il éteignit son terminal. Il y avait peu de chances qu'il joue. Et une boisson qui effaçait vos inhibitions et vous laissait surexcité et débordant d'énergie lui serait superflue, dans son état actuel.

Pour tout dire, il ne s'était jamais senti aussi bien.

Pendant l'année qui venait de s'écouler, il avait raté bon nombre d'occasions et manqué le coche autant de fois. Il avait adopté une ligne de conduite qu'il n'était pas du tout sûr d'approuver, dans le seul but d'assurer sa sécurité. Il avait peut-être ruiné la seule relation saine qu'il ait connue dans sa vie. Il s'était laissé diriger par sa peur, jusqu'à devenir quelqu'un d'autre. Quelqu'un qui, pour gérer sa peur, la transformait en violence. Quelqu'un que Naomi n'aimait pas, que son équipage ne respectait pas, et que personnellement il n'appréciait pas beaucoup.

La peur n'avait pas disparu. Elle était toujours là, qui électrisait sa nuque chaque fois qu'il pensait à Ganymède et à ce qui, peut-être, se trouvait libéré et en pleine expansion là-bas, en ce moment même. Mais pour la première fois depuis très longtemps, il en était conscient et ne cherchait pas à se cacher la réalité. Il se donnait la permission d'avoir peur. Et cette attitude nouvelle changeait tout.

Il entendit le vacarme émanant du *Blauwe Blome* plusieurs secondes avant d'apercevoir l'établissement. Tout commença par un martèlement rythmique à peine audible qui gagna peu à peu en volume et s'agrémenta d'un geignement électronique et d'une voix féminine qui chantait en un mélange d'hindi et de russe. Quand il atteignit l'entrée du club, la chanson était devenue un duo masculin alterné qui ressemblait fort à une dispute mise en musique. La plainte électronique avait été remplacée par des guitares furieuses. La ligne de basse était toujours la même.

À l'intérieur, l'agression des sens était totale. Une grande piste de danse occupait l'espace central, et quelques dizaines de corps s'y trémoussaient dans un déluge kaléidoscopique de lumières changeant au gré de la musique. Celle-ci avait été forte avant d'entrer. Elle était maintenant assourdissante. Un long comptoir chromé s'étirait devant un des murs, et une demi-douzaine de barmen servaient avec frénésie les commandes passées en salle.

Une pancarte sur le mur du fond indiquait GOLGO, avec une flèche pointant vers l'amorce d'un couloir. Holden prit cette direction. Le vacarme s'atténuait à chaque pas qu'il faisait, et quand il déboucha dans la salle de jeu il ne percevait plus que le bourdonnement assourdi des lignes de basse.

Naomi était à une des tables en compagnie de son amie Sam et de quelques autres Ceinturiens. Elle avait ramené ses cheveux en arrière, maintenus par une bande élastique rouge assez large pour être décorative. Elle avait troqué sa combinaison contre un pantalon gris ajusté qu'il ne l'avait jamais vue porter et un chemisier jaune qui magnifiait la douceur de son teint caramel. Holden ne put que se figer un moment. Elle sourit à quelqu'un, et ce n'était pas lui. Il sentit sa poitrine se serrer.

Alors qu'il s'approchait Sam lança une petite balle en métal sur la table. Face à elle, le groupe de ses adversaires réagit par des mouvements saccadés et violents. D'où il se trouvait, Holden ne pouvait voir ce qui se passait, mais à en juger par les poses amollies et les jurons sans entrain de ses partenaires, Sam avait sans doute réussi quelque chose de très positif pour son équipe.

Sam pivota sur elle-même et leva une main. Les gens qui l'entouraient, parmi lesquels Naomi, frappèrent chacun à leur tour de la leur la paume offerte. La petite mécanicienne en chef l'aperçut la première et lâcha un commentaire qu'il ne put entendre. Naomi se retourna et lui lança un regard interrogateur, le stoppant net. Elle ne sourit pas, ne se renfrogna pas. Il leva les deux mains ouvertes dans un geste qui, il l'espérait, serait interprété comme *Je ne suis pas venu pour qu'on se batte*. Un instant ils restèrent immobiles, à s'observer en silence dans le brouhaha de la salle.

Merde, songea-t-il, *comment ai-je pu laisser les choses en arriver là ?*

Elle lui adressa un petit signe de tête et désigna une table située en retrait, dans un coin. Il alla s'y installer et commanda à boire. Pas un de ces assassins de foie bleus qui faisaient la renommée de l'établissement, juste un scotch bon marché produit dans la Ceinture. S'il ne l'appréciait pas outre mesure, il avait fini par tolérer l'arrière-goût ténu de moisissure que l'alcool laissait toujours sur la langue. Naomi prit congé de ses amis pour quelques minutes et vint vers lui. Sans être nonchalant, son pas n'évoquait en rien celui un peu trop raide de quelqu'un qui va vers une rencontre redoutée.

— Je peux t'offrir quelque chose ? demanda-t-il quand elle s'assit.

— Bien sûr. Je vais prendre un martini-pamplemousse.

Pendant qu'il passait commande sur l'écran de la table, elle le dévisagea avec un demi-sourire mystérieux qui liquéfia les entrailles du Terrien.

Il autorisa son terminal à ouvrir un compte relié à celui du bar pour régler les consommations.

— C'est fait, annonça-t-il. Un martini-abomination en route.

— Abomination ? dit-elle en riant.

— À part en cas de scorbut au dernier stade, je ne conçois pas qu'on puisse ajouter du jus de pamplemousse à une boisson civilisée.

Elle rit encore, ce qui eut pour effet de le décrisper un peu, et ils attendirent d'être servis dans un mutisme tranquille. Elle goûta son cocktail et eut un claquement de lèvres appréciateur.

— C'est bon, dit-elle, vas-y, vide ton sac.

Il but une gorgée beaucoup plus longue, finissant presque le petit verre de scotch d'un coup, et il essaya de se convaincre que la chaleur qui envahissait son estomac pouvait remplacer le courage. *La façon dont nous avons laissé les choses m'a mis mal à l'aise, et j'ai pensé que nous devrions en discuter. Pour clarifier notre situation, en quelque sorte.* Il se racla la gorge.

— J'ai tout foutu en l'air, dit-il. Je me suis mal comporté avec mes amis. Plus que mal. Tu as eu absolument raison de faire ce que tu as fait. Je n'étais pas capable d'entendre ce que tu disais à ce moment-là, mais tu as eu raison de le dire.

Naomi sirota son martini, puis elle leva sans hâte sa main libre et ôta la bande élastique qui retenait en arrière la masse de ses boucles brunes. Les cheveux retombèrent autour de son visage en une cascade emmêlée, et Holden pensa à des murs en pierre recouverts de lierre. Depuis qu'il la connaissait, il s'en rendait compte à cet instant, elle avait toujours défait ses cheveux quand la situation prenait un caractère émotionnel. Elle se cachait derrière eux, non pas littéralement, mais parce que c'était son atout majeur. L'œil était naturellement attiré par les reflets multiples qui accrochaient les boucles brunes. Une technique de diversion. Cela la rendait subitement très humaine, aussi vulnérable et perdue qu'il l'était. Il sentit monter en lui toute l'affection qu'il éprouvait pour elle, et sa réaction dut se lire sur son visage car elle le regarda et rougit un peu.

— C'est quoi, Jim ?

— Des excuses ? proposa-t-il. L'admission que tu avais raison, que j'étais en train de me transformer en ma version personnelle tordue de Miller ? Ça, au minimum. Dans l'espoir d'ouvrir le dialogue pour une réconciliation, si j'ai de la chance.

— Je suis contente, dit-elle. Contente que tu aies compris ça. Mais je te le serine depuis des mois déjà, et toi, tu…

— Attends.

Il la sentait qui déjà s'éloignait de lui, et se refusait à le croire. Tout ce qu'il avait encore à lui offrir étant la vérité absolue, c'est ce qu'il fit :

— Je ne pouvais pas t'entendre. Parce que j'ai été terrifié, et j'ai été lâche.

— La peur ne fait pas de toi un lâche.

— Non. Bien sûr que non. Mais refuser d'admettre qu'on a peur, oui, ça rend lâche. Mon refus de laisser Alex, Amos ou toi m'aider : c'était de la lâcheté. Et ça m'a peut-être fait perdre la loyauté de l'équipage, et toi en prime, soit tout ce qui compte réellement pour moi. Ça m'a poussé à continuer à exercer un sale boulot bien plus longtemps que je n'aurais dû, parce que ce boulot représentait la sécurité.

Un petit groupe de joueurs de Golgo commençait à se rapprocher insensiblement de leur table, et Holden fut reconnaissant à Naomi quand elle les dissuada d'un geste. Cela signifiait qu'elle désirait poursuivre l'échange. C'était un bon début.

— Dis-moi, fit-elle. Et maintenant, tu vas faire quoi ?

— Aucune idée, répondit-il en souriant. Et c'est la meilleure sensation que j'aie éprouvée depuis une éternité. Mais quoi qu'il arrive ensuite, j'ai besoin de toi auprès de moi.

Elle allait protester, mais il leva prestement une main pour l'en empêcher et enchaîna :

— Non, je me suis mal exprimé. J'aimerais te reconquérir, mais j'accepte tout à fait l'idée que ça prenne du temps, ou que ça ne se produise jamais. Je veux dire, le *Rossi* a besoin que tu reviennes. L'équipage a besoin que tu sois là.

— Je n'ai pas envie de quitter le *Rossi*, avoua-t-elle avec l'esquisse timide d'un sourire.

— Le *Rossi*, c'est chez toi, appuya-t-il. Ce sera toujours chez toi, aussi longtemps que tu le souhaiteras. Et c'est vrai quoi qu'il puisse arriver entre nous.

Elle se mit à enrouler une mèche épaisse autour de son doigt pendant qu'elle terminait sa consommation. Il lui désigna le menu affiché sur l'écran de la table, mais elle refusa d'un petit geste.

— C'est parce que tu as dit ses quatre vérités à Fred, je me trompe ?

— Ouais, en partie, admit-il. J'étais dans son bureau, terrifié, et d'un coup j'ai pris conscience que je vivais avec cette peur depuis très, très longtemps. J'ai tout foutu en l'air avec lui aussi. Mais c'est probablement un peu sa faute. Il est totalement convaincu de la justesse de son combat, et c'est le genre de personne avec qui il vaut mieux ne pas partager la table. Mais c'est quand même moi le plus responsable, dans l'affaire.

— Tu as démissionné ?

— Il m'a viré, mais s'il ne l'avait pas fait je serais certainement parti.

— Donc tu nous as fait perdre notre boulot payé et notre employeur. Je vais finir par me sentir flattée que le seul domaine où tu veux arranger les choses, c'est avec moi.

— Tu es la seule avec qui il est réellement important pour moi d'arranger les choses.

— Tu sais ce qui va suivre, n'est-ce pas ?

— Tu retournes sur le vaisseau ?

Elle esquiva la remarque d'un sourire.

— Ce qui va suivre, c'est que nous allons devoir payer les réparations de notre poche. Si nous tirons une torpille, nous devrons trouver quelqu'un qui nous en vende une autre. Nous devrons payer pour l'eau, l'air, les frais de douanes, la nourriture, les médicaments et le matériel nécessaire à notre très coûteuse infirmerie de bord. Tu as prévu quelque chose pour ça ?

— Non ! répondit Holden. Mais je dois reconnaître que je le sens très bien, même si c'est pour une raison qui m'échappe.

— Et quand cette euphorie se sera dissipée ?

— Je trouverai un plan.

Le sourire de la jeune femme se fit pensif et elle tirailla sur sa mèche de cheveux.

— Je ne suis pas prête à revenir sur le vaisseau, pour l'instant, déclara-t-elle, et elle tendit la main sur la table pour prendre la sienne. Mais quand le *Rossi* sera réparé, j'aurai besoin de récupérer ma cabine.

— Je vais déménager ce qui reste de mes affaires de ce pas.

— Jim, dit-elle en pressant ses doigts dans les siens avant de retirer sa main. Je t'aime, et ça ne va pas encore entre nous. Mais c'est un bon début.

Eh oui, pensa Holden, c'était vraiment un bon début.

⚡

Quand il ouvrit les yeux dans sa vieille cabine du *Rossinante*, il se sentait mieux que depuis des mois. Il quitta sa couche et c'est toujours nu qu'il traversa tranquillement le vaisseau jusqu'à la salle d'eau. Il s'accorda une douche d'une heure avec de l'eau qu'il devrait désormais payer, chauffée par de l'électricité que les quais lui factureraient au kilowatt/heure. Puis il retourna à sa couchette, le temps du trajet séchant sa peau déjà rosie par le jet brûlant.

Plus tard, il se prépara et mangea un déjeuner imposant qu'il arrosa de cinq tasses de café, tout en s'informant par les rapports techniques des réparations sur le *Rossi*, jusqu'à ce qu'il soit sûr d'avoir compris tout ce qui avait été fait. Il lisait un article d'un humoriste politique sur l'état des relations Mars-Terre quand son terminal bourdonna. Un appel d'Amos.

— Salut, cap, dit le mécanicien, et son large visage emplissait le petit écran. Vous comptez vous balader dans la station, aujourd'hui ? Ou vous préférez qu'on vienne vous voir sur le *Rossi* ?

— Retrouvons-nous à bord, répondit le Terrien. Sam et son équipe vont travailler sur le vaisseau, aujourd'hui, et je veux garder un œil sur ce qu'ils font.

— À plus tard, alors, dit Amos avant de couper la communication.

Holden essaya de terminer la lecture de l'article, mais il n'était plus du tout à ce qu'il faisait et il dut relire plusieurs fois le même paragraphe avant de le comprendre à peu près. Il finit par renoncer, s'occupa un temps en rangeant la coquerie, puis il prépara du café frais pour Amos et l'équipe de réparation.

La machine gargouillait joyeusement dans son coin, comme un marmot satisfait, quand l'écoutille du pont claqua en s'ouvrant. Amos et Prax descendirent l'échelle menant à la coquerie.

— Cap, salua le mécano.

Il se laissa choir lourdement sur une chaise, mais le botaniste préféra rester debout. Holden emplit deux autres chopes de café et les posa sur la table.

— Quelles nouvelles ? demanda-t-il.

Le colosse répondit avec un petit sourire supérieur et fit glisser son terminal sur la table. Quand Holden posa les yeux sur l'appareil, l'écran affichait le montant récolté sur le compte du "fonds Mei" ouvert par son père. La somme dépassait le demi-million de dollars NU.

Le capitaine poussa un sifflement bas et s'assit au ralenti sur un siège.

— Nom de Dieu, Amos… J'espérais bien que nous… mais jamais une telle somme.

— Ouais, on était à un peu moins de trois cent mille ce matin. Ça a augmenté de deux cents rien que durant ces trois dernières heures. On dirait que tous les gens qui suivent le merdier sur Ganymède ont fait de Mei l'icône de cette tragédie.

— Est-ce que ce sera suffisant ? intervint Prax d'un ton anxieux.

— Oh, oui, sans problème, affirma Holden en riant. Plus que suffisant, même. Cet argent va financer largement notre mission de sauvetage.

— Et en plus nous avons un indice… fit Amos.

Pour assurer l'effet dramatique de sa petite phrase, il s'interrompit et prit le temps de boire une gorgée de café.

— Sur Mei ?

— Ouaip, dit le mécanicien qui ajouta un peu de sucre à sa boisson. Prax, balancez-lui ce que vous avez reçu.

Holden regarda le message vidéo trois fois de suite, et un sourire s'épanouit sur son visage. "L'extrait de la vidéo de sécurité, dans votre présentation. Je crois que je connais l'homme qu'on y voit, disait l'homme âgé sur l'écran. Mais il ne s'appelle pas Strickland. Quand j'ai travaillé avec lui au département d'ingénierie minière de l'université de technologie, sur Cérès, il s'appelait Merrian. Carlos Merrian."

— Voilà ce que mon vieux copain l'inspecteur Miller aurait appelé *une piste*, commenta Holden après son dernier visionnage.

— Et maintenant, chef ? s'enquit Amos.

— Je crois qu'il faut que je passe un appel.

— OK. Le doc et moi, on va vous laisser tranquille et regarder le pognon affluer.

Ils sortirent ensemble, et le capitaine attendit que l'écoutille se soit refermée pour envoyer une demande de connexion au standard de l'université de technologie de Cérès. Avec la position actuelle de Tycho, le délai de réception avoisinait les quinze minutes, temps qu'il occupa à faire un puzzle simple sur son terminal, ce qui lui laissa l'esprit libre pour réfléchir à un plan. Puisqu'ils savaient maintenant qui était Strickland avant de prendre cette identité, ils devaient pouvoir retracer sa carrière. Et trouver à quel moment précis il avait cessé d'être un type appelé Carlos Quelque Chose travaillant dans une université, pour devenir un type nommé Strickland qui enlevait des enfants. Découvrir le pourquoi de cette mutation constituerait un bon point de départ pour apprendre où il se trouvait maintenant.

Quarante minutes environ après l'envoi de sa requête, il reçut une réponse. Il fut un peu surpris de voir à l'écran l'homme âgé du message vidéo. Il n'avait pas espéré entrer en contact avec lui dès la première tentative.

— Bonjour, dit l'inconnu. Je suis le Dr Moynahan. J'attendais votre appel. J'imagine que vous désirez des précisions sur le Dr Merrian. Pour faire bref, lui et moi avons travaillé ensemble au labo de biologie de l'UTC. Il centrait ses recherches sur les systèmes contraints de développement biologique. Il n'a jamais été très doué pour appliquer les règles du petit jeu universitaire. Il ne s'est pas fait beaucoup d'alliés pendant qu'il était là.

De ce fait, quand il s'est mis à dépasser certaines limitations éthiques, ils ont sauté sur l'occasion pour le pousser dehors. Je n'ai pas de détails sur ce qui s'est passé. Je n'étais pas à la direction du département, à l'époque. Faites-moi savoir si vous avez besoin d'autres renseignements.

Holden visionna le message une deuxième fois et prit des notes en maudissant le délai de quinze minutes. Dès qu'il fut prêt, il envoya en réponse :

— Merci beaucoup de votre aide, docteur Moynahan. Nous vous en sommes vraiment reconnaissants. J'imagine que vous ne savez pas ce qu'il est devenu après avoir été chassé de l'université ? S'il est allé ailleurs ? Ou s'il a trouvé un poste dans une entreprise ? Quoi que ce soit ?

Il pressa la touche d'envoi et prit son mal en patience. En attendant la réponse, il commença un autre puzzle mais la chose l'ennuya très vite et il abandonna. Il se cala sur le canal public de divertissement diffusé par Tycho et regarda un dessin animé assez frénétique et bruyant pour le distraire.

Quand son terminal tinta pour lui annoncer la réception d'un message, il faillit le faire tomber de la table dans sa hâte à lancer la vidéo.

— En fait, disait le Dr Moynahan en se grattant l'ombre de barbe grise à son menton, il n'est même pas passé devant la commission de déontologie. Il est parti le jour précédant son audition. Il a fait tout un scandale dans le labo, en répétant à qui voulait l'entendre qu'ils ne pourraient plus lui marcher sur les pieds, qu'il avait trouvé une place dans une entreprise de pointe où il aurait tous les fonds et toutes les libertés qu'il voulait. Je me souviens, il nous a traités de "gratte-papier entravés par une éthique mesquine". En revanche le nom de la firme qui devait l'embaucher ne me revient pas.

Holden mit en pause et sentit un frisson glacé lui parcourir l'échine. *Entravés par une éthique mesquine*. Il n'avait pas besoin que Moynahan lui dise quelle entreprise avait pu engager sans hésiter un tel individu. Il avait entendu presque les mêmes mots de la bouche d'Antony Dresden, le maître d'œuvre du projet Éros qui avait tué un million et demi de personnes dans le cadre d'une expérimentation biologique à grande échelle.

Carlos Merrian était allé travailler pour le compte de Protogène, et il avait disparu. Il avait réapparu sous l'identité de Strickland, kidnappeur d'enfants.

Et aussi assassin d'enfants, rectifia Holden.

35

AVASARALA

Sur l'écran, le jeune homme riait comme il avait ri vingt-cinq secondes plus tôt sur Terre. C'était le délai de transmission qu'Avasarala détestait tout particulièrement. Trop long pour qu'une conversation paraisse normale, pas assez pour la rendre impossible. Tout ce qu'elle faisait prenait trop longtemps, chacun de ses décryptages des réactions et des nuances était ruiné par l'effort de deviner ce qui, très exactement et dans ses mots et ses expressions, dix secondes avant, avait provoqué cette réponse.

— Vous seule pouviez prendre une autre guerre Terre-Mars, en faire une croisière privée et ensuite avoir l'air d'être en pétard contre ça. Tous les gens de mon service sacrifieraient leur testicule gauche pour être avec vous.

— La prochaine fois, je penserai à commencer une collection, mais…

— En ce qui concerne l'inventaire militaire précis, disait-il presque une demi-minute auparavant, nous disposons de rapports, mais ils ne sont pas aussi précis que je le souhaiterais. À cause de vous j'ai quelques-uns de mes stagiaires qui sont occupés à établir des paramètres d'enquête. J'ai l'impression que le budget consacré à la recherche représente environ un dixième de l'argent qui va effectivement à ladite recherche. Avec vos autorisations, j'ai le droit de mettre mon nez là-dedans, mais ces types de la Flotte sont très doués pour dissimuler la vérité. Je pense que vous trouverez… Il se renfrogna. Vous évoquiez une collection ?

— Laissez tomber. Vous disiez ?

Elle attendit cinquante secondes, et en maudit chacune.

— Je ne sais pas si nous arriverons à avoir une réponse définitive, dit le jeune homme. Nous aurons peut-être de la chance, mais si c'est quelque chose qu'ils veulent nous cacher, ils peuvent probablement réussir à le faire.

Surtout quand ils apprendront que vous cherchez dans cette direction, et ce que je vous ai demandé de trouver, songea-t-elle. Même si les mouvements de fonds entre Mao-Kwikowski, Nguyen et Errinwright figuraient dans tous les budgets actuellement, le temps que les alliés d'Avasarala y jettent un œil tout aurait été dissimulé. Elle en était réduite à mettre la pression sur autant de fronts qu'il lui était possible, en espérant qu'ils commettraient une erreur. Trois jours de plus de demandes de renseignement et de requêtes diverses, et elle pourrait lancer une analyse du trafic. Elle ne savait pas exactement quelles informations ils cachaient, mais si elle parvenait à définir les catégories de données qu'on ne voulait pas lui transmettre, on aurait déjà avancé un peu.

Un peu, mais pas beaucoup.

— Faites de votre mieux, dit-elle. Je vais continuer de me prélasser ici, au milieu de nulle part. Recontactez-moi.

Elle n'attendit pas les cinquante secondes nécessaires aux formules de politesse pour prendre congé. La vie était trop brève pour ces niaiseries.

Ses quartiers privés à bord du *Guanshiyin* méritaient amplement le qualificatif de "somptueux". Le lit et le canapé étaient coordonnés à la moquette épaisse en une déclinaison de verts et d'or qui auraient dû jurer mais s'accordaient étonnamment bien. L'éclairage composait la meilleure imitation qu'elle ait vue de la lumière solaire d'un milieu de matinée, et les recycleurs d'air étaient parfumés pour laisser planer une odeur discrète de terre fraîchement remuée et d'herbe coupée. Seule la gravité restreinte gâchait l'illusion de se trouver dans un country club, quelque part dans la ceinture verte du Sud de l'Asie. La gravité restreinte et ce fichu délai dans les transmissions.

Elle détestait la gravité restreinte. Même si l'accélération était parfaitement maîtrisée et bien que le vaisseau n'ait jamais dévié de sa trajectoire, ne serait-ce que pour éviter des débris interstellaires, au plus profond de son être elle était accoutumée à la pesanteur normale qui maintenait les choses au sol. Elle n'avait rien digéré correctement depuis son embarquement, et elle avait le souffle court, en continu.

Son système comm tinta. Un nouveau rapport en provenance de Vénus. Elle l'ouvrit. L'analyse préliminaire de l'épave de l'*Arboghast* était en cours. On avait relevé une ionisation du métal apparemment en accord avec la théorie de quelqu'un sur le fonctionnement de la protomolécule. C'était la première fois qu'une prévision se trouvait confirmée, l'entame d'une étape préliminaire vers une compréhension véritable de ce qui se produisait sur Vénus. On avait un relevé temporel précis des trois pics d'énergie, et une analyse spectrale des couches supérieures de l'atmosphère planétaire qui révélait une concentration d'azote élémentaire supérieure à celle prévue. Avasarala sentit son regard se voiler. La vérité, c'est qu'elle s'en fichait.

Elle aurait pourtant dû s'y intéresser. C'était important. Peut-être plus que tout ce qui arrivait par ailleurs. Mais comme Errinwright, Nguyen et tous les autres, elle était prise dans le combat plus anodin parce qu'humain de la guerre, les luttes d'influence et les divisions quasi tribales entre la Terre et Mars. Avec les planètes extérieures en plus, si on voulait bien les prendre au sérieux.

Bon sang, à ce stade elle s'inquiétait plus pour Bobbie et Cotyar que pour Vénus. Le chef de sa sécurité rapprochée était quelqu'un de bien, et sa désapprobation la contrariait et la laissait sur la défensive. Quant au sergent des Marines, elle avait l'air sur le point de craquer. Mais pourquoi en aurait-il été autrement ? Cette femme avait vu ses amis mourir autour d'elle, et à présent elle travaillait pour son ennemi traditionnel. C'était une dure, à bien des égards, et le fait de compter dans son équipe quelqu'un qui n'avait aucune allégeance ou lien avec la Terre constituait un atout indéniable. En particulier après l'épisode calamiteux avec ce salopard de Soren.

Elle se renversa dans son siège, et fut un peu déconcertée par la qualité différente du mouvement quand elle pesait aussi peu. Elle n'avait toujours pas digéré la trahison de son assistant. Non, pas la trahison en elle-même : c'était là un risque inhérent au milieu. Si elle se laissait aller à une telle vulnérabilité, il était vraiment temps qu'elle quitte la scène. Tout bien considéré, c'était parce qu'elle n'avait pas vu le coup venir. Elle avait négligé un angle mort dans son champ de vision, et Errinwright avait su comment l'investir. Comment la priver de son influence. Elle détestait l'idée d'avoir été jouée. Plus que cela même, elle détestait l'idée que son échec entraîne plus de guerre, plus de violence, plus d'enfants morts.

C'était le prix à payer quand on commettait un raté. Des morts d'enfants en plus.

Donc elle ne commettrait plus de raté.

Elle pouvait presque voir Arjun, avec son regard empreint d'une tristesse discrète. *Tu n'es pas responsable de tout*, lui dirait-il.

— D'accord, tout le monde est responsable, dans cette putain de situation, lui répondit-elle à voix haute. Mais je suis la seule à prendre les choses au sérieux.

Elle sourit. Que les moniteurs et les espions essaient de comprendre quelque chose à cet éclat. Elle les imagina affairés à chercher un autre dispositif d'écoute à distance, pour découvrir à qui elle s'était adressée. À moins qu'ils ne pensent simplement que la vieille dame était en train de perdre les pédales.

Qu'ils se posent des questions.

Elle referma le rapport sur Vénus. Un autre message était arrivé pendant qu'elle rêvassait, sur un sujet prioritaire. Quand elle lut le résumé rédigé par les services de renseignements, ses sourcils grimpèrent à l'assaut de son front.

— Je m'appelle James Holden, et je suis ici pour solliciter votre aide.

Avasarala observait Bobbie pendant que celle-ci regardait l'écran. La Martienne semblait exténuée, et nerveuse à la fois. Ses yeux étaient moins injectés que secs. Comme des rouages insuffisamment graissés. Si la vieille femme avait eu besoin d'un exemple pour illustrer la différence entre la somnolence et une extrême fatigue, elle aurait choisi la Marine.

— Alors il s'en est tiré, dit Bobbie.

— Lui, son botaniste de compagnie et tout son foutu équipage. Nous avons donc maintenant une version de ce qu'ils fabriquaient sur Ganymède qui a rendu vos gars et les nôtres tellement chatouilleux qu'ils se sont mis à se canarder mutuellement.

La géante se tourna vers elle.

— Vous pensez que c'est la vérité ?

— Qu'est-ce que la vérité ? Ce n'est pas la première fois qu'Holden déblatère ce qu'il sait ou croit savoir tous azimuts, voilà ce que je crois. Que ce soit vrai ou pas, il est convaincu de ce qu'il dit, lui.

— Et ce qu'il dit sur la protomolécule ? Enfin quoi, il vient de raconter à tout le monde que cette horreur est en liberté sur Ganymède…

— C'est ce qu'il a fait, oui.

— Et les gens vont réagir à ça, n'est-ce pas ?

Avasarala réafficha le résumé du service de renseignements, puis les rapports concernant les émeutes sur Ganymède. Des gens terrorisés, écrasés par la tragédie et la guerre, mus par la panique. Manifestement, les forces de sécurité déployées pour les contenir jouaient la modération. Ce n'étaient pas des brutes ravies d'employer la force. C'étaient des éléments disciplinés qui faisaient leur possible pour empêcher les plus fragiles et les mourants de se blesser eux-mêmes, ou entre eux, et ils devaient choisir entre une brutalité nécessaire et l'inefficacité.

— Cinquante morts, pour l'instant, dit Avasarala. Selon la dernière estimation, en tout cas. Cet endroit est tombé dans un tel état de délabrement qu'ils auraient aussi bien pu mourir de maladie ou de malnutrition. Mais c'est de ça qu'ils sont morts.

— Je suis allée à ce restaurant, remarqua Bobbie.

La vieille dame fronça les sourcils, en guise de métaphore visuelle pour signifier son incompréhension. Bobbie pointa l'index sur l'écran.

— Celui devant lequel ils sont en train de mourir, vous voyez ? J'ai mangé là juste après mon arrivée. Leurs saucisses étaient très bonnes.

— Désolée, dit Avasarala.

Mais la Marine secoua la tête, l'air peu concerné.

— Donc ce secret est révélé, dit-elle.

— Peut-être. Peut-être pas.

— James Holden vient de dire à tout le système solaire que la protomolécule est sur Ganymède. Comment pouvez-vous dire “peut-être” ?

Avasarala passa sur un réseau de chaînes d'infos, repéra celle qui l'intéressait, avec les experts voulus, et cala la transmission sur ce canal. L'appareil mit quelques secondes à obéir, pendant lesquelles elle leva l'index pour réclamer la patience à la jeune femme.

— … complètement irresponsable, pérorait un homme aux joues creuses comme des tombes éventrées, en blouse de laboratoire et coiffé d'une calotte.

Le mépris du ton aurait pu écailler la peinture sur un mur.

L'intervieweuse apparut à côté de lui. Elle avait une vingtaine d'années, les cheveux raides coupés court et un ensemble noir strict qui affirmait sa qualité de journaliste sérieuse.

— Donc, pour vous, la protomolécule n'est pas impliquée ?

— Elle ne l'est pas. Les images diffusées par James Holden et son petit groupe n'ont rien à voir avec la protomolécule. Cette formation en toile d'araignée est ce qui se produit quand il y a une fuite d'agent agglomérant. C'est un phénomène très courant.

— Il n'y a donc aucune raison de paniquer ?

— Alice, dit l'expert en reportant sa condescendance sur son interlocutrice, en quelques jours d'exposition à la protomolécule, Éros est devenu le théâtre de l'horreur. Or, depuis le début des hostilités, Ganymède n'a montré aucun signe d'une quelconque infection active.

— Mais il est accompagné d'un scientifique. Le Dr Praxidike Meng, le botaniste dont la fille…

— Je ne connais pas ce M. Meng, mais jouer avec du soja ne fait pas de lui un expert de la protomolécule, pas plus que ça ne fait de lui un neurochirurgien. Je suis absolument navré pour la disparition de sa fille, bien sûr, mais non : si la protomolécule était présente sur Ganymède, nous le saurions depuis longtemps. Cette panique est née de rien. *Littéralement* de rien.

— Il peut continuer comme ça pendant des heures, fit Avasarala en éteignant. Et il y en a des dizaines comme lui. Mars va faire la même chose : saturer les chaînes d'infos avec cette version rassurante.

— Impressionnant, dit Bobbie en s'écartant du bureau.

— C'est pour que les gens restent calmes. C'est le plus important. Holden se prend pour un héros, le pouvoir au peuple, liberté d'informer, blablabla, mais ce n'est qu'un foutu abruti.

— Il est à bord de son propre vaisseau, lui.

Avasarala croisa les bras.

— Où voulez-vous en venir ?

— Il est à bord de son propre vaisseau, et pas nous.

— Alors nous sommes tous de foutus abrutis, conclut la vieille femme. Parfait.

Bobbie se leva et se mit à marcher dans la pièce. Elle fit demi-tour bien avant d'avoir atteint le mur. Cette femme était habituée à tourner en cage dans des endroits plus réduits.

— Qu'est-ce que vous voulez que je fasse, par rapport à ça ? demanda-t-elle.

— Rien. Qu'est-ce que vous pourriez bien faire par rapport à ça, sacré nom de Dieu ? Vous êtes coincée ici avec moi. Je ne peux pratiquement rien faire moi-même, alors que j'ai un tas d'amis haut placés. Vous n'avez personne. Je voulais seulement parler à quelqu'un sans devoir attendre deux minutes pour être contredite, c'est tout.

Elle était allée trop loin. L'expression de Bobbie s'adoucit, s'apaisa, devint indéchiffrable, distante. Elle se fermait. Avasarala s'assit sur le bord du lit.

— Ce n'était pas juste, reconnut-elle.

— Si vous le dites.

— Bon Dieu oui, c'est ce que je dis.

La Martienne inclina la tête de côté.

— C'était une excuse ?

— C'était aussi proche d'une excuse que ce que je peux faire en ce moment.

Il se produisit un déclic dans l'esprit d'Avasarala. Pas concernant Vénus, ni James Holden et son appel pour sa pauvre fillette disparue, ni même Errinwright. C'était en rapport avec Bobbie, son manque de sommeil et sa façon de marcher nerveusement de long en large. Puis elle comprit et laissa échapper un rire bref, sans joie. La Marine croisa les bras à son tour et la façon dont elle la dévisagea en silence était une question claire.

— Ça n'a rien de drôle, précisa Avasarala.

— Allez-y.

— Vous me rappelez ma fille.

— Ah oui ?

Elle avait mis Bobbie en rogne, et maintenant elle allait devoir s'expliquer. Les recycleurs d'air ronronnaient obstinément. Très loin dans les entrailles du yacht quelque chose émit un grincement, comme si elles se trouvaient à bord d'un de ces anciens bateaux à voiles faits de bois et de goudron.

— Mon fils est décédé à l'âge de quinze ans, dit Avasarala. En skiant. Je ne vous ai pas raconté ? Il était engagé dans une descente qu'il avait déjà faite vingt, trente fois. Il la connaissait très bien, mais il est arrivé quelque chose et il a percuté un arbre. Ils ont estimé qu'il devait aller à environ soixante kilomètres-heure au moment de l'impact. Il y a des gens qui survivent à ce genre de choc, mais pas lui.

Pendant un moment elle fut de nouveau dans la maison, avec le médecin à l'écran qui lui annonçait la nouvelle. Elle sentit le parfum de l'encens qu'Arjun aimait faire brûler, à l'époque. Elle entendit le crépitement de la pluie contre les fenêtres, pareil au tapotement de doigts innombrables. C'était le pire souvenir qu'elle avait, et il était d'une clarté parfaite. Elle prit une longue inspiration frémissante.

— J'ai failli à trois reprises, durant les six mois qui ont suivi. Arjun a été un saint, mais même les saints ont leurs limites. Nous nous disputions pour n'importe quoi. Pour rien. Chacun de nous s'en voulait de ne pas avoir sauvé Charanpal, et nous en voulions à l'autre quand il essayait de prendre un peu de la responsabilité sur lui. Et donc, bien sûr, c'est notre fille qui a le plus souffert.

“Un soir nous sommes sortis pour je ne sais quelle occasion, Arjun et moi. Nous sommes rentrés tard, et nous nous étions disputés. Ashanti se trouvait dans la cuisine. Elle lavait la vaisselle. Elle lavait la vaisselle propre avec une de ces éponges doublées d'une couche abrasive. Ses doigts saignaient, mais elle ne semblait pas s'en rendre compte, vous comprenez ? J'ai essayé de l'arrêter, de l'écarter de l'évier, mais elle s'est mise à crier et elle ne s'est calmée que lorsque je l'ai laissée recommencer à frotter la vaisselle. J'étais tellement en colère que je ne comprenais pas. J'ai détesté ma fille. Pendant un moment, je l'ai détestée.

— Et en quoi je vous rappelle votre fille, au juste ?

D'un geste, Avasarala engloba la pièce, le lit avec ses draps en lin véritable, le papier peint gaufré aux murs, l'air parfumé.

— Vous ne savez pas faire de compromis. Vous êtes incapable de voir les choses comme je vous dis qu'elles sont, et quand j'essaie de vous les exposer, vous vous défilez.

— C'est ce que vous voulez ? dit Bobbie.

Sa voix prenait une énergie nouvelle. C'était dû à la colère, mais sa réaction la ramenait au présent.

— Vous voulez que je sois d'accord avec tout ce que vous dites, et si je ne suis pas d'accord vous allez me détester pour ça ?

— Évidemment je tiens à ce que vous me disiez quand je raconte n'importe quoi. C'est pour ça que je vous paie. Je ne vous détesterai qu'un petit moment. J'aime beaucoup ma fille.

— Je n'en doute pas une seconde, madame. Et je ne suis pas votre fille.

Avasarala soupira.

— Je ne vous ai pas fait venir ici, je ne vous ai pas montré tout ça parce que je suis fatiguée par le décalage. Je suis inquiète. Bon Dieu, j'ai *la trouille* !

— De quoi ?

— Vous voulez une liste ?

Bobbie sourit. Un sourire franc. Avasarala sentit qu'elle lui répondait de la même façon.

— J'ai la trouille parce qu'on m'a déjà roulée dans la farine, dit-elle. J'ai la trouille de ne pas pouvoir stopper ces va-t-en-guerre et leurs manigances pour se servir de leurs nouveaux petits jouets. Et… j'ai la trouille de me tromper. Qu'est-ce qui se passera, dites-moi ? Qu'est-ce qui se passera si cette foutue chose sur Vénus passe à l'action et nous trouve divisés et flippés, inefficaces comme nous le sommes actuellement ?

— Je n'en sais rien.

Le terminal de la vieille femme tinta. Elle baissa les yeux sur le nouveau message qui s'affichait. L'amiral Souther. Elle lui avait envoyé un petit mot parfaitement innocent dans lequel elle lui proposait de dîner ensemble quand ils seraient tous deux revenus sur Terre, puis elle avait crypté le texte avec un code personnel pour envoi de haute sécurité. Il faudrait des heures à ceux qui l'espionnaient pour le craquer. Elle tapa la commande pour ouvrir la réponse. Celle-ci était en texte normal.

J'AIMERAIS BEAUCOUP.
L'AIGLE SE POSE À MINUIT. LES ZOOS SANS ENCLOS SONT ILLÉGAUX À ROME.

Elle éclata de rire. Cette fois, c'était vraiment de plaisir. Bobbie se pencha sur son épaule, et Avasarala orienta l'écran pour que la Marine puisse lire.

— Qu'est-ce que ça veut dire ?

La politicienne lui fit signe de rapprocher la tête de la sienne jusqu'à avoir les lèvres presque collées à l'oreille de la Marine. À une distance aussi réduite, celle-ci sentait la sueur fraîche et l'émollient parfumé au concombre qu'on trouvait dans toutes les cabines réservées aux invités à bord.

— Rien, chuchota Avasarala. Il suit simplement mon exemple, mais les autres vont s'arracher les cheveux à essayer de comprendre ce que ça signifie.

Bobbie se redressa. L'incrédulité imprégnant ses traits était éloquente.

— C'est comme ça que ça marche, dans les hautes sphères du gouvernement, alors ?

— Bienvenue dans la foire aux entourloupes…

— Je crois que je vais aller prendre une cuite.

— Et moi je vais me remettre au travail.

Arrivée au seuil de la pièce, Bobbie s'arrêta. Elle paraissait presque petite dans l'encadrement de la porte. L'encadrement d'une porte à bord d'un vaisseau spatial qui donnait l'impression que Roberta Draper était une femme menue. Il n'y avait rien sur ce vaisseau qui ne soit délicieusement obscène.

— Que lui est-il arrivé ?

— À qui ?

— Votre fille.

Avasarala éteignit son terminal.

— Arjun a chanté pour elle jusqu'à ce qu'elle se calme. Il a fallu près de trois heures. Il s'est assis sur le plan de travail de la cuisine et il a interprété toutes les chansons que nous leur chantions quand les enfants étaient petits. Finalement Ashanti l'a laissé l'emmener dans sa chambre et la mettre au lit.

— Vous l'avez détesté aussi, n'est-ce pas ? Parce qu'il a réussi à l'aider quand vous, vous ne pouviez rien pour elle.

— Vous avez saisi, sergent.

Bobbie s'humecta les lèvres de la langue.

— J'ai envie de faire mal à quelqu'un, dit-elle. Et j'ai peur que, si ce n'est pas quelqu'un d'autre, je finisse par me faire mal moi-même.

— Nous faisons tous notre deuil à notre façon, dit Avasarala. Pour ce que ça vaut, vous ne tuerez jamais assez de monde pour empêcher votre section d'être décimée. Pas plus que je ne pourrai sauver assez de gens pour que l'un d'entre eux ressuscite Charanpal.

Un long moment la Marine réfléchit à la portée de ces paroles. Avasarala pouvait presque entendre les méninges de la Martienne tourner et retourner les concepts dans un sens, puis dans l'autre. Soren avait été idiot de sous-estimer cette femme. Mais son ancien assistant s'était montré idiot à bien des égards. Quand enfin Bobbie rompit le silence ce fut d'une voix légère et mesurée, comme si ce qu'elle disait était sans grande importance :

— Mais on peut toujours essayer.

— C'est ce que nous faisons, approuva Avasarala.

La Marine la salua d'un mouvement de tête bref. Pendant une fraction de seconde, la vieille femme crut que l'autre allait la gratifier d'un salut militaire, mais Bobbie s'éloigna simplement en direction du deuxième bar installé dans le grand salon commun de l'étage. Il y avait là une fontaine décorative, avec des jets d'eau qui retombaient le long de fausses sculptures en bronze représentant des chevaux et des femmes dévêtues. Si cette vision ne donnait pas envie d'un verre d'alcool fort à celui qui la subissait, alors rien ne pouvait le pousser à boire.

Avasarala remit la vidéo.

— Je m'appelle James Holden…

Elle coupa l'enregistrement.

— Au moins tu n'as plus cette foutue mocheté de barbe, maugréa-t-elle à la pièce vide.

36

PRAX

Prax se souvenait de sa première révélation. Ou peut-être de celle qui lui restait en mémoire comme étant la première, corrigea-t-il. En l'absence d'autre élément, il accepta cette version. Il n'avait que dix-sept ans et était en plein milieu d'un cours de biologie appliquée. Assis entre les paillasses et les micro-centrifugeuses, il s'efforçait de déterminer pour quelle raison précise ses résultats étaient aussi mauvais. Il avait revérifié ses calculs, relu ses notes. L'erreur ne venait pas d'une exécution technique bâclée, d'ailleurs il n'avait pas bâclé l'exécution. Et puis il avait remarqué qu'un des réactifs était chiral, et il avait compris ce qui s'était passé. Rien ne lui avait semblé hors norme, mais il avait supposé que le réactif était de source naturelle et non pas nouvellement synthétisé. Il s'était agi d'un mélange de chiralités, la moitié d'entre elles inactives. Cet éclair de compréhension avait fait naître un grand sourire sur son visage.

C'était un échec, mais un échec qu'il comprenait, ce qui en faisait une victoire. Son seul regret était d'avoir tant tardé à voir ce qui aurait dû être pour lui une évidence.

Depuis quatre jours qu'ils avaient diffusé le message, il avait à peine dormi. Il avait lu les commentaires et les messages accompagnant les dons, répondu à quelques-uns, posé des questions à des inconnus disséminés dans tout le système. La bienveillance et la générosité qui convergeaient vers lui étaient grisantes. Deux jours durant il n'avait pas pu fermer l'œil, surexcité par l'euphorie de se sentir efficace. Quand enfin il avait dormi, il avait rêvé qu'il retrouvait Mei.

Lorsque la réponse lui vint, il souhaita seulement l'avoir trouvée plus tôt.

— Avec l'avance qu'ils ont eue, ils ont pu l'emmener n'importe où, doc, lui rappela Amos. Je ne dis pas ça pour vous foutre les boules, hein.

— Non, vous avez raison, reconnut-il. Ils ont pu l'emmener n'importe où, pour peu qu'ils aient eu une réserve de son traitement. Mais elle ne représente pas le facteur contraignant. La question est de savoir d'où ils sont venus.

Prax avait demandé cette réunion sans trop savoir où la tenir. L'équipage du *Rossi* était peu nombreux, mais l'appartement d'Amos était encore trop petit. Il avait envisagé la coquerie du vaisseau, hélas des techniciens y terminaient certaines réparations, et le botaniste tenait à un minimum d'intimité. Finalement il avait vérifié le flot de versements déclenché par le message d'Holden, et il avait prélevé une somme suffisante pour louer une salle dans un club de la station.

Ils se trouvaient maintenant réunis dans ce salon privé. De l'autre côté de la baie vitrée qui remplaçait tout un pan de mur, les bras articulés géants bougeaient de quelques dixièmes de degrés à l'aide de fusées de positionnement qui s'allumaient et s'éteignaient selon un schéma aussi complexe que celui du langage. Une autre chose à laquelle Prax n'avait jamais pensé avant d'arriver ici : les bras articulés de la station devaient recourir à ce dispositif pour empêcher leurs mouvements d'influer sur celui de l'ensemble auquel ils étaient attachés. Partout se déroulait une danse de figures imposées infimes et d'effets calculés.

À l'intérieur de la pièce, la musique qui flottait entre les tables et les sièges anti-crash était douce et lyrique, la voix de la chanteuse profonde et apaisante.

— Et d'où ? demanda Alex. Je croyais qu'ils venaient de Ganymède.

— Le labo sur Ganymède n'était pas équipé pour des travaux de recherche poussés, expliqua Prax. Et ils ont tout fait pour que Ganymède se transforme en champ de bataille. Ce qui n'est pas une très bonne idée s'ils comptaient mener leurs travaux principaux dans cette ambiance. Non, il s'agissait d'un labo de terrain.

— Vrai, approuva Amos : vaut mieux ne pas chier là où on prend ses repas.

— Vous vivez sur un vaisseau spatial, remarqua Holden.

— Et je ne chie pas dans la coquerie.

— Exact.

— Bref, reprit le botaniste, nous pouvons supposer sans trop de crainte de nous tromper qu'ils travaillaient dans une base mieux protégée. Et cette base doit se trouver quelque part dans le système jovien. Pas très loin.

— Je suis perdu, une fois de plus, intervint le capitaine. Pourquoi cette base devrait-elle se trouver près de Ganymède ?

— À cause du temps de transport. Mei peut être emmenée n'importe où tant qu'ils ont une réserve suffisante de son traitement, mais elle est plus robuste que cette… ces choses.

Holden leva la main comme un élève qui veut poser une question.

— D'accord, j'ai peut-être interprété de travers, mais vous ne venez pas d'affirmer que la chose qui s'est introduite par la force dans mon vaisseau, qui a lancé sur moi une palette de cinq cents kilos et qui a bien failli se frayer un chemin jusqu'au réacteur en mâchonnant une cloison en métal est plus délicate qu'une fillette de quatre ans souffrant de déficience immunitaire ?

Prax hocha la tête. L'horreur et le chagrin lui transpercèrent la poitrine. Mei n'avait plus quatre ans. Son anniversaire remontait déjà à un mois, et il l'avait raté. Elle avait cinq ans. Mais le chagrin et l'horreur étaient de vieux compagnons de route, désormais. Il chassa ces pensées de son esprit.

— Je vais m'efforcer d'être plus clair, dit-il. Physiologiquement, Mei n'est pas armée pour combattre la situation dans laquelle elle se trouve. C'est une façon de définir sa maladie, quand on y réfléchit un peu. Tout un tas de phénomènes qui se produisent dans un corps normalement constitué ne peuvent pas se produire naturellement dans le sien. Maintenant, prenez une de ces choses, une de ces créatures. Comme celle qui était à bord, d'accord ?

— Cette saloperie a été sacrément active, dit Amos.

— Non, rétorqua Prax. Enfin oui, mais non. Je veux dire : elle s'est montrée active sur un plan biochimique. Si Strickland, Merrian, ou qui que ce soit utilise la protomolécule pour reprogrammer un corps humain, il prend un système vivant complexe et y superpose un autre. Nous savons que l'opération est instable.

— Bon, fit Naomi, attablée à côté d'Amos et face à Holden. *Comment* pouvons-nous être sûrs de ça ?

Prax fronça les sourcils. Quand il avait préparé ce petit discours, il n'avait pas prévu autant de questions. Ce qui pour lui était évident n'avait même pas effleuré les autres. C'était une des raisons pour lesquelles il n'avait pas choisi une carrière dans l'enseignement. Il regarda les visages tournés vers lui et n'y lut que la perplexité.

— Très bien. Je vais reprendre depuis le début. Il y a eu sur Ganymède quelque chose qui a déclenché la guerre. Il y avait aussi un labo secret où travaillaient des gens qui, à tout le moins, étaient au courant de l'attaque avant même qu'elle ait lieu.

— Jusque-là, d'accord, dit Alex.

— Bon. Dans ce labo, nous avons trouvé des traces de la protomolécule, le corps d'un garçon, et des gens qui se préparaient à plier bagage. Et pour arriver là, nous n'avons eu à nous battre que sur la moitié du chemin. Sur l'autre moitié, quelqu'un nous a devancés et a tué tout le monde sur son passage.

— Eh ! s'exclama Amos. Vous pensez que c'est le même enfoiré qui est monté à bord du *Rossi* ?

Prax ravala le mot *évidemment* juste avant qu'il franchisse ses lèvres.

— Probablement. Comme il semble probable que l'attaque originelle ait été menée par plus d'une de ces créatures.

— Alors deux se seraient échappées ? demanda Naomi, mais le botaniste sut à son expression qu'elle voyait déjà le problème inhérent à sa question.

— Non, parce qu'ils savaient que ça allait arriver. Une créature s'est échappée quand Amos leur a renvoyé cette grenade. Une autre a été libérée intentionnellement. Mais c'est sans importance. Ce qui compte, c'est qu'ils se servent de la protomolécule pour refaçonner des corps humains, et qu'ils ne sont pas capables de contrôler parfaitement l'opération. Leur programmation est imparfaite et introduit des erreurs dans le sujet.

Prax acquiesça à ses propres dires, comme si en agissant ainsi il leur permettait de suivre son raisonnement. Holden fit la moue, hésita, puis hocha la tête à son tour.

— La bombe, dit-il simplement.

— La bombe, oui. Même s'ils ignoraient que la deuxième créature serait libérée, ils l'avaient munie d'un système explosif incendiaire puissant.

— Ah ! fit Alex. J'ai compris ! D'après vous, ils savaient que la créature finirait par perdre la tête, donc ils l'ont équipée de façon à la neutraliser si elle échappait à leur contrôle.

Dans le vide de l'espace, une machine à souder passa son jet incandescent sur la coque du vaisseau en construction, et l'éclat lumineux projeta des ombres soudaines et tranchées sur le visage réjoui du pilote.

— Oui, dit Prax. Mais il s'agissait peut-être aussi d'une arme auxiliaire, ou d'une bombe que la créature était censée placer quelque part. Personnellement, j'opterais pour l'hypothèse d'un dispositif de sécurité. Ça me semble logique, mais c'était peut-être aussi un tas d'autres choses.

— En tout cas la créature l'a laissée derrière elle, remarqua Alex.

— Au vu de la rapidité des événements, je dirais qu'elle a *éjecté* la bombe, corrigea le botaniste. Vous saisissez ? Elle a décidé de se reconfigurer pour se débarrasser de sa charge explosive. Elle ne l'a pas placée de façon à détruire le *Rossi*, alors même qu'elle aurait pu le faire. Elle n'a pas visé une cible prédéterminée. Elle a simplement décidé de la faire exploser.

— Et elle savait comment procéder…

— Elle est assez intelligente pour identifier une menace, expliqua le petit homme. Je ne connais pas encore la nature du mécanisme qui entre en jeu. Il peut s'agir d'une réponse cognitive, transmise de l'extérieur ou inscrite dans un ensemble immunitaire modifié.

— D'accord, dit Naomi. Admettons que la protomolécule soit capable d'échapper à n'importe quelles contraintes qu'ils lui imposent, et devenir indépendante, où est-ce que tout ça nous mène ?

Première étape, songea Prax avant de leur dévoiler ce qu'il avait toujours eu l'intention de leur dire :

— Ça signifie que le labo principal, où qu'il soit, est l'endroit où ils n'ont pas relâché une de ces créatures, et ça signifie qu'il est assez proche de Ganymède pour qu'ils la récupèrent avant qu'elle puisse se libérer. J'ignore le temps que ça peut prendre à leur créature, mais je pense qu'eux non plus ne le savent pas. Donc plus ils sont près de Ganymède et mieux c'est.

— Une des lunes de Jupiter, ou une station secrète dans ce système, proposa Holden.

— On ne peut garder secrète une station dans le système jovien, contra Alex. Il y a beaucoup trop de passage. Quelqu'un remarquerait quelque chose. C'est quand même le secteur où il y a eu le plus d'études astronomiques extrasolaires avant qu'on atteigne Uranus. Vous montez une installation trop près, et tous les observatoires vont râler parce que ça brouille leur réception des signaux. Pas vrai ?

Du bout des doigts, Naomi pianota sur le bord de la table, et le bruit fut pareil à celui des gouttes de condensation tombant sur le métal des conduits de ventilation.

— Donc le choix le plus évident serait Europe, dit-elle.

— Io, rectifia Prax avec une pointe d'impatience dans la voix. J'ai dépensé un peu de l'argent recueilli pour lancer une recherche concernant la circulation des arylamines et des nitroarènes dont on se sert quand on travaille sur la croissance mutagénétique… Euh, j'espère que ça ne pose pas de problème ? Que j'aie dépensé de l'argent ?

— Il est là pour ça, le rassura Holden.

— Ah, très bien, alors. Donc les mutagènes qui ne se mettent à fonctionner qu'après activation sont contrôlés de très près, parce qu'on les utilise dans l'élaboration des armes biochimiques. Mais si vous voulez travailler avec ce genre d'effets biologiques en cascade et de systèmes contraignants, vous en aurez besoin. La plupart des livraisons avaient Ganymède pour lieu de réception, mais j'en ai découvert une série régulière destinée à Europe. Et en y regardant de plus près, je n'ai pas pu obtenir le nom de la personne à qui ces commandes étaient réellement destinées. Parce qu'elles ont toutes été réexpédiées de Ganymède environ deux heures après y être arrivées.

— Envoyées vers Io, conclut Holden.

— Je n'ai pas trouvé de lieu de livraison précis, mais les conteneurs de transport pour ces marchandises ont dû suivre les règlements de sécurité imposés par la Terre et Mars. C'est très coûteux. Et les conteneurs des livraisons à Europe ont été retournés au fabricant par un transport qui est parti de Io.

Prax inspira longuement. L'exposé avait été laborieux, mais il était à peu près certain d'avoir expliqué tous les éléments de façon assez claire pour que l'ensemble soit, sinon concluant, du moins très suggestif.

— Donc, dit Amos en étirant la prononciation du mot, les méchants sont sûrement sur Io ?

— Voilà, fit Prax.

— Bordel, doc, vous n'auriez pas pu nous le dire plus simplement ?

La gravité due à la poussée atteignait un g entier sans le subtil effet de la force de Coriolis de la station Tycho. Assis sur sa couchette, Prax était courbé sur son terminal. À certains moments pendant le voyage jusqu'à Tycho, le fait d'être sous-alimenté et malade était la seule chose qui l'avait distrait. Rien de physique n'avait changé. Les cloisons étaient toujours aussi rapprochées, le recycleur d'air cliquetait et bourdonnait au même rythme. Mais à présent, au lieu de se sentir isolé, le botaniste avait le sentiment d'appartenir à un vaste réseau de gens qui tous tendaient leur énergie vers le même objectif que lui.

> MONSIEUR MENG, J'AI VU LE REPORTAGE SUR VOUS ET JE SUIS AVEC VOUS DE TOUT CŒUR ET DANS MES PRIÈRES. JE SUIS DÉSOLÉ DE NE PAS POUVOIR VOUS ENVOYER DE L'ARGENT CAR J'AI DES REVENUS TRÈS LIMITÉS, MAIS J'AI MIS VOTRE MESSAGE DANS LE BULLETIN PAROISSIAL. J'ESPÈRE QUE VOUS POURREZ RETROUVER VOTRE FILLE SAINE ET SAUVE.

Prax avait rédigé une lettre type pour répondre à tous ces soutiens qui restaient dans des termes généraux, et il avait un temps envisagé de chercher un filtre qui lui permettrait d'identifier cette catégorie de messages et de leur répondre automatiquement. Il avait abandonné parce qu'il n'était pas certain des paramètres à retenir, et il ne voulait surtout pas qu'une seule de ces personnes pense qu'il prenait sa démarche pour normale et acquise. Et puis, il n'avait aucune tâche à accomplir sur le *Rossinante*, donc tout son temps.

> JE VOUS ÉCRIS PARCE QUE J'AI UNE INFORMATION QUI POURRAIT PEUT-ÊTRE VOUS AIDER À RETROUVER VOTRE FILLE. DEPUIS TOUT JEUNE J'AI DES PRÉMONITIONS TRÈS FORTES DANS MES RÊVES, ET IL Y A TROIS JOURS, QUAND J'AI VU L'INTERVENTION DE JAMES HOLDEN SUR VOUS ET VOTRE FILLE, JE L'AI VUE DANS UN RÊVE. ELLE ÉTAIT SUR LUNA, DANS UN ENDROIT TRÈS PETIT, SANS LUMIÈRE, ET ELLE AVAIT PEUR. J'AI ESSAYÉ DE LA RÉCONFORTER, MAIS JE SUIS SÛR MAINTENANT QUE VOUS ALLEZ LA RETROUVER SUR LUNA OU QUELQUE PART EN ORBITE PROCHE.

Prax ne répondait pas à *tout*, bien entendu.

Le trajet jusqu'à Io ne prendrait pas plus de temps que celui jusqu'à Tycho. Probablement moins, d'ailleurs, puisque cette fois ils n'auraient certainement pas à gérer le chaos d'une protomolécule clandestine faisant exploser la paroi de la soute. Quand il y pensait trop longtemps, il ressentait une démangeaison singulière au creux des paumes. Il savait où se trouvait Mei – ou bien où elle était passée. Chaque heure le rapprochait d'elle, et chaque message arrivant sur son compte de charité lui donnait un peu plus de force. Quelqu'un savait peut-être où Carlos Merrian était, et ce qu'il faisait.

Il avait engagé le dialogue avec très peu de personnes, la plupart du temps par vidéo. Il avait discuté avec un courtier en sécurité installé sur la station Cérès qui lui avait communiqué les tarifs pour ses recherches et qui paraissait être quelqu'un de très bien. Il avait échangé quelques vidéos avec une conseillère en deuil de Mars avant d'avoir l'impression très désagréable qu'elle essayait de le séduire. Les enfants de toute une école – ils étaient au moins cent – lui avaient envoyé un enregistrement dans lequel ils interprétaient une chanson en espagnol et français mêlés en l'honneur de Mei et de son retour.

Intellectuellement, il savait que tout cela ne changeait rien. Les probabilités demeuraient élevées que sa fille soit déjà morte, ou du moins qu'il ne la revoie jamais. Mais qu'une multitude de gens, dont le flot ne faiblissait pas, lui dise que tout allait s'arranger, qu'ils l'espéraient, qu'ils étaient avec lui, cela le rendait mieux armé contre le désespoir. Cet effet avait sans doute un rapport avec le renforcement par le nombre. Quelque chose de commun avec certaines espèces végétales : Placée parmi ses semblables saines, une plante malade ou affaiblie pouvait voir son état s'améliorer, par le simple fait de cette proximité, même si l'eau et la terre la nourrissant provenaient d'une source différente. Certes c'était une forme de médiation chimique, mais les humains étaient des animaux sociaux, après tout, et quand une femme vous souriait sur l'écran, son regard semblant plonger dans le vôtre, et vous disait ce que vous vouliez tant croire, il était presque impossible de totalement réfuter le message.

C'était égoïste, il en avait conscience, mais c'était aussi une sorte d'addiction. Quand il avait su que leur total suffirait à financer le voyage vers Io, il avait cessé de prêter attention aux montants des dons. Holden lui avait transmis un rapport de dépenses et une prévision détaillée des coûts envisagés, mais Prax ne le pensait pas capable de lui mentir, de sorte qu'il avait survolé le document et s'était surtout intéressé à la somme globale inscrite au bas de la page. Dès qu'ils avaient eu assez d'argent, il ne s'en était plus soucié.

C'étaient les commentaires reçus qui accaparaient son temps et son attention.

Les voix d'Alex et Amos lui parvenaient de la coquerie où les deux hommes bavardaient tranquillement. Cela lui rappela l'époque où il était en colocation, pendant ses études supérieures. La conscience d'autres voix, d'autres présences, et le réconfort qui émanait de ces sons familiers. Ce n'était pas très différent de sa lecture des multiples messages.

J'AI PERDU MON FILS IL Y A QUATRE ANS, ET MALGRÉ TOUT JE NE PEUX MÊME PAS IMAGINER CE QUE VOUS ENDUREZ. J'AIMERAIS POUVOIR FAIRE PLUS.

Il ne lui restait plus que quelques dizaines de messages à découvrir. Selon l'heure de bord fixée arbitrairement, on était en milieu d'après-midi, pourtant il ressentait une envie très forte de dormir. Il hésita à prendre connaissance des appels restants après une petite sieste, mais finit par décider de les lire jusqu'au dernier sans répondre obligatoirement à chacun. Alex rit. Amos se joignit à lui.

Prax ouvrit le cinquième message.

TU ES UN FILS DE PUTE MALADE, ET SI JE TE VOIS UN JOUR JE JURE DEVANT DIEU QUE JE TE TUERAI DE MES PROPRES MAINS. LES POURRITURES COMME TOI DEVRAIENT ÊTRE VIOLÉES JUSQU'À CE QU'ELLES EN CRÈVENT, JUSTE POUR QUE TU COMPRENNES CE QUE ÇA FAIT.

Prax essaya de respirer. La douleur physique qu'il éprouvait était absolument identique à celle suivant un coup de poing en plein plexus solaire. Il effaça cette entrée. Une autre la remplaça, puis trois de plus. Et encore une dizaine. Redoutant le pire, il ouvrit une des dernières reçues.

J'ESPÈRE QUE TU MOURRAS.

— Je ne comprends pas, dit-il au terminal.

Le poison était violent, constant, et totalement inexplicable. Du moins jusqu'à ce qu'il ouvre un des messages reliés à un réseau public d'information. Il entra une demande pour remonter à la source, et cinq minutes plus tard l'écran vira au noir, le logo d'un des grands distributeurs d'information basé sur Terre s'afficha brièvement en bleu, et le titre du canal – *Les Infos brutes* – apparut.

Quand la page de présentation s'évanouit, ce fut Nicola qui le regardait au fond des yeux. Il voulut modifier le réglage, une partie de son esprit étant immédiatement convaincu qu'il avait basculé sur ses messages privés, d'une façon ou d'une autre, alors que le reste de sa personne savait très bien qu'il n'en était rien. Son ex femme s'humecta les lèvres, détourna la tête, affronta de nouveau l'objectif. Elle paraissait lasse. Épuisée.

— Je m'appelle Nicola Mulko. J'ai été mariée à Praxidike Meng, l'individu qui a diffusé un appel pour aider à retrouver notre fille… ma fille, Mei.

Une larme coula sur sa joue, qu'elle n'essuya pas.

— Ce que vous ne savez pas – ce que personne ne sait –, c'est que Praxidike est un monstre déguisé en être humain. Dès l'instant où je me suis séparée de lui, j'ai tout fait pour récupérer Mei. J'avais cru qu'il ne réservait ses mauvais traitements qu'à moi. Je n'imaginais pas qu'il s'en prendrait à elle. Mais quand je l'ai appris par des amis restés sur Ganymède après mon départ, il a…

— Nicola, dit Prax. Non. Ne fais pas ça.

— Praxidike Meng est un homme violent et dangereux, reprit-elle. En tant que mère de Mei, j'ai la conviction que depuis mon départ elle a été émotionnellement, physiquement et sexuellement abusée. Et que son prétendu enlèvement pendant les troubles sur Ganymède n'est qu'un mensonge destiné à cacher le fait qu'il a fini par la tuer.

Les larmes coulaient maintenant sans retenue sur les joues de Nicola, mais sa voix était sèche, et ses yeux aussi morts que ceux d'un poisson pêché une semaine auparavant.

— Je n'en veux à personne d'autre qu'à moi-même, déclara-t-elle. Jamais je n'aurais dû partir alors que je ne pouvais pas emmener ma petite fille avec moi…

37

AVASARALA

— Je n'en veux à personne d'autre qu'à moi-même, disait la femme en pleurs.

Avasarala stoppa la vidéo et se renversa au fond de son siège. Son cœur battait plus vite qu'à l'accoutumée et elle sentait un torrent de pensées bouillonner sous la glace de son esprit conscient. Elle avait l'impression qu'en collant une oreille contre son crâne on aurait pu entendre son cerveau bourdonner.

Bobbie était assise sur le lit à baldaquin. Sa corpulence rapetissait la couche pourtant monumentale, ce qui n'était pas un mince exploit. Une jambe repliée sous elle, elle avait étalé de vraies cartes à jouer sur le tissu épais du dessus-de-lit vert et or. Mais elle ne pensait plus à sa partie de solitaire. Le regard de la Martienne était fixé sur la vieille femme, et celle-ci sentit un sourire étirer lentement ses lèvres.

— Là, ça m'épate, dit-elle. Il leur fait peur.

— Qui a peur de qui ?

— Errinwright s'en prend à Holden et à ce petit salopard de Meng, dont je ne sais rien. Ils ont réussi un tour de force : le pousser à agir. Même moi je n'y suis pas parvenue.

— Vous ne croyez pas que le botaniste ait sauté sa gamine ?

— C'est toujours possible, mais ça – du doigt elle tapota le visage figé et larmoyant de l'ex-femme du botaniste… ça, c'est une campagne de dénigrement. Je suis prête à vous parier une semaine de salaire que j'ai déjà déjeuné avec la femme qui a monté ce coup.

Le scepticisme non dissimulé de Bobbie ne fit qu'accentuer le sourire d'Avasarala.

— Et c'est la première vraie bonne nouvelle qui nous soit parvenue depuis que nous avons embarqué sur ce bordel volant. Il faut que je me mette au travail. Foutu bon Dieu, comme j'aimerais pouvoir être à mon bureau.

— Vous voulez du thé ?

— Du gin, plutôt, dit Avasarala en allumant la caméra de son terminal. Il faut fêter ça.

Dans le cadre de mise au point, elle paraissait plus petite qu'elle ne se sentait. Les pièces avaient été agencées pour attirer l'attention quel que soit l'angle qu'elle pouvait choisir, comme si elle était piégée dans une carte postale. N'importe quel hôte du yacht pouvait ainsi fanfaronner sans dire un mot, mais dans la gravité restreinte ses cheveux étaient aussi hérissés que si elle sortait du lit. Pire encore, elle semblait épuisée émotionnellement et diminuée physiquement.

Oublie ça et mets ton masque, se sermonna-t-elle.

Elle prit une grande inspiration, adressa un doigt d'honneur à l'objectif et démarra l'enregistrement.

— Amiral Souther, dit-elle. Merci beaucoup pour votre dernier message. J'ai appris quelque chose que, je pense, vous pourriez trouver intéressant. Il semble que tout récemment quelqu'un ait pris en grippe James Holden. Si j'étais avec la Flotte au lieu de me balader dans ce foutu système solaire, je vous inviterais à boire un café pour en discuter, mais comme c'est impossible je vais vous ouvrir un de mes dossiers privés. J'ai suivi cet Holden de près. Voyez donc ce que j'ai dans ma besace, et dites-moi si vous en tirez les mêmes conclusions que moi.

Elle envoya le message. La logique aurait voulu qu'ensuite elle contacte Errinwright. Et si la situation avait bien été telle qu'ils feignaient tous deux de la croire, elle l'aurait gardé au courant et impliqué. Un long moment elle envisagea de suivre les formes et de continuer à simuler. La carcasse de Bobbie envahit la partie droite de son champ de vision, et la Martienne déposa un verre de gin sur le bureau. Avasarala le prit et goûta l'alcool. La marque de gin personnelle de Mao était excellente, même sans le zeste de citron.

Non. Qu'Errinwright aille se faire foutre. Elle afficha son répertoire et le fit défiler jusqu'à l'entrée recherchée. Autre enregistrement :

— Madame Corlinowski, je viens de voir la vidéo accusant Praxidike Meng de viol sur son adorable petite fille de cinq ans. Depuis quand au juste le service Relations médias des Nations unies s'est-il transformé en un foutu tribunal des divorces ? Si on apprend que nous sommes derrière ça, j'aimerais savoir quelles démissions je vais présenter aux chaînes d'infos, et à cet instant précis je pense à la vôtre. Toute mon amitié à Richard, et rappelez-moi avant que je vire votre petit cul d'incompétente, sous le coup de la colère.

Son message terminé, elle l'envoya.

— C'est elle qui a manigancé ça ? demanda Bobbie.

— Possible.

Elle but une autre gorgée de gin. Il était vraiment très bon. Si elle ne faisait pas attention, elle risquait de se laisser aller et en abuser.

— Et si ce n'est pas elle, elle trouvera qui l'a fait, et elle me servira leurs têtes sur un plateau. Emma Corlinowski n'a rien dans la culotte. C'est pour ça que je l'aime tant.

Pendant l'heure suivante, elle envoya une douzaine de messages supplémentaires, en jouant son rôle chaque fois. Elle lança une enquête sur les dettes de l'ex-femme de Meng et l'éventualité que les Nations unies puissent être tenues pour responsables de diffamation. Elle mit en alerte extrême le coordinateur de l'aide d'urgence sur

Ganymède et exigea de lui tout ce qu'il avait sur Mei Meng et les recherches concernant la fillette. Elle fit passer comme prioritaires des requêtes pour l'identification de la femme et du médecin apparaissant sur la présentation vidéo d'Holden, et adressa un message touffu de vingt minutes à un ancien collègue du service de traitement des données pour noyer dans ce déluge verbal une demande discrète d'informations sur les mêmes sujets.

Errinwright avait modifié les règles du jeu. Si elle avait bénéficié de toute sa liberté d'action, rien n'aurait pu l'arrêter. Dans sa situation présente, elle devait supposer que chacune de ses initiatives serait analysée et contrecarrée presque immédiatement. Mais Errinwright et ses alliés n'étaient que des êtres humains, et si elle maintenait le même flot de demandes et de requêtes en tout genre, de discours et de cajoleries, ils pourraient laisser passer quelque chose. Ou bien quelqu'un sur un des réseaux d'infos remarquerait le pic d'activité et creuserait un peu le sujet. Sinon, et ce serait déjà un résultat, ses efforts empêcheraient peut-être Errinwright de dormir sur ses deux oreilles.

C'était tout ce qu'elle avait. Ce n'était pas assez. De longues années à pratiquer le ballet raffiné de la politique et du pouvoir lui avaient donné des attentes et des réflexes qui ne trouvaient pas de chorégraphie satisfaisante actuellement. Elle se faisait l'impression d'être une virtuose de classe internationale dans un auditorium bondé et à qui on n'aurait accordé en guise de support musical qu'un joueur de flûtiau pour exprimer son talent.

Elle n'aurait pu dire quand elle avait fini son gin. Elle avait porté le verre à ses lèvres, découvert qu'il était vide, et s'était rendu compte que ce n'était pas la première fois. Cinq heures s'étaient écoulées, et elle n'avait reçu que trois réponses aux quelque cinquante messages envoyés. C'était plus que l'effet du décalage. On lui mettait des bâtons dans les roues.

Elle se rendit compte qu'elle avait faim seulement quand Cotyar fit son entrée avec en mains un plateau, accompagné de l'odeur d'un curry d'agneau. Il apportait aussi de la pastèque. L'estomac d'Avasarala s'éveilla bruyamment, et elle éteignit son terminal.

— Vous venez de me sauver la vie, dit-elle en lui montrant le bureau.

— C'était l'idée du sergent Draper, précisa-t-il. Après que vous avez ignoré la question qu'elle vous posait pour la troisième fois.

Il plaça l'assiette fumante devant elle.

— Je ne m'en souviens pas, remarqua-t-elle. Ils n'ont donc pas de serveurs, à bord de cette chose ? Pourquoi faut-il que ce soit vous qui vous chargiez du service ?

— Ils ont des serveurs, madame. Mais je ne leur permets pas d'entrer ici.

— La mesure semble un peu extrême. Vous ne seriez pas légèrement sur les nerfs ?

— Comme vous dites.

Elle mangea trop vite. Son dos était endolori, et un fourmillement agressif avait envahi sa jambe gauche, comme chaque fois maintenant qu'elle restait assise trop longtemps dans la même position. Jeune femme elle n'avait jamais connu ces désagréments. D'un autre côté, à l'époque elle n'était pas en mesure d'asticoter les principaux acteurs des Nations unies et d'être prise au sérieux. Le temps sapait ses forces mais accroissait son pouvoir en contrepartie. L'échange avait ses avantages.

Elle ne put attendre d'avoir terminé son repas et ralluma le terminal tout en avalant les dernières bouchées. Quatre messages en attente. Souther, les dieux bénissent son petit cœur racorni. Une entrée signée de quelqu'un au conseil juridique dont le nom ne lui disait rien, une autre qu'elle identifia, et la dernière de Michael-Jon, certainement au sujet de Vénus. Elle ouvrit le message de Souther.

L'amiral apparut sur l'écran et elle dut se retenir de le saluer. Ce n'était qu'un enregistrement vidéo, pas une conversation en temps réel. Elle détestait ce système.

— Chrisjen, dit-il, il va falloir vous montrer plus prudente avec toutes les informations que vous me transmettez. Arjun va finir par devenir jaloux. Je n'avais pas pris conscience que notre ami Jimmy a pris part au lancement de tout ce brouhaha.

Notre ami Jimmy. Il prenait soin de ne pas dire Holden. Voilà qui ne manquait pas d'intérêt. Il s'attendait à ce qu'un filtrage automatique quelconque ait été mis en place pour relever le nom du Terrien. Pensait-il que la mesure d'espionnage touchait ses propres émissions ou les réceptions d'Avasarala ? Si Errinwright avait un peu de cervelle – et il n'en manquait pas –, il faisait espionner leurs échanges aux deux sources. S'inquiétait-il de l'implication éventuelle d'une tierce personne ? Combien de joueurs y avait-il réellement autour de la table ? Elle ne possédait pas assez de renseignements pour travailler efficacement sur la question, mais la piste était intéressante, en tout cas.

— Je vois bien où vos inquiétudes peuvent vous mener, disait Souther. De mon côté j'ai entrepris quelques recherches, mais vous savez comment c'est. Je peux trouver quelque chose dans la minute, ou dans un an. Mais donnez de vos nouvelles. Il se passe assez de choses ici pour que je souhaite pouvoir vous inviter à dîner. Nous sommes tous impatients de vous revoir.

C'était là un mensonge éhonté, jugea-t-elle, cependant il était bien aimable de le formuler. Avec sa fourchette, elle racla le fond de son assiette, là où un mince résidu de curry adhérait encore à l'argent.

Le premier message émanait d'un jeune homme à l'accent brésilien. Il y affirmait que les Nations unies n'avaient rien à voir avec la diffusion de la vidéo où Nicola Mulko apparaissait, et qu'en conséquence elles ne pouvaient aucunement être tenues pour responsables de l'émotion suscitée. Le deuxième venait du supérieur immédiat du premier, qui s'excusait pour lui et s'engageait à fournir un dossier complet avant la fin de la journée, ce qui était beaucoup plus satisfaisant. Les gens intelligents se méfiaient toujours d'elle. Cette pensée était plus revigorante que le curry d'agneau.

Elle tendait la main vers l'écran lorsque le vaisseau changea de position sous elle et la tira légèrement de côté. Elle prit appui sur le bureau. Le curry et le gin ingéré protestèrent dans son estomac.

— Nous nous attendions à ça ? s'écria-t-elle.

— Oui, madame, répondit Cotyar depuis la pièce voisine. Correction de trajectoire prévue.

— Une chose qui n'arrive jamais dans mon foutu bureau, grommela-t-elle.

Michael-Jon apparut sur son écran. Il semblait quelque peu perplexe, mais c'était peut-être un effet dû à l'angle sous lequel il était filmé. Elle eut un sombre pressentiment.

Pendant un instant, l'*Arboghast* flotta devant ses yeux et se démantela. Sans réfléchir elle mit l'enregistrement sur pause. Quelque chose en elle refusait d'aller plus loin. Ne voulait pas savoir.

Il était difficile de comprendre comment Errinwright et Nguyen pouvaient ne pas se préoccuper de Vénus et du chaos extraterrestre qui s'ordonnait de plus en plus. Elle sentait elle aussi cette peur atavique rôdant aux lisières de sa conscience. Comme il était plus facile d'en revenir aux vieux jeux, aux vieux schémas, avec leur cortège d'affrontements, de mensonges et de mort. Malgré toute l'horreur que cela véhiculait, c'était un domaine familier. Connu.

Enfant, elle avait vu un film sur un homme qui voyait le visage de Dieu. Pendant la première heure, il menait la vie terne d'un anonyme vivant d'un salaire misérable sur la côte d'Afrique du Sud. Quand il découvrait Dieu, le film déroulait dix minutes pendant lesquelles il gémissait, puis une autre heure où il s'évertuait à reprendre le cours de la même existence idiote qu'il avait connue auparavant. Avasarala avait détesté. Maintenant, pourtant, elle comprenait presque la réaction du personnage. Tourner le dos à la réalité était une réaction naturelle. Même s'il pouvait être qualifié d'imbécile, autodestructeur et dénué de sens, c'était un comportement naturel.

La guerre. Les massacres. La mort. Toute la violence qu'Errinwright et ses hommes – car elle avait la certitude que tous étaient des hommes – acceptaient si volontiers, ils le faisaient parce que c'était rassurant. Et ils étaient effrayés.

Bah, elle aussi.

— Lopettes, marmonna-t-elle, et elle redémarra l'enregistrement.

— Vénus est capable de penser, dit Michael-Jon sans s'embarrasser d'un "bonjour" ou de toute autre formule de politesse. L'équipe d'analyse du signal a épluché toutes les données relatives aux flux d'eau et d'électricité, et nous avons dégagé un modèle. Sa pertinence n'est que de soixante pour cent, mais je suis d'avis que cela ne doit rien au hasard. Son anatomie est différente, bien sûr, mais sa structure fonctionnelle est très semblable à celle d'un cétacé qui chercherait à résoudre des problèmes de raisonnement spatial. Pour résumer, il y a toujours ce déficit d'explications solides, et je ne peux rien pour le résorber, mais d'après ce que nous avons pu constater j'ai la quasi-certitude que les schémas observés étaient la manifestation physique de sa réflexion. C'étaient des pensées réelles, comme des neurones qui se connectent.

Il fixa l'objectif du regard, comme s'il s'attendait à ce qu'elle réponde, et parut un peu déçu qu'elle ne le fasse pas, bien évidemment.

— J'ai pensé que vous voudriez être mise au courant, dit-il avant de terminer la communication.

Elle en était encore à la formulation d'une réponse quand un nouveau message de Souther lui parvint. Elle l'ouvrit avec un sentiment de gratitude et de soulagement coupables.

— Chrisjen, nous avons un problème. Vous devriez vérifier les affectations de nos forces sur Ganymède et me faire savoir si nous constatons les mêmes choses.

Elle fit la moue. Le décalage temporel dépassait maintenant les vingt-huit minutes. Elle lança une requête standard et se leva. Son dos était complètement noué. Elle passa dans le salon commun de la suite. Bobbie, Cotyar et trois autres hommes étaient assis en cercle, le jeu de cartes distribué entre eux. Poker. Elle marcha droit sur eux, en roulant des hanches quand le mouvement devenait douloureux. Quelque chose dans la gravité restreinte rendait ses articulations trop sensibles. Elle s'assit à côté de la Martienne.

— À la prochaine partie, je suis des vôtres, annonça-t-elle.

L'ordre émanait de Nguyen, et à première vue il n'avait résolument aucun sens. Six destroyers des Nations unies avaient dû quitter la surveillance de Ganymède et s'élancer à vitesse maximale dans une direction qui semblait mener surtout vers nulle part. Les premiers rapports révélaient qu'après un délai normal d'interrogation sur le pourquoi de cette manœuvre un détachement similaire de vaisseaux martiens les avait suivis.

Nguyen mijotait quelque chose, et elle n'avait pas la moindre idée de ce qu'il en était. Mais Souther l'avait avertie, parce qu'il pensait qu'elle y verrait plus clair que lui.

La réponse mit une heure à venir. Le *Rossinante* d'Holden avait quitté la station Tycho à vitesse normale et mis le cap sur le système jovien. Il avait peut-être communiqué un plan de vol à l'APE, mais il n'avait relayé aucune information à Mars ou la Terre, ce qui signifiait que Nguyen le surveillait également.

Ils n'avaient pas seulement peur, ils s'apprêtaient à le tuer.

Avasarala resta assise sans bouger pendant un long moment, puis elle se leva et revint à la table de jeu. Cotyar et Bobbie terminaient les enchères, et le tas de bonbons au chocolat qui leur servait à miser atteignait presque les cinq centimètres d'épaisseur.

— Monsieur Cotyar, sergent Draper, dit-elle. Avec moi, je vous prie.

Les cartes disparurent aussitôt. Les autres hommes échangèrent des regards nerveux pendant que le trio se rendait dans la chambre de la vieille dame. Elle en referma la porte sans le moindre bruit.

— Je suis sur le point de faire quelque chose qui risque de mettre le feu aux poudres, déclara-t-elle. Si c'est le cas, notre situation pourrait bien changer du tout au tout.

Cotyar et Bobbie s'entreregardèrent brièvement.

— Il y a quelques petites choses que j'aimerais récupérer dans mon barda, dit Bobbie.

— Je vais prévenir les gars, fit Cotyar.

— Dix minutes.

Le décalage temporel entre le *Guanshiyin* et le *Rossinante* demeurait trop important pour une conversation suivie, mais il était moindre que le délai pour recevoir une réponse de la Terre. L'impression d'être très loin de chez elle lui montait un peu à la tête. Cotyar revint dans la pièce et hocha la tête. Avasarala ouvrit son terminal et demanda une connexion à un faisceau de ciblage. Elle donna le code transpondeur du *Rossinante*. Moins d'une minute plus tard, sa requête revint refusée. Souriant intérieurement, elle ouvrit un canal avec les ops.

— Ici l'assistante du sous-secrétaire, Chrisjen Avasarala, dit-elle comme s'il pouvait s'agir de quelqu'un d'autre à bord. Qu'est-ce qui ne va pas avec ce foutu faisceau de ciblage ?

— Je suis désolé, madame, répondit un jeune homme blond aux cheveux coupés en brosse et au regard très bleu. Ce canal de communication n'est pas disponible actuellement.

— Et pourquoi il n'est pas disponible, ce foutu canal ?

— Il n'est pas disponible, madame.

— Très bien. Je ne voulais pas passer par la radio, mais je peux le faire si nécessaire.

— Je crains que ce ne soit pas possible non plus, répondit l'autre.

Elle prit une longue inspiration et souffla entre ses dents serrées.

— Passez-moi le commandant.

Un moment plus tard, l'image changea. Le commandant était un individu au visage étroit, avec des yeux bruns de setter irlandais. La crispation de ses lèvres exsangues apprit à la politicienne qu'il connaissait la suite, du moins dans les grandes lignes. Elle regarda fixement la caméra pendant plus d'une seconde, sans parler. C'était un petit truc qu'elle avait appris au tout début de sa carrière. Regarder l'image sur l'écran laissait penser à l'autre personne qu'elle était observée. Si vous concentriez votre attention sur le point noir de l'objectif, elle avait le sentiment que vous vouliez lui faire baisser les yeux.

— Commandant, j'ai un message hautement prioritaire à envoyer.

— Je suis vraiment désolé. Nous rencontrons des difficultés techniques avec le système de communication.

— Vous avez bien un système de secours, non ? Une navette que nous pouvons activer. Quelque chose ?

— Pas en ce moment.

— Vous me mentez, dit-elle et, comme il ne répondait pas : Je demande officiellement à ce que ce yacht active son faisceau de ciblage et change de trajectoire pour trouver l'aide la plus proche.

— Hélas, je ne vais pas pouvoir accéder à votre requête, madame. Si vous voulez bien faire preuve d'un peu de patience, nous vous déposerons sur Ganymède en toute sécurité. Je suis certain que les réparations dont nous avons besoin pourront être effectuées là-bas.

Elle se pencha sur le terminal.

— Je peux venir vous voir en personne, que nous ayons cette conversation face à face. Vous connaissez les lois aussi bien que moi, commandant. Activez ce faisceau, ou donnez-moi accès au système comm.

— Madame, vous êtes une invitée de Jules-Pierre Mao, et je respecte ce statut. Mais c'est M. Mao le propriétaire de ce yacht, et je n'ai à répondre que devant lui.

— Donc, c'est non ?

— Je suis vraiment désolé.

— Tu viens de commettre une erreur, tête de nœud, grogna-t-elle en coupant.

Bobbie revint à son tour dans la chambre. Elle rayonnait, et il se dégageait de toute sa personne une vitalité impatiente, comme un chien courant qui tire sur sa laisse. La gravité glissa d'un degré. Une correction de la trajectoire, mais pas un changement de cap.

— Comment ça s'est passé ? demanda la Martienne.

— Je déclare ce vaisseau en violation des lois et des usages, répondit Avasarala. Cotyar, vous en êtes témoin.

— Puisque vous le dites, madame.

— C'est parfait, alors. Bobbie. Prenez le contrôle de cette foutue poubelle de luxe.

38

BOBBIE

— Que voulez-vous d'autre de nous ? demanda Cotyar.

Deux de ses hommes transportaient la grande caisse marquée TENUES DE CÉRÉMONIE dans la chambre d'Avasarala. Ils se servaient d'un gros chariot généralement utilisé pour déplacer les meubles et grognaient sous l'effort. Même dans le quart de g régnant à bord du *Guanshiyin* du fait de la poussée, la combinaison renforcée de Bobbie pesait plus de cent kilos.

— Vous êtes bien sûrs que cette pièce n'est pas sous surveillance ? insista la Martienne. Le plan marchera beaucoup mieux s'ils n'ont aucune idée de ce qui va arriver.

— En tout cas je n'ai détecté aucun système d'écoute, répondit Cotyar.

— Bon. Alors ouvrez, dit Bobbie en tapotant la fibre de verre du conteneur.

Le chef de la sécurité tapa quelque chose sur son terminal et les serrures de la caisse se désenclenchèrent avec un claquement métallique. La Marine releva le panneau supérieur et l'appuya contre le mur. À l'intérieur, suspendu dans un entrelacs de bandes élastiques, se trouvait sa tenue de combat.

Cotyar poussa un petit sifflement admiratif.

— Une Goliath III. J'ai presque du mal à croire qu'ils vous laissent la garder.

Elle prit le casque qu'elle déposa sur le lit, puis elle entreprit de dégager les diverses autres pièces du filet de maintien et les disposa sur le sol.

— Ils l'ont confiée à vos techniciens pour qu'ils vérifient la vidéo stockée dans la combinaison. Quand Avasarala l'a retrouvée, elle était dans un placard, à prendre la poussière. Personne n'a rien dit ou fait quand elle l'a emportée.

Elle ramassa le bras droit de la tenue. Elle ne s'était pas attendue à ce qu'ils lui laissent les projectiles de 2 mm que tirait l'arme intégrée à la combinaison, mais elle fut surprise de découvrir qu'ils étaient allés jusqu'à démonter complètement le système de tir et l'ôter de son logement. Il n'était certes pas illogique de retirer toutes ses armes d'une tenue avant de la rendre à des civils, mais cette précaution l'ennuyait un peu.

— Merde, souffla-t-elle. Je crois que je ne ferai de carton sur personne, aujourd'hui.

Cotyar se permit un petit sourire amusé.

— Si ça avait été le cas, est-ce que les balles auraient seulement ralenti en transperçant les deux coques du vaisseau, ce qui aurait fait s'échapper tout l'air ?

— Non, répondit-elle en plaçant les derniers éléments de la tenue sur la moquette, avant de sortir de la caisse les outils nécessaires à leur assemblage. Mais ça pourrait tourner en ma faveur. Le flingue monté sur ce support est conçu pour transpercer des ennemis portant le même type de combi renforcée. Toute arme capable de pénétrer ma tenue pourrait probablement faire un trou dans ce vaisseau. Ce qui veut dire…

— … qu'aucun membre de la sécurité du bord n'aura une arme capable de pénétrer votre combi, termina Cotyar. C'est clair. Combien de mes gars voulez-vous en couverture ?

— Aucun, répondit-elle.

Après avoir attaché dans son logement dorsal la batterie neuve que les techniciens d'Avasarala lui avaient procurée, elle eut le plaisir de voir le témoin lumineux vert “pleine charge” s’allumer.

— Une fois que j’aurai ouvert le bal, leur réaction la plus logique sera de se saisir de la sous-secrétaire pour en faire leur otage. À vous de les en empêcher.

Cotyar sourit de nouveau. Un sourire sans aucune trace d’humour.

— C’est clair.

Il fallut à Bobbie un peu moins de trois heures pour assembler et régler sa combinaison. Deux heures auraient dû lui suffire, mais elle se pardonna le temps supplémentaire en invoquant le manque de pratique. Plus le moment approchait où sa tenue serait prête et plus le nœud au creux de son ventre se serrait. C’était en partie dû à la tension naturelle qui naît et croît avant le combat. Et son service dans les Marines lui avait appris à en faire bon usage. Elle laissa le stress la pousser à tout revérifier trois fois. Dès qu’elle serait dans le feu de l’action, il serait trop tard.

Mais au fond d’elle-même Bobbie savait que la perspective de la violence n’était pas la seule chose qui lui broyait les entrailles. Il lui était impossible d’oublier ce qui s’était passé la dernière fois qu’elle avait porté cette tenue. L’émail rouge de son camouflage martien était éraflé et grêlé après l’assaut du monstre et sa glissade fulgurante sur la glace de Ganymède. Une petite trace de liquide ayant fui au niveau du genou lui rappela le soldat Hillman. Hilly, son ami. En essuyant la visière du casque, elle se revit parlant au lieutenant Givens, son supérieur direct, juste avant que le monstre le déchire en deux.

La combinaison enfin assemblée et reposant sur le sol, ouverte et n’attendant plus que d’être mise par la Martienne, elle sentit un frisson remonter sa colonne vertébrale.

Pour la première fois, l'intérieur de la tenue lui paraissait exigu. Sépulcral.

— Non, dit-elle à personne d'autre qu'à elle-même.

— Non ? répéta Cotyar.

Il était assis à côté d'elle et tenait prêts dans ses mains les outils dont elle aurait peut-être encore besoin. Il s'était montré si discret pendant l'assemblage qu'elle en avait presque oublié sa proximité.

— Je n'ai pas peur de remettre ça, dit-elle.

— Ah, fit-il avec un hochement de tête, et il rangea les outils dans leur boîte. C'est clair.

Bobbie se remit sur ses pieds en souplesse et sortit de la caisse la combinaison moulante noire qu'elle portait sous la tenue renforcée. Sans réfléchir, elle se déshabilla, ne gardant que sa culotte, et enfila le vêtement moulant. Elle était en train de raccorder le fin câblage de la combinaison de combat aux senseurs du body quand elle remarqua que Cotyar lui tournait le dos, et aussi que sa nuque habituellement brun clair était rougie.

— Oh, fit-elle. Désolée. Je me suis déshabillée et j'ai mis tout ça devant mes camarades de section si souvent que je n'y pense même plus.

— Aucune raison de vous excuser, répondit-il sans se retourner. Je ne m'y attendais pas, c'est tout.

Il risqua un coup d'œil par-dessus son épaule gauche, vit que la combinaison la recouvrait entièrement et se retourna enfin pour l'aider à terminer le branchement de la tenue.

— Vous êtes… dit-il en marquant une très courte hésitation, puis : très jolie.

Ce fut au tour de Bobbie de rougir.

— Vous n'êtes pas marié ? demanda-t-elle en souriant.

Elle était heureuse de cette diversion. La simple humanité de la gêne qu'elle éprouvait devant ces signaux de séduction éloignait le monstre de ses pensées immédiates.

— Si, répondit-il en reliant le dernier senseur au creux de ses reins. Et très heureux de l'être. Mais je ne suis pas aveugle pour autant.

— Merci.

Elle lui tapota amicalement l'épaule. Après s'être tortillée quelques secondes pour ajuster la position de son corps dans ces espaces réduits, elle s'assit dans la tenue de combat ouverte et s'y glissa jusqu'à ce que ses bras et ses jambes soient complètement à l'intérieur.

— Boutonnez-moi.

Cotyar ferma le torse comme elle le lui avait montré, puis il lui plaça le casque sur la tête et le verrouilla. Dans la combinaison, elle vit l'affichage tête haute clignoter pendant les vérifications de routine. Un bourdonnement très bas, presque imperceptible, l'environna. Elle activa l'ensemble des micromoteurs et des pompes qui alimentaient l'exo-musculature et s'assit.

Cotyar la regardait, et tout son visage posait une question muette. Elle alluma le haut-parleur externe et dit :

— Ouais, tout a l'air en ordre à l'intérieur. Tous les voyants sont au vert.

Elle se releva sans effort et connut à nouveau cette sensation étrange d'une puissance à peine contenue qui courait dans ses membres. Elle le savait, qu'elle exerce une poussée brusque avec ses jambes et elle heurterait le plafond avec assez de force pour l'endommager sérieusement. Un mouvement soudain d'un bras pouvait propulser l'énorme lit à baldaquin de l'autre côté de la pièce, ou briser la colonne vertébrale de Cotyar. Cela l'obligeait à exécuter chaque mouvement avec une douceur calculée qui était le fruit d'un long entraînement.

Cotyar glissa la main sous le pan de sa veste et la ressortit tenant un pistolet noir et plat, du type tirant des balles de métal. Bobbie savait que le groupe de protection les avait chargés de projectiles en plastique à haute vélocité garantissant qu'ils ne perforeraient pas la coque.

C'étaient les mêmes qu'utiliseraient les membres de la sécurité de Mao. Il allait lui tendre l'arme mais en voyant l'épaisseur qu'avaient les doigts de sa combinaison et l'espace beaucoup trop petit qu'offrait le pontet du pistolet, il se ravisa et haussa les épaules en guise d'excuse.

— Je n'en aurai pas besoin, affirma-t-elle.

Sa voix sonnait dure, métallique, inhumaine.

Cotyar sourit encore une fois.

— C'est clair.

Bobbie enfonça la touche d'appel de l'ascenseur principal, puis se mit à marcher de long en large dans le salon, pour laisser ses réflexes s'accoutumer à sa tenue. Il y avait une nanoseconde d'écart entre le mouvement et la réaction de la combinaison. De ce fait, tout déplacement semblait vaguement irréel, comme si le fait de vouloir bouger les membres et les mouvements eux-mêmes étaient deux actions distinctes. Des heures d'entraînement et de pratique avaient en grande partie gommé cette impression, mais il fallait toujours quelques minutes d'accoutumance pour dissiper cette sensation d'étrangeté.

Avasarala sortit de la pièce qui leur servait de centre de communications et alla s'asseoir au bar. Elle se versa une bonne dose de gin, parut se rappeler quelque chose et y ajouta le jus d'un quartier de citron vert pressé. Elle buvait beaucoup ces derniers temps, mais ce n'était pas à Bobbie de le lui faire remarquer. Peut-être que l'alcool l'aidait à trouver le sommeil.

Après avoir attendu pendant plusieurs minutes l'ascenseur qui ne venait pas, elle s'approcha d'un pas lourd et enfonça la touche d'appel plusieurs fois. La mention lumineuse EN PANNE apparut.

— Merde, marmonna-t-elle. Ils veulent nous kidnapper, pas de doute.

Elle avait laissé son système audio branché, et sa voix déformée éveilla des échos durs dans la pièce.

— Rappelez-vous ce que j'ai dit, commenta Avasarala sans lever le nez de son verre.

— Hein ? fit la Martienne qui n'avait pas vraiment écouté.

Elle grimpa tant bien que mal à l'échelle menant à l'écoutille au-dessus de sa tête et appuya sur le bouton. Le panneau coulissa. Cela signifiait qu'ils maquillaient le kidnapping. La mise hors fonction de l'ascenseur pouvait aisément trouver une explication technique. L'isolement de la sous-secrétaire serait plus difficile à justifier. Peut-être avaient-ils estimé qu'une vénérable dame de soixante-dix ans rechignerait à emprunter des échelles pour se déplacer dans le vaisseau, de sorte que l'arrêt de l'ascenseur leur avait paru suffisant pour la bloquer ici. Et ils n'avaient peut-être pas tort. Avasarala ne donnait certainement pas l'impression d'être prête à gravir soixante mètres de cette façon, même dans une gravité restreinte.

— Aucun d'entre eux n'était sur Ganymède, dit la vieille femme.

— Ah, d'accord, répondit Bobbie à cette réflexion apparemment incohérente.

— Vous ne réussirez pas à en tuer assez pour ramener votre section à la vie, expliqua Avasarala.

Elle avala ce qui restait de son gin puis quitta le bar en direction de sa chambre.

La Marine ne répondit pas. Elle se hissa sur le pont supérieur et laissa l'écoutille se refermer.

Sa tenue avait été conçue exactement pour ce genre de mission. Dans leur version initiale, les combinaisons d'éclaireurs de classe Goliath étaient destinées à équiper les commandos de Marines effectuant des abordages de vaisseau à vaisseau. Elles devaient donc permettre une manœuvrabilité maximale dans des espaces confinés. Si perfectionnée qu'elle soit, une tenue de combat était inutile si le soldat la portant ne pouvait pas gravir des échelles, se glisser dans des écoutilles étroites et se déplacer gracieusement en microgravité.

Elle voulut passer au pont suivant de la même manière, mais en haut de l'échelle ce fut un voyant rouge qui s'alluma. Elle interrogea l'écran de contrôle et apprit très vite ce qui s'était passé : on avait arrêté la cabine réservée à l'équipage juste au-dessus de l'écoutille avant de la mettre hors fonction, créant ainsi un barrage. Ils savaient donc que quelque chose se préparait.

Elle balaya d'un regard circulaire l'endroit où elle se trouvait, un autre salon de détente presque identique à celui qu'elle venait de quitter. Elle localisa l'endroit le plus adéquat pour placer des caméras et fit un signe dans cette direction. *Ce n'est pas ça qui va m'arrêter, les gars.*

Elle redescendit l'échelle et passa dans la salle de bains. Sur un vaisseau aussi sophistiqué, on aurait pu parler de salle d'eau. Quelques instants à sonder les cloisons, et elle trouva l'écoutille de service, qui était d'ailleurs assez bien dissimulée. Verrouillée. Elle l'arracha du mur.

De l'autre côté s'étendait un boyau où courait un faisceau de tuyaux, juste assez large pour elle et sa combinaison. Elle s'y introduisit, se hissa sur la hauteur de deux ponts et ouvrit l'écoutille de service d'un coup de pied pour sortir.

Elle déboucha dans une coquerie secondaire. Fours et fourneaux s'alignaient le long d'un mur, et la pièce contenait également plusieurs unités frigorifiques et de multiples plans de travail, le tout en acier luisant.

Sa combinaison l'avertit qu'elle était prise pour cible et modifia automatiquement le réglage de l'affichage tête haute pour que les rayons de visée infrarouge normalement invisibles apparaissent sous la forme de fines lignes rouges. Une demi-douzaine aboutissait à sa poitrine, toutes provenant des armes noires compactes braquées par les membres de la sécurité Mao-Kwik, à l'autre bout de la pièce.

Elle se redressa de toute sa taille, et dut décerner un bon point à ces gros bras : ils ne battirent pas en retraite. L'affichage tête haute lui précisa qu'ils étaient armés de PM calibre 5 mm, avec chargeur standard de trois cents projectiles et une cadence de tir de dix balles à la seconde. À moins qu'ils n'utilisent des munitions explosives de forte puissance, ce qui était improbable avec la coque du vaisseau juste derrière elle, sa tenue estimait la menace au niveau bas.

Elle vérifia que son système audio externe était actif et déclara :

— D'accord, les gars, on va…

Ils ouvrirent le feu.

Pendant une longue seconde, la coquerie fut la proie d'un chaos indescriptible. Les projectiles haute vélocité en plastique rebondirent sur son armure, ricochèrent contre les cloisons et s'éparpillèrent dans la pièce. Ils explosèrent des boîtes de denrées déshydratées, arrachèrent à leur support magnétique des poêles et des casseroles, et projetèrent en l'air quantité de petits ustensiles, dans un nuage de copeaux d'acier et d'éclats de plastique. Une balle suivit une trajectoire particulièrement malheureuse et revint frapper un des gardes en plein nez, lui perforant la tête et le faisant s'écrouler au sol avec une expression de surprise presque comique.

Avant que deux secondes se soient écoulées, Bobbie était passée à l'action. Elle se propulsa à travers l'espace métallique au centre de la pièce et percuta bras écartés les cinq adversaires encore debout, comme un joueur de football se ruant au contact. Ils furent rejetés violemment contre la paroi arrière qu'ils heurtèrent dans un bruit sourd de chairs écrasées, avant de s'affaisser mollement au sol. Sa tenue afficha les indicateurs vitaux de ses adversaires sur la visière du casque, mais elle effaça les données sans les consulter. Elle ne voulait pas savoir. Un des hommes bougea, releva son arme. Bobbie le gratifia d'une simple pichenette et il effectua un vol plané à travers la coquerie avant de s'écraser contre la cloison opposée. Cette fois, il resta immobile.

Elle survola la pièce du regard, à la recherche de caméras. Elle n'en localisa aucune, mais elle espérait bien qu'il y en avait. S'ils avaient assisté à la scène, peut-être ne lanceraient-ils pas d'autres gardes contre elle.

Arrivée à l'échelle principale elle découvrit qu'on avait bloqué l'ascenseur en coinçant l'écoutille en position ouverte à l'aide d'une pince à levier. Les protocoles de sécurité empêchaient la cabine d'atteindre un autre pont tant que l'écoutille supérieure n'était pas close. D'une saccade elle délogea la pince qu'elle lança dans la pièce, puis elle enfonça la touche d'appel. La cabine monta dans le puits et stoppa à son niveau. Elle sauta à l'intérieur et choisit la touche pour être hissée huit ponts plus haut, à la passerelle de commandement. Huit écoutilles pressurisées de plus.

Huit possibilités supplémentaires d'embuscade.

Elle serra les poings si fort que ses articulations devinrent douloureuses dans les gants. *Amène-moi là-haut.*

Trois ponts plus haut l'ascenseur s'arrêta, et le panneau l'informa que toutes les écoutilles pressurisées entre elle et la passerelle avaient été forcées et bloquées en position ouverte. Ils prenaient le risque de vider le vaisseau de la moitié de son air plutôt que la laisser accéder à la passerelle. D'une certaine façon il était gratifiant d'être jugée plus effrayante qu'une décompression brutale.

Elle sortit de l'ascenseur sur un pont qui se révéla être occupé surtout par les quartiers du personnel, bien que les lieux aient été évacués. Pas une âme en vue. Une inspection succincte révéla douze cabines exiguës et deux salles de bains fort bien équipées, quoique sans robinetterie plaquée or. Et il n'y avait pas de bar public, ni de service d'étage vingt-quatre heures sur vingt-quatre. À la découverte de ces conditions de logement assez spartiates pour les membres d'équipage du *Guanshiyin*, elle repensa aux dernières paroles d'Avasarala. Ce n'étaient que des hommes d'équipage. Aucun d'entre eux ne méritait de mourir pour ce qui s'était passé sur Ganymède.

Elle fut heureuse de ne pas avoir d'arme.

Elle trouva une autre écoutille d'accès dans une des salles de bains et la descella de son logement. Mais à sa grande surprise le boyau de service se terminait quelques dizaines de centimètres au-dessus de sa tête. Quelque chose dans la structure du vaisseau lui coupait le passage. N'ayant jamais pu contempler le *Guanshiyin* de l'extérieur, elle n'avait aucune idée de ce que cela pouvait être. Mais elle devait monter de cinq ponts encore, et elle n'allait pas se laisser stopper pour si peu.

Dix minutes de recherches lui permirent de découvrir une coursive de service menant à la coque externe. Elle avait arraché les deux écoutilles de la coque interne à deux niveaux différents, donc si elle ouvrait celle-ci l'air s'échapperait des deux ponts concernés. Mais le puits d'accès central était fermé au niveau où se trouvait Avasarala, si bien que ses compagnons ne risquaient rien. Elle agissait ainsi uniquement à cause de l'accès bloqué aux ponts supérieurs, là où devait se trouver la majeure partie de l'équipage.

Elle pensa aux six hommes dans la coquerie et eut un serrement de cœur. Certes ils avaient tiré les premiers, mais si un seul d'entre eux était encore vivant elle n'avait aucune envie de l'asphyxier alors qu'il était simplement inconscient.

La suite lui apprit que le problème ne se posait pas. L'écoutille menait à un petit sas. Une minute plus tard il avait accompli son cycle et elle put en sortir et atteindre la coque extérieure du vaisseau.

Triple coque. Bien sûr. Le maître de l'empire Mao-Kwik n'allait pas risquer sa précieuse peau dans un appareil qui n'était pas ce que l'être humain pouvait construire de plus sûr. Et la décoration ostentatoire du bord n'épargnait pas cet endroit. Alors que la plupart des bâtiments militaires étaient peints d'un noir mat qui les rendait visuellement difficiles à repérer dans l'espace, dans leur majorité les vaisseaux civils conservaient le gris des chantiers ou arboraient les couleurs basiques de leur entreprise.

La face interne de la coque du *Guanshiyin* offrait à l'œil une fresque murale aux couleurs vives. Bobbie en était trop proche pour saisir le thème général de cette décoration, mais elle crut reconnaître sous ses pieds ce qui ressemblait à de l'herbe et un sabot de cheval géant. Mao avait fait décorer l'intérieur de la coque avec une fresque murale mettant en scène des chevaux et de l'herbe, alors qu'à peu près personne ne pourrait jamais l'admirer.

Elle vérifia que les aimants incorporés à ses bottes et ses gants étaient assez puissants pour supporter le quart de g auquel le vaisseau était toujours soumis, et elle entreprit de grimper le long de la paroi. Elle atteignit rapidement l'endroit où commençait le cul-de-sac entre les coques, et elle constata que c'était un espace de stationnement pour les navettes. Vide. Si seulement Avasarala l'avait laissée agir avant que Mao s'enfuie avec sa navette…

Triple coque, songea-t-elle. Le superflu poussé à l'extrême.

Sur une intuition, elle traversa le vaisseau en rampant. De l'autre côté, comme elle l'avait supposé, se trouvait une deuxième aire réservée aux navettes. Mais l'appareil qui s'y trouvait n'était pas un modèle standard de cette catégorie. Il était long et effilé, avec un carénage de moteur deux fois plus imposant que celui d'un engin de cette taille. Sur la proue et en lettres rouges s'étalait fièrement le nom de l'appareil : *Razorback.*

Une chaloupe de course.

Bobbie revint dans la soute vide et utilisa le sas qui s'y trouvait pour entrer dans le vaisseau. L'ordinateur intégré à sa tenue lui fournit les codes militaires pour forcer l'accès, qui fonctionnèrent, ce qui ne manqua pas de l'étonner. Le sas donnait sur le pont situé juste sous la passerelle, lequel servait surtout à l'approvisionnement et la maintenance de la navette. Son centre était occupé par un gros atelier. S'y trouvaient le commandant du *Guanshiyin* et ses subalternes immédiats. Il n'y avait ni personnel de sécurité ni armes en vue.

Le commandant tapota son oreille pour signifier *Vous m'entendez ?* à l'ancienne. Bobbie acquiesça d'un mouvement du poing, puis activa son circuit comm externe et répondit :

— Oui.

— Nous ne sommes pas des militaires, déclara l'autre. Nous n'avons aucun moyen de défense contre un équipement d'assaut comme le vôtre. Mais je refuse de vous laisser ce vaisseau si je ne connais pas vos intentions. Mon officier en second est sur le pont supérieur, prêt à saborder ce bâtiment si nous n'arrivons pas à nous entendre.

Elle lui sourit, sans trop savoir s'il pouvait voir son expression à travers la visière du casque.

— Vous retenez prisonnière contre sa volonté et illégalement un membre éminent du gouvernement des Nations unies. En qualité de membre de son escorte de sécurité, je viens exiger que vous la conduisiez sans délai et au plus vite jusqu'à la destination de son choix.

Elle eut un geste de la main qui dans la Ceinture équivalait à un haussement d'épaules.

— Ou bien vous pouvez vous faire sauter. Mais ça me paraît une réaction un peu excessive alors qu'on vous demande juste de rendre à la sous-secrétaire la possibilité de communiquer.

Le commandant acquiesça et se détendit visiblement. Quoi qu'il arrive par la suite, ce n'était pas comme s'il avait eu le choix. Et comme il n'avait pas le choix, il était dégagé de toute responsabilité.

— Nous obéissions aux ordres. Je vous serais reconnaissant de le noter dans le livre de bord quand vous prendrez les commandes.

— Je veillerai à ce que la sous-secrétaire soit mise au courant.

Il hocha la tête une nouvelle fois.

— Alors ce vaisseau est à vous.

Bobbie ouvrit le canal radio avec Cotyar.

— C'est gagné. Passez-moi Sa Majesté, vous voulez bien ?

Pendant qu'elle attendait la liaison avec Avasarala, la Martienne dit au commandant :

— Il y a six membres de la sécurité blessés en bas. Envoyez une équipe médicale.

— Bobbie ? fit Avasarala dans son écouteur.

— Le vaisseau est à vous, madame.

— Excellent. Informez le commandant que nous devons adopter la vitesse maximale afin d'intercepter Holden. Il faut le rejoindre avant Nguyen.

— Euh, c'est un yacht de plaisance, madame. Il est conçu pour une vitesse de croisière générant moins de un g, rapport au confort des passagers. Je suis prête à parier qu'il peut monter à un g, mais pas beaucoup plus, à mon avis.

— L'amiral Nguyen s'apprête à tuer tous les gens qui savent peut-être ce qui se passe vraiment, dit Avasarala en criant presque. Nous n'avons pas le temps de nous balader comme si nous allions ramasser de foutus rentiers !

— Ah… fit Bobbie et, un instant plus tard : S'il s'agit d'aller au plus vite, je sais où trouver un appareil de course…

39

HOLDEN

Holden se servit à la cafetière de la coquerie, et l'odeur puissante de la boisson emplit la petite pièce. Il sentait les regards des autres presque comme s'ils exerçaient une pression physique sur sa nuque. Il les avait tous fait venir ici, et une fois l'équipage au complet il avait tourné le dos et avait préparé du café. *J'essaie de gagner du temps parce que j'ai oublié comment je voulais présenter la chose.* Il ajouta un peu de sucre, alors qu'il buvait toujours son café noir, simplement parce que le faire fondre en remuant la cuiller prenait quelques secondes de plus.

— Bon, alors : qui sommes-nous ? dit-il sans cesser de manier la cuiller.

Sa question fut suivie par le silence. Il pivota enfin sur lui-même, s'appuya contre le comptoir, le café dont il n'avait pas envie dans une main, sans cesser de tourner la cuiller.

— Sérieusement, qui sommes-nous ? C'est la question que je n'arrête pas de me poser.

— Euh… moi, c'est Amos, cap, dit le mécanicien avec un embarras manifeste. Et vous, ça va ?

Personne d'autre ne prit la parole. Alex regardait fixement la table devant lui, et la peau sombre de son crâne luisait à travers sa chevelure trop rare, sous l'éclairage cru de la coquerie. Juché sur le plan de travail à côté de l'évier, Prax examinait ses mains. Il pliait et dépliait ses doigts de temps à autre, comme s'il s'efforçait de comprendre à quoi ils servaient.

Seule Naomi le dévisageait. Elle avait ramené ses cheveux en une queue de cheval épaisse, et ses yeux sombres en amande plongeaient dans les siens. C'était assez gênant.

— Il y a peu, je me suis rendu compte de quelque chose me concernant, reprit Holden pour ne pas se laisser déconcentrer par ce regard intense qui ne cillait pas. Je me suis comporté avec vous tous comme si vous m'étiez redevables. Or vous ne me devez rien, aucun de vous. Ce qui veut dire que je me suis comporté comme une merde avec vous.

— Non, commença Alex sans relever la tête.

— Si, rétorqua Holden, et il attendit que le pilote le regarde pour répéter : Si. Et peut-être plus avec vous qu'avec les autres. Parce que j'avais une trouille de tous les diables, et que les trouillards cherchent toujours une cible facile. Et vous êtes une des personnes les plus gentilles que je connaisse, Alex. Alors je vous ai rudoyé parce que je savais pouvoir le faire sans risque. Et j'espère que vous me le pardonnerez, parce que j'en ai vraiment honte.

— Bien sûr, je vous pardonne, capitaine, dit le pilote avec son accent traînant, et en souriant.

— Je vais essayer de mériter ce pardon, répondit Holden que cette attitude conciliante déstabilisait. Mais Alex m'a dit quelque chose récemment qui m'a beaucoup fait réfléchir. Il m'a rappelé qu'aucun d'entre vous n'est un employé. Nous ne sommes pas sur le *Canterbury*. Nous ne travaillons plus pour Pure'n'Kleen. Et je ne suis pas plus propriétaire de ce vaisseau que n'importe lequel d'entre vous. Nous avons accepté des contrats avec l'APE en échange d'un peu d'argent de poche et du règlement des frais de fonctionnement du *Rossi*, mais nous n'avons jamais discuté de la façon de gérer le surplus.

— Vous avez ouvert un compte, dit Alex.

— Ouais, il y a bien un compte en banque sur lequel arrive tout l'argent en plus. La dernière fois que j'ai jeté un œil, il y avait presque dix-huit mille dessus. J'ai dit que nous garderions cet argent pour les futures dépenses liées au vaisseau, mais qui suis-je pour décider à votre place ? Ce n'est pas *mon* argent. C'est *notre* argent. *Nous* l'avons gagné.

— Mais c'est vous le capitaine, remarqua le pilote avant de pointer le doigt vers la cafetière.

— Vraiment ? fit Holden en lui emplissant une tasse. J'étais second à bord du *Canterbury*. C'était assez logique que je devienne capitaine juste après la destruction du *Cant*. Admettons.

Il tendit la tasse au pilote et s'attabla avec le reste de l'équipage.

— Mais nous ne sommes plus ces gens-là depuis déjà longtemps. Ce que nous sommes maintenant, c'est quatre personnes qui ne travaillent plus pour personne, en fait… Cette dernière phrase fit toussoter Prax, et Holden lui lança un regard d'excuse.

— Personne sur le long terme, disons plutôt. Il n'y a pas d'entreprise ou de gouvernement qui m'ait donné autorité sur cet équipage. Nous sommes simplement quatre personnes en possession d'un appareil que Mars essaiera d'ailleurs certainement de récupérer à la première occasion.

— Le *Rossi* constitue une indemnité de sauvetage tout à fait légitime, affirma Alex.

— Et j'espère que ses propriétaires légitimes trouveront que cette excuse est légitime si vous devez la leur exposer, répliqua Holden. Mais ça ne change rien à mon propos : Qui sommes-nous ?

Naomi brandit le poing dans sa direction.

— Je vois où tu veux en venir. Nous avons laissé en plan toutes ces questions parce que nous n'arrêtons pas de foncer depuis le *Canterbury*.

— Et c'est justement le moment idéal pour régler ces questions, dit-il. Nous avons un contrat avec Prax : retrouver sa petite fille, et il nous paie pour que nous puissions utiliser ce vaisseau. Une fois Mei sauvée, comment va-t-on faire pour dégotter un autre boulot ? Et est-ce qu'on va seulement chercher un autre boulot ? Est-ce qu'on revend le *Rossi* à l'APE, et ensuite on prend notre retraite sur Titan ? À mon avis, il est grand temps de décider des réponses à ces questions.

Personne ne prit la parole. Prax descendit de son perchoir et se mit à fouiller dans les placards. Après une minute ou deux, il exhiba un emballage marqué PUDDING CHOCOLAT et demanda :

— Je peux le faire ?

Naomi éclata de rire.

— Faites-vous plaisir, doc, lui lança Alex.

Le botaniste sortit un bol et se mit à y mélanger les divers ingrédients. Assez curieusement, le simple fait qu'il soit concentré sur une tâche sans rapport avec ce qui avait précédé créa un sentiment d'intimité au sein de l'équipage. L'élément extérieur se consacrait à une tâche extérieure, les laissant libres de discuter entre eux. Holden aurait aimé savoir si le botaniste avait agi de la sorte sciemment, en visant ce résultat.

Amos aspira bruyamment les dernières gouttes de son café et déclara :

— Bon, c'est vous qui avez provoqué cette réunion, cap. Vous avez un truc précis en tête ?

— Oui, dit Holden qui prit un moment pour réfléchir. Oui, d'une certaine façon.

Naomi posa une main sur son avant-bras.

— Nous t'écoutons.

Il lui décocha un clin d'œil.

— Je pense qu'on devrait se marier. Pour rendre tout légal, bien comme il faut.

— Une minute ! dit-elle.

Son expression était encore plus horrifiée qu'il ne l'avait espéré.

— Non, je disais ça un peu pour blaguer, expliqua-t-il. Mais seulement un peu. Vous savez, j'ai repensé à mes parents. Ils ont créé leur premier partenariat collectif à cause de la ferme. Ils étaient tous amis, et ils voulaient acheter cette propriété dans le Montana, alors ils ont constitué un groupe assez nombreux pour se l'offrir. Ça n'avait rien de sexuel. Père Tom et père Caesar étaient déjà partenaires sexuels et monogames. Mère Tamara était célibataire. Les pères Joseph et Anton, et les mères Elise et Sophie avaient déjà formé une unité civile polyamoureuse. Père Dimitri a rejoint les autres un mois après, quand il a commencé à sortir avec Tamara. Ils ont formé une union civile pour posséder conjointement la propriété. Ils n'auraient pas pu se l'offrir s'ils avaient tous dû payer des impôts pour leurs enfants respectifs, et c'est pourquoi ils m'ont eu en tant que groupe.

— La Terre… grogna Alex. Pas à dire, c'est un endroit vraiment bizarre.

— Huit parents pour un seul bébé, ce n'est pas très commun, sûr, approuva Amos.

— Mais c'est très sensé du point de vue économique, à cause des impôts qui découlent du bébé, dit le capitaine. Du coup, ce genre de choses arrivent parfois.

— Et les gens qui ont un bébé sans payer les impôts ? voulut savoir Alex.

— C'est plus difficile d'y échapper qu'on ne pourrait le croire, répondit Holden. À moins de ne jamais consulter le médecin, et de s'approvisionner uniquement au marché noir.

Amos et Naomi échangèrent un regard furtif qu'il feignit de ne pas remarquer.

— Bon, reprit-il, oublions les bébés une minute. Mon vrai sujet, c'est la constitution d'un groupe. Une société. Si nous avons pour projet de rester ensemble, autant que ce soit légalement reconnu. Nous pouvons déposer les statuts à une des stations indépendantes des planètes extérieures, comme Cérès ou Europe, et devenir copropriétaires de cette entreprise.

— Et qu'est-ce que fait notre petite entreprise ? demanda Naomi.

— Voilà, dit Holden triomphalement.

— Ah, fit Amos.

— Non, je veux dire : c'est exactement la question que je posais. Qui sommes-nous ? Qu'est-ce que nous voulons faire ? Parce que lorsque ce contrat passé avec Prax sera rempli, le compte en banque sera encore bien garni, nous resterons en possession d'un vaisseau de guerre high-tech, et nous serons libres de faire ce que nous voulons.

— Oh, bordel, j'en ai presque une érection, cap ! dit Amos.

— Je m'en doutais, répliqua Holden en grimaçant.

Prax cessa de mélanger les ingrédients dans son bol et plaça celui-ci dans le réfrigérateur. Il se retourna et les considéra avec l'attitude prudente de quelqu'un qui craint d'être chassé de la pièce si on remarquait sa présence. Holden le rejoignit et lui passa un bras autour des épaules.

— Notre ami ici présent ne peut pas être la seule personne qui a besoin de louer un vaisseau comme le nôtre, pas vrai ?

— Et nous sommes plus rapides et plus méchants qu'à peu près tous les autres qu'un civil peut dénicher, renchérit Alex.

— Et quand on aura retrouvé Mei, ça nous fera la meilleure pub qui soit, ajouta Holden. Quelle meilleure carte de visite pourrait-on rêver ?

— Reconnaissez-le, cap, vous ne cracheriez pas sur la célébrité, pas vrai ? railla Amos.

— Si elle nous permet de trouver du boulot, bien sûr.

— Il est bien plus probable que nous finissions sans argent, sans air et à dériver morts dans le vide, tempéra Naomi.

— C'est toujours une éventualité, lui accorda Holden. Mais, bon sang, vous n'êtes pas prêts à devenir votre propre patron, pour changer ? Et si on se rend compte qu'on n'arrive pas à se débrouiller seuls, on peut toujours revendre le *Rossi* pour un très gros paquet, et ensuite chacun ira de son côté. C'est ce qui s'appelle un plan de secours.

— Ouais, fit Amos. Putain, ouais ! On fait ça. On commence quand ?

— Eh ben, c'est l'autre nouveauté, répondit Holden. Je pense qu'il faut voter. Comme aucun de nous n'est propriétaire unique du vaisseau, je trouve logique de voter tous à chaque décision importante, à partir de maintenant. Tous ceux qui sont d'avis qu'on se mette en société pour posséder le vaisseau ensemble lèvent la main.

Tous le firent, ce qui l'enchanta. Prax lui-même ébaucha le même geste que les autres avant de rabaisser la main.

— Je nous trouverai un avocat sur Cérès, pour commencer la rédaction des papiers, dit Holden. Mais ça nous mène à autre chose. Une entreprise peut posséder un vaisseau, mais une entreprise ne peut pas être le capitaine enregistré du vaisseau. Il faut voter pour décider qui aura ce titre.

Amos se mit à rire.

— Bon, on arrête les conneries. Ceux qui ne veulent pas que le cap soit cap, levez la main !

Personne ne s'exécuta.

— Vous voyez ? dit le mécanicien.

Holden voulut parler mais stoppa net quand une gêne subite s'installa dans sa gorge et sous son sternum.

— Écoutez, vous êtes le type qu'il nous faut, voilà, conclut aimablement Amos.

Naomi approuva de la tête et sourit à Holden, ce qui aggrava encore la sensation d'écrasement dans sa poitrine, mais c'était une sensation agréable.

— Je suis ingénieur, dit-elle. Il n'y a pas un programme sur cet appareil que je n'ai pas modifié ou réécrit, et je serais sûrement capable de démonter tout le vaisseau et de le remonter, sans l'aide de personne. Mais je ne sais pas bluffer aux cartes. Et pas question que ce soit moi qui fasse baisser les yeux aux flottes des planètes intérieures, ou qui leur dise : "Tirez-vous d'ici vite fait."

— Reçu cinq sur cinq, intervint Alex. Et moi, je veux juste piloter ce bébé. C'est tout, voilà. Si je peux continuer à faire ça, je serai content.

Holden ouvrit la bouche pour dire quelque chose, mais pour son plus grand embarras sa vision se brouilla dès qu'il desserra les lèvres. Ce fut Amos qui vint à son secours :

— Je ne suis qu'un simple mécano. Je bidouille avec mes outils. Et la plupart du temps j'attends que Naomi me précise quoi bidouiller, et quand. Je n'ai aucune envie de m'occuper d'un truc plus gros que l'atelier du bord. C'est vous qui êtes doué pour la parlote. Je vous ai vu en faire rabattre à Fred Johnson, à des capitaines de la Flotte des Nations unies, aux cow-boys de l'APE, et même à des pirates de l'espace camés jusqu'aux yeux. Vous parleriez mieux avec votre fion que la majorité des gens avec leur bouche.

— Merci, dit enfin Holden. Je vous adore tous. Vous savez ça, hein ?

— En plus, ajouta Amos, il n'y a personne à bord qui soit aussi rapide que vous pour encaisser une balle à ma place. Et ça, je trouve que c'est chou, venant du cap.

— Merci, répéta Holden.

— L'affaire me semble réglée, dit Alex qui se leva et marcha vers l'échelle. Je vais m'assurer que nous ne fonçons par vers un caillou ou autre chose.

Holden le regarda partir et eut la satisfaction de le voir essuyer ses yeux dès qu'il se fut un peu éloigné. Pas de problème à être un gamin larmoyant tant que les autres étaient aussi des gamins larmoyants.

Prax lui donna une tape mal assurée sur l'épaule et glissa :

— Revenez ici dans une heure. Le pudding sera prêt.

Le botaniste sortit pour aller rejoindre sa cabine. Il lisait déjà les messages sur son terminal quand il en ferma la porte.

— Bon, et maintenant ? fit le mécanicien.

Naomi se leva et alla se camper face à Holden.

— Amos, dit-elle, merci de me remplacer aux ops pendant quelque temps.

— Reçu cinq sur cinq, répondit l'interpellé dont le sourire n'existait que dans sa voix.

Il gravit l'échelle et disparut à la vue. L'écoutille pressurisée s'ouvrit pour lui et claqua après son passage.

— Salut, dit Holden. C'était comme il faut ?

Elle acquiesça.

— Je suis heureuse que tu sois de retour. Je craignais de ne jamais te revoir.

— Si tu ne m'avais pas tiré de ce trou que j'étais en train de me creuser, aucun de nous deux ne m'aurait revu.

Naomi se pencha en avant pour l'embrasser. Il la prit dans ses bras et la serra contre lui. Quand ils s'arrêtèrent, hors d'haleine, il demanda :

— Ce n'est pas trop tôt ?

— Ferme-la.

Elle l'embrassa de nouveau.

Sans interrompre leur baiser, elle recula le corps et ses doigts s'attaquèrent à la fermeture à glissière de la combinaison de vol qu'il portait. Une de ces tenues militaires martiennes ridicules qu'ils avaient adoptées en même temps que le vaisseau, avec TACHI marqué sur les épaules. Puisqu'ils allaient avoir leur propre entreprise, il leur faudrait penser à quelque chose de mieux. Ces combinaisons étaient parfaitement appropriées à la vie à bord, avec les changements de gravité et les endroits graisseux. Mais quelque chose de coupé pour convenir à chacun, et dans leurs propres couleurs. Avec ROSSINANTE au dos, par exemple.

La main de Naomi s'inséra à l'intérieur de la combinaison et sous son T-shirt, et il cessa de penser aux options vestimentaires.

— Ma couchette ou la tienne ? demanda-t-il.

— Tu as ta propre couchette ?

Plus maintenant.

L'amour avec Naomi avait toujours été différent d'avec n'importe quelle autre femme. Ce n'était pas uniquement physique. Elle était la seule Ceinturienne qu'il ait connue, et cela signifiait certaines caractéristiques physiologiques autres. Mais pour lui ce n'était pas le plus remarquable. Ce qui le rendait unique, c'était l'amitié de cinq ans qui avait précédé leur première relation sexuelle.

Ce n'était pas une preuve très flatteuse pour sa personnalité, et désormais il avait honte rien que d'y repenser, mais il s'était toujours montré pour le moins superficiel dans ses relations charnelles. Il repérait la partenaire potentielle quelques minutes seulement après avoir rencontré une femme et, parce qu'il était bien fait de sa personne et plein de charme, il arrivait généralement à ses fins avec la personne qui l'intéressait. Ensuite et en général très vite, il confondait cet engouement avec une affection sincère. Un de ses souvenirs les plus douloureux restait ce jour où Naomi lui avait parlé et expliqué ce petit jeu auquel il s'adonnait, quand il se persuadait d'éprouver une véritable attirance sentimentale pour les femmes avec qui il couchait, dans le seul but de ne pas penser qu'il profitait de la situation.

Mais cela avait été le cas. Et le fait que les femmes se soient également servies de lui pour assouvir leurs pulsions sexuelles ne le dédouanait nullement.

Parce que Naomi différait de l'idéal qu'avaient créé en lui ses jeunes années sur Terre, dès leur première rencontre il ne l'avait pas vue simplement comme une potentielle partenaire sexuelle. De ce fait il avait appris à la connaître en tant que personne, sans ce filtre qu'il mettait habituellement avec les femmes désirables. Quand les sentiments qu'il éprouvait pour elle avaient débordé le strict cadre de l'amitié, il en avait été le premier surpris.

Et, d'une certaine façon, cela avait totalement changé son rapport au sexe. Les mouvements pouvaient être les mêmes, mais le désir de communiquer son affection plutôt que démontrer son savoir-faire changeait tout ce que l'acte signifiait. Après la première fois, il était resté étendu dans le lit des heures durant, à digérer le sentiment qu'il s'était trompé pendant toutes ces années et qu'il venait tout juste d'en prendre conscience.

Le même phénomène se reproduisait maintenant.

Naomi dormait auprès de lui, un bras et une cuisse mollement abandonnés en travers de son corps, le ventre collé à sa hanche et un sein pressé contre ses côtes. Jamais cela n'avait été ainsi avec une autre femme, et c'était ainsi que cela devait être. Cette sensation de plénitude et de totale satisfaction. Il pouvait imaginer un avenir dans lequel il n'aurait pas réussi à prouver qu'il avait changé, et dans lequel elle ne lui serait jamais revenue. Il voyait des années, des décennies peuplées d'une succession de partenaires sexuelles, et tout ce temps passé à tenter de retrouver cette sensation sans jamais y parvenir parce que, bien sûr, il ne s'agissait pas réellement de sexe.

Ces pensées lui comprimaient la poitrine.

Naomi parlait en dormant. Ses lèvres murmuraient des paroles mystérieuses dans son cou, et le chatouillement léger de son souffle le réveilla suffisamment pour qu'il se rende compte qu'il avait commencé à somnoler. Il lui prit doucement la tête et la rapprocha de sa poitrine, déposa un baiser sur le sommet de son crâne, puis roula de son côté et se laissa aller au sommeil.

Le moniteur mural au-dessus de la couchette bourdonna.

— Qu'est-ce que c'est ? dit-il.

D'un coup il se sentait plus las qu'il n'avait jamais été, au moins dans son souvenir. Il avait fermé les yeux une seconde plus tôt seulement, et il savait qu'il ne réussirait jamais à les rouvrir maintenant.

— C'est moi, capitaine, dit la voix d'Alex.

Il voulut s'emporter, mais il n'en avait pas la force.

— D'accord.

— Il faut que vous voyiez ça, ajouta le pilote.

Il ne dit rien de plus, mais quelque chose dans son intonation réveilla complètement Holden. Il s'assit en écartant le bras de Naomi. Elle marmonna quelque chose sans émerger.

— D'accord, répéta-t-il, et il tourna son attention vers l'écran du moniteur.

Une femme âgée, aux cheveux blancs et au visage très étrange, le regardait. Son esprit embrumé mit une seconde à comprendre qu'elle n'avait pas des traits difformes : elle était simplement soumise à une accélération violente. D'une voix brouillée par la pression de plusieurs g sur sa gorge, elle lui dit :

— Je m'appelle Chrisjen Avasarala. Je suis l'assistante du sous-secrétaire à l'Exécutif des Nations unies. Un amiral de ces mêmes Nations unies vient de prélever six destroyers de classe *Munroe* du système jovien pour les envoyer détruire votre vaisseau. Remontez le signal de ce transpondeur et venez me rejoindre, sinon vous et toutes les personnes à bord de votre appareil mourrez. Et ce n'est pas une blague.

40

PRAX

La poussée l'écrasait au fond du siège anti-crash. Elle n'était que de quatre g, mais un seul g nécessitait presque tout le cocktail chimique. Il avait vécu dans un milieu qui entretenait votre faiblesse. Il l'avait su, bien sûr, mais surtout en termes de xylèmes et phloèmes. Il avait pris les compléments médicaux couramment prescrits pour une gravité restreinte, afin de faciliter la croissance osseuse. Il avait fait les exercices physiques recommandés. Autant qu'il lui était possible. Mais au fond de lui-même, il avait toujours estimé que c'était ridicule. Il était botaniste. Il passerait sa vie dans les mêmes tunnels où régnait une agréable gravité restreinte, moins de cinq fois celle de la Terre. Une planète sur laquelle il n'aurait jamais une bonne raison d'aller. Il y en avait donc encore moins à endurer une poussée aussi violente. Et pourtant il était bien là, comprimé contre une couche de gel, comme s'il se trouvait au fond d'un océan. Sa vision s'était brouillée, et chaque respiration était un combat. Quand les articulations de ses genoux s'étirèrent jusqu'au point de rupture, il essaya de crier mais ne trouva pas le souffle pour émettre le moindre son.

Les autres devaient mieux supporter l'épreuve. Ils étaient certainement accoutumés à ce genre de situation. Ils savaient qu'ils y survivraient. Dans les tréfonds de son cerveau, il n'en était pas sûr du tout. Les aiguilles plantées dans sa cuisse lui injectaient un autre mélange d'hormones et de paralysants. Un froid pareil au contact de la glace se diffusa autour des points de piqûre, et une sensation paradoxale de bien-être et de peur l'envahit. À ce stade, il s'agissait de maintenir l'équilibre entre l'élasticité des vaisseaux sanguins afin qu'ils n'éclatent pas et leur robustesse pour qu'ils ne s'affaissent pas sur eux-mêmes. Son esprit se déroba, laissant à sa place quelque chose de calculateur et de détaché. Comme une fonction purement exécutive, sans individualité. Ce qui avait été son esprit savait toujours ce qu'il avait appris, et gardait intacts tous les souvenirs emmagasinés, mais ce n'était plus lui.

Dans cet état de conscience altérée, il se surprit à dresser un inventaire intime. Mourir maintenant serait-il envisageable ? Voulait-il continuer à vivre, et si oui, dans quelles conditions ? Il considéra la perte de sa fille comme si c'était un objet physique. La perte était de la couleur rose tendre d'un coquillage pilé, auparavant du même rouge qu'une vieille croûte de sang. Le rouge du cordon ombilical sur le point d'être libéré. Il se rappelait Mei, et à quoi elle ressemblait. Le ravissement dans son rire. Elle n'était plus comme cela. Si elle était encore en vie. Mais elle était probablement morte.

Dans son esprit voilé par la gravité, il sourit. Bien sûr, ses lèvres ne pouvaient pas remuer. Il s'était trompé. Tout ce temps, il avait été dans l'erreur. Ces dizaines d'heures passées assis, seul, à se répéter que Mei était morte. Il avait cru s'endurcir. Se préparer au pire. C'était complètement faux. Il l'avait dit, il avait essayé d'y croire, parce que la pensée était réconfortante.

Si elle était morte, on ne la torturait pas. Si elle était morte, elle n'avait pas peur. Si elle était morte, alors la douleur n'appartenait plus qu'à lui, uniquement à lui, et elle n'avait plus rien à craindre. Il releva sans satisfaction ni chagrin que c'était là un schéma mental pathologique. Mais on lui avait enlevé sa vie et sa fille, il avait failli mourir de faim et survécu alors que l'effet de cascade dévorait ce qui restait de Ganymède, on lui avait tiré dessus, il avait affronté une machine de mort à moitié extraterrestre, et il était maintenant connu dans tout le système solaire comme pédophile et mari violent. Il n'avait aucune raison de garder la raison. Cela ne l'aiderait en rien.

Et pour couronner le tout, son genou lui faisait *vraiment* mal.

Quelque part très, très loin, dans un endroit où la lumière et l'air existaient, quelque chose bourdonna trois fois, et la montagne quitta son sternum en roulant. Revenir à lui était comme remonter du fond d'une piscine.

— C'est bon, tout le monde, clamait la voix d'Alex sur le système comm interne du vaisseau. On va dire que c'est l'heure du dîner. Accordez-vous deux minutes, le temps que votre foie se décolle de votre moelle épinière, et on se retrouve à la coquerie. On n'a que cinquante minutes, alors autant en profiter.

Prax emplit lentement ses poumons d'air, le souffla entre ses dents, puis se mit en position assise. Tout son corps était douloureux. Son terminal affirmait que la poussée générait un tiers de g, mais il avait l'impression que c'était plus et moins à la fois. Il balança ses jambes par-dessus le rebord de la couchette, et son genou émit un son entre le craquement et le grincement. Il activa son terminal.

— Euh, je ne suis pas certain de pouvoir marcher, annonça-t-il. Mon genou.

— Accrochez-vous, doc, dit Amos. Je vais venir regarder ça. Je suis ce qui se rapproche le plus d'un toubib, ici, à moins que vous ne préfériez livrer votre corps aux bécanes de l'infirmerie.

— Pas de soudure sur lui, c'est tout ce que je vous demande, dit Holden. Ça ne marchera pas.

Le silence revint sur le réseau interne. Pour patienter, Prax consulta les derniers messages reçus. La liste était trop longue pour l'écran, mais c'était le cas depuis l'envoi de l'appel. Les titres avaient changé.

LES VIOLEURS DE BÉBÉS DEVRAIENT ÊTRE TORTURÉS À MORT
NE VOUS SOUCIEZ PAS DES GENS HAINEUX
MOI, JE VOUS CROIS
MON PÈRE M'A INFLIGÉ LES MÊMES SÉVICES
TOURNEZ-VOUS VERS JÉSUS AVANT QU'IL SOIT TROP TARD

Il ne les ouvrit pas. Il survola les infos contenant son nom ou celui de Mei et obtint près de sept mille liens. Nicola n'en récoltait qu'une cinquantaine.

À une époque il avait aimé cette femme, ou il avait cru l'aimer. Son désir de faire l'amour avec elle avait été plus violent que tout ce qu'il avait éprouvé auparavant. Il se dit qu'il y avait eu de bons moments. Les nuits passées ensemble. Mei venait du corps de Nicola. Il était difficile de croire que quelque chose d'aussi précieux et d'aussi central dans son existence avait aussi fait partie d'une femme qu'à l'évidence il n'avait jamais réellement connue. Même en tant que père de son enfant, il n'avait pas connu la femme capable d'enregistrer ce message.

Il ouvrit l'application d'enregistrement sur son terminal, centra l'objectif sur son visage, et s'humecta les lèvres.

— Nicola…

Trente secondes plus tard, il effaça tout. Il n'avait rien à dire. *Qui es-tu vraiment ? Pour qui me prends-tu ?* était ce qui se rapprochait le plus de ce qu'il voulait exprimer, et à la réflexion les réponses à ces questions ne présentaient aucun intérêt.

Il revint aux messages, les sélectionna selon le nom des gens qui l'avaient aidé à enquêter. Rien de nouveau depuis la dernière fois.

— Salut, doc, dit Amos en entrant d'un pas lourd dans la petite pièce.

Prax replaça le terminal dans son support, à côté de la couchette anti-crash.

— Je suis désolé. C'est juste que pendant la dernière poussée…

Il désigna son genou, lequel était gonflé, pas autant cependant qu'il l'avait craint. Il avait cru le voir enflé jusqu'à être deux fois de sa taille normale, mais les anti-inflammatoires reçus en injection faisaient leur effet. Amos hocha la tête, plaça une main à plat contre le torse du botaniste et le repoussa contre la couche de gel.

— J'ai un orteil qui se déboîte, de temps en temps, fit le mécano. L'articulation est toute petite, mais suffit qu'elle soit mal disposée au moment de la poussée et ça me fait un mal de chien. Essayez de ne pas vous crisper, doc.

Il lui plia la jambe deux fois, et sentit le genou frotter.

— Ça n'est pas trop méchant. Là, tendez bien la jambe. C'est ça.

Il referma une main autour de la cheville de Prax, plaqua l'autre contre le montant de la couche et exerça une pression progressive et irrésistible. Une douleur extrême explosa dans le genou du botaniste, puis il y eut un craquement assourdi accompagné de la sensation répugnante des tendons crissant contre l'os.

— Et voilà, dit Amos. Quand nous allons repasser en poussée, vérifiez bien que cette jambe est positionnée correctement. Si elle se tend au maxi maintenant, votre rotule va se barrer, vous pigez ?

— Compris, dit Prax qui se rassit.

— Je suis vraiment désolé de vous avoir infligé ça, doc, fit le mécano qui reposa une main sur sa poitrine et l'obligea à se rallonger. Je veux dire, vous avez eu une putain de mauvaise journée, déjà. Mais vous savez comment c'est.

Prax fronça les sourcils. Chaque muscle de son visage lui parut endolori.

— Quoi donc ?

— Toutes ces conneries qu'ils racontent sur vous et la gamine, vous savez bien ? C'est des conneries, hein ?

— Bien sûr !

— Parce que, vous savez, des fois on fait des trucs qu'on ne voulait pas faire. On a eu une journée de merde, alors on pète un câble, vous voyez ? Ou alors on se bourre la tronche. Certains trucs que j'ai faits après une cuite, je ne les ai appris qu'une fois dessaoulé, expliqua Amos avec un sourire. Je veux dire, s'il y a une once de vrai dans ces conneries, quelque chose que les gens exagèrent beaucoup, ce serait mieux qu'on le sache maintenant, vous ne croyez pas ?

— Je n'ai jamais rien fait de tout ce qu'elle raconte.

— Pas de problème pour me dire la vérité, doc. Je peux comprendre. Ça arrive, qu'un gars fasse des trucs. Ça n'en fait pas un mauvais type pour autant.

Prax écarta la main du mécanicien et se rassit. Son genou le faisait beaucoup moins souffrir.

— Eh bien pour moi, si, ça en fait une personne mauvaise.

L'expression d'Amos se détendit, et son sourire changea d'une façon que le botaniste n'aurait pu analyser.

— D'accord, doc. Comme j'ai dit, je suis vraiment désolé. Mais il fallait que je pose la question.

— C'est bon, soupira le chercheur.

Il se mit debout. Un moment son genou lui parut sur le point de céder, mais il n'en fut rien. Il osa avancer d'un pas, puis d'un deuxième. Il pourrait marcher. Il se tourna vers la coquerie, mais la conversation n'était pas terminée pour lui :

— Si j'avais… si j'avais fait ces choses, ça ne vous aurait pas dérangé ?

Amos lui décocha une tape appuyée sur l'omoplate.

— Oh, putain, si. Je vous aurais pété la nuque, et ensuite je vous aurais balancé par le sas.

— Ah, souffla Prax qui sentait un soulagement diffus desserrer l'étau autour de sa poitrine. Merci.

— Pas de quoi.

Les trois autres étaient déjà dans la coquerie lorsqu'ils y arrivèrent, mais l'endroit semblait toujours à moitié vide. Naomi et Alex étaient assis à la table, face à face. Aucun des deux ne semblait aussi affecté que Prax. Holden se retourna avec dans chaque main un bol en mousse dure profilée. La bouillie brune dans les récipients sentait la chaleur, la terre et les feuilles bouillies. Dès que l'odeur atteignit ses narines, le petit homme sut qu'il était affamé.

— Soupe aux lentilles ? lui proposa Holden alors qu'avec Amos ils s'installaient de chaque côté d'Alex.

— Avec grand plaisir, répondit-il.

— Juste un tube de boue pour moi, dit le mécanicien. Les lentilles, ça me file des gaz, et ça ne fera rire personne si j'ai les intestins qui explosent à la prochaine accélération.

Holden posa un autre bol devant Prax et tendit à Amos un tube blanc avec un embout en plastique noir, puis il s'assit auprès de Naomi. Ils ne se touchèrent pas, mais le lien amoureux entre eux était évident. Le botaniste se demanda si Mei avait jamais voulu qu'il se réconcilie avec Nicola. Impossible, à présent.

— Alors, Alex, on en est où ? interrogea le mécanicien.

— Pareil que la dernière fois. Six destroyers foncent vers nous à plein régime. Une force équivalente les poursuit, et de l'autre côté une chaloupe de course s'éloigne de nous.

— Attendez, dit Prax. Elle *s'éloigne* de nous ?

— En fait elle modifie sa trajectoire. Elle a déjà amorcé sa rotation, et elle prend de la vitesse pour couper notre course.

Prax ferma les yeux et s'efforça de se représenter graphiquement les différents vecteurs.

— Nous y sommes presque, alors ? demanda-t-il.

— Presque, oui, répondit le pilote. Encore dix-huit, vingt heures.

— Comment ça va se terminer ? Est-ce que les appareils de la Terre vont nous rattraper ?

— Ils vont nous rattraper sans problème, confirma Alex. Mais pas avant que la chaloupe nous ait rejoints. Disons quatre jours après, à peu près.

Prax prit une cuillerée de soupe. Elle était aussi bonne au goût qu'à l'odeur. Des feuilles d'un vert sombre étaient mélangées aux lentilles, et il en étala une à la surface du bol pour essayer de l'identifier. Épinard, peut-être. Le bord de la queue ne correspondait pas exactement, mais après la cuisson, après tout…

— Comment être sûrs que ce n'est pas un piège ? demanda Amos.

— Nous ne pouvons pas en être sûrs, reconnut Holden. Mais je ne vois pas l'intérêt.

— S'ils veulent nous capturer plutôt que nous tuer, suggéra Naomi. Il est question de déverrouiller notre sas pour laisser monter à bord une personnalité importante du gouvernement de la Terre.

— Elle est donc ce qu'elle prétend être ? intervint Prax.

— Il semblerait, fit Holden.

Alex leva la main.

— Eh bien, s'il faut choisir entre bavarder avec une petite mamie des Nations unies ou se faire trouer les fesses par six destroyers, je crois qu'on peut sortir les gâteaux secs et préparer le thé, non ?

— Il est un peu tard pour une autre solution, dit Naomi. Quand même, ça me met mal à l'aise que la Terre me sauve de la Terre.

— Les structures ne sont jamais monolithiques, glissa Prax. Il y a de plus grandes variations génétiques parmi les Ceinturiens, les Martiens ou les Terriens qu'entre eux pris séparément. L'évolution prévoit certaines divisions à l'intérieur des structures de groupe, et des alliances avec des éléments extérieurs. On constate le même phénomène chez les fougères.

— Les fougères ? fit Naomi.

— Les fougères peuvent se montrer très agressives, expliqua doctement le botaniste.

Un tintement léger les interrompit : trois notes en crescendo, comme des cloches doucement frappées.

— D'accord, finissez de manger, dit Alex. C'est le signal : quinze minutes.

Amos produisit un bruit de succion prodigieux, et le tube blanc se racornit entre ses lèvres. Prax posa sa cuiller, prit son bol et le porta à ses lèvres pour ne pas laisser une goutte de soupe à l'intérieur. Holden l'imita avant de débarrasser la table.

— Si quelqu'un a besoin d'aller aux toilettes, c'est le moment, rappela-t-il. On se reparle dans…

— Huit heures, termina Alex.

— Huit heures, répéta le capitaine.

Prax sentit l'étau invisible se refermer sur sa poitrine. Une autre accélération écrasante à endurer. Des heures avec les aiguilles de la couche anti-crash pour soutenir son métabolisme défaillant. Il se leva de table, salua les autres d'un mouvement de tête et retourna dans sa cabine. Son genou était beaucoup moins douloureux. Il espérait qu'il en serait toujours de même la prochaine fois qu'il se lèverait. Le tintement annonçant les dix minutes retentit. Il s'étendit sur sa couchette, fit de son mieux pour aligner parfaitement son corps, et attendit. Attendit.

Il roula sur le flanc et décrocha le terminal de son support. Six nouveaux messages. D'après les titres, deux d'encouragement, trois de haine, un adressé au mauvais destinataire. Sans compter l'état financier envoyé par le fonds de charité. Il ne prit pas la peine de les lire.

Il alluma la caméra.

— Nicola, je ne sais pas ce qu'on a pu te raconter. Je ne sais pas si tu crois vraiment toutes ces choses horribles que tu as dites. Mais je sais que je ne t'ai jamais touchée, même quand j'étais en colère, même à la fin. Et si tu as vraiment eu peur de moi, j'ignore pour quelle raison. Mei est ce que j'aime le plus au monde. Je préférerais mourir que laisser quelqu'un lui faire du mal. Et maintenant la moitié du système solaire pense que je l'ai martyrisée...

Il interrompit l'enregistrement, recommença :

— Nicola. En toute honnêteté, je ne pensais pas que nous ayons encore quelque chose entre nous à trahir.

Il se tut. Le signal sonore des cinq minutes se fit entendre, et il passa les doigts dans ses cheveux. Chaque follicule était sensible. Il se demanda si c'était pour cette raison qu'Amos avait le crâne rasé. À bord d'un vaisseau spatial, il y avait tant de choses à savoir qu'on ne découvrait qu'en en faisant l'expérience...

— Nicola...

Il effaça tous les enregistrements et bascula sur l'interface de l'organisme de charité. Un formulaire sécurisé permettait de crypter et d'envoyer à la vitesse de la lumière une autorisation de transfert aux ordinateurs de la banque. Il le remplit rapidement. Le signal des deux minutes résonna, plus fort et plus insistant que les précédents. Il restait trente secondes quand il lui renvoya l'argent qu'elle lui avait adressé. Ils n'avaient rien d'autre à se dire.

Il remit le terminal dans son logement et s'étendit. Le compte à rebours arriva à son terme, et la montagne roula de nouveau sur son corps.

— Comment va le genou ? demanda Amos.

— Plutôt bien, répondit-il. J'ai été étonné. Je m'attendais à plus de dommages.

— Pas d'hyper-extension cette fois. Je n'ai pas souffert non plus de mon orteil.

Un son bas parcourut le vaisseau, et le pont remua sous les pieds du botaniste. À côté de lui, Holden fit passer son fusil dans la main gauche et toucha un panneau de contrôle.

— Alex ?

— Ouais, la manœuvre a été un peu brutale, désolé, mais… Attendez. C'est bon, capitaine. La jonction est établie. Et ils frappent à la porte.

Holden reprit l'arme dans sa main droite. Amos avait également la sienne prête. Naomi s'était placée derrière lui, sans rien d'autre dans les mains qu'un terminal relié aux ops du vaisseau. Si quelque chose se passait mal, le contrôle des fonctions de l'appareil pourrait se révéler plus décisif que la possession d'une arme. Tous avaient revêtu les combinaisons renforcées de l'armée martienne trouvées à bord. Les deux vaisseaux maintenant soudés l'un à l'autre accéléraient de concert à un tiers de g. Les destroyers de la Terre se ruaient toujours vers eux.

— Donc les armes veulent dire que vous craignez une entourloupe, cap ? fit Amos.

— Il n'y a rien de mal à préparer une garde d'honneur, grinça Holden.

Prax leva la main.

— Pas question de vous confier une arme, ajouta aussitôt le capitaine. Sans vouloir vous vexer.

— Non ce n'est pas ça… je croyais que les gardes d'honneur étaient réservées aux gens du même camp. Non ?

— Il se peut qu'on élargisse un peu les définitions, là, dit Naomi avec un peu de tension dans la voix.

— Ce n'est qu'une petite vieille doublée d'une politicienne rouée, remarqua Holden. Et cette chaloupe ne peut transporter que deux personnes. Donc notre ou nos invitées sont en infériorité numérique. Et si ça se passe mal, Alex surveille depuis le cockpit. Vous surveillez, n'est-ce pas ?

— Oh oui, répondit le pilote.

— Donc Naomi peut nous décrocher à la moindre surprise, et Alex nous emporter très loin d'ici.

— Ça ne nous aidera pas avec les destroyers, rappela le botaniste.

Naomi posa la main sur son bras et exerça une légère pression avec les doigts.

— Je ne suis pas sûre que vous aidiez, avec ce genre de commentaires, Prax.

Le sas extérieur entama son cycle dans un bourdonnement lointain. Les voyants passèrent du rouge au vert.

— Hou là, souffla Alex.

— Un problème ? demanda vivement Holden.

— Non, juste que…

Le panneau intérieur coulissa, et la personne la plus immense que Prax ait vue dans toute sa vie entra dans la pièce, vêtue d'une de ces combinaisons d'assaut spéciales qui décuplent la force. S'il n'y avait eu la visière transparente du casque, il aurait pu croire qu'il s'agissait d'un robot bipède haut de plus de deux mètres. Le botaniste discerna des traits féminins : de grands yeux noirs et une peau café au lait. L'arrivante les jaugea d'un regard qui convoyait la menace presque palpable d'une violence impitoyable, le cas échéant. Derrière Prax, Amos recula d'un pas sans même s'en rendre compte.

— Vous êtes le capitaine, dit la femme.

Les haut-parleurs de son casque amplifiaient sa voix et lui donnaient des accents artificiels. Apparemment, ce n'était pas une question.

— C'est exact, répondit Holden. Je dois dire que vous sembliez un peu différente à l'écran.

La plaisanterie tomba à plat. La géante s'avança.

— Vous voulez me descendre avec ça ? demanda-t-elle en braquant un énorme poing ganté vers le fusil d'assaut que tenait le capitaine.

— J'y arriverais ?

— Sans doute pas.

Elle fit encore un demi-pas en avant, et dans le mouvement sa tenue laissa échapper une sorte de gémissement très bas. Holden et Amos reculèrent d'autant.

— Disons que c'est une garde d'honneur, proposa le capitaine.

— Alors je suis honorée. Vous pouvez ranger les jouets, maintenant ?

— Bien sûr.

Deux minutes plus tard, les armes avaient disparu et la femme géante, qui n'avait toujours pas décliné son identité, enfonça des touches dans son casque avec le menton, avant de dire :

— C'est bon. Vous pouvez venir.

Le sas recommença un cycle complet, les témoins lumineux repassèrent du rouge au vert et le panneau s'escamota de nouveau. La femme qui apparut cette fois était plus menue que n'importe lequel d'entre eux. Ses cheveux gris étaient hérissés dans toutes les directions, et son sari orange flottait de façon étrange autour de son corps menu, dans la gravité restreinte.

— Sous-secrétaire Avasarala, soyez la bienvenue à bord, déclara Holden. S'il y a quoi que ce soit que je puisse…

— Vous êtes Naomi Nagata, dit la petite femme ratatinée.

Holden échangea un regard avec la femme qu'il aimait, et celle-ci haussa les épaules.

— C'est moi, oui.

— Comment faites-vous pour garder vos cheveux en place ? Moi, j'ai l'air d'avoir un foutu hérisson sur le crâne.

— Euh…

— L'apparence du rôle, c'est la moitié de ce qui vous maintient en vie. Pas le temps de faire des salamalecs. Nagata, débrouillez-vous pour me rendre jolie comme une poupée. Capitaine…

— Je suis ingénieur, pas styliste en coiffure, protesta Naomi que la colère gagnait.

— Madame, dit très vite Holden, c'est mon vaisseau, et mon équipage. La moitié d'entre nous n'est même pas citoyen de la Terre, et nous ne sommes pas tenus d'obéir à vos ordres.

— Très bien. Mademoiselle Nagata, si nous voulons éviter que ce vaisseau prenne bientôt l'aspect d'un nuage de gaz brûlant en expansion, nous devons faire une déclaration aux médias, et je ne suis pas prête pour ça. Auriez vous l'obligeance de m'assister ?

— D'accord, dit Naomi.

— Merci. Et, capitaine ? Vous avez foutrement besoin de vous raser.

41

AVASARALA

Après un passage à bord du *Guanshiyin*, l'aménagement du *Rossinante* semblait austère, miteux, et très fonctionnel. Il n'y avait pas de moquette moelleuse, seulement de la mousse industrielle recouverte de tissu pour arrondir les coins et les angles, là où les soldats risquaient d'être projetés lorsque le vaisseau manœuvrait brusquement. À la place de miel et de cannelle, l'air sentait le plastique surchauffé des recycleurs d'air militaires. Et il n'y avait pas de bureau luxueux, de grand lit sur lequel étaler les cartes d'une partie de solitaire, aucun espace privé mis à part le salon du capitaine qui avait les dimensions de toilettes publiques.

L'espace qu'ils avaient choisi pour l'enregistrement se situait dans la soute, et l'angle de vue évitait qu'on n'aperçoive du matériel militaire. Seul quelqu'un connaissant bien les bâtiments de guerre martiens pouvait identifier le lieu ; pour tout œil non averti, le cadre ressemblerait à un espace libre dans la soute d'un vaisseau quelconque, avec des caisses en arrière-plan. Naomi Nagata avait aidé à assembler les diverses séquences – elle aurait fait un très bon directeur photo –, et quand il était devenu évident qu'aucun des hommes à bord n'était capable d'exécuter un enregistrement audio de qualité professionnelle, elle s'en était également chargée. L'équipage était rassemblé dans l'infirmerie où le mécanicien Amos Burton avait modifié les branchements du système vidéo pour le relier au terminal de la vieille dame. Il était à présent assis sur une des couchettes, jambes croisées, un sourire affable aux lèvres. Si Avasarala n'avait pas consulté les dossiers des services de renseignements qui lui étaient consacrés, jamais elle n'aurait soupçonné de quoi cet homme était capable.

Les autres étaient disséminés en un demi-cercle approximatif. Bobbie était assise à côté d'Alex Kamal, comme si les Martiens se regroupaient inconsciemment. Praxidike Meng se tenait au fond de la pièce. Avasarala n'aurait pu dire si par sa simple présence elle le mettait mal à l'aise ou s'il se comportait toujours ainsi.

— Très bien, fit-elle. Dernière occasion de donner votre avis.

— Dommage qu'il n'y ait pas de popcorn, lâcha Amos.

Le scanner médical clignota une fois, indiqua un code de diffusion et la mention POUR ENVOI IMMÉDIAT s'afficha.

Avasarala et Holden apparurent à l'écran. Elle parlait sans qu'on entende sa voix, les mains un peu en avant du corps, comme pour souligner son propos. Tout en retenue, le capitaine du *Rossi* tournait vers elle un regard attentif. La voix off, celle de Naomi Nagata, était calme, ferme, très professionnelle.

— C'est un fait nouveau surprenant, l'assistante auprès du sous-secrétaire à l'Exécutif Sadavir Errinwright a rencontré James Holden, représentant de l'APE, ainsi qu'un représentant des forces militaires de Mars, afin d'exprimer ses inquiétudes quant aux révélations potentiellement effarantes concernant l'attaque dévastatrice dont Ganymède a été l'objet.

L'image passa à un plan serré d'Avasarala. Elle se penchait discrètement en avant pour étirer son cou et effacer les plis lâches sous son menton. Une longue pratique lui permettait d'avoir l'air tout à fait naturel, mais elle pouvait presque entendre Arjun rire. Le titre déroulant en bas d'écran précisait son nom et son titre.

— J'ai l'intention de me rendre en compagnie du capitaine Holden dans le système jovien, déclarait-elle. Les Nations unies de la Terre sont convaincues qu'une enquête multilatérale sur ce sujet constituera la meilleure façon de restaurer l'équilibre et la paix dans tout le système.

Le plan suivant montra Holden et Avasarala assis dans la coquerie, avec le botaniste. Cette fois le petit scientifique parlait et les deux autres faisaient semblant de l'écouter. La voix off se fit entendre de nouveau :

— Interrogée sur les accusations portées contre Praxidike Meng, dont la recherche de sa fille disparue est devenue le symbole à visage humain de la tragédie survenue sur Ganymède, la délégation terrienne a été sans équivoque.

Retour à une assistante au sous-secrétaire offrant maintenant à l'objectif une expression peinée. Elle secouait la tête dans un mouvement de déni presque subliminal.

— Nicola Mulko est une victime de plus dans cette histoire, et pour ma part je condamne avec fermeté les organismes d'information qui diffusent des déclarations de personnes mentalement instables comme si c'étaient là des vérités. Le fait qu'elle ait abandonné son époux et leur fille ne peut faire débat. Quant aux problèmes psychologiques auxquels elle est confrontée, ils méritent assurément un traitement plus digne et plus mesuré.

Hors champ, Nagata demanda :

— Vous accusez donc les médias ?

— Tout à fait, dit Avasarala tandis qu'apparaissait la photo d'une petite enfant au regard noir souriant et aux couettes également noires. Nous avons une foi absolue quant au dévouement et à l'amour du Dr Meng pour Mei, et nous sommes heureux de contribuer aux efforts pour la ramener auprès de lui.

L'enregistrement prit fin.

— Alors, des commentaires ? lança la vieille dame.

— En réalité, je ne travaille plus pour le compte de l'APE, fit remarquer Holden.

— Et je ne suis pas autorisée à représenter les forces armées de Mars, enchaîna Bobbie. Je ne suis même pas sûre de toujours travailler pour vous.

— Merci de vos réflexions. Sinon, rien d'intéressant ?

Il y eut un moment de silence, puis Praxidike répondit :

— Pour moi, ça va.

Il y avait un domaine dans lequel le *Rossinante* était beaucoup plus performant que le *Guanshiyin*, et c'était justement celui qui importait le plus à Avasarala. Le faisceau de ciblage était tout à elle. Le décalage dans les transmissions empirait à chaque heure qui l'éloignait de la Terre, mais la certitude d'envoyer ses messages sans interception de Nguyen et Errinwright lui donnait l'impression de respirer à nouveau. Certes elle n'avait aucune maîtrise sur ce qui suivrait la réception de ses communications, mais il en était toujours ainsi. C'étaient les règles du jeu.

L'amiral Souther semblait fatigué, mais sur le petit écran il était difficile d'en deviner plus.

— Vous avez balancé un sacré coup de pied dans la fourmilière, Chrisjen, dit-il. Et ça donne vraiment l'impression que vous vous posez en bouclier humain pour une poignée de gens qui ne travaillent pas pour nous. J'imagine que c'était le but visé.

“J'ai fait ce que vous m'aviez demandé : Nguyen a bien eu des réunions avec Jules-Pierre Mao. La première juste après son témoignage sur Protogène. Et oui, Errinwright était au courant de ces rencontres, ce qui, en soi, n'a rien de très étonnant. J'ai vu Mao. C'est un serpent, mais si vous cessiez tout contact avec ce genre de personnes vous n'auriez plus grand-chose à faire.

"La campagne de dénigrement contre votre ami scientifique émane des services de l'Exécutif, ce qui, je dois le dire, rend un tas de gens très nerveux, ici, au sein des forces armées. On commence à avoir la vague impression qu'il existe des divisions dans les instances dirigeantes, et on a du mal à savoir quels ordres doivent être suivis. Si on en arrive là, votre bon ami Errinwright est toujours plus haut placé que vous dans la hiérarchie. Que lui ou le secrétaire général me fasse parvenir un ordre direct et il me faudra une sacrément bonne raison pour estimer que c'est illégal. Tout ça sent très mauvais, mais pour le moment je ne dispose pas d'un argument assez fort pour refuser d'obéir. Vous comprenez ce que je veux dire.

L'enregistrement s'arrêta. Avasarala pressa la pointe de ses doigts contre ses lèvres. Oui, elle comprenait. Elle n'aimait pas du tout cela, mais elle comprenait. Elle se leva de sa couche. Ses articulations étaient toujours douloureuses, et la vitesse du *Rossinante*, la manière dont le vaisseau remuait parfois sous elle, les corrections de trajectoire entraînant des variations de gravité, tout cela la maintenait dans un vague état nauséeux. Mais jusqu'à maintenant elle tenait le coup.

La coursive menant à la coquerie était courte mais effectuait un coude juste avant son extrémité. Les voix portaient assez pour qu'elle décide d'approcher sans bruit. L'accent martien traînant appartenait au pilote, et le timbre de Bobbie était reconnaissable entre tous.

— … dit au capitaine où et comment se tenir, j'ai cru qu'Amos allait la balancer par le sas, une ou deux fois.

— Il n'avait qu'à essayer, répliqua la jeune femme.

— Et donc vous travaillez pour elle ?

— Je ne sais plus pour qui je travaille. Je crois que j'ai toujours droit à une solde versée par Mars, mais toutes mes dépenses quotidiennes sont prises en charge par ses services. Je m'adapte aux conditions, depuis un bout de temps.

— Ça a l'air assez rude.

— J'appartiens au Corps des Marines.

Avasarala se figea. Le ton était faux. Calme, presque détendu. Presque en paix. Instructif.

— Il y a quelqu'un qui l'aime bien, en fait ? demanda le pilote.

— Non, répondit Bobbie aussitôt. Oh, non. Et elle fait tout pour que ça ne change pas. Son numéro avec Holden, quand elle est arrivée à bord et s'est mise à donner des ordres comme si le vaisseau lui appartenait ? Elle se comporte toujours comme ça. Le secrétaire général ? Les yeux dans les yeux, elle le traite de Tête d'Ampoule.

— C'est son habitude de jurer comme un charretier ?

— Bah, ça fait partie de son charme.

Alex s'esclaffa, puis il y eut un bruit léger de succion quand il but quelque chose.

— Possible que je ne comprenne rien à la politique, dit-il et, un moment plus tard : Vous l'aimez bien, non ?

— Oui.

— Je peux vous demander pourquoi ?

— On trouve importantes les mêmes choses.

Elle avait dit cela avec une certaine solennité, et soudain Avasarala eut un peu honte d'écouter aux portes. Elle se racla la gorge et entra dans la coquerie.

— Où est Holden ? demanda-t-elle.

— Il doit dormir, dit le pilote. Avec les horaires du bord, il est dans les deux heures du matin, pour nous.

— Ah.

Pour elle, c'était le plein après-midi. La suite allait être un peu bizarre. Tout dans sa vie semblait marqué par le décalage horaire, en particulier ces derniers temps, et surtout quand il s'agissait d'attendre des messages traversant l'obscurité du vide. Mais au moins cela lui permettait de rester affûtée.

— Je veux une réunion de tous les gens qui sont à bord dès qu'ils seront réveillés, déclara-t-elle. Bobbie, il faudra que vous remettiez votre tenue de cérémonie.

La Martienne mit quelques secondes à comprendre.

— Vous allez leur montrer le monstre, dit-elle.

— Et ensuite nous passerons le temps en bavardages, jusqu'à ce que nous trouvions ce qu'ils savent précisément sur ce vaisseau. Il inquiète assez les méchants pour qu'ils envoient leurs gars tuer tout le monde.

— Ouais, eh bien, à ce propos, les destroyers sont revenus à une vitesse de croisière, annonça Alex. Mais ils n'ont pas encore fait demi-tour.

— Aucune importance, décréta Avasarala. Tout le monde sait que je suis à bord de cet appareil. Personne ne va le prendre pour cible.

Pendant ce qui était le matin pour les autres et le début de soirée pour elle, tous se rassemblèrent à nouveau. Plutôt que de ramener la tenue renforcée dans la coquerie, elle avait effectué une copie de la vidéo stockée dans la combinaison et l'avait confiée à Naomi. Les membres de l'équipage étaient bien reposés, à part le pilote qui avait veillé beaucoup trop tard pour discuter avec Bobbie, et le botaniste qui semblait dans un état d'épuisement permanent.

— Je ne suis censée montrer cet enregistrement à personne, déclara-t-elle en fixant sur Holden un regard insistant. Mais sur ce vaisseau et à l'heure actuelle, je pense que nous devons tous jouer cartes sur table. Et je suis disposée à montrer l'exemple. Il s'agit de l'attaque sur Ganymède. Ce qui a tout déclenché. Naomi ?

La jeune femme démarra la vidéo, et Bobbie tourna la tête pour contempler la cloison. Avasarala ne regarda pas non plus, car elle préférait concentrer son attention sur la réaction des autres. Tandis que le carnage se déroulait derrière elle, la vieille femme les observa et en apprit ainsi un peu plus sur les gens à qui elle avait affaire. Amos, le mécano, suivait le déroulement des événements avec la réserve calme d'un tueur professionnel. Rien d'étonnant. Tout d'abord Holden, Naomi et Alex se montrèrent horrifiés, et elle vit le pilote et la jeune femme glisser dans une sorte d'état de choc. Des larmes brillèrent dans les yeux d'Alex. À l'inverse, Holden réagit par la colère. Ses épaules s'écartèrent et une fureur contenue brilla dans ses prunelles et crispa ses lèvres. C'était révélateur. Dos toujours tourné à l'écran, Bobbie sanglota sans retenue, et son expression était celle d'une immense tristesse, comme une femme à des funérailles. À une commémoration. Praxidike – tout le monde l'appelait Prax – était le seul à paraître presque heureux. Quand vers la fin de l'enregistrement le monstre explosa il battit des mains et laissa échapper un couinement ravi.

— C'était bien ça ! s'exclama-t-il. Vous aviez raison, Alex. Vous avez vu comment il commençait à lui pousser d'autres membres ? Un échec catastrophique du programme de contrainte. C'était bien un dispositif de sécurité.

— D'accord, dit Avasarala, pourquoi ne pas recommencer l'exposé depuis le début ? Qu'est-ce qui a un dispositif de sécurité ?

— L'autre créature protomoléculaire a éjecté un engin explosif de son corps avant que la charge explose. Vous voyez, ces… choses – ces soldats protomoléculaires, ou quel que soit le nom que vous voulez leur donner –, elles débordent de leur programmation, et je pense que Merrian le sait. Il n'a pas trouvé le moyen de l'empêcher, parce que les dispositifs de contrainte ne tiennent pas.

— Qui est cette Marion, et quel rapport a-t-elle avec tout le reste ? demanda Avasarala.

— Vous vouliez des noms, Grand-Mère, bougonna Amos.

— Laissez-moi reprendre depuis le début, proposa Holden.

Il relata l'attaque du monstre monté clandestinement à bord, les dégâts causés à la porte de la soute, le stratagème de Prax pour l'attirer hors du vaisseau et le réduire à ses composants atomiques grâce aux rejets du propulseur.

Avasarala leur communiqua les données qu'elle détenait sur les pics énergétiques observés sur Vénus, et Prax étudia les documents tout en expliquant sa théorie d'une base secrète sur Io, où ces créatures seraient produites. Elle en eut le vertige.

— Et ils ont emmené votre gamine là-bas ? dit-elle.

— Ils ont emmené tous les enfants là-bas, rectifia-t-il.

— Pourquoi auraient-ils agi de la sorte ?

— Parce que les enfants n'ont pas de système immunitaire, expliqua le botaniste. Et donc ils sont plus faciles à transformer avec la protomolécule. Il y aura moins de systèmes physiologiques qui s'opposeront aux nouvelles contraintes cellulaires, et les soldats resteront viables beaucoup plus longtemps, très certainement.

— Bordel, doc, ils vont transformer Mei en une de ces putains de choses ? dit Amos.

— C'est probable, répondit le petit homme en fronçant les sourcils. Je viens juste de m'en rendre compte.

— Mais pourquoi faire tout ça ? s'étonna Holden. Pour moi, ça n'a aucun sens.

— Pour revendre ces créatures à une puissance militaire, comme force de frappe, intervint Avasarala. Afin de consolider leurs positions et leur puissance avant… bah, avant la foutue apocalypse qu'ils prévoient.

— Une petite précision, dit Alex en levant la main. Nous avons une apocalypse de prévue ? Quelqu'un était au courant ?

— Vénus, répondit simplement Avasarala.

— Oh. Cette apocalypse-là… marmonna le pilote qui baissa lentement la main. D'accord.

— Des soldats capables de voyager sans vaisseau, dit Naomi. Vous pourriez les lancer à plusieurs g pendant un bout de temps, et ensuite couper les moteurs et les laisser continuer eux-mêmes sur leur trajectoire. Comment vous les retrouveriez ?

Le silence s'abattit sur la pièce. Prax semblait troublé.

— Ils peuvent *partager les informations* ? demanda Avasarala.

— Bien sûr, affirma le botaniste. Regardez donc vos pics d'énergie. Le premier s'est produit alors que la chose attaquait Bobbie et les autres Marines, sur Ganymède. Le deuxième quand l'autre s'est échappé dans le labo. Et le troisième pic quand nous avons tué la créature sur le *Rossinante*. Chaque fois qu'une de ces choses a été attaquée, Vénus a réagi. Elles sont connectées, en réseau. J'imagine donc que toute information essentielle est transmise. Par exemple, la manière d'échapper à la programmation de contrainte.

— S'ils s'en servent contre la population, il n'y aura aucun moyen de les arrêter, dit Holden. Ils abandonneront les charges de sécurité et continueront leurs ravages. Les batailles n'auront pas de fin.

— Euh, non, dit Prax. Le problème n'est pas là. C'est l'effet de cascade, une fois de plus. Dès que la protomolécule a un peu de liberté, elle acquiert plus d'outils pour affaiblir les autres mesures de contrainte, lesquelles perdent en efficacité, ce qui lui donne plus d'outils pour affaiblir les mesures de contrainte, et ainsi de suite. Par un effet de boucle, le programme d'origine ou quelque chose du genre finira par supplanter le nouveau programme. Les créatures reviendront à leur état premier.

Bobbie se pencha en avant, tête inclinée de quelques degrés sur la droite. Elle s'exprima avec calme, mais il y avait dans sa voix une menace de violence plus saisissante que si elle avait crié :

— Donc, si ces choses sont lâchées sur Mars, elles vont se comporter en soldats pendant un bout de temps, comme la première. Et ensuite elles vont larguer leurs bombes comme la vôtre l'a fait à bord de ce vaisseau. Et pour finir, elles vont transformer Mars en Éros *bis* ?

— Oh, ce sera pire qu'Éros, corrigea Prax. Toutes les villes martiennes importantes ont une population bien supérieure à celle d'Éros.

Le silence revint s'imposer dans la pièce. Sur le moniteur, la caméra intégrée à la combinaison renforcée de Bobbie fixait un ciel empli d'étoiles tandis qu'en orbite des vaisseaux de guerre se détruisaient mutuellement.

— Il faut que j'envoie quelques messages, dit Avasarala.

— Ces êtres à demi humains que vous avez créés ? Ce ne sont pas vos serviteurs. Vous ne pouvez pas les contrôler, dit Avasarala. Jules-Pierre Mao vous a roulé. Je sais pourquoi vous m'avez tenue à l'écart de cette affaire, et j'estime que vous êtes un foutu abruti de l'avoir fait, mais passons. Ça n'a plus d'importance, maintenant. Une seule chose compte : ne pressez pas la détente. Est-ce que vous comprenez ce que je dis ? Ne le faites pas. Vous serez personnellement responsable du plantage le plus meurtrier de toute l'histoire de l'humanité, et je suis sur un vaisseau avec ce foutu Jim Holden, donc la barre n'est pas placée bas.

L'enregistrement dans son entier atteignait presque la demi-heure. Elle y avait joint la vidéo de sécurité du *Rossinante*, avec son passager clandestin. On avait dû renoncer à ajouter l'exposé de quinze minutes réalisé par Prax, celui-ci ayant été pris d'une crise de larmes irrépressible en arrivant au passage où il expliquait la métamorphose de sa fille en soldat protomoléculaire. Avasarala avait fait de son mieux pour résumer le propos, mais elle n'était pas certaine d'avoir tout compris correctement. Un temps elle avait envisagé l'implication de Michael-Jon, mais au final elle avait préféré s'abstenir. Autant garder cette affaire dans la famille.

Elle envoya le message. Si elle ne se trompait pas sur le compte d'Errinwright, il ne lui répondrait pas immédiatement. Il prendrait une heure ou deux pour évaluer la chose, analyser ce qu'elle avait dit, puis il la laisserait mijoter encore un peu avant de réagir.

Elle espérait qu'il le ferait de façon raisonnable. Il le devait.

Elle avait besoin de dormir. Elle sentait la fatigue grignoter les limites de ses pensées, les ralentir, mais quand elle s'étendit le repos lui parut aussi loin que son foyer. Qu'Arjun. Elle songea à enregistrer un message pour lui, mais cela aurait eu pour seul résultat d'accroître son sentiment de solitude. Au bout d'une heure elle se releva et alla arpenter les coursives. Son corps lui disait qu'il était minuit, plus tard encore peut-être, et l'activité à bord – les échos de musique dans l'atelier, une conversation animée entre Holden et Alex à propos de la maintenance des systèmes électroniques, et même Praxidike assis seul dans la coquerie, apparemment occupé à dorloter des boutures dans une boîte – donnait une impression irréelle de fin de soirée.

Elle caressa l'idée d'envoyer un autre message à Souther. Le délai pour le joindre serait beaucoup moins important, et elle avait suffisamment envie d'une réponse pour s'en satisfaire. Quand la réponse vint, ce ne fut pas sous la forme d'un message :

— Capitaine, dit Alex dans le système comm du vaisseau, vous devriez venir aux ops pour voir ça.

Quelque chose dans le ton qu'il avait employé indiqua à Avasarala qu'il ne s'agissait pas d'une question de maintenance. Elle trouva l'ascenseur pour se rendre aux ops au moment où Holden l'empruntait et préféra gravir l'échelle plutôt qu'attendre. Elle n'était pas la seule à avoir répondu à l'appel. Bobbie occupait déjà un siège et avait les yeux rivés sur le même moniteur que le capitaine. Les données tactiques s'affichaient sur un côté de l'écran en un déroulement continu, et une douzaine de points rouges clignotant traçaient les changements de position. Elle ne comprenait que très peu de chose à ce qu'elle voyait, mais l'ensemble était assez évident. Les destroyers faisaient mouvement.

— Bon, dit Holden, et ça signifie quoi ?

— Tous les destroyers de la Terre sont passés en poussée maximale, expliqua Alex. Six g.

— Ils se dirigent vers Io ?

— Oh, non, pas du tout.

C'était la réponse d'Errinwright. Pas de message en retour. Pas de négociations. Pas même une reconnaissance des efforts faits par Avasarala pour l'inciter à la modération. Des vaisseaux de guerre. Le désespoir ne dura qu'un moment. La colère le supplanta très vite.

— Bobbie ?

— Ouais ?

— Vous vous rappelez, quand vous m'avez dit que je n'avais pas conscience du danger que je courais ?

— Et j'ai ajouté que je ne savais pas comment on jouait la partie.

— Oui, à ce moment-là.

— Je me rappelle. Eh bien ?

— Si vous aviez envie de dire "Je vous avais prévenue", il semble que ce soit le bon moment pour le faire.

42

HOLDEN

Holden avait passé un mois au Diamond Head Electronic Warfare Lab sur l'île d'Oahu, lors de sa première affectation, à la sortie de l'école d'officiers. Il avait alors découvert qu'il n'éprouvait aucun désir de devenir un mordu du renseignement naval, qu'il détestait réellement le *poi* et qu'il adorait les Polynésiennes. À l'époque, il était beaucoup trop pris pour se consacrer activement à en séduire une, mais il avait énormément apprécié de passer ses rares moments libres à les contempler sur la plage. Depuis il avait gardé une attirance marquée pour les femmes aux courbes sensuelles et aux longs cheveux noirs. La Marine de Mars ressemblait à une de ces beautés des îles, mais modifiée par un logiciel et agrandie à une fois et demie la taille normale. Les proportions, la chevelure de jais, les yeux de nuit, tout était identique. En format géant, voilà tout. Et sa seule vue court-circuitait le câblage neuronal du Terrien. Le reptile tapi au fond de son cerveau ne cessait de faire des bonds en avant puis en arrière, alternant entre *Accouple-toi avec elle !* et *Fuis-la !* Et le pire était qu'elle en était consciente. Elle semblait l'avoir jaugé dans les quelques secondes suivant leur rencontre et avoir décidé qu'il ne méritait rien de plus qu'un petit rictus las.

— Il faut que je recommence depuis le début ? demanda-t-elle, et son petit sourire se fit moqueur.

Ils étaient assis dans la coquerie et elle venait de lui décrire les données récoltées par les Renseignements martiens sur la meilleure manière d'engager le combat avec un destroyer léger de classe *Munroe*.

Non ! eut-il envie de s'écrier. *J'ai entendu. Je ne suis pas un dingue. Je suis avec une fille ravissante que j'adore, alors arrêtez de me traiter comme une sorte d'ado empoté qui essaie de vous déshabiller du regard !*

Mais quand il leva de nouveau les yeux vers elle, l'être reptilien au fond de son cerveau se remit à sautiller d'avant en arrière, déchiré entre l'attirance et la peur, et son centre de la parole recommença à avoir des ratés. Une fois encore.

— Non, dit-il en regardant fixement la liste impeccablement organisée de points qu'elle avait transmise sur son terminal. Je pense que c'est une information très… informative.

À la périphérie de son champ de vision, le rictus s'agrandit et il se concentra un peu plus sur l'écran.

— Bon, je vais rattraper un peu de sommeil, décida-t-elle. Avec votre permission, bien sûr. Capitaine.

— Permission accordée. Bien sûr. Allez-y. Allez vous reposer.

Elle se mit debout sans prendre appui sur les accoudoirs de son siège. Elle avait grandi dans la gravité martienne. À un g, elle pesait facilement cent kilos. Elle cherchait à l'impressionner. Il feignit de ne rien remarquer, et elle sortit de la coquerie.

— C'est quelque chose, hein ? dit Avasarala qui entra dans la pièce et s'écroula sur le siège tout juste libéré.

Holden leva les yeux et aperçut un rictus différent sur ce visage ridé. L'expression disait clairement que la vieille femme voyait à travers lui et avait repéré les adversaires reptiliens en guerre au fond de son cerveau. Mais ce n'était pas une géante polynésienne, il pouvait donc décharger sa frustration sur elle.

— Ouais, c'est une vraie beauté, grogna-t-il. N'empêche, on va quand même tous mourir.

— Quoi ?

— Quand ces destroyers nous auront rattrapés, ce qu'ils ne vont pas manquer de faire, nous allons mourir. La seule raison pour laquelle ils ne nous arrosent pas encore de torpilles, c'est parce que nos CDR sont tout à fait capables d'intercepter tous leurs tirs, à cette distance, et que les autres le savent.

Avasarala se laissa aller contre le dossier de son fauteuil avec un soupir accentué, et le rictus se mua en un sourire las beaucoup plus naturel.

— J'imagine qu'il n'y a aucune chance pour que vous réussissiez à trouver une tasse de thé pour une vieille dame ?

Holden fit la moue.

— Désolé. Pas d'amateurs de thé dans l'équipage. Il y a du café en abondance, par contre, si ça vous tente.

— Je crois que je suis assez épuisée pour accepter. Avec un gros nuage de lait, et une tonne de sucre.

— Et que diriez-vous d'une tonne de café et ce qu'ils appellent "édulcorant" ? dit-il en prenant une tasse propre.

— Ça a l'air parfaitement répugnant. J'achète.

Il prépara la boisson et poussa la tasse fumante emplie de café sucré et "édulcoranisé" devant elle. Elle la prit et grimaça en buvant à longues gorgées.

— Expliquez-moi un peu mieux ce que vous venez de dire, proposa-t-elle ensuite.

— Ces destroyers vont nous anéantir, répéta-t-il. D'après le sergent, vous refusez de croire que des vaisseaux des Nations unies pourraient tirer sur vous, mais je suis du même avis qu'elle : vous êtes très naïve.

— D'accord, mais qu'est-ce que des CDR ?

Holden fit de son mieux pour ne rien trahir de son étonnement. Venant de cette femme, il s'attendait à un tas de choses, mais certainement pas à ce qu'elle avoue ainsi son ignorance.

— Canons de défense rapprochée. Des canons en réseau. Si ces destroyers tirent des torpilles sur nous à cette distance, l'ordinateur de visée des CDR n'aura aucune difficulté à les abattre. Donc ils vont attendre d'être assez proches pour nous submerger par la densité de leurs tirs. J'estime qu'on a encore trois jours avant qu'ils déclenchent les festivités.

— Je vois. Et quel est votre plan ?

Il aboya un rire bref dénué de tout humour.

— Un plan ? Mon plan est de mourir dans une boule de plasma surchauffé. Il n'y a littéralement aucune chance qu'une corvette d'attaque rapide, ce que nous sommes, puisse combattre avec succès dix destroyers légers. Nous ne sommes pas dans la même classe de vaisseaux, mais contre un seul d'entre eux et avec du bol, peut-être qu'on pourrait l'avoir. Contre six ? Aucune chance. Nous sommes déjà morts.

— J'ai lu votre dossier, dit Avasarala. Vous avez réussi à l'emporter sur une corvette des Nations unies, pendant l'incident Éros.

— Ouais, *une* corvette. Nous faisions le poids, face à elle. Et j'ai eu le dessus en menaçant l'unité scientifique non armée qu'elle escortait. La situation présente n'a rien à voir, même de loin.

— Alors que fait le tristement célèbre James Holden pour son baroud d'honneur ?

Il garda le silence quelques secondes, puis répondit :

— Il moucharde. Nous savons ce qui se passe. Nous avons toutes les pièces du puzzle, maintenant : Mao-Kwik, les monstres protomoléculaires, où ils emmènent les gamins… tout. Il suffit de rassembler toutes ces données dans un dossier et de le diffuser dans l'univers entier. Ils pourront toujours nous tuer s'ils le veulent, mais on aura transformé ce meurtre en un acte de vengeance inutile. Ce qui empêchera que ça leur serve.

— Non, laissa-t-elle tomber.

— Comment ça, non ? Vous devez oublier à bord de quel vaisseau vous vous trouvez…

— Je suis désolée, mais vous aurais-je donné l'impression d'avoir quelque chose à foutre que ce soit votre vaisseau ? dit-elle en le toisant d'un regard glacé. Si c'est le cas, eh bien, je me montrais polie, rien de plus. Et vous n'allez pas foutre le bordel dans tout le système solaire simplement parce que vous n'avez plus qu'une carte dans votre manche. Il y a de plus gros poissons, et je les veux dans ma friture.

Holden compta mentalement jusqu'à dix avant de réagir :

— Et c'est quoi, votre idée ?

— Envoyez toutes ces infos à ces deux amiraux des Nations unies, dit-elle en tapant quelque chose sur son terminal, et celui du capitaine annonça la réception du message. Souther et Leniki. Surtout Souther. Je n'aime pas trop Leniki, et il n'est pas au courant pour tout ça, mais il fera une sécurité acceptable.

— Vous voulez que ma dernière action avant d'être tué par un amiral des Nations unies soit d'envoyer toutes les informations vitales que je détiens à un amiral des Nations unies ?

Elle se rencogna dans son siège et se massa les tempes avec le bout des doigts.

— Je suis fatiguée, dit-elle après quelques secondes. Et mon mari me manque. J'en ai presque des douleurs dans les bras, de ne pas pouvoir le serrer contre moi en ce moment. Vous connaissez cette sensation ?

— Je sais très exactement le genre de souffrance c'est, oui.

— Alors je veux que vous compreniez : je suis assise ici, maintenant, et j'essaie de me faire à l'idée que je ne le reverrai jamais. Ni mes petits-enfants. Ou ma fille. D'après les médecins, il me reste encore une bonne trentaine d'années à vivre. Assez longtemps pour voir grandir mes petits-enfants, et peut-être même connaître un ou deux arrière-petits-enfants. Au lieu de quoi je vais être tuée par une couille molle, un fils de pute geignard comme l'amiral Nguyen.

Holden sentait presque physiquement la masse énorme de ces six destroyers qui se ruaient sur eux, avec l'assassinat pour seule motivation. C'était comme avoir le canon d'un pistolet enfoncé dans les reins. Il eut envie de secouer la vieille femme et de lui dire de se dépêcher un peu.

Elle lui sourit.

— Mon dernier acte dans cet univers ne sera pas de foutre en l'air tout ce que j'ai fait jusqu'à maintenant.

Il fournit un effort conscient pour mettre de côté sa frustration, se leva et ouvrit le réfrigérateur.

— Eh, il reste du pudding. Vous en voulez ?

— J'ai lu votre profil psychologique. Je sais tout de votre obsession : "Tout le monde a le droit de tout savoir", et ces notions confondantes de naïveté. Mais quelle part de la dernière guerre vous incombe, avec vos foutues diffusions pirates à répétition ? Hein ?

— Aucune part, répliqua-t-il. Les psychotiques désespérés commettent des actes psychotiques et désespérés quand ils sont démasqués. Je refuse de leur accorder l'immunité par crainte de leur réaction. Quand on fait ça, ces tarés désespérés montent en charge.

Elle rit, et c'était un son d'une chaleur humaine étonnante.

— Toute personne qui comprend ce qui arrive actuellement est désespérée, au minimum, et sans doute psychotique par-dessus le marché. Laissez-moi vous expliquer la situation autrement… Mettez tout le monde au courant et, oui, vous aurez une réaction, c'est certain. Peut-être même que dans quelques semaines, quelques mois ou quelques années, tout ça sera arrangé. Mais prévenez seulement les personnes qu'il faut, et nous pouvons tout arranger maintenant.

Amos et Prax entrèrent ensemble dans la coquerie. Le mécanicien tenait son gros thermos dans une main et il se dirigea sans ralentir vers la machine à café. Prax le suivit et prit une chope au passage. Avasarala plissa les yeux et ajouta :

— Et peut-être même sauver cette petite fille.

— Mei ? dit instantanément le botaniste en reposant la chope et en pivotant vers la table.

Alors ça, c'est vraiment bas, songea Holden. *Même pour une politicienne.*

— Oui, Mei, répondit la vieille femme. Et c'est de ça qu'il est question, n'est-ce pas, Jim ? Pas d'une quelconque croisade personnelle, mais d'essayer de sauver une petite fille de gens très méchants ?

— Expliquez donc comment… commença le capitaine, mais elle continua de parler sans lui prêter attention :

— Les Nations unies, ce n'est pas une seule personne. Ce n'est même pas une seule entreprise. C'est un millier de petites factions minables qui se combattent entre elles. Leur camp mène la danse, mais c'est temporaire. C'est toujours temporaire. Je connais des gens qui peuvent contrecarrer Nguyen et son groupe. Ils peuvent l'isoler de ses soutiens, le priver de vaisseaux, voire le rappeler et le traduire en cour martiale, si on leur en donne le temps. Mais ils ne peuvent rien faire de tout ça si nous sommes en guerre ouverte avec Mars. Si vous balancez tout ce que vous savez sur la place publique, Mars n'aura pas le temps de décortiquer la chose pour en savourer toutes les subtilités. Ils n'auront d'autre choix qu'une frappe préventive contre la flotte de Nguyen, Io, ce qui reste de Ganymède. La totale.

— Io ? fit Prax. Mais il y a Mei…

— Donc vous voulez que je livre toutes mes infos à votre petite coterie politique sur Terre, alors que toute cette situation découle des petites coteries politiques qui se trouvent sur Terre.

— Oui, répondit Avasarala. Et c'est le seul espoir qui reste à la gamine. Vous devez me faire confiance.

— Eh bien je ne vous fais pas confiance. Pas du tout. Pour moi, vous faites partie du problème. Je crois que vous voyez tout ça sous l'aspect des manœuvres politiques et des jeux de pouvoir. Je crois que vous voulez avant tout *gagner*. Alors non, je ne vous fais pas du tout confiance.

— Euh, eh, capitaine ? lança Amos qui revissait au ralenti le bouchon de son thermos. Vous n'oublieriez pas un truc, là ?

— Quoi ? Qu'est-ce que j'oublie ?

— On ne doit pas voter, pour ce genre de conneries ?

— Arrête un peu de bouder, dit Naomi.

Elle était étendue sur une couche anti-crash à côté du panneau de contrôle principal, sur le pont des ops. Holden était assis devant le poste comm, à l'autre bout de la pièce. Il venait d'envoyer le fichier d'Avasarala aux deux amiraux des Nations unies. Les doigts le démangeaient d'y ajouter une diffusion publique. Mais ils en avaient débattu avec tout l'équipage, et la vieille dame l'avait emporté au vote. Le recours à cette pratique lui avait semblé une bonne chose quand il l'avait proposé, la première fois. Après avoir perdu une première consultation, beaucoup moins. Mais ils seraient tous morts dans deux jours, donc il ne connaîtrait probablement pas la même déconvenue une autre fois.

— Si nous nous faisons tuer, et que les amiraux chéris d'Avasarala ne font rien des données que nous venons d'envoyer, tout ça n'aura servi à rien.

— Tu crois qu'ils vont enterrer toute l'affaire ? demanda Naomi.

— Je n'en sais rien, et c'est bien là le problème. J'ignore ce qu'ils vont faire. Nous avons rencontré cette politicienne des Nations unies il y a deux jours seulement, et elle commande déjà à bord.

— Alors envoie ces infos à quelqu'un d'autre aussi, proposa la jeune femme. Quelqu'un à qui tu peux faire confiance pour ne rien laisser fuiter, mais qui pourra propager la nouvelle s'il s'avère que ces types des Nations unies travaillaient pour le mauvais camp.

— Ce n'est pas une mauvaise idée…

— Fred, peut-être ?

— Non, répondit Holden en riant. Fred y verrait un capital politique. Il s'en servirait pour marchander. Le mieux serait quelqu'un qui n'a rien à gagner ou à perdre s'il l'utilise. Il faut que j'y réfléchisse.

La jeune femme se leva, le rejoignit et s'assit à califourchon sur ses cuisses, face à lui.

— Et nous allons tous mourir, dit-elle. Ce qui ne rend rien de tout ça plus facile.

Pas tous.

— Naomi, réunis le reste de l'équipage, la Marine et Avasarala. Dans la coquerie. J'ai une dernière annonce à faire. Je vous retrouve là-bas dans dix minutes.

Elle déposa un baiser léger sur la pointe de son nez.

— D'accord. On sera tous là.

Quand elle fut partie, Holden ouvrit le casier principal du poste de quart. À l'intérieur se trouvaient une série de carnets de déchiffrement dépassés depuis très longtemps, un code des lois internes de la Flotte martienne et une arme de poing tirant des projectiles à gel balistique, avec deux chargeurs pleins. Il prit le pistolet, le chargea et attacha la ceinture et l'étui à sa taille.

Ensuite il revint à la station comm et plaça le paquet de données d'Avasarala dans une transmission par faisceau de ciblage qui rebondirait de Cérès à Mars puis à Luna et enfin la Terre, en n'empruntant que des routeurs publics tout du long. Il était peu probable que la manœuvre attire l'attention. Il enfonça la touche d'enregistrement vidéo et déclara :

— Salut, mère. Jette un œil à ça. Montre-le à la famille. Je ne sais pas du tout comment tu sauras que c'est le moment de l'utiliser, mais si ce moment devait arriver, fais-en le meilleur usage possible. Je vous fais confiance, tous, et je vous aime.

Avant qu'il puisse ajouter quelque chose ou se raviser, il lança la transmission, puis il éteignit le panneau.

Il appela l'ascenseur, parce que cela lui prendrait plus longtemps que de gravir l'échelle fixe, et il avait besoin de quelques instants supplémentaires pour réfléchir à la meilleure façon de jouer les dix minutes à venir. Quand il arriva sur le pont d'équipage, il n'avait pas encore complètement décidé de la façon dont il allait procéder, mais il était trop tard pour reculer. Il redressa les épaules et entra dans la coquerie.

Amos, Alex et Naomi étaient installés d'un côté de la table, face à lui. Comme à son habitude, Prax s'était perché sur le comptoir. Bobbie et Avasarala étaient attablées perpendiculairement aux trois autres, de sorte qu'elles pouvaient le voir. Cette disposition plaçait la Marine à moins de deux mètres de lui, sans aucun obstacle notable entre eux. Selon la suite des événements, cela risquait d'être un problème.

Il posa la main sur la crosse de l'arme à sa ceinture, pour s'assurer que tout le monde remarquait sa présence, et dit :

— Nous disposons d'environ deux jours avant que les bâtiments de la Flotte des Nations unies arrivent assez près pour déborder nos défenses par une salve de torpilles, et détruire ce vaisseau.

Alex acquiesça, mais personne ne parla.

— Nous avons la chaloupe de course de Mao qui nous a amené Avasarala. Elle est toujours attachée à la coque.

C'est un modèle biplace. Nous allons donc mettre deux personnes à son bord et les envoyer loin d'ici. Ensuite nous ferons demi-tour pour foncer droit sur les unités des Nations unies, afin de faire gagner un peu de temps à la chaloupe. Qui sait, nous réussirons peut-être à emporter un destroyer avec nous. Ça nous fera quelques serviteurs dans l'autre monde.

— Moi, je marche, déclara Amos.

— C'est une option envisageable, reconnut Avasarala. Et qui seront les heureux élus ? Et comment nous y prendrons-nous pour empêcher les destroyers de détruire la chaloupe, une fois qu'ils auront anéanti ce vaisseau ?

— Prax et Naomi, déclara Holden immédiatement, pour empêcher d'autres interventions. Prax et Naomi prendront la chaloupe.

— D'accord, fit encore Amos.

— Pourquoi ? demandèrent en chœur Naomi et Avasarala.

— Prax, parce qu'il est le pivot de toute cette affaire. C'est lui qui a tout compris. Et parce que, quand quelqu'un sauvera enfin la gamine, ce serait bien que son père soit toujours là, expliqua Holden avant de tapoter la crosse du pistolet du bout des doigts. Et Naomi parce que je l'ai décidé. Des questions ?

— Non, répondit Alex. Moi, ça me va.

Holden surveillait de près la Marine. Si quelqu'un tentait de le désarmer, ce serait elle. Et elle travaillait pour Avasarala. Que la vieille dame décide qu'elle voulait être à bord du *Razorback* quand la chaloupe partirait, et Bobbie ferait tout pour qu'il en soit ainsi. Mais la géante le surprit en se limitant à lever la main.

— Sergent ? fit-il.

— Deux des six vaisseaux martiens qui suivent ceux des Nations unies sont des croiseurs rapides de classe *Raptor*. Ils peuvent certainement rattraper le *Razorback*, s'ils le décident.

— Mais est-ce qu'ils le décideront ? contra le capitaine. J'ai eu l'impression qu'ils étaient là pour garder à l'œil les unités des Nations unies, rien de plus.

— Bah, sans doute qu'ils ne bougeront pas, mais…

Bobbie laissa la phrase en suspens, et son regard se fit lointain.

— Donc, dit Holden, voilà quel est notre plan d'action : Prax, Naomi, vous rassemblez tout ce qu'il vous faut et vous embarquez sur le *Razorback*. Tous les autres, j'apprécierais beaucoup que vous attendiez ici pendant qu'ils se préparent.

— Une petite minute… commença à protester Naomi.

Avant qu'Holden puisse répondre, Bobbie reprit la parole :

— Eh, vous savez quoi ? Je viens d'avoir une idée.

43

BOBBIE

Ils passaient tous à côté de quelque chose. C'était comme si quelqu'un frappait à une porte située tout au fond de son esprit, pour qu'on lui accorde l'entrée. Bobbie récapitula la situation. Ce salopard de Nguyen montrait tous les signes qu'il était décidé à anéantir le *Rossinante*, qu'il y ait ou non à son bord une figure politique importante des Nations unies. Avasarala avait misé sur sa présence pour l'en dissuader, et apparemment elle avait perdu son pari. Six destroyers des Nations unies fonçaient toujours sur eux.

Mais eux-mêmes avaient six autres vaisseaux de guerre aux trousses.

Y compris, comme elle venait de le préciser à Holden, deux croiseurs d'attaque rapide de classe *Raptor*. Le *nec plus ultra* de l'arsenal militaire martien, et dès adversaires redoutables pour n'importe quel destroyer des Nations unies. Par ailleurs ces deux unités étaient accompagnées de quatre destroyers martiens. Qu'ils soient ou pas plus performants au combat que leurs homologues des Nations unies, ces bâtiments additionnés aux croiseurs développaient une puissance de feu significative. Et ils suivaient les vaisseaux des Nations unies pour s'assurer que ceux-ci ne fassent rien de nature à accentuer l'escalade guerrière.

Comme tuer une des seules personnalités politiques des Nations unies qui ne cherche pas le conflit ouvert avec Mars.

— Eh, vous savez quoi ? lança-t-elle avant de savoir ce qu'elle allait dire. Je viens d'avoir une idée…

Le silence s'établit dans la coquerie.

Elle se remémora subitement et sans aucun plaisir sa prise de parole dans la salle de conférences, avec tous ces galonnés, quand elle avait ruiné sa carrière militaire en quelques phrases. Le capitaine Holden, le beau gosse qui se prenait un peu trop au sérieux, la couvait d'un regard fixe qui ne lui parut pas particulièrement amène. Il était l'image vivante de quelqu'un de très irrité qui vient de perdre le fil de ses pensées en plein discours enflammé. Et Avasarala la dévisageait aussi. Mais Bobbie avait appris à décrypter les expressions de la vieille dame, et pour le moment elle ne détectait aucune colère sur ses traits. Seulement de la curiosité.

— Voilà, fit-elle après s'être éclairci la voix. Il y a six vaisseaux martiens qui suivent ces bâtiments des Nations unies. Et les unités martiennes les surclassent nettement. Les deux flottes sont en alerte maximale.

Personne ne réagit, par le geste ou la parole. La curiosité d'Avasarala s'était transformée en une mimique dubitative.

— Donc, continua Bobbie, ils accepteraient peut-être de nous appuyer.

La vieille dame se renfrogna un peu plus.

— Et pourquoi se soucieraient-ils de prendre ma foutue défense pour empêcher que ma propre foutue flotte me tue ?

— Qu'est-ce qu'on a à perdre si on leur pose la question ?

— Rien, intervint Holden. Je pense qu'on n'a rien à perdre. Tout le monde ici est de cet avis ?

— Qui les contactera ? demanda Avasarala. Celle qui les a trahis ?

Ces mots lui firent l'effet d'un coup de poing au ventre, mais Bobbie comprit immédiatement ce que l'assistante au sous-secrétaire voulait lui démontrer. Elle lui assenait la pire réponse que pourraient lui faire les Martiens. Pour juger de sa réaction.

— D'accord, je veux bien ouvrir la porte, répondit la Marine. Mais ce sera à vous de les convaincre.

Avasarala la regarda sans ciller un très long moment, avant de lâcher :

— Entendu.

— Veuillez répéter, *Rossinante*, dit le commandant martien.

La communication était aussi claire que s'il se tenait dans la même pièce qu'eux. Ce n'était donc pas la qualité sonore de l'échange qui le déconcertait. Avasarala répéta lentement ce qu'elle avait dit, en prenant soin de bien articuler :

— Ici Chrisjen Avasarala, assistante au sous-secrétaire à l'Exécutif des Nations unies. Je suis actuellement en route pour le système jovien, en mission de maintien de la paix, et je suis l'objet d'une menace d'agression imminente par un élément renégat de la Flotte des Nations unies. Sauvez-moi, nom de Dieu ! Je vous récompenserai en dissuadant mon gouvernement de vitrifier votre planète.

— Je vais devoir en référer à ma hiérarchie, répondit le commandant.

Ils n'utilisaient pas de lien vidéo, mais le sourire était perceptible dans sa voix.

— Appelez qui vous avez besoin d'appeler, répliqua-t-elle. Mais prenez une décision avant que ces enfoirés se mettent à faire pleuvoir les missiles sur moi. D'accord ?

— Je vais faire de mon mieux, madame.

La maigrichonne – celle qui s'appelait Naomi – mit fin à la transmission et se tourna vers elle.

— Encore une fois : Pourquoi nous aideraient-ils ?

— Mars ne veut pas la guerre, répondit Bobbie en espérant qu'elle ne se faisait pas des idées. S'ils découvrent que la voix de la raison des Nations unies se trouve à bord d'un vaisseau sur le point d'être détruit par des unités va-t-en-guerre des mêmes Nations unies, il est logique qu'ils interviennent.

— J'ai l'impression que vous vous faites des idées, là, remarqua Naomi.

— De plus, je viens de les autoriser à prendre pour cible des unités de la Flotte des Nations unies sans risque de répercussions politiques, fit valoir Avasarala.

— Même s'ils acceptent de nous aider, dit Holden, ils ne pourront pas empêcher les vaisseaux des Nations unies de nous tirer dessus. Il nous faut définir un plan de manœuvre.

— On vient juste de le décider, grogna Amos.

— Je maintiens : on case Prax et Naomi sur le *Razorback*, insista Holden.

— Et moi, je commence à trouver que c'est une mauvaise idée, rétorqua Avasarala.

Elle but une gorgée de café et fit la grimace. Ses cinq tasses de thé quotidiennes lui manquaient de plus en plus.

— Expliquez, dit le capitaine.

— Eh bien, si les Martiens décident de se ranger de notre côté, ça change tout pour ces vaisseaux des Nations unies. Ils ne pourront pas nous avoir tous les sept, si je comprends bien votre calcul.

— Exact, approuva Holden.

— Du coup, il est dans leur intérêt de ne pas rester dans les livres d'histoire comme des éléments incontrôlés. Si les manigances de Nguyen échouent, tous les gens qui l'ont suivi finiront devant une cour martiale, au mieux. La meilleure façon de s'assurer que ça n'arrive pas consiste à s'assurer que je ne survive pas à cet engagement, quel que soit le camp qui l'emportera au final.

— En clair, ils vont prendre le *Rossi* pour cible, et pas la chaloupe, résuma Naomi.

— Bien sûr, dit Avasarala avec un rire bas. Parce que c'est sur la chaloupe que je me trouverai. Vous pensez une seconde qu'ils vous croiront en train de défendre désespérément un vaisseau spatial à bord duquel *je ne suis pas* ? Et je parie que le *Razorback* n'est pas équipé de CDR comme ceux dont nous avons parlé. Je me trompe ?

À la surprise de Bobbie, Holden acquiesçait aux propos de la vieille dame, alors que la Martienne l'avait déjà classé dans la catégorie des Je-sais-tout qui n'aiment que leurs propres idées.

— Oui, vous avez absolument raison, dit le capitaine. Ils balanceront tout ce qu'ils ont sur le *Razorback* dès que la chaloupe tentera de fuir, et elle sera sans défense.

— Ce qui revient à dire que nous sommes condamnés à tous survivre ou mourir à bord de ce vaisseau, soupira Naomi. Comme d'habitude.

— Donc, je le répète, il nous faut un plan, dit Holden.

— Votre équipage est plutôt réduit, nota Bobbie, contente que la conversation ait réinvesti son champ d'expertise. Quel est le poste attitré de chacun ?

— Officier des ops, répondit Holden en désignant Naomi. Elle s'occupe aussi des systèmes électroniques de combat et des contre-mesures. Et c'est un génie, si l'on considère qu'elle n'a jamais étudié ces domaines avant d'embarquer sur le *Rossi*.

— Ingénieur en mécanique, poursuivit Holden en pointant le doigt sur Amos.

— Mécano, coupa le géant. Je fais mon possible pour que ce taxi ne tombe pas en pièces détachées après avoir pris des pruneaux.

— En général, je tiens le poste de combat principal, ajouta Holden.

— Qui est votre mitrailleur ? demanda Bobbie.

— Présent, répondit Alex en se tapotant la poitrine du pouce.

— Vous pilotez et vous vous occupez de l'acquisition de cible ?

La peau déjà brune d'Alex s'assombrit un peu plus. La Martienne trouvait de moins en moins exaspérant et de plus en plus charmant son accent de Mariner Valley. Et le pilote rougissait très joliment.

— Ah, euh, non. La plupart du temps, c'est le capitaine qui effectue l'acquisition depuis le poste de combat principal. Mais je dois surveiller le contrôle de tir.

— Eh bien, alors c'est réglé, dit Bobbie en se tournant vers Holden. Confiez-moi les armes.

— Sans vouloir vous vexer, sergent… commença le capitaine.

— Mitrailleur, répliqua la Marine.

— Mitrailleur, enregistra-t-il avec un hochement de tête. Mais… Vous êtes qualifiée pour diriger les tirs sur un vaisseau de la Flotte ?

Elle décida de ne pas se vexer et réussit même à lui sourire.

— J'ai vu vos tenues et les armes que vous aviez, devant le sas. Vous avez trouvé un EAM dans la soute, pas vrai ?

— Un EAM ? interrogea Avasarala.

— Équipement pour assaut mobile. Le matériel de combat des Marines. Pas aussi bien que ma combi de reconnaissance, mais suffisant pour supporter une demi-douzaine de g.

— Oui, répondit Holden. C'est bien là qu'on a eu tout ça.

— Parce que vous êtes à bord d'un vaisseau d'attaque rapide multifonctions. Son côté bombardier-torpilleur, ce n'est qu'un des rôles qu'il peut prendre. Il sert aussi aux missions d'abordage. Et le sergent mitrailleur est un poste qui a un sens très précis.

— Ouais, approuva Alex. Spécialiste en matériel offensif.

— Je me dois d'être efficace avec tous les systèmes d'armes dont ma section ou ma compagnie pourrait avoir l'usage pendant un déploiement classique. Y compris la maîtrise des systèmes d'armement d'une unité d'assaut, comme celle-ci.

— Je vois, fit Holden qui allait ajouter quelque chose, mais Bobbie le prit de vitesse :

— Vous avez votre mitrailleur.

Comme trop souvent dans l'existence de la Marine, le poste d'officier mitrailleur avait été conçu pour quelqu'un de nettement plus menu qu'elle. Le harnais cinq-points mordait dans ses hanches et ses épaules. Même en reculant le siège au maximum, la console de tir était encore un peu trop proche pour qu'elle puisse reposer confortablement ses avant-bras sur les bords. Cette gêne poserait un problème s'ils devaient manœuvrer à plusieurs g, ce qui ne manquerait pas de se produire en phase de combat.

Elle coinça les coudes de son mieux, pour que ses bras ne se déboîtent pas pendant les poussées violentes, et se trémoussa à l'intérieur de son harnais. En vain. Elle devrait s'y faire.

Du poste situé derrière elle et en hauteur, Alex dit :

— Ce sera rapidement fini, d'une façon ou d'une autre. Vous n'aurez probablement pas le temps de vous sentir trop mal à l'aise.

— C'est rassurant.

Holden prit la parole par le système comm :

— Nous sommes maintenant dans leur champ de tir effectif. Ils peuvent engager immédiatement, ou dans vingt heures. Alors gardez votre harnais bouclé. Ne quittez votre poste qu'en cas d'urgence menaçant votre survie, ou sur mon ordre direct. J'espère que tout le monde a installé son cathéter.

— Le mien est trop petit, dit Amos.

Alex lui répondit, et l'écho de sa voix résonna sur le canal comm une fraction de seconde plus tard :

— C'est un cathéter modèle préservatif, camarade. Il faut le mettre *à l'extérieur*.

Bobbie ne put s'empêcher de rire et tendit la main derrière elle jusqu'à ce que le pilote la claque de la sienne.

— Ici, aux ops, tout est au vert, annonça Holden. Chacun vérifie son poste.

— Tout est OK aux commandes de vol, dit Alex.

— *Idem* aux systèmes de combat, fit Naomi.

— Impec ici aussi, ajouta Amos.

— Armement prêt à servir, dit enfin Bobbie.

Même saucissonnée dans un siège de deux tailles trop petit pour elle, à bord d'un vaisseau martien volé que commandait un des hommes les plus recherchés dans les planètes intérieures, c'était vraiment bon de se trouver là. Elle retint une exclamation de joie et afficha l'écran de menaces d'Holden. Il avait déjà marqué les six destroyers à leur poursuite. Elle sélectionna l'appareil de pointe et laissa le *Rossinante* trouver une solution de ciblage adaptée. Les systèmes calculèrent les probabilités de tir au but à moins d'un dixième de pour cent. Elle passa d'un destroyer à l'autre pour s'accoutumer aux commandes et à leur temps de réponse. Puis elle afficha les spécifications techniques d'un des vaisseaux poursuivants.

Quand elle se lassa de lire ces données, elle bascula sur l'écran tactique. Un petit point vert poursuivi par six points rouges un peu plus gros, à leur tour poursuivis pas six points bleus. L'affichage était erroné. Les appareils de la Terre auraient dû être bleus, les martiens rouges. Elle demanda aux systèmes d'inverser les couleurs. Le *Rossi* était orienté vers les autres vaisseaux. Sur l'écran, ils semblaient converger. Dans la réalité, leur unité était en pleine décélération afin que les bâtiments des Nations unies le rattrapent plus vite. Les treize appareils se dirigeaient tous vers le soleil, le *Rossi* le faisait simplement à reculons.

Bobbie consulta l'horloge et vit que son exploration des commandes avait pris moins de quinze minutes.

— Je déteste attendre le combat.

— Tout comme moi, sœurette, dit Alex.

— Il n'y a pas de jeux, sur cette bécane ? demanda-t-elle en pianotant sur la console.

— Le jeu des initiales ? proposa Alex. Un truc qui commence par un *D*.

— Destroyer, répondit-elle aussitôt. Six tubes lance-torpilles, huit canons de défense rapprochée et un canon axial électromagnétique.

— Bien deviné. À vous de jouer.

— Je déteste vraiment attendre le combat.

Quand la bataille s'engagea, elle fut immédiatement totale. Bobbie avait cru qu'il y aurait d'abord quelques tirs de repérage. Une poignée de torpilles lancées de très loin, juste pour voir si l'équipage du *Rossinante* avait une parfaite maîtrise des systèmes d'armes et si ceux-ci fonctionnaient tous. Mais les bâtiments des Nations unies avaient réduit la distance quand le *Rossinante* avait freiné.

Elle regardait les six vaisseaux qui se rapprochaient de plus en plus de la ligne rouge délimitant sur l'écran la zone de menace. Une fois franchie, une salve générale de ces destroyers déborderait le système de défense du *Rossi*.

Dans le même temps les six unités martiennes avançaient vers la ligne verte qui à l'affichage symbolisait leur distance de tir optimale pour engager les bâtiments des Nations unies. C'était une partie géante du *jeu de la poule mouillée*, et chacun attendait de voir qui flancherait le premier.

Alex jonglait avec la gestion de leur décélération, pour essayer de s'assurer que les Martiens arriveraient à portée de leurs cibles avant que les Terriens puissent tirer sur le *Rossinante*. À la seconde où l'engagement se déclencherait, il baisserait la poussée pour traverser la zone active de combat aussi vite que possible. C'était pour cette raison qu'ils allaient à la rencontre des vaisseaux des Nations unies. Fuir les aurait simplement maintenus à portée de tir plus longtemps.

Un des points rouges – un croiseur d'attaque rapide martien – franchit la ligne verte, et les alarmes se mirent à hululer dans tout le *Rossi*.

— Ils ne traînent pas, commenta Naomi. Le croiseur vient de lancer huit torpilles !

Bobbie les voyait sur son écran. De petits points jaunes qui virèrent à l'orange en accélérant. Les vaisseaux des Nations unies ripostèrent aussitôt. La moitié d'entre eux fit demi-tour pour affronter l'ennemi et ouvrit le feu avec les canons électromagnétiques et le système de défense rapprochée. Sur l'affichage tactique, l'espace entre les adversaires s'emplit soudain de points jaune orangé.

— En approche ! s'écria Naomi. Six torpilles en trajectoire d'interception.

Une demi-seconde plus tard, leur vecteur et leur vitesse apparurent sur l'écran de contrôle des CDR, devant Bobbie. Holden n'avait pas menti. La Ceinturienne efflanquée était vraiment douée. Son temps de réaction était stupéfiant. Bobbie marqua les six torpilles pour le système d'acquisition des canons de défense, et le vaisseau se mit à vibrer quand ils commencèrent à tirer sur un staccato rapide.

— Prise de jus, avertit Alex.

La Marine sentit son siège lui piquer la peau à douze endroits différents. Le froid glacé de l'injection multiple se répandit dans ses veines, se transformant très vite en une brûlure intense. Elle secoua la tête pour lutter contre la compression en tunnel de son champ de vision, tandis qu'Alex entamait le décompte :

— Trois… Deux…

Il ne dit jamais *Un*. Le *Rossinante* tout entier parut percuter Bobbie par-derrière et l'écrasa au fond de son siège anti-crash. Au dernier instant elle se rappela qu'elle devait garder les coudes alignés, ce qui lui évita de se briser les bras quand toutes les parties de son corps essayèrent de se précipiter en arrière sous la pression de dix g.

Sur l'écran des menaces, les six torpilles de la première salve tirée sur eux s'éteignirent une à une à mesure que le *Rossi* les visait et les détruisait. D'autres torpilles avaient été lancées, mais à présent tous les appareils martiens avaient engagé les Terriens, et l'espace autour des vaisseaux était devenu un entrelacs de traînées vectorielles ponctuées de détonations. Bobbie ordonna au *Rossi* de viser tout objet en trajectoire d'approche et de le détruire avec les canons de défense rapprochée, et elle s'en remit à la technologie martienne et à la bienveillance de l'univers.

Elle bascula un des écrans sur les caméras avant, le transformant en une fenêtre ouverte sur la bataille. Devant elle, le ciel était empli d'éclairs éblouissants et de nuages de gaz en expansion signalant l'explosion des torpilles. Les vaisseaux des Nations unies avaient décidé que ceux de Mars représentaient la menace prioritaire, et les six faisaient maintenant front. Bobbie afficha le visuel des menaces sur l'écran vidéo, et subitement l'espace fourmilla d'éclats lumineux incroyablement rapides tandis que le programme de détection des menaces soulignait la position de chaque torpille et de chaque projectile.

Le *Rossinante* approchait rapidement les destroyers des Nations unies, et la poussée chuta à deux g.

— À nous de jouer, dit Alex.

Bobbie activa le système de visée des torpilles et cibla les cônes d'expulsion de deux des vaisseaux.

— Deux lâchées, annonça-t-elle en lançant sa première paire de poissons dans l'océan.

Les sillages brillants éclairèrent le ciel en s'éloignant. L'indicateur de tir passa au rouge pendant que le vaisseau rechargeait les tubes. Elle sélectionna les cônes de poussée des deux destroyers suivants. Dès que le voyant de l'indicateur passa au vert, elle tira. Elle se cala aussitôt sur les deux derniers destroyers, puis vérifia la progression de ses premières torpilles. Elles avaient disparu, détruites par les CDR arrière des destroyers. Une vague de taches lumineuses se déplaça vivement vers eux, et Alex lança le vaisseau dans une glissade latérale pour les esquiver.

La manœuvre ne fut pas suffisante. La lumière jaune gyroscopique d'alerte atmosphérique se mit à tournoyer dans le cockpit, et une alarme mugit.

— Nous sommes touchés, dit calmement Holden. J'espère que tout le monde a bien vissé son chapeau.

Le capitaine coupa le système d'aération, et les sons à bord s'amenuisèrent jusqu'à ce que Bobbie n'entende plus que sa propre respiration et le sifflement très bas du canal comm de son casque.

— Waouh, fit Amos sur la radio interne. Trois impacts. De petits projectiles, sans doute ceux des CDR. Ils ont réussi à nous perforer sans rien toucher de vital.

— Un projectile a transpercé ma cabine, annonça le scientifique, Prax.

— Je parie que ça vous a réveillé, railla Amos.

— Je me suis fait dessus, répliqua le botaniste, sans la moindre trace d'humour.

— Du calme, recommanda Holden, mais il n'y avait pas de malice dans le ton employé. N'encombrez pas le canal, je vous prie.

Bobbie laissa la part rationnelle de son esprit écouter ces échanges. Elle n'en avait pas l'utilité pour le moment. C'était la partie entraînée à l'acquisition des cibles et au tir des torpilles qui travaillait à plein. Le reptile avait pris les commandes.

Elle ignorait combien de torpilles elle avait tirées quand un énorme éclair de lumière survint. L'écran de la caméra s'éteignit une seconde. Quand l'image réapparut, un des destroyers des Nations unies était coupé en deux, et des pièces détachées de la coque s'éloignaient les unes des autres en virevoltant, suivies d'un fin sillage de gaz et d'une pluie de petits débris. Certains de ces objets expulsés du vaisseau brisé étaient certainement des soldats. Bobbie repoussa cette pensée. Le reptile se réjouit.

La destruction du premier bâtiment des Nations unies changea la donne, et en quelques minutes les cinq autres furent anéantis ou gravement endommagés. Le commandant d'une de leurs unités lança un appel de détresse et signifia immédiatement après qu'il se rendait.

Bobbie étudia l'affichage des écrans. Trois appareils des Nations unies détruits. Trois ayant subi des avaries très sérieuses. Les Martiens avaient perdu deux destroyers, et un de ses deux croiseurs était en piteux état. Le *Rossinante* avait encaissé trois projectiles qui avaient provoqué la fuite de tout l'air, mais il n'avait pas subi d'autres dégâts.

Ils avaient gagné.

— Bordel de merde, souffla Alex. Capitaine, il faut qu'on en ait une avec nous.

Il fallut une minute à Bobbie pour comprendre qu'il parlait d'elle.

— Acceptez toute la gratitude du gouvernement des Nations unies, disait Avasarala au commandant martien.

Ou du moins de la partie du gouvernement des Nations unies que je dirige. Nous nous rendions sur Io, pour faire péter quelques autres vaisseaux, et peut-être stopper l'apocalypse. Vous voulez vous joindre à nous ?

Bobbie ouvrit un canal privé avec Avasarala.

— Nous sommes tous des traîtres, à présent.

— Ah ! s'exclama la vieille dame. Seulement si nous perdons.

44

HOLDEN

Pour un observateur extérieur, les dégâts subis par le *Rossinante* étaient à peine visibles. Les trois tirs des canons de défense avancée avaient touché l'appareil juste avant l'infirmerie et, après l'avoir transpercé légèrement en diagonale, étaient ressortis par le magasin de la salle des machines, deux ponts plus bas. En chemin l'un d'eux avait traversé trois cabines du poste d'équipage.

Holden avait pensé retrouver le petit botaniste à l'état d'épave humaine, surtout après qu'il avait dit s'être fait dessus. Mais quand il était allé le voir après l'engagement, il avait été surpris par la réaction nonchalante du scientifique.

— C'était très surprenant, avait été son seul commentaire.

Il aurait été facile de mettre cette réaction sur le compte du choc. L'enlèvement de sa fille, puis des mois passés sur Ganymède pendant que toutes les structures sociales s'effondraient. Il aurait été assez logique d'interpréter le calme de Prax comme le signe précurseur d'un pétage de plombs intégral. Le pauvre avait déjà craqué une dizaine de fois, et souvent au plus mauvais moment. Mais Holden sentait tout autre chose chez lui. Cet homme était mû par une volonté imperturbable d'aller de l'avant. L'univers pouvait bien l'envoyer cul par-dessus tête encore et encore, mais à moins d'en mourir il se relevait et reprenait sa progression obstinée vers son but. Le capitaine du *Rossi* y voyait le signe que Prax avait sans doute été un très bon scientifique. Électrisé par les plus petites victoires, nullement découragé par les revers, et avançant laborieusement jusqu'à ce qu'il ait atteint la place où il éprouvait le besoin d'être.

Même maintenant, quelques heures seulement après qu'un projectile à haute vélocité avait manqué de peu le couper en deux, le botaniste aidait Avasarala et Naomi à panser les plaies béantes du vaisseau. Personne ne le lui avait demandé. Il était sorti de sa cabine et s'était mis au travail.

Holden s'était arrêté au-dessus d'un impact de balle ayant perforé la coque extérieure de leur corvette. Le petit projectile avait laissé un trou parfaitement rond, presque sans ondulation. Il était passé à travers cinq centimètres de blindage compact à une vitesse telle qu'il ne l'avait même pas froissé.

— Trouvé, annonça-t-il. Aucune lumière n'en sort, donc ils doivent déjà avoir bouché à l'intérieur.

— J'arrive, dit Amos.

Il parcourut la cloison en se dandinant lourdement sur ses bottes magnétiques, un chalumeau portatif à la main. Bobbie suivait dans sa tenue renforcée, portant de grosses plaques de colmatage.

Pendant qu'elle et le mécano s'attelaient à combler les brèches dans la coque extérieure, Holden s'éloigna à la recherche de l'impact suivant. Autour de lui, les trois unités martiennes glissaient dans l'espace avec le *Rossinante*, comme une garde d'honneur. Propulseurs éteints, ils n'étaient visibles que sous la forme de petites taches noires se découpant sur le champ d'étoiles. Même avec le *Rossi* relayant aux systèmes de sa combinaison où regarder et avec l'affichage tête haute du casque pointant leur position, les vaisseaux étaient presque impossibles à discerner.

Sur la visière de son casque, il repéra le croiseur martien seulement quand celui-ci traversa l'écliptique de la

Voie lactée. Pendant un moment, l'appareil découpa sa silhouette noire sur le fond pâle sans âge de quelques milliards d'étoiles. Un faible cône d'un blanc translucide jaillit d'un côté du vaisseau et se noya dans l'obscurité piquetée de lumières. Holden fut pris d'une envie soudaine d'avoir Naomi là, auprès de lui, pour qu'ils profitent ensemble du spectacle, et cette envie était presque douloureuse.

— J'ai oublié à quel point ce pouvait être beau, dehors, lui dit-il à la place par le truchement de leur canal privé.

— Tu rêvasses encore, et tu laisses quelqu'un faire tout le boulot ? répondit-elle.

— Mouais. Parmi ces étoiles, la majorité a des planètes en orbite. Des milliards de mondes. Cinq cents millions de planètes dans la zone habitable, d'après la dernière estimation. Tu crois que nos arrière-petits-enfants en connaîtront ?

— *Nos* petits-enfants ?

— Quand tout ça sera fini.

— N'oublie pas qu'au moins une de ces planètes héberge les maîtres de la protomolécule. Peut-être que nous devrions éviter celle-là.

— Franchement ? C'est celle que j'aimerais voir. Qui a créé cette chose ? Dans quel but ? J'aimerais beaucoup avoir la possibilité de poser ces questions. Au minimum ils ont aussi ce besoin très humain de découvrir chaque recoin habitable et de s'y installer. Il se pourrait que nous ayons plus en commun que nous ne le pensons.

— Ils massacrent tous ceux qui vivaient là avant, remarqua Naomi.

— Bah, nous le faisons depuis l'invention de la lance. Simplement, ils sont très doués pour ça, à un point effrayant d'ailleurs.

— Vous avez trouvé le trou suivant ? demanda Amos sur le canal commun.

Sa voix était une intrusion malvenue. Holden s'arracha à la contemplation du ciel et se remit à examiner le métal sous ses pieds. Grâce à la cartographie des dommages que le *Rossi* affichait en surimpression sur sa visière, il ne lui fallut qu'une poignée de secondes pour localiser un autre impact.

— Oui, juste là, dit-il, et Amos et Bobbie se dirigèrent vers lui.

— Le commandant du croiseur martien cherche à vous contacter, capitaine, annonça Alex depuis le cockpit.

— Basculez l'appel sur ma combi.

— Compris.

Le bruit des parasites radio changea de tonalité.

— Capitaine Holden ?

— Je vous reçois fort et clair. Parlez.

— Ici le commandant Richard Tseng, du croiseur de la Flotte martienne *Cyclonia*. Désolé de n'avoir pu vous contacter plus tôt. J'ai dû m'occuper des dommages subis et prévenir les unités de sauvetage et de réparation.

— Je comprends, commandant, affirma Holden en essayant de repérer le *Cyclonia* une fois de plus, mais sans succès. Je suis dehors, sur la coque, à boucher moi-même les trous d'impact. Je vous ai vus passer il n'y a pas une minute.

— Mon second m'a dit que vous aviez demandé à me parler.

— Exact, et remerciez-la de ma part pour toute l'aide apportée jusqu'à maintenant. Écoutez, nous avons épuisé une bonne partie de nos réserves dans cette escarmouche : quatorze torpilles et presque la moitié de nos munitions pour les CDR. Comme ce vaisseau était martien à l'origine, je me suis dit que vous auriez peut-être du matériel compatible pour recharger notre armement.

— Bien sûr, dit le commandant Tseng sans la moindre hésitation. Le destroyer *Sally Ride* va venir vous approvisionner.

Cette acceptation instantanée surprit Holden. Il s'était préparé à négocier.

— Hem… Merci.

— Je vais vous transmettre l'analyse de l'engagement qu'a faite mon officier de renseignements. Le visionnage devrait vous intéresser. Mais pour résumer, le premier appareil abattu, celui qui a transpercé l'écran de défense des Nations unies et mis fin au combat ? Il vous revient. Je crois qu'ils n'auraient pas dû vous tourner le dos.

— Vous pouvez vous en attribuer le mérite, dit Holden en riant. C'est un sergent des Marines de Mars qui l'a dégommé.

Il y eut un court silence, puis :

— Quand ce sera terminé, j'aimerais vous offrir un verre, que vous m'expliquiez comment un officier de la Flotte des Nations unies en arrive à commander un torpilleur de la FRM avec à bord du personnel militaire martien et une sommité politique des Nations unies.

— L'histoire vaut d'être entendue, reconnut Holden. Dites, puisqu'on parle de Martiens, j'aimerais faire un petit cadeau au mien. Vous avez un détachement de leurs Marines à bord du *Cyclonia* ?

— Affirmatif. Pourquoi ?

— Et il y a des Marines des Forces de reconnaissance, dans ce contingent ?

— Affirmatif. Et encore une fois : pourquoi ?

— Ils sont dotés de certains équipements spécifiques dont nous aurions besoin.

Il précisa l'objet de sa demande, et le commandant Tseng répondit :

— Je vais donner les consignes pour que le *Ride* vous en délivre un lors du transfert d'armement.

Le *Sally Ride*, unité de la Flotte de la République martienne, donnait l'impression d'avoir traversé les combats sans une égratignure. Quand il se rangea le long du *Rossinante*, son flanc sombre paraissait aussi lisse et immaculé que la surface d'une mare ténébreuse. Une fois qu'Alex et le pilote du destroyer eurent réglé à la perfection la concordance de leur vitesse et de leur trajectoire, une grande écoutille s'ouvrit dans le côté du vaisseau martien, d'où s'échappa la lumière rouge feutrée de l'éclairage d'urgence. Deux grappins magnétiques furent tirés et relièrent les appareils par dix mètres de câbles.

— Ici le lieutenant Graves, dit une voix féminine aux inflexions presque adolescentes. Prêts pour commencer le transfert de chargement. Attendons vos ordres.

D'après son timbre vocal, le lieutenant aurait pu être encore au lycée, mais Holden répondit :

— Allez-y. Nous sommes prêts, ici.

Après avoir basculé sur le canal de Naomi, il lâcha :

— Ouvre notre bocal, un nouveau poisson va monter à bord.

À quelques mètres de lui, une grande écoutille noyée dans la paroi découpa la coque du vaisseau sur huit mètres de long et un de hauteur. Un système complexe de rails et de mécanismes bordait les deux extrémités de l'ouverture. Au fond on apercevait trois des torpilles restantes du *Rossinante*.

— Sept là-dedans, indiqua Holden en pointant le doigt sur elles. Et sept de l'autre côté.

— Compris, dit Graves.

La longue forme blanche fuselée d'une torpille au plasma apparut par l'écoutille ouverte du *Ride*, entourée de formes humaines portant des combinaisons de sortie dans l'espace. Expulsant de petites bouffées d'azote comprimé, elles guidèrent la torpille le long des deux rails de guidage et jusqu'au *Rossi*. Puis, avec l'aide de Bobbie dans sa tenue à puissance augmentée, ils manœuvrèrent tous l'engin pour l'amener à sa position en haut du rack.

— Première en position, annonça la Martienne.

— Je l'ai, répondit Naomi.

Une seconde plus tard, les rails motorisés se mirent en marche, agrippèrent la torpille et la firent descendre dans le magasin.

Holden consulta le temps écoulé sur son affichage tête haute. Le transfert et le chargement des quatorze torpilles allaient prendre des heures.

— Amos, vous êtes où ?

— Je termine le dernier colmatage dans le magasin de la salle des machines, dit le mécanicien. Besoin de quelque chose ?

— Quand vous aurez fini, prenez deux tenues de sortie. On va aller ensemble chercher le reste du matos. Il devrait y avoir trois caisses de munitions pour les CDR et quelques bricoles.

— C'est bon, je viens de terminer à l'instant. Naomi, vous voulez bien me déverrouiller la lourde de la soute ?

Holden observa les manœuvres de Bobbie et des hommes du *Ride*. Ils chargèrent deux torpilles de plus avant qu'Amos arrive avec les deux combinaisons.

— Lieutenant Graves, permission de monter à bord et de prendre le reste du matériel pour deux hommes du *Rossinante*.

— Permission accordée, *Rossinante*.

En gravité normale, les munitions pour les CDR étaient conditionnées en caisses de vingt mille unités qui auraient pesé quelque cinq cents kilos. Dans la microgravité existant entre les vaisseaux arrimés, deux personnes en combinaison pressurisée pouvaient en manipuler une si elles prenaient leur temps et rechargeaient leur réserve d'azote comprimée après chaque transfert. Sans un mécanisme de récupération ou une navette de transfert à disposition, il n'y avait pas d'autre choix.

Chaque caisse devait être poussée lentement vers l'arrière du *Rossinante* grâce au propulseur incorporé à la combi d'Amos, durant vingt secondes. Quand le colis arrivait à la poupe du vaisseau, près de l'accès à la soute,

Holden effectuait une impulsion égale avec sa tenue afin de stopper la caisse. Ensuite les deux hommes la manœuvraient ensemble à l'intérieur et l'arrimaient à une cloison. L'opération était longue, et pour le capitaine au moins elle comportait un moment angoissant, quand il allumait les freins pour arrêter le colis. Chaque fois, il éprouvait un bref moment de panique en imaginant que son propulseur le trahisse et que la caisse de munitions dérive dans l'espace sous les yeux d'Amos. C'était ridicule, bien sûr. Le mécano pouvait facilement prendre un propulseur neuf et venir le chercher, ou bien le vaisseau pouvait faire machine arrière, ou le *Ride* envoyer une navette de sauvetage, sans compter un grand nombre d'autres solutions pour le récupérer rapidement.

Mais les humains ne vivaient et ne travaillaient pas dans l'espace depuis assez longtemps pour que la partie primitive de leur cerveau ne dise pas : *Je vais tomber. Je vais tomber éternellement.*

Les hommes du *Ride* finirent de transborder les torpilles à peu près au moment où Holden et Amos fixaient la dernière caisse de munitions dans la soute.

— Naomi, dit Holden sur le canal ouvert, tout est OK ?

— Tout a l'air d'être au vert, ici. Toutes les nouvelles torpilles sont raccordées aux systèmes du *Rossi* et cataloguées fonctionnelles.

— Remarquable. Amos et moi entrons par le sas de la soute. Verrouillage derrière nous. Alex, dès que Naomi donnera le signal que tout est prêt, faites savoir au *Cyclonia* que nous pouvons mettre la sauce jusqu'à Io quand il plaira au commandant.

Pendant que l'équipage préparait le vaisseau pour le voyage vers Io, Holden et Amos se débarrassèrent de leur combinaison qu'ils rangèrent dans le magasin. Six disques gris, trois sur chaque cloison du compartiment, montraient les endroits où les projectiles avaient transpercé cette partie du vaisseau.

— Qu'est-ce qu'il y a dans cette autre caisse que les Martiens vous ont confiée ? demanda Amos en ôtant une de ses énormes bottes magnétiques.

— Un cadeau pour Bobbie, dit Holden. J'aimerais que ça reste un secret jusqu'à ce que je le lui donne, d'accord ?

— Sûr, aucun problème, cap. Et si c'est une douzaine de roses à longues tiges, je ne veux pas être là quand Naomi le découvrira. En plus, vous savez, Alex…

— Non, c'est quelque chose de beaucoup plus pratique que des roses, commença à répondre Holden, avant d'analyser la dernière phrase du mécano. Alex ? Qu'est-ce qu'il y a, avec Alex ?

Amos eut le geste des Ceinturiens équivalant à un haussement d'épaules.

— M'étonnerait pas qu'il ait un petit faible pour notre impressionnante Marine.

— Vous voulez rire ?

Holden ne parvenait même pas à l'imaginer. Non que Bobbie n'ait pas un certain charme. Loin de là. Mais elle était aussi très grande, et plutôt intimidante. Et Alex était un garçon si tranquille, si pondéré… Bien sûr, ils étaient tous deux Martiens, et si cosmopolite que vous puissiez devenir, il y avait toujours quelque chose de réconfortant dans tout ce qui pouvait vous rappeler vos racines. Le simple fait d'être les deux seuls Martiens à bord était peut-être suffisant. Mais Alex approchait la cinquantaine, il acceptait sa calvitie conquérante sans se plaindre, de même que ses poignées d'amour, avec la résignation calme d'un homme d'âge mûr. Le sergent Draper ne devait pas avoir plus de trente ans et elle évoquait une illustration de bande dessinée, avec des muscles sur ses propres muscles. Incapable de s'en empêcher, il se prit à essayer d'imaginer comment ces deux-là pourraient aller ensemble. Et ça ne collait pas.

— La vache, fut tout ce qu'il trouva à dire. Et c'est réciproque ?

— Aucune idée, répondit Amos avec une moue. Le sergent n'est pas facile à décrypter. Mais je ne crois pas qu'elle lui ferait délibérément du mal, si c'est ce qui vous tracasse. Et c'est heureux : dans le cas contraire, on ne pourrait pas l'en empêcher, vous savez.

— Elle vous effraie aussi, hein ?

Le mécano grimaça.

— Écoutez, question castagne, je suis ce qu'on peut appeler un amateur assez doué. Mais j'ai bien étudié la dame, avec et sans son joli costume mécanique. C'est une pro. On ne joue pas dans la même catégorie.

La gravité revenait progressivement à bord. Alex accroissait la propulsion, ce qui signifiait qu'ils entamaient leur trajet vers Io. Holden se leva et s'accorda un moment pour laisser ses articulations s'adapter au retour de la sensation de son propre poids. Il donna une tape dans le dos du mécanicien et dit :

— Bon, vous avez fait le plein de torpilles et de munitions, trois vaisseaux martiens derrière vous, une vieille dame acariâtre en manque de thé, et une Marine de Mars qui pourrait probablement vous tuer avec vos propres dents : qu'est-ce que vous faites ?

— À vous de me le dire, cap.

— Vous trouvez à tout ce petit monde quelqu'un d'autre à combattre.

45

AVASARALA

— Comme je vois les choses, monsieur, les dés sont déjà jetés, déclara Avasarala. Dans les faits, nous avons déjà deux lignes politiques en place. La question est maintenant de savoir comment nous avançons nos pions. Jusqu'à maintenant j'ai réussi à faire en sorte que l'information ne fuite pas, mais quand ça arrivera, les effets seront dévastateurs. Et comme il est presque certain que cette saloperie est capable de communiquer, les risques d'une utilisation militaire efficace de ces hybrides humain/protomolécule sont quasiment inexistants. Si nous nous servons de cette arme, nous allons créer une seconde Vénus, commettre un génocide et lever tout frein moral à l'usage d'astéroïdes propulsés contre la Terre elle-même.

“J'espère que vous excuserez l'expression, monsieur, mais c'était une foutue foirade depuis le début. Les dégâts occasionnés à la sécurité de l'humanité sont littéralement inimaginables. À ce stade, il semble clair que le projet de la protomolécule en train sur Vénus est conscient des événements qui se produisent dans le système jovien. Il est plausible que les échantillons là-bas aient connaissance des informations récoltées par la destruction de l'*Arboghast*. Dire que ça rend notre position problématique, c'est faire dans l'euphémisme grossier.

“Si tout avait transité par les canaux appropriés, nous ne nous retrouverions pas dans cette position. Dans le cas présent, j'ai fait tout ce qui était en mon pouvoir, vu la situation. La coalition que j'ai créée entre Mars, des éléments de la Ceinture et le gouvernement légitime de la Terre est prête à agir. Mais les Nations unies doivent marquer leurs distances avec ce plan et prendre immédiatement les mesures nécessaires pour isoler et limer les crocs de la faction à l'intérieur du gouvernement qui est l'auteur de toute cette entourloupe merdique. Une fois encore, excusez l'expression.

"J'ai envoyé copie des données incluses ici aux amiraux Souther et Leniki, ainsi qu'à votre équipe qui travaille sur le problème Vénus. Elles sont bien entendu à votre disposition pour répondre à toute question, si je ne suis pas disponible.

"Je suis absolument désolée de vous mettre dans une telle position, mais vous aller devoir choisir un camp. Les événements ici ont généré leur propre effet d'entraînement. Si vous voulez être du bon côté, au regard de l'histoire, vous devez vous décider maintenant.

En admettant qu'il y ait une histoire avec laquelle se positionner justement, songea-t-elle. Elle chercha quelque chose à ajouter, un autre argument capable de pénétrer la vieille gangue de bois qui entourait le cerveau du secrétaire général. Il n'y en avait aucun, et se répéter sur le ton de la comptine serait certainement perçu comme condescendant. C'est pourquoi elle stoppa l'enregistrement, ôta les dernières secondes où elle fixait sur l'objectif un regard désespéré, et envoya l'ensemble avec tous les paramètres de priorité absolue que le cryptage diplomatique autorisait.

On en était donc là. Toute la civilisation humaine, tout ce qu'elle avait réussi à faire, depuis les premières peintures rupestres jusqu'à la sortie laborieuse du puits de gravité et les percées pour atteindre l'antichambre des étoiles, tout cela se résumait à savoir si un homme dont le plus grand acte de gloire avait été de faire de la prison pour avoir joué au rimailleur aurait le cran de soutenir Errinwright. Sous ses pieds elle sentit le vaisseau qui corrigeait sa trajectoire, dérapant comme un ascenseur qui sort de ses rails. Elle essaya de se mettre en position assise, mais la couche sur cardans bougea. Seigneur, comme elle détestait voyager dans l'espace…

— Est-ce que ça va marcher ?

Le botaniste se tenait sur le seuil de la pièce. Il était aussi mince qu'une brindille, avec une tête paraissant un peu trop grosse par rapport au corps. Il n'était pas bâti aussi bizarrement qu'un Ceinturien, mais on ne pouvait le confondre avec quelqu'un ayant atteint l'âge adulte dans une gravité normale. Planté là, à chercher quoi faire de ses mains, il semblait embarrassé, un peu perdu et légèrement irréel.

— Je l'ignore, répondit-elle. Si j'étais là-bas, tout se passerait comme je le souhaite. Je pourrais aller broyer quelques testicules jusqu'à ce qu'ils voient les choses à ma façon. Mais en agissant d'ici ? Peut-être. Peut-être pas.

— Vous pouvez parler à n'importe qui depuis ici, quand même ?

— Ce n'est pas la même chose.

Il acquiesça et parut se replier sur lui-même. En dépit de la différence de gabarit physique et de complexion, cet homme lui fit subitement penser à Michael-Jon. Il lui paraissait pénétré du même sentiment d'être en retrait de tout d'un demi-pas. À ceci près que là où le détachement de Michael-Jon frôlait l'autisme, Praxidike Meng était un peu plus visiblement intéressé par les gens l'entourant.

— Ils ont acheté Nicola, dit-il. Ils l'ont poussée à raconter ces choses horribles sur moi. Sur Mei.

— Bien sûr, ils ont fait ça. C'est ainsi qu'ils procèdent. Et s'ils le désiraient, ils auraient tous les documents et les rapports de police pour confirmer leurs affirmations, antidatés et introduits dans toutes les bases de données de tous les endroits où vous avez vécu.

— Des gens croient que je l'ai vraiment fait, et je déteste cette seule idée.

Elle approuva d'un hochement de tête, mais fit la moue.

— La réputation a rarement beaucoup à voir avec la réalité. Je pourrais vous nommer une demi-douzaine de prétendus parangons de vertu qui sont des êtres répugnants, mauvais, à l'âme vérolée. Et certains des êtres humains les plus valables que je connais, vous sortiriez de la pièce si je prononçais leur nom. Sur l'écran, aucune personne ne correspond à ce qu'elle est réellement, pas quand vous respirez le même air qu'elle.

— Holden, lâcha Prax.

— Eh bien, lui, c'est une exception.

Le botaniste baissa les yeux, les releva, l'air presque contrit.

— Mei est probablement morte, dit-il.

— Vous ne le croyez pas.

— Beaucoup de temps a passé. Même s'ils avaient son traitement, ils l'ont probablement transformée en une de ces… choses.

— Vous n'y croyez pas quand même, insista-t-elle.

Le petit homme se pencha un peu en avant, sourcils froncés comme si elle venait de lui exposer un problème qu'il n'arrivait pas à résoudre immédiatement.

— Dites-moi que rien ne s'oppose au bombardement de Io. Je peux déclencher le lancement de trente têtes nucléaires dans l'instant. On coupe la propulsion, et on laisse la balistique faire le reste. Certaines ne passeront pas, mais certaines arriveront à destination. Dites oui maintenant, et je fais vitrifier Io avant même qu'on l'atteigne.

— Vous avez raison, déclara-t-il et, après une seconde : Pourquoi vous ne le faites pas ?

— Vous voulez la véritable raison, ou ma justification ?

— Les deux ?

— Je justifie la chose de la sorte : je ne sais pas ce qu'il y a dans ce labo. Je ne peux pas avoir la certitude que les monstres ne se trouvent que là, et si je détruis cet endroit je risque d'anéantir les dossiers qui me permettraient de trouver ceux qui manquent. Je ne connais pas tous les gens impliqués dans cette affaire, et je n'ai pas de preuves irréfutables contre ceux que j'ai identifiés. Ces preuves sont peut-être sur Io. J'y vais, je lève mes incertitudes sur ces points, et ensuite seulement je réduis le labo à un tas de verre radioactif.

— Ce sont de bonnes raisons.

— De bonnes justifications. Je les trouve très convaincantes.

— Mais la raison est que Mei est peut-être encore vivante.

— Je ne suis pas une tueuse d'enfants, répondit-elle. Même quand c'est ce qui devrait être fait. Vous seriez étonné d'apprendre le nombre de fois où ça a freiné ma carrière politique. Les gens me pensaient faible, jusqu'à ce que je trouve la parade.

— La parade ?

— Si vous réussissez à les faire rougir, ils vous prennent pour une dure à cuire. Mon mari appelle ça "le masque".

— Oh, souffla Prax. Merci.

L'attente était pire que la peur du combat. Son corps était impatient de bouger, s'échapper de son siège et parcourir ces couloirs familiers. Naturellement, elle était avide d'action, de mouvement, de l'affrontement. Elle parcourut le vaisseau d'un bout à l'autre, puis de haut en bas. En esprit elle passa en revue les détails concernant les gens qu'elle croisait, détails glanés dans les rapports des services de renseignements. Amos Burton, le mécanicien. Impliqué dans plusieurs meurtres, mis en examen, jamais jugé. S'est fait pratiquer une vasectomie le jour où il était légalement en droit de la demander. Naomi Nagata, chef ingénieur. Détentrice de deux maîtrises. S'est vu offrir une bourse intégrale pour un doctorat de troisième cycle sur la station Cérès, qu'elle a refusée. Alex Kamal, le pilote. Sept arrestations pour ivresse sur la voie publique à l'aube de la vingtaine. A eu un fils sur Mars dont il ne sait toujours rien. James Holden, l'homme sans secrets. Le flamboyant imbécile qui a plongé le système solaire dans la guerre et qui semble toujours totalement inconscient des dommages irréversibles qu'il a provoqués. Un idéaliste. La catégorie d'hommes la plus dangereuse qui soit. Et quelqu'un de bien, aussi.

Elle se demandait si ces spécificités avaient la moindre importance.

Le seul acteur à disposition pour discuter sans que le décalage entre eux donne à l'échange un ton totalement épistolaire était Souther ; or il demeurait *a priori* dans le camp de Nguyen, et se préparait à affronter les vaisseaux qui la protégeaient. Mais les options étaient limitées.

— Vous avez appris quelque chose ? demanda-t-il par le truchement de son terminal.

— Non. Je ne sais pas ce qui prend si longtemps à ce foutu Tête d'Ampoule.

— Vous lui demandez de tourner le dos à l'homme en qui il avait le plus confiance.

— Et combien de temps ça va prendre pour qu'il se décide ? Quand je l'ai fait, en cinq minutes c'était réglé. J'ai dit : "Soren, vous êtes un vrai lavement. Je ne veux plus vous voir." Ce n'est pas plus compliqué que ça.

— Et s'il refuse ? demanda Souther.

Elle laissa échapper un soupir.

— Alors je vous rappelle et j'essaie de vous convaincre de passer en mode franc-tireur.

— Ah, fit-il avec l'ombre d'un sourire. Et comment vous vous y prendriez ?

— Les probabilités de réussite ne me plaisent pas trop, mais on ne sait jamais. Je peux me montrer foutrement persuasive.

L'annonce d'un nouveau message s'afficha. Arjun.

— Il faut que j'y aille, dit-elle. Gardez l'oreille collée au sol, ou continuez de faire ce que vous faites, puisque là où vous êtes le sol ne signifie rien.

— Faites attention à vous, Chrisjen, dit Souther avant de disparaître dans le fond vert d'une fin de connexion.

Autour d'elle la coquerie était déserte. Mais quelqu'un pouvait toujours y entrer. Elle souleva l'ourlet de son sari et regagna sa petite cabine. Elle referma la porte coulissante avant d'accepter l'appel.

Arjun était assis à son bureau, en tenue de soirée mais avec le col et les manchettes déboutonnés. Il avait tout de quelqu'un tout juste revenu d'un cocktail ennuyeux. La lumière du soleil se déversait derrière lui. L'après-midi, donc. Il avait envoyé ce message durant l'après-midi. Laquelle n'était peut-être pas terminée. D'un doigt elle toucha l'écran et suivit la ligne de son épaule.

— Si j'ai bien compris ton message, il se peut que tu ne rentres pas à la maison, dit-il.

— Je suis désolée, répondit-elle à l'écran.

— Comme tu peux l'imaginer, j'ai trouvé l'idée… déprimante, continua-t-il, et un sourire fendit son visage, dansa dans ses yeux qui, elle le remarquait seulement maintenant, étaient rouges d'avoir pleuré. Mais qu'est-ce que je peux y changer ? J'enseigne la poésie à des étudiants. Dans ce monde, je n'ai aucun pouvoir. C'est toujours toi qui l'as détenu. Alors je veux t'offrir ça : ne pense pas à moi. Ne te laisse pas distraire de ce que tu fais à cause de moi. Et si tu ne…

Il s'interrompit pour prendre une grande inspiration.

— Si la vie transcende la mort, alors je te chercherai de l'autre côté. Sinon, là-bas aussi.

Il baissa les yeux un instant.

— Je t'aime, Kiki. Et je t'aimerai toujours, quelle que soit la distance.

Le message se conclut sur ces paroles. Elle ferma les yeux. Autour d'elle, le vaisseau était confiné comme un cercueil. Les petits sons habituels exercèrent sur elle une pression croissante, jusqu'à ce qu'elle ait envie de crier. Jusqu'à ce qu'elle ait envie de dormir. Elle se laissa aller aux larmes pendant un moment. Il n'y avait rien d'autre à faire. Elle avait fait de son mieux, et il n'y avait plus rien d'autre à faire que méditer, et s'inquiéter.

Une demi-heure plus tard, son terminal tinta de nouveau, la tirant d'un rêve trouble. Errinwright. L'anxiété lui serra la gorge. Elle approcha un doigt pour enclencher l'enregistrement, puis figea son geste. Elle n'en avait pas envie. Elle ne voulait pas revenir dans ce monde, et remettre ce masque pesant. Elle voulait revoir Arjun. Réentendre sa voix.

Mais, bien sûr, Arjun avait su ce qu'elle voudrait. C'était pourquoi il avait parlé comme il l'avait fait. Elle écouta le message.

Errinwright paraissait en colère. Pire même, fatigué. Ses manières aimables s'étaient évanouies, et c'était un homme aigri et menaçant qui lui parla :

— Chrisjen, je sais que vous n'allez pas comprendre, mais j'ai fait tout ce qui était en mon pouvoir pour vous éviter les problèmes, à vous et aux vôtres. Vous ne savez pas dans quoi vous vous êtes fourrée, et vous êtes en train de merder. J'aurais aimé que vous ayez le courage moral de me parler de tout ça avant de vous enfuir comme une ado enamourée avec James Holden. Franchement, s'il existe une façon plus radicale de détruire ce que vous avez de crédibilité professionnelle, je n'imagine pas ce que c'est.

“Je vous ai envoyée à bord du *Guanshiyin* pour vous éloigner, parce que je savais que les choses allaient s’envenimer. Eh bien, c’est arrivé, sauf que vous êtes en plein cœur des problèmes et que vous ne comprenez rien à la situation. À cause de votre égotisme, des millions de gens risquent une mort très désagréable. Et vous êtes du lot. Comme Arjun. Comme votre fille. Tous sont menacés par votre faute.

Sur l’écran il joignit les mains en deux poings soudés et pressa les articulations contre sa lèvre inférieure. L’image classique d’un père réprimandant son enfant.

— Si vous revenez immédiatement, je serais peut-être, et je dis bien peut-être, en mesure de vous sauver. Pas votre carrière. Elle est fichue. Vous pouvez l’oublier. Ici, tout le monde pense que vous travaillez pour le compte de l’APE et de Mars. Tout le monde croit que vous nous avez trahis, et vous n’y pourrez rien changer. Votre vie et votre famille, c’est tout ce que vous pouvez encore sauver. Mais pour ça vous devez absolument vous éloigner de tout ce cirque que vous avez déclenché, et vous devez le faire sans attendre.

“Le temps est compté, Chrisjen. Tout ce qui est important pour vous se trouve dans la balance, et je ne peux pas vous aider si vous ne commencez pas par vous aider vous-même. Pas dans la situation actuelle.

“C’est votre dernière chance. Si vous ignorez mon conseil maintenant, la prochaine fois que nous nous parlerons quelqu’un sera mort.

C’était la conclusion du message. Elle le repassa une fois, puis encore. Son rictus devint carnassier.

Elle retrouva Bobbie sur le pont des ops, avec Alex, le pilote. Ils cessèrent de discuter quand elle entra, et l’expression qu’arbora la Marine était une question implicite. Avasarala leva un doigt et bascula le système vidéo sur les moniteurs du vaisseau. Errinwright s’y afficha. Sur les grands écrans, elle discernait les pores de sa peau et les poils de ses sourcils. Pendant qu'il parlait, Avasarala vit le visage d'Alex et Bobbie se fermer, et tous deux s'incliner insensiblement vers l'écran, comme des joueurs de poker à la fin d'une mise très élevée.

— Bon, fit la jeune femme. Qu'est-ce qu'on fait ?

— On débouche le champagne, répondit Avasarala. Qu'est-ce qu'il vient de nous dire ? Il n'y a rien dans ce foutu message. Rien. Il tourne autour des mots comme s'ils étaient hérissés de piquants empoisonnés. Et qu'est-ce qu'il a à proposer ? Des menaces. Personne ne profère des menaces comme ça.

— Attendez, fit Alex. C'était un bon signe ?

— C'était excellent, affirma la vieille dame.

Un petit détail prit soudain place dans son puzzle mental, et elle se mit à rire en jurant en même temps.

— Quoi ? Qu'est-ce qu'il y a ?

— "Si la vie transcende la mort, alors je te chercherai de l'autre côté. Sinon, là-bas aussi", récita-t-elle. C'est un de ces foutus haïkus. Cet homme a l'esprit sur des rails, comme un train. Sauvez-moi de la poésie…

Ils ne comprenaient pas, mais ils n'en avaient pas besoin. Le vrai message arriva cinq heures plus tard. Il fut transmis sur une chaîne publique d'infos, et délivré par le secrétaire général Esteban Sorrento-Gillis. Le vieil homme était très doué pour paraître tout à la fois sombre et énergique. S'il n'avait été une sommité du plus grand corps de gouvernement dans toute l'histoire de l'humanité, il aurait fait un malheur dans la promotion des boissons diététiques.

Tout l'équipage était maintenant rassemblé – Amos, Naomi, Holden. Même Prax était présent. Ils s'entassaient au poste des ops, et leurs respirations combinées mettaient à l'épreuve les recycleurs et donnaient à l'endroit des allures de grange à animaux. Tous les regards étaient rivés sur l'écran où le secrétaire général venait de se placer derrière le pupitre d'orateur.

— Je suis ici ce soir pour vous annoncer la constitution immédiate d'une commission d'enquête. Des accusations ont été lancées, selon lesquelles certains membres des instances gouvernementales des Nations unies et au sein des forces armées ont pris des initiatives non autorisées, voire illégales, pour passer des accords secrets avec des entrepreneurs privés. Si ces accusations venaient à s'avérer, elles devraient être examinées de la façon la plus appropriée. Si elles se révélaient fausses, elles devraient être dissipées, et les propagateurs de ces mensonges devraient alors rendre des comptes.

"Je n'ai pas besoin de vous rappeler combien d'années j'ai passées comme prisonnier politique.

— Oh, oui ! s'exclama Avasarala, ravie, en battant des mains. Il nous fait son grand numéro. En ce moment, ce type doit tellement serrer les miches qu'il pourrait courber l'espace.

— J'ai voué mon mandat de secrétaire général à l'éradication de la corruption, et tant que j'occuperai cette charge je poursuivrai cette tâche. Notre monde et le système solaire que nous partageons doivent avoir l'assurance que les Nations unies honorent les valeurs éthiques, morales et spirituelles qui nous rassemblent au sein de notre espèce.

Sur la retransmission, Esteban Sorrento-Gillis salua d'un hochement de tête, tourna les talons et s'éloigna sous un déluge de questions qui resteraient sans réponse, et les commentateurs prirent le relais, parlant tous en même temps pour exposer toutes les opinions du spectre politicien.

— Alors, dit Holden, il a dit quelque chose, finalement ?

— Il a dit qu'Errinwright est fini, répondit Avasarala. S'il avait encore la plus petite influence, cette déclaration n'aurait jamais été faite. Foutu nom de Dieu, je regrette de ne pas avoir été présente…

Errinwright était débarqué des instances dirigeantes. Ce qui laissait Nguyen, Mao, Strickland ou quelle que soit son identité réelle, leurs guerriers protomoléculaires à moitié sous contrôle, et la menace grandissante sur Vénus. La vieille femme souffla bruyamment en faisant vibrer sa gorge et son nez.

— Mesdames et messieurs, dit-elle, je viens de résoudre notre plus petit problème.

46

BOBBIE

Un des souvenirs les plus marquants de Bobbie était ce jour où elle avait reçu ordre de se présenter au centre de formation du 2e Corps expéditionnaire des Forces spéciales. Unité de Reco. Le haut du panier pour un fantassin de l'armée martienne. Au camp d'entraînement des nouvelles recrues, ils avaient été confiés à un sergent de l'unité de reconnaissance. Il s'était présenté revêtu d'une tenue renforcée d'un rouge luisant et leur avait fait la démonstration de son utilisation dans diverses situations tactiques. Ensuite il leur avait annoncé que seuls les quatre meilleurs éléments de leur classe seraient transférés au centre des Forces spéciales, sur les flancs du volcan Hecates Tholus. Là, les heureux élus apprendraient à porter cette armure et rejoindraient l'unité de combat la plus redoutable de tout le système solaire.

Elle avait décidé qu'elle serait parmi les heureux élus.

Déterminée à être sélectionnée dans le quatuor, elle s'était jetée à corps perdu dans l'entraînement et avait donné tout ce qu'elle avait. Ce qui se révéla être beaucoup. Non seulement elle fut sélectionnée, mais encore elle termina première, avec une avance aux points presque indécente sur les autres. Elle avait ensuite reçu l'ordre officiel écrit lui enjoignant de se présenter à la base Hécate pour suivre la formation des unités spéciales de reconnaissance, et ce qui avait suivi était à la hauteur des efforts déjà consentis. Elle avait appelé son père et s'était défoulée par des cris pendant deux minutes. Quand il avait enfin réussi à la calmer assez pour apprendre la raison de cet enthousiasme débordant, il s'était mis à s'exclamer de joie pendant encore plus longtemps. *Tu fais partie des meilleurs, maintenant, ma chérie*, avait-il dit en guise de conclusion, et la chaleur que ces paroles avaient instillée dans son cœur ne s'était jamais dissipée.

Aujourd'hui encore, assise sur ce pont métallique gris, dans l'atelier graisseux de la salle des machines, à bord d'un vaisseau de guerre martien volé. Même avec tous ses compagnons d'arme taillés en pièces disséminées à la surface gelée de Ganymède. Même avec son statut militaire en suspens et sa loyauté envers sa nation logiquement remise en cause. Même avec tout cela, l'écho du *Tu fais partie des meilleurs, maintenant, ma chérie* la faisait toujours sourire. Elle fut tentée d'appeler son père pour lui raconter ce qui s'était passé. Ils avaient toujours été très proches, et alors qu'aucun de ses frères n'avait suivi le sillon paternel en choisissant une carrière militaire, elle s'était engagée, ce qui avait encore renforcé le lien les unissant. Elle n'en doutait pas, il comprendrait le prix qu'elle payait en tournant le dos à tout ce qu'elle considérait comme sacré pour venger sa section.

Et elle avait le pressentiment très net que jamais elle ne le reverrait.

Même s'ils atteignaient Jupiter avec la moitié de la flotte des Nations unies à leurs trousses, si l'amiral Nguyen et la dizaine ou plus d'unités sous ses ordres ne les effaçaient pas immédiatement du ciel, et même s'ils réussissaient à stopper quoi qui se passât en orbite de Io tout en conservant le *Rossinante* intact, Holden avait toujours l'intention de se poser et de sauver la fille de Prax.

Les monstres seraient là.

Elle le savait aussi sûrement que tout ce dont elle était certaine dans l'existence. Chaque nuit elle rêvait qu'elle affrontait de nouveau cette menace. La créature courbant ses longs doigts et la fixant de ses yeux d'un bleu brillant trop larges, prête à terminer ce qu'elle avait commencé des mois plus tôt sur Ganymède. En songe, elle braquait une arme qui jaillissait de sa main et se mettait à tirer alors que la chose se ruait sur elle, des filaments arachnéens noirs s'étirant des impacts de balles qui se refermaient comme l'eau. Elle se réveillait toujours avant que le monstre soit sur elle, mais elle savait comment le rêve se finirait : avec son corps désarticulé laissé à geler sur la glace. Elle le savait aussi, lorsque, sur Io, Holden mènerait son équipe dans les laboratoires où les monstres étaient conçus, elle les accompagnerait. La scène issue de son cauchemar deviendrait réalité. C'était aussi certain que l'amour de son père. Et elle était prête.

Les pièces de son armure étaient éparpillées sur le plancher tout autour d'elle. Avec encore des semaines de voyage avant d'arriver sur Io, elle avait le temps de la désassembler complètement et de la remonter. L'atelier-magasin du *Rossinante* était très bien équipé, avec un outillage de facture martienne. C'était l'endroit idéal. Sa tenue avait beaucoup été utilisée sans maintenance suivie, mais elle devait reconnaître que cette distraction lui était profitable. Une combi de reconnaissance martienne représentait un ensemble mécanique d'une extraordinaire complexité, en osmose technique parfaite avec le soldat la portant. La démonter et la remonter n'avait rien d'une tâche anodine. L'opération exigeait une concentration maximale. Chaque seconde passée à travailler dessus était une seconde où elle ne pensait pas au monstre qui attendait de la tuer sur Io.

Malheureusement, cette distraction s'achevait. Bobbie avait terminé le travail de maintenance, après avoir localisé la microfracture dans la minuscule valve qui provoquait une fuite de liquide lente mais persistante dans l'actionneur de la genouillère. Il était temps de passer à l'assemblage. L'opération avait pris l'aspect d'un rituel.

Une dernière purification avant d'aller à la rencontre de la mort, sur le champ de bataille.

J'ai regardé trop de films de Kurosawa, songea-t-elle, mais elle ne put abandonner complètement la comparaison. Ce genre d'images constituaient une jolie manière de transformer l'angoisse et la perspective suicidaire en notions d'honneur et de sacrifice plein de noblesse.

Elle ramassa le plastron reconstitué et l'essuya soigneusement avec un chiffon humide, afin d'en ôter les derniers grains de poussière et traces d'huile. Les odeurs de métal et de lubrifiant planaient dans l'air. Et pendant qu'elle rivetait le plastron sur le reste du bâti, avec sa surface émaillée recouverte de milliers d'éraflures, de creux et de bosses, elle cessa de lutter contre l'envie de ritualiser sa tâche, et laissa simplement les choses se faire. Il était très probable qu'elle soit en train d'assembler son linceul. Selon l'issue de la bataille finale, toute cette céramique, ce caoutchouc et cet alliage métallique risquait d'accueillir sa dépouille pour l'éternité.

Elle retourna la partie thoracique et s'attela au dos. Une longue rainure dans l'émail témoignait de la violence de son passage sur la glace de Ganymède quand le monstre s'était autodétruit juste devant elle. Elle prit une clé, puis la reposa et tapota le pont de ses doigts repliés.

Pourquoi ?

Pourquoi le monstre s'était-il fait sauter à cet instant précis ? Elle se remémorait la façon dont il avait commencé à changer, quand de nouveaux membres avaient jailli de son corps alors qu'il l'observait. Si Prax avait vu juste, c'était le moment où avaient échoué les systèmes de contrainte installés par les scientifiques de Mao. Et ils avaient réglé la charge explosive pour qu'elle détone si la créature échappait à leur contrôle. Mais cela ne résolvait qu'une partie de l'énigme. Pourquoi leur mainmise sur la physiologie de la créature avait-elle déraillé à cet instant précis ? D'après Prax, les processus régénératifs étaient le domaine où les systèmes de contrainte risquaient le plus la défaillance irrémédiable. Et sa section avait touché la créature avec une grêle de projectiles quand celle-ci avait chargé leurs lignes. Les impacts n'avaient pas semblé avoir d'effet sur le moment, mais chaque blessure représentait un pic d'activité à l'intérieur de ses cellules, ou ce qui tenait lieu de cellules au monstre quand celui-ci se régénérait, et un risque que l'organisme entier échappe au contrôle des humains.

La solution résidait peut-être là. *Ne pas essayer de tuer le monstre. Juste l'endommager suffisamment pour que le programme commence à dérailler et que le mécanisme d'autodestruction s'enclenche.* Elle n'aurait même pas besoin de survivre, seulement tenir assez longtemps pour lui infliger des dégâts dépassant ses capacités de régénération. Tout ce qu'il lui fallait, c'était assez de temps pour réellement le handicaper.

Elle reposa le segment d'armure sur lequel elle travaillait et prit le casque. La mémoire intégrée à la tenue avait conservé l'enregistrement de la caméra couplée à son arme, avec l'affrontement contre la créature. Elle ne l'avait plus visionné depuis l'exposé d'Avasarala devant l'équipage du *Rossi*. Elle n'en avait pas été capable.

Elle se remit debout et enfonça la touche comm du clavier encastré dans la cloison.

— Eh, Naomi ? Vous êtes aux ops ?

— Oui, répondit la jeune femme après quelques secondes. Besoin de quelque chose, sergent ?

— Vous croyez possible que le *Rossi* se connecte à mon casque ? Il a la radio, mais il refuse toute connexion civile. Comme c'est un de nos vaisseaux, je me suis dit que le *Rossi* devait être équipé des codes et des clés.

Suivit un long silence pendant lequel Bobbie posa le casque sur un plan de travail et patienta.

— Je vois un nœud radio d'après lequel le *Rossi* appelle "MCR MR Goliath III 24397A15".

— C'est moi, confirma Bobbie. Vous pouvez transférer le contrôle de ce nœud au panneau de l'atelier ?

— C'est fait, répondit Naomi un instant plus tard.

— Merci.

Elle coupa la communication. Elle mit un petit moment à retrouver les automatismes avec le logiciel vidéo en usage dans les forces armées martiennes, et un peu plus longtemps encore à convaincre le système d'utiliser des algorithmes désormais obsolètes pour décompacter les données. Après quelques tâtonnements, l'enregistrement de son combat sur Ganymède s'afficha sur l'écran. Elle le régla en boucle et s'assit sur le pont, au milieu des segments de sa tenue.

Elle finit de riveter le dos de l'armure et entreprit de fixer l'unité énergétique thoracique au système hydraulique central pendant la première diffusion. Elle s'efforça de bloquer toute réaction devant les images, ne leur attacher aucune signification ni même les considérer comme un puzzle à assembler. Elle se concentra sur sa tenue et laissa son subconscient décanter les données défilant sur l'écran.

Cet état de semi-distraction provoqua chez elle la répétition de certaines tâches, mais ce n'était pas un problème. Elle n'était nullement pressée par le temps. Elle finit de relier la cellule d'énergie et les moteurs principaux. Des voyants verts s'allumèrent sur le terminal portable qu'elle avait branché à l'unité centrale de la tenue. Sur l'écran mural près de son casque, un soldat des Nations unies était propulsé vers elle à la surface de Ganymède. Il y eut le tressautement chaotique d'images brouillées quand elle fit un écart brusque. Puis l'image se stabilisa, et le Marine comme son ami Tev Hillman n'étaient plus.

Bobbie ramassa une manche et la raccorda posément au torse. Le monstre avait saisi un soldat équipé comme elle et l'avait lancé au loin avec assez de force pour le tuer sur le coup. Il n'existait aucune parade contre ce genre de puissance, sauf l'esquive. Elle se concentra sur les attaches de l'épaule.

Quand elle leva de nouveau les yeux sur l'écran, l'enregistrement avait recommencé. Le monstre se précipitait à travers la glace à la poursuite des soldats des Nations unies. Il en tua un. La Bobbie de la vidéo se mit à tirer, imitée par toute sa section.

La créature était rapide. Mais quand les soldats des Nations unies bifurquèrent subitement pour dégager une ligne de tir aux Martiens, elle ne réagit pas aussitôt. Donc peut-être véloce en ligne droite, mais pas autant pour changer de trajectoire. Le détail pouvait avoir son importance. La vidéo revint sur le soldat des Nations unies lancé comme un projectile sur Hillman. La créature réagissait aux tirs, aux blessures, mais rien de cela ne la ralentissait. Bobbie repensa à la vidéo d'Holden et Amos engageant le combat avec la chose dans la soute du *Rossinante*. Elle les avait quasiment ignorés jusqu'à ce qu'Amos se mette à la prendre pour cible. C'est seulement alors qu'elle s'était déchaînée.

Mais le premier monstre avait attaqué le poste militaire des Nations unies, donc et au moins jusqu'à un certain point ces abominations pouvaient être dirigées. Obéir à des ordres. Dès qu'elles n'avaient plus de directives, elles semblaient tomber dans un état de défaillance où elles tentaient d'accroître leur énergie et briser les mesures de contrainte. Dans cette phase, elles ignoraient à peu près tout, hormis la nourriture et la violence. La prochaine fois que Bobbie en rencontrerait une, elle pourrait probablement choisir son propre terrain et l'attirer là où elle voulait se trouver. Autre élément utile.

Elle termina les raccordements du bras à l'épaule et effectua quelques tests de fonctionnalité. Voyants verts partout. Même si elle ne savait plus trop pour qui elle travaillait, elle n'avait pas oublié comment accomplir son job.

Sur l'écran le monstre attaqua l'énorme *Yojimbo* mécanique et arracha d'une saccade l'écoutille du pilote. Celui-ci, Sa'id, fut précipité hors de l'habitacle. De nouveau la victime finit mise en pièces. Il y avait une certaine logique. Avec la combinaison d'une force terrifiante et d'une immunité quasi totale aux impacts des projectiles, foncer droit sur l'ennemi et l'anéantir constituait une stratégie très efficace. Et l'énergie cinétique était imparable. Le lancement d'objets pesants à vitesse mortelle allait de pair avec la force. Une armure pouvait dévier des balles ou des lasers, aider à amortir les impacts, mais personne n'en avait jamais créé une capable de neutraliser l'énergie cinétique transmise par une masse importante se déplaçant à haute vélocité. Du moins pas une tenue qu'un être humain pouvait revêtir. Si vous disposiez de la puissance nécessaire, une benne à ordures était plus redoutable qu'une arme à feu.

Donc, lorsqu'il passait à l'attaque le monstre fonçait droit sur son ennemi dans l'espoir de s'en saisir, ce qui mettait très vite fin à l'affrontement. S'il était dans l'incapacité de le faire, il essayait de projeter des objets lourds sur son adversaire. Celui dans la soute avait failli tuer Jim Holden en lui lançant une caisse énorme. Malheureusement, l'armure de Bobbie présentait les mêmes restrictions physiques que celles dont souffraient les monstres. Si cette tenue la rendait très rapide quand elle le désirait, elle ne facilitait pas les déplacements latéraux. Les guépards et les chevaux zigzaguaient rarement à pleine vitesse. Et elle était certes puissante dans son armure, mais pas autant que la créature. En revanche son armement lui conférait un avantage réel, car elle pouvait s'éloigner du monstre en courant tout en continuant de le prendre pour cible. À l'inverse, la créature était incapable de lancer un objet massif sur son adversaire sans faire halte et assurer son équilibre. Elle pouvait bien être dotée d'une puissance phénoménale, elle ne pesait que son poids, et Newton, déjà, avait émis des réserves sur un objet léger en lançant un lourd.

Durant le temps qu'il lui fallut pour terminer l'assemblage de son armure, Bobbie visionna l'enregistrement plus d'une centaine de fois, et l'aspect tactique de l'affrontement commença à prendre forme dans son esprit. Lors de ses entraînements au combat en corps à corps, elle avait réussi à avoir le dessus sur la plupart de ses adversaires. Mais ceux qui maîtrisaient l'art de l'esquive et de la frappe lui donnaient nettement plus de fil à retordre. C'était ainsi qu'elle devrait se comporter face à la créature, en se dérobant pour frapper, puis en se dérobant encore, sans jamais cesser d'être en mouvement. Même en adoptant cette tactique elle aurait besoin de beaucoup de chance, car elle lutterait dans une catégorie bien supérieure à la sienne, et un seul coup du monstre serait décisif, elle n'en doutait pas.

Son autre avantage venait du fait qu'elle n'avait pas réellement à l'emporter sur son ennemi, seulement lui infliger des dommages suffisants pour déclencher son mécanisme d'autodestruction. Le temps qu'elle se glisse dans son armure parfaitement révisée et que celle-ci se referme sur son corps, elle avait la quasi-certitude que l'exploit était à sa portée.

Bobbie pensait que ses nouvelles assurances concernant le combat à venir lui permettraient de trouver enfin le sommeil, mais après trois heures passées à se tourner et s'agiter sur sa couchette, elle renonça à l'idée de dormir. Une interrogation imprécise continuait de l'obséder. Elle essayait de trouver son *Bushido*, mais trop de questions demeuraient en suspens. Quelque chose ne l'autorisait pas à trouver le repos.

Elle enfila donc un grand peignoir pelucheux emprunté sur le *Guanshiyin* et prit l'ascenseur pour rejoindre le pont des ops. On en était au troisième quart, et le vaisseau était désert. Holden et Naomi partageaient une même cabine, et elle se prit à envier cette intimité humaine. Un point d'ancrage solide dans cette mer mouvante d'incertitudes. Avasarala s'était enfermée dans sa propre cabine où elle envoyait très probablement une série de messages vers la Terre. Alex devait dormir, et pendant un bref moment elle envisagea d'aller le réveiller. Elle appréciait le pilote, qu'elle trouvait d'une sociabilité et d'un naturel rarement rencontrés depuis qu'elle avait quitté le service actif. Mais elle savait aussi qu'en réveillant un homme à trois heures du matin alors qu'elle se présentait en peignoir, elle enverrait des signaux qu'elle ne désirait pas émettre. Plutôt que d'expliquer un simple besoin d'échanges, elle traversa le poste d'équipage sans s'arrêter.

Amos était assis à un des postes des ops où il assurait le dernier quart. Il lui tournait le dos. Pour éviter de le faire sursauter, elle se racla la gorge. Il ne réagit pas du tout. S'approchant, elle constata qu'il avait les yeux clos et la respiration lente et profonde. Sur un vaisseau de la Flotte de la République martienne, s'assoupir à son poste aurait valu une sévère remontrance du commandant, au minimum. Apparemment Holden avait levé le pied sur la discipline depuis qu'il avait quitté l'armée.

Elle brancha les comms et trouva le relais le plus proche pour transmettre par faisceau de ciblage. Elle appela d'abord son père :

— Salut, papa. Pas sûre que tu doives essayer de me répondre. La situation ici est plutôt instable, et elle évolue très vite. Mais il se peut que tu entendes un tas de trucs débiles dans les jours à venir, dont certains à mon sujet. Sache simplement que je vous aime, et que j'aime Mars. Tout ce j'ai fait, ça a été pour essayer de vous protéger, ainsi que la maison. Possible que je me sois un peu égarée en chemin, parce que la situation s'est sacrément compliquée, et qu'il m'a été difficile de prévoir la suite. Mais je pense voir la bonne option, maintenant, et c'est elle que je vais prendre. Je vous aime, toi et maman. Et dis aux garçons qu'ils craignent.

Avant de couper l'enregistrement, elle étendit la main et effleura l'écran du bout des doigts.

— Salut, papa.

Elle appuya sur la touche d'envoi avec un bizarre sentiment d'inachevé. En dehors de sa famille, toutes les personnes qui ces trois derniers mois avaient tenté de l'aider voyageaient sur le même vaisseau qu'elle. Cette impression n'avait donc aucun sens.

Mais non. Elle en avait un, bien sûr. Parce que tout le monde ne se trouvait pas à bord du *Rossi*.

De mémoire, elle composa un autre numéro.

— Salut, capitaine Martens. C'est moi. Je crois avoir saisi ce que vous avez essayé de m'aider à voir. Je n'y étais pas prête, mais ça m'a collé aux basques. Donc vous n'avez pas perdu votre temps. Je comprends, maintenant. Ce n'était pas ma faute, j'en ai pris conscience. Je sais que je me suis seulement trouvée au mauvais endroit au mauvais moment. Et si je reprends depuis le début maintenant, c'est justement *parce que* j'ai compris ça. Pas de colère, de souffrance ou de culpabilité. Il faut juste que je termine cette bataille. C'est mon devoir.

Quelque chose se détendit dans sa poitrine quand elle appuya sur la touche d'envoi. Tout avait de nouveau une cohérence, et elle pouvait se rendre sur Io et faire ce qu'elle devait, sans regret. Elle laissa échapper un long soupir et se laissa aller au fond du siège jusqu'à être un peu avachie. Soudain elle se sentait exténuée. Comme si elle pouvait dormir pendant une semaine entière. Allait-elle avoir droit à une remontrance si elle s'écroulait ici, aux ops, au lieu de refaire tout le chemin par l'ascenseur ?

⚡

Elle ne se souvenait pas de s'être assoupie, mais elle était bien là, effondrée au poste comms, avec une petite flaque de salive à côté de sa tête. Son peignoir ne s'était pas ouvert, et elle fut soulagée de le constater : au moins elle n'avait pas offert le spectacle de ses fesses nues à tous ceux qui passaient par là.

— Marine ? dit Holden, et d'après le ton il se répétait.

L'air soucieux, il était immobile auprès de son siège et légèrement penché vers elle.

— Désolée, désolée, dit-elle en se redressant et en resserrant un peu plus les pans du peignoir au niveau de sa taille. Il fallait que j'envoie quelques messages, cette nuit. Je devais être plus fatiguée que je ne le pensais.

— Il semblerait, en effet, fit-il. Aucun problème. Vous pouvez dormir où vous voulez.

— Très bien, dit-elle, et elle se leva pour reculer vers l'échelle. Sur ce, je crois que je vais descendre, prendre une douche et faire en sorte de redevenir humaine.

Un sourire étrange aux lèvres, Holden acquiesça.

— Bien sûr. Retrouvez-moi à l'atelier de la salle des machines, quand vous serez habillée.

— Bien reçu, dit-elle avant de dévaler l'échelle.

Après une douche d'une durée indécente et une fois revêtue sa tenue de service rouge et grise propre, elle prit un gobelet de café à la coquerie et descendit à l'atelier. Holden y était déjà arrivé. Une caisse de la taille d'un étui à guitare était posée sur un des établis, une autre, plus grande, sur le pont à ses pieds. Quand elle entra, il tapota celle qui se trouvait sur le plan de travail.

— C'est pour vous. Quand vous êtes montée à bord, j'ai vu que le vôtre semblait vous manquer.

Après une seconde d'hésitation Bobbie s'approcha et ouvrit la caisse. Elle contenait un Gatling 2 mm à trois canons et tir électrique, le modèle que les Marines appelaient Thunderbolt Mark V. L'arme avait l'éclat du neuf et correspondait parfaitement à son armure.

— Superbe, dit-elle quand elle eut retrouvé l'usage de la parole. Mais ce n'est rien de plus qu'un gros gourdin, sans les dragées.

De la pointe d'une botte, Holden donna un petit coup dans la caisse sur le plancher.

— Cinq mille munitions, des 2 mm, type incendiaire.

— Incendiaire ?

— Vous avez oublié, j'ai vu le monstre de près, moi aussi. Les perforantes ne sont pas efficaces. Pire même, les dommages aux tissus vivants sont réduits. Mais puisque les types du labo ont intégré une charge incendiaire dans chacune de ces créatures, j'en ai déduit qu'elles ne sont pas incombustibles.

Bobbie souleva l'arme pesante hors de sa caisse et la déposa sur le plancher, à côté de son armure récemment assemblée.

— Oh, nom de Dieu, sûrement, oui…

47

HOLDEN

Assis à la console de contrôle de combat, sur le pont des ops, Holden regardait le Ragnarök se préparer. L'amiral Souther, adoubé par Avasarala comme solidement ancré dans le camp des gentils, avait rejoint ses unités avec leur petite flotte de Martiens en pleine croissance pendant qu'ils faisaient route vers Io. La douzaine de vaisseaux de l'amiral Nguyen les attendait en orbite autour de cette lune. D'autres appareils de Mars et des Nations unies venus de Saturne et de la Ceinture convergeaient en toute hâte vers ce même point. Quand tout le monde y serait arrivé, on aurait quelque trente-cinq unités lourdes sur zone, plus des dizaines d'intercepteurs et de corvettes, comme le *Rossinante*.

Trois douzaines de vaisseaux lourds. Holden essaya de se rappeler si une flotte d'intervention aussi imposante avait déjà été rassemblée, mais il n'en trouva pas d'exemple. En comptant les vaisseaux amiraux de Nguyen et Souther, cela ferait au final quatre cuirassés de la classe *Truman* des Nations unies, tandis que de leur côté les Martiens aligneraient trois unités majeures de classe *Donnager*, chacun à même de raser une planète entière. Le reste de leur force serait principalement constitué de croiseurs et de destroyers, des bâtiments nettement moins puissants que les précédents, quoique assez redoutables pour néantiser le *Rossi*. Et, pour être tout à fait honnête, c'était ce détail qui inquiétait le plus Holden.

Sur le papier, son camp disposait du plus grand nombre de vaisseaux : avec les forces combinées de Souther et des Martiens, deux fois plus que Nguyen. Mais combien de bâtiments terriens seraient prêts à ouvrir le feu de leur propre chef, juste parce qu'un amiral et un politicien banni le demandaient ? En cas d'engagement direct, il était très possible que certains vaisseaux des Nations unies soient subitement confrontés à des pannes comms et attendent pour agir de voir comment les choses tournaient. La pire des hypothèses restant qu'une partie conséquente de l'armada commandée par Souther change de camp lorsque les Martiens commenceraient à tuer des Terriens. L'affrontement pouvait très facilement se transformer en un tas de gens pointant leur armement les uns sur les autres, sans que personne ne sache qui était avec ou contre lui.

Le tout pouvait virer au bain de sang.

— Nous avons deux fois plus d'unités, déclara Avasarala depuis son poste d'observation.

Holden faillit objecter, puis il se ravisa. En fin de compte, tout ce qu'il pouvait dire ne changerait rien. La politicienne croyait ce qu'elle voulait bien croire. Elle avait besoin de penser que tous ses efforts n'avaient pas été vains, qu'ils allaient payer lorsque la flotte arriverait et que ce clown de Nguyen se rendrait à une force manifestement très supérieure. À la vérité, son interprétation n'était pas plus improbable que la sienne. Personne ne le saurait avant les autres.

— Encore combien de temps ? demanda-t-elle, et elle but à sa pochette souple une gorgée du café trop faible qu'elle s'était préparé à la place d'un thé.

Toutes les informations relatives à la navigation du *Rossi* s'étalaient sur chaque écran, et Holden envisagea de le lui faire remarquer avant de renoncer, une fois de plus. Elle ne voulait pas qu'il lui montre comment faire, mais qu'il lui transmette le renseignement. Elle n'était pas habituée à presser elle-même les boutons. Dans son esprit, elle se situait hiérarchiquement au-dessus de lui. Il se demanda à quoi pouvait ressembler la chaîne de commandement, dans la situation présente. Combien de commandants illégaux de vaisseaux volés fallait-il additionner pour égaler un seul officiel de haut rang des Nations unies en disgrâce ? La question aurait pu occuper un tribunal pendant quelques dizaines d'années.

D'un autre côté, il n'était pas juste avec Avasarala. Pas parce qu'elle exigeait son obéissance, du moins pas vraiment. Elle se retrouvait dans une situation pour laquelle elle n'était absolument pas formée, devenant du coup la personne présente la moins utile alors qu'elle tenait à assumer une part des décisions. Elle essayait de remodeler son environnement immédiat afin qu'il corresponde à l'image mentale qu'elle avait d'elle-même.

Ou bien elle avait simplement besoin d'entendre le son d'une voix.

— Dix-huit heures, dit-il. La plupart des vaisseaux n'appartenant pas à notre flotte arriveront sur zone avant nous. Quant à ceux qui n'apparaîtront qu'après la bataille, on peut les oublier.

— Dix-huit heures… répéta Avasarala avec dans l'intonation quelque chose qui ressemblait à de l'admiration teintée d'effroi. L'espace est décidément trop foutrement vaste. C'est toujours la même histoire.

Il avait vu juste : elle voulait parler, rien de plus. Il se montra donc obligeant :

— Quelle histoire ?

— Celle des empires. Chaque empire s'étend jusqu'au point où il n'a plus le contrôle sur ses territoires. Nous avons commencé en nous battant pour occuper les meilleures branches d'un seul arbre. Et puis nous en sommes descendus et nous avons lutté pour acquérir quelques kilomètres carrés plantés d'arbres. Ensuite quelqu'un monte sur un cheval et on a des empires de centaines, de milliers de kilomètres carrés. Les navires permettent l'expansion au-delà des mers. La propulsion Epstein met les planètes extérieures à notre portée…

Elle se tut et tapa une commande sur la console comm, sans préciser à qui elle envoyait des messages, et Holden s'abstint de lui poser la question. Quand elle eut fini, elle reprit :

— Mais l'histoire est toujours la même. Si perfectionnée que soit votre technologie, à un certain stade vous conquérez fatalement un territoire que vous ne pouvez pas conserver.

— Vous faites allusion aux planètes extérieures ?

— Pas explicitement, dit-elle d'une voix adoucie et songeuse. Je parle de tout ce foutu concept d'empire. Les Britanniques n'ont pas réussi à garder les Indes et leurs colonies d'Amérique du Nord pour une raison simple : quel peuple va écouter un empereur qui se trouve à six mille kilomètres ?

Holden tripota l'embout de circulation d'air sur son panneau pour l'orienter vers son visage. Le souffle frais sentait vaguement l'ozone et l'huile.

— La logistique pose toujours des problèmes.

— Sans rire ? S'il vous faut traverser six mille kilomètres d'Atlantique pour aller mettre au pas des colons, vous donnez à vos ennemis restés au pays un foutu avantage à la cour.

— Au moins, nous autres Terriens avons compris ça avant même de nous frotter à Mars, remarqua Holden. Et les distances sont bien plus grandes. Parfois il y a le soleil entre les deux points.

— Certains ne nous ont jamais pardonné d'avoir humilié Mars quand nous en avons eu l'occasion, dit Avasarala. Je travaille pour quelques-uns d'entre eux. Foutus abrutis.

— Mais ces gens perdent toujours à la fin, non ? Je croyais que c'était le point principal de votre démonstration.

Elle se mit lentement debout et se dirigea à petits pas vers l'échelle.

— Ces gens-là ne représentent pas le véritable problème. Vénus risque fort d'abriter le camp le plus avancé de l'empire adverse principal, un empire à l'emprise aussi étendue qu'elle est difficile à contrer. Et cette foutue protomolécule a démontré que nous sommes juste de petits roitelets mesquins. Nous nous apprêtons à bazarder notre système solaire parce que nous avons cru pouvoir construire des spatioports avec du bambou pour faire venir les approvisionnements de partout.

— Allez donc prendre un peu de repos, lui conseilla Holden alors qu'elle appelait la plate-forme. Nous vaincrons les empires un par un.

— Peut-être…

Elle disparut de sa vue, et l'écoutille se referma en claquant derrière elle.

— Pourquoi est-ce que personne ne tire ? demanda Prax.

Il était entré sur le pont des ops dans le sillage de Naomi, d'un pas traînant et avec des airs d'enfant perdu. À présent il occupait un des nombreux sièges anti-crash libres, et il regardait fixement le grand moniteur, partagé entre l'effroi et la fascination.

L'écran tactique offrait à la vue une masse mêlée de points verts et rouges représentant les quelque trente-cinq vaisseaux lourds en orbite autour de Io. Les systèmes du *Rossi* affichaient les appareils terriens en vert, ceux de Mars en rouge. Le tout donnait une impression trompeuse de simplicité, alors qu'en réalité la situation était beaucoup plus complexe. Holden n'en doutait pas, l'identification alliés/ennemis allait poser un problème presque inextricable si quelqu'un ouvrait le feu.

Pour le moment les divers bâtiments planaient tranquillement au-dessus de Io, et la menace énorme qu'ils incarnaient n'était encore qu'implicite. Pour Holden, ils évoquaient le souvenir de ces crocodiles qu'il avait vus dans un zoo, enfant. Imposants, caparaçonnés, bardés de dents, mais dérivant à la surface telles des statues. Sans même un clignement d'œil. Quand la nourriture avait été jetée dans l'enclos, ils en avaient surgi à une vitesse effrayante.

Nous attendons simplement qu'un peu de sang touche l'eau.

— Pourquoi est-ce que personne ne tire ? répéta le botaniste.

Affalé dans un des sièges anti-crash, Amos dégageait une impression de paresse tranquille qu'Holden lui enviait.

— Eh, doc. Vous vous rappelez, sur Ganymède, quand on s'est retrouvés nez à nez avec ces types armés, et que personne n'a tiré jusqu'à ce que vous décidiez de jouer les cow-boys ?

Prax blêmit. Holden devina qu'il revoyait soudain le résultat sanglant de cet affrontement.

— Oui, je me rappelle, dit le chercheur.

— Ben là, c'est pareil, expliqua Amos. Personne n'a encore donné le signal du carnage.

— Compris, souffla Prax avec un hochement de tête.

Si quelqu'un mettait le feu aux poudres, Holden savait que leur premier problème serait de définir qui tirait sur qui.

— Avasarala, du neuf sur le plan diplomatique ? Il y a beaucoup de vert sur cet écran. Une idée du nombre de ces points qui sont avec nous ?

La vieille dame balaya l'interrogation d'une moue et continua d'écouter les conversations entre vaisseaux.

— Naomi ? dit Holden. Une idée ?

— Pour l'instant, la flotte de Nguyen prend pour cible unique les unités martiennes, répondit-elle en surlignant les bâtiments concernés sur l'affichage tactique afin que tout le monde se rende compte de la situation. Les Martiens lui renvoient la politesse. Les vaisseaux de Souther ne visent personne, et Souther n'a même pas ouvert ses tubes de lancement. J'imagine qu'il espère toujours une conclusion pacifique.

— Alors merci de transmettre mes compliments à l'officier des renseignements sur le vaisseau de Souther, lui dit-il. Et demandez-lui des données d'identification ami/ennemi complémentaires, pour que tout ça ne débouche pas sur le plus gros bordel que le système solaire ait jamais connu.

— Bien reçu, répondit-elle avant de passer l'appel.

— Amos, vérifiez que tout le monde se harnache correctement, poursuivit le capitaine. Et n'oubliez pas les casques, avant de descendre. J'espère qu'on ne se mettra pas à tirer, mais très souvent ce qui arrive n'est pas du tout ce que j'espérais…

— Compris, dit le mécanicien.

Il s'extirpa de son siège et fit le tour du pont à pas lents à cause de ses bottes magnétiques, pour s'assurer que le casque de chacun était convenablement scellé.

— Test-test-test, dit Holden dans la radio de l'équipage, et tous à bord répondirent par l'affirmative.

Jusqu'à ce que quelqu'un occupant un rang hiérarchiquement supérieur au sien décide de prendre les choses en mains, il ne pouvait guère faire plus en matière de préparatifs.

— Attendez, dit Avasarala.

Elle enfonça une touche sur sa console, et un canal extérieur fut retransmis sur le système comm de chaque combinaison :

— … lancement immédiat contre des cibles situées sur Mars. Nous disposons d'une batterie de missiles à charge biologique létale. Vous avez une heure pour quitter l'orbite de Io, après quoi nous procéderons au lancement immédiat contre des cibles situées sur Mars. Nous disposons…

Elle coupa le canal.

— Semblerait qu'un troisième larron s'est invité à la fête, commenta Amos.

— Non, répliqua Avasarala. C'est Nguyen. Il se sait en infériorité numérique, c'est pourquoi il a ordonné à ses petits copains chez Mao à la surface de lancer cette menace, pour nous pousser à faire marche arrière. Il va… Oh, non…

Elle enfonça la même touche sur sa console et une autre voix se fit entendre de tous. Celle-là était féminine, avec un accent martien cultivé :

— Io, ici l'amirale Muhan, de la Flotte de la République martienne. Vous tirez quoi que ce soit de plus gros qu'un pétard et nous vitrifions toute cette lune. Message reçu ?

Amos se pencha vers Prax.

— Là, vous voyez, ils commencent tous à jouer aux cow-boys.

Le biologiste acquiesça.

— Je vois.

— Tout ça risque de très vite déraper, remarqua Holden qui avait décelé la fureur difficilement contenue dans la voix de la Martienne.

— Ici l'amiral Nguyen, à bord du bâtiment des Nations unies *Agatha King*, dit une nouvelle voix. La présence de l'amiral Souther est illégale, sur la seule requête d'une officielle civile des Nations unies sans aucune autorité militaire. En conséquence j'ordonne le retrait immédiat à toutes les unités sous commandement de l'amiral Souther. J'ordonne également au commandant du vaisseau amiral de Souther de placer l'amiral en état d'arrestation pour trahison, et…

— Oh, fermez-la, rétorqua Souther sur le même canal. Je suis ici dans le cadre d'une mission légale de recherche d'informations concernant l'utilisation frauduleuse de fonds et de matériel des Nations unies pour un projet d'arme biologique secrète sur Io. Un projet dont l'amiral Nguyen est directement responsable, en contravention totale avec les directives des Nations unies.

Avasarala coupa le canal.

— Oh, tout ça sent mauvais, fit Alex.

La politicienne releva la visière de son casque et poussa un long soupir. Elle ouvrit son sac, y pêcha une pistache, en craqua la coque et mangea l'amande d'un air songeur. Puis elle laissa tomber la coque dans l'orifice du recycleur le plus proche. Un minuscule morceau de pelure s'éloigna en flottant dans la microgravité.

— Eh bien, non, en fait, déclara-t-elle. Tout devrait bien aller. Ce n'est que du flan, tout ça. Et tant qu'ils jouent à qui a la plus grosse, personne ne va tirer.

— Mais on ne peut pas attendre ici, s'insurgea Prax.

En suspension devant lui, Amos vérifiait les attaches de son casque. Le petit homme le repoussa au loin et essaya de se lever. Il réussit à s'extraire de son siège anti-crash mais se mit aussitôt à dériver, sans penser à activer ses semelles magnétiques.

— Si Mei se trouve là-bas, il faut qu'on y aille. Ils parlent de vitrifier cette lune. On doit y aller avant qu'ils le fassent.

Il y avait dans sa voix des accents aigus, comme une corde de violon malmenée par un archet malhabile. La tension gagnait le petit homme. Elle les gagnait tous, mais le botaniste était celui qui allait y réagir le plus rapidement, et le plus mal. Holden lança un regard d'avertissement à Amos, mais le mécano semblait seulement surpris d'avoir été envoyé au loin par le frêle savant.

— Ils parlent de détruire la base : il faut qu'on descende sur cette lune ! insista Prax d'une voix où un début de panique transparaissait déjà.

— Nous ne bougeons pas, trancha Holden. Pas tant que nous n'avons pas une idée plus précise de la façon dont la situation va évoluer.

— On a fait tout ce chemin pour se retrouver impuissants ? s'exclama le scientifique.

— Doc, ce n'est surtout pas à nous d'agir en premier, expliqua Amos.

Il posa une main sur l'épaule de Prax et le fit redescendre vers le plancher. Le petit botaniste se dégagea d'un mouvement brusque sans même se retourner, puis il poussa sur le côté de son siège pour se propulser vers Avasarala.

— Basculez-moi sur ce canal, exigea-t-il en tendant la main vers la console de la vieille dame. Je vais leur parler. Je peux…

Holden s'élança de son siège, intercepta le chercheur à mi-course et l'entraîna dans son élan à travers le pont. Ils heurtèrent la paroi, l'épais revêtement anti-choc absorbant l'impact en grande partie, toutefois le capitaine heurta assez rudement l'autre de la hanche au niveau du ventre.

— Ouf… grogna Prax, qui se recroquevilla en position fœtale.

D'une poussée, Holden recolla ses bottes sur le plancher. Il saisit le petit homme et l'envoya voler vers Amos.

— Emmenez-le en bas, arrimez-le dans sa couchette et bourrez-le de sédatifs. Ensuite retour à la salle des machines, et préparez-nous au combat.

Le mécano acquiesça et agrippa Prax qui arrivait à sa portée en flottant.

— D'accord.

Un moment plus tard, ils avaient disparu par l'écoutille.

Holden survola les lieux du regard, nota les expressions choquées d'Avasarala et Naomi, mais préféra les ignorer. Une fois de plus, la pulsion du botaniste qui l'incitait à faire passer sa fille avant toute autre considération avait failli les mettre tous en danger. Et s'il pouvait comprendre intellectuellement les motivations du père, à cette heure il n'avait pas besoin d'un stress supplémentaire en empêchant le père de les mener au suicide chaque fois que le nom de sa fille apparaissait dans la conversation. Il en éprouvait une colère qu'il ne pouvait exprimer, et restait avec l'envie de se défouler sur quelqu'un.

— Où est passée Bobbie, bordel ? lança-t-il sans s'adresser à quelqu'un en particulier.

Il n'avait pas revu la Marine depuis leur mise en orbite autour de Io.

— Je l'ai aperçue dans l'atelier, répondit Amos par radio. Elle démontait et remontait mon fusil. Je crois qu'elle le fait pour toutes les armes et les armures.

— C'est… commença Holden, prêt à s'emporter sans aucune raison valable, avant de se ressaisir. C'est très utile, vraiment. Dites-lui de verrouiller sa combi et de brancher son système comm. Ça risque de chauffer d'ici peu, dans le coin.

Il s'accorda quelques secondes de lente respiration, afin de se calmer un peu, puis retourna au poste des opérations de combat.

— Ça va ? s'enquit Naomi sur leur canal privé.

— Non, répondit-il en s'assurant qu'elle seule l'entendait. Non, en réalité j'ai le trouillomètre à zéro.

— Je croyais qu'on avait dépassé ce stade.

— Le stade d'être mort de trouille ?

— Non, fit-elle, et il sentit son sourire dans ce simple mot. Passé le stade de t'en vouloir pour tout ça. Moi aussi, j'ai peur.

— Je t'aime, lâcha-t-il.

Il ressentit le même frisson électrique que chaque fois, né autant de la peur que de la fierté de cet aveu.

— Tu devrais plutôt garder un œil sur ton poste, dit-elle d'un ton malicieux.

Jamais elle ne lui disait qu'elle l'aimait lorsqu'il s'épanchait ainsi. Elle le lui avait expliqué, d'après elle le mot perdait toute sa force quand il était prononcé trop souvent. S'il comprenait l'argument, il caressait l'espoir qu'elle enfreigne cette règle, juste une fois. Il avait besoin de l'entendre.

Avasarala était courbée sur la station telle une voyante de l'ancien temps scrutant les profondeurs brumeuses de sa boule de cristal. Sa combinaison spatiale pendait sur elle comme une salopette trop grande sur un épouvantail. Holden pensa à lui ordonner de verrouiller les attaches de son casque, et chassa immédiatement l'idée de son esprit. Elle était en âge de décider elle-même des risques et des compensations qu'il y avait à grignoter pendant une bataille.

Sa main plongeait régulièrement dans son sac pour en sortir une autre pistache. Autour d'elle l'air s'emplissait d'un nuage en expansion constante fait de fragments de pelure. Il trouvait un peu exaspérant de la voir salir ainsi son vaisseau, mais aucun appareil de combat n'était fragile au point de craindre pour si peu. Ces petits morceaux perdus finiraient aspirés par le système de recyclage atmosphérique, pris au piège dans les filtres, ou bien la poussée les plaquerait au plancher où il serait facile de les balayer. Avasarala avait-elle jamais nettoyé une pièce de sa vie ? Holden aurait aimé le savoir.

Pendant qu'il l'observait, elle inclina la tête de côté et se concentra manifestement sur une conversation qu'elle seule pouvait entendre. Sa main jaillit en avant avec la vivacité d'un oiseau-mouche, et ses doigts effleurèrent l'écran. Une nouvelle voix emplit le système comm du vaisseau. Le léger sifflement en arrière-plan de la transmission indiquait un message ayant parcouru des millions de kilomètres dans l'espace.

— … énéral Esteban Sorrento-Gillis. Il y a quelque temps, j'ai annoncé la formation d'une commission d'enquête destinée à étudier d'éventuels détournements des ressources allouées par les Nations unies pour des recherches sur une arme biochimique illégale. Pendant la durée des investigations, la commission n'étant pas prête à prononcer des mises en examen pour l'instant, dans l'intérêt de la sécurité publique et pour faciliter une enquête approfondie et exhaustive, certains membres du personnel des Nations unies occupant des positions clés doivent être rappelés sur Terre aux fins d'interrogatoire. Tout d'abord, l'amiral Augusto Nguyen, de la Flotte des Nations unies, ensuite…

Avasarala toucha l'écran pour stopper la diffusion et considéra fixement la console pendant plusieurs secondes, bouche bée.

— Oh, ça, c'est une foutue bévue…

Partout dans le vaisseau, les alarmes se mirent à mugir.

48

AVASARALA

— Je constate des déplacements rapides, annonça Naomi d'une voix forte pour couvrir le bruit des alarmes. Le vaisseau amiral des Nations unies ouvre le feu.

Avasarala referma son casque, vérifia que l'affichage interne confirmait son hermétisme, puis se mit à pianoter sur la console comm. Son esprit allait plus vite que ses doigts. Errinwright avait passé un accord, et Nguyen était maintenant au courant. L'amiral avait été laissé de côté, et il prenait assez mal la chose. Un drapeau apparut sur l'écran : émission prioritaire. Elle l'effleura du pouce et le visage de Souther s'afficha sur son terminal et tous les écrans alentour.

— Ici l'amiral Souther. Par les pouvoirs qui me sont conférés, je prends désormais le commandement de…

— Bon, grogna Naomi, j'aurais besoin de récupérer mon écran, maintenant. J'ai du boulot.

— Désolée, désolée, dit Avasarala en tapotant la console. Mauvaise touche.

— … cette force de combat. L'amiral Nguyen est relevé de ses fonctions. Tout acte hostile sera…

Avasarala fit basculer la transmission sur son propre poste et dans la manœuvre sur un autre message. Nguyen y était écarlate. Il gonflait la poitrine dans son uniforme, pour bien le mettre en avant.

— … une prise de pouvoir illégale et sans précédent. L'amiral Souther doit être immédiatement mis aux arrêts et conduit dans la prison du bord, jusqu'à ce que…

Cinq demandes d'appels entrants se mirent à clignoter, chacune flanquée d'un nom et d'une identité de transpondeur écourtée. Elle les ignora toutes et ne s'intéressa qu'au voyant de transmission. Dès qu'il s'alluma elle riva son regard à la caméra.

— Ici Chrisjen Avasarala, assistante du sous-secrétaire à l'Exécutif et représentante du gouvernement civil de la Terre. Le commandement légal de cette force armée est confié à l'amiral Souther. Quiconque rejettera ou ignorera ses ordres se mettra *de facto* en situation d'être poursuivi légalement. Je répète, l'amiral Souther est désormais le commandant légalement autorisé de…

Naomi laissa échapper un long grognement bas. Avasarala interrompit la transmission et se tourna vers elle.

— Ouais, fit Holden. C'est mauvais, ça.

— Quoi donc ? demanda la vieille dame. Qu'est-ce qui est mauvais ?

— Un des bâtiments de la Terre vient de se prendre trois torpilles.

— Et ça fait beaucoup ?

— Ses CDR ne les ont pas interceptées, expliqua Naomi. D'après leurs codes de transpondeur, ces torpilles des Nations unies appartiennent à des alliés, et du coup le système de défense rapprochée les laisse passer. Évidemment, ils ne s'attendent pas à être pris pour cible par d'autres vaisseaux des Nations unies.

— Trois, c'est beaucoup, oui, grommela Holden.

Il boucla le harnais de son siège anti-crash. Naomi ne le vit toucher aucune commande mais il avait déjà dû le faire car dès qu'il reprit la parole sa voix résonna dans tout le vaisseau ainsi que dans le casque de la jeune femme.

— On entre dans le dur. Dans vingt secondes, je veux tout le monde solidement arrimé.

— Bien compris, répondit Bobbie de l'endroit où elle se trouvait à bord.

— Je viens de laisser le doc bien attaché et heureux, annonça Amos. Je me rends à la salle des machines.

— On va aller à la confrontation ? s'enquit Alex.

— Il y a quelque chose comme trente-cinq unités lourdes en face, et la plus petite est beaucoup, beaucoup plus grosse que le *Rossi*. Alors, si on se débrouillait juste pour ne pas se faire cribler par tout le monde ?

— Bien reçu, dit Alex depuis le cockpit.

Tout vestige de démocratie, de décision prise en commun avait disparu. Et c'était une bonne chose. Au moins Holden possédait la mainmise alors qu'il fallait une seule voix qui décide.

— J'ai deux échos en approche rapide, dit Naomi. Quelqu'un nous prend toujours pour les méchants.

— C'est la faute d'Avasarala, lança Bobbie.

Avant que l'intéressée ait le temps d'en rire, la gravité s'accrut et glissa de côté en même temps que le *Rossi* passait à l'action sous elle. Son siège se déforma en crissant. Le gel protecteur pressa contre son corps un instant, puis la relâcha.

— Alex ?

— Je suis sur eux, répondit le pilote. Je n'aurais rien contre un vrai mitrailleur à son poste, monsieur.

— On va avoir le temps de la faire monter à son poste sans risque ?

— Non. J'en ai trois autres en approche.

— Je peux prendre le contrôle des CDR d'ici, intervint Bobbie. Ce ne sera pas exactement pareil, mais ça vous ôtera une épine du pied.

— Naomi, fais passer les commandes des CDR au sergent.

— Commandes des CDR transférées. Ils sont tout à vous, Bobbie.

— Je prends les commandes, confirma cette dernière.

Sur l'écran d'Avasarala, les messages déferlaient en une cascade continue. Elle se mit à les parcourir. Le

Kennedy déclarait illégal l'ordre diffusé par Souther. Le commandant en second du *Triton* déclarait son supérieur aux arrêts et sollicitait des directives auprès de Souther. Le destroyer martien *Iani Chaos* essayait de joindre Avasarala afin qu'elle lui indique quelles unités de la Terre il pouvait prendre pour cibles.

Elle passa à l'affichage tactique. Les cercles rouges et verts signalaient les concentrations de vaisseaux, et les fines lignes argentées ce qui pouvait être des tirs de CDR ou la trajectoire de torpilles.

— Nous sommes rouges, ou verts ? demanda-t-elle. Qui est qui dans cette foutue pétaudière ?

— Les forces de Mars sont en rouge, celles de la Terre en vert, répondit Naomi.

— Et quelles unités de la Terre sont de notre côté ?

— À vous de me le dire, répondit Holden alors qu'un point vert s'éteignait subitement. Alex ?

— Le *Darius* vient d'armer ses CDR, et il arrose tout ce qui arrive à sa portée, ennemis ou pas. Et… Ah, merde.

Le siège d'Avasarala se déforma de nouveau, parut se presser sous elle, et elle se retrouva avec le dos écrasé dans le gel assez rudement pour avoir des difficultés à mouvoir les bras. Sur l'écran tactique la nuée de vaisseaux, des deux camps ou sans allégeance définissable, glissa légèrement de côté, et deux points dorés grossirent tandis que leurs coordonnées décroissantes indiquaient un rapprochement rapide.

— Madame l'assistante de Je-ne-sais-qui, il serait peut-être bon que vous répondiez maintenant à quelques-unes de ces requêtes comms, lança Holden.

Elle avait l'impression que quelqu'un lui broyait les viscères par en dessous. Un goût de sel et de bile piquait l'arrière de sa langue. Elle commençait à transpirer, d'une façon qui avait moins à voir avec la température qu'avec un début de nausée. Elle obligea ses mains à quitter le panneau de contrôle au moment exact où les deux points dorés s'évanouissaient.

— Merci, Bobbie, dit Alex. Je vais manœuvrer pour essayer de placer les Martiens entre nous et les combats.

Elle entreprit de passer des appels. Au cœur de la bataille, elle n'avait rien de mieux à offrir que des appels comms. De la parlote. La même chose qu'elle faisait tout le temps. Pourtant cela lui parut rassurant, d'une certaine manière. Le *Greenville* accepta les ordres de Souther. Le *Tanaka* ne répondit pas. Le *Dyson* ouvrit un canal, mais le seul son transmis fut celui d'hommes se disputant. C'était le chaos.

Un message leur parvint, de Souther, et elle l'accepta. Il incluait un nouveau code transpondeur d'identification, et elle entérina manuellement la mise à jour. Sur l'affichage tactique, la plupart des points verts virèrent au blanc.

— Merci, dit Holden.

Avasarala ravala son "Pas de quoi". Les substances anti-nausées semblaient faire effet sur tous les autres, et elle n'avait vraiment, vraiment pas envie de vomir à l'intérieur de son casque. Un des six points verts restants s'éteignit, et un autre passa au blanc.

— Ooh, en plein par-derrière, souffla Alex. Pas cool, ça.

L'identité de Souther apparut de nouveau sur la console d'Avasarala, et elle prit la diffusion du message alors que le *Rossi* partait en glissade une fois encore.

— … la reddition immédiate du vaisseau amiral *King* et de l'amiral Augusto Nguyen, disait Souther.

Les cheveux blancs de Souther étaient dressés sur sa tête comme si la poussée réduite de la gravité les soulevait en éventail telle la roue d'un paon. Son sourire était aussi acéré que le fil d'un poignard.

— Tout bâtiment qui refusera de reconnaître la légitimité pleine et entière de mes directives renoncera à cette amnistie. Vous disposez de trente secondes, à partir de maintenant.

Sur l'affichage, les traînées argentées et dorées avaient presque toutes disparu. Les vaisseaux changeaient de position, chacun selon un enchaînement complexe de vecteurs. Sous ses yeux, les derniers points verts devinrent blancs. Excepté un.

— Ne soyez pas idiot, Nguyen, murmura Avasarala. C'est terminé.

Le pont des ops fut plongé dans le silence pendant un moment, et la tension atteignit le seuil de l'intolérable. Ce fut la voix de Naomi qui y mit fin :

— J'ai un tas d'échos en approche. Oh… J'en ai vraiment *beaucoup*.

— Provenance ? fit Holden d'un ton sec.

— La surface.

Sans qu'Avasarala agisse, son affichage tactique se reconfigura, élargissant le champ jusqu'à ce que la masse des vaisseaux, les rouges, les blancs et l'unique vert, soit réduite au quart de la taille qu'elle avait précédemment. La courbe impressionnante de la lune se dessina au bas de l'écran. Il s'en élevait des centaines de fins traits jaunes qui formaient un faisceau étendu très dense.

— Estimation, dit Holden. J'ai besoin d'une estimation chiffrée, là.

— Deux cent dix-neuf. Non. Un instant. Deux cent trente.

— Mais c'est quoi, tout ça ? intervint Alex. Des torpilles ?

— Non, répondit Bobbie. Ce sont les monstres. Ils ont lancé les monstres.

Avasarala ouvrit un canal de diffusion. Sa chevelure avait sans doute un aspect encore plus ridicule que celle de Souther, mais elle avait abandonné toute prétention de coquetterie depuis longtemps. Qu'elle puisse s'exprimer sans vomir représentait déjà une sorte de bénédiction.

— Ici Avasarala, articula-t-elle. Les tirs que vous constatez tous actuellement sont ceux d'armes à base d'une nouvelle protomolécule utilisée pour une première frappe illégale contre Mars. Il faut éradiquer ces saloperies de l'espace, et immédiatement. Tout le monde.

— Réception d'une requête de coordination centralisée provenant du vaisseau amiral de Souther, annonça Naomi. On lui passe les commandes ?

— Que dalle pour moi, grogna Alex.

— Non, mais c'est OK pour les requêtes de traçage, répondit Holden. Pas question que je laisse le contrôle de mon vaisseau à un programme militaire de contrôle à distance des tirs. Mais il faut que nous fassions toujours partie de la solution.

— Le *King* met le paquet côté propulsion, dit Alex. Je crois qu'il essaie de filer.

Sur l'affichage tactique, l'attaque venue de la surface de Io commençait à s'épanouir, et individuellement les traits adoptaient des trajectoires inattendues, certains partant en vrille, d'autres suivant des vecteurs brisés qui évoquaient un peu une patte d'araignée à articulations multiples. Chacun de ces tirs symbolisait la mort potentielle d'une planète, et les données les mesuraient à une vitesse qui oscillait entre dix et vingt g. Aucun organisme humain ne pouvait supporter vingt g. Aucun organisme humain n'y était jamais contraint.

Des éclats dorés jaillirent des vaisseaux, qui allaient à la rencontre des lignes s'étirant de la surface de Io. Le rythme lent et continu de la retransmission visuelle était contredit par le défilement des données. Les torpilles au plasma explosaient, mais il fallait plusieurs secondes avant qu'elles atteignent leurs cibles.

Avasarala observa les premiers impacts, vit la colonne de monstres protomoléculaires se scinder en dizaines de branches distinctes. Manœuvre dilatoire.

— Certains viennent vers nous, capitaine, dit Alex. Je ne pense pas qu'ils soient conçus pour perforer la coque d'un bâtiment de guerre, mais je suis à peu près certain qu'ils sont capables de le faire.

— Entrons dans la danse et voyons ce qu'il est possible de faire. On ne peut pas laisser un seul de ces… Bon, où ils sont passés ?

Sur l'affichage tactique, les monstres disparaissaient et leurs trajectoires lumineuses s'interrompaient.

— Ils réduisent la vitesse, remarqua Naomi. Et les transpondeurs deviennent muets. Ils doivent posséder un revêtement qui absorbe les ondes radars.

— Est-ce qu'on a des données de traçage ? On peut anticiper l'endroit où ils vont se trouver ?

L'écran se mit à scintiller. Des lucioles. Les monstres se lançaient dans des directions semi-aléatoires, mais leur expansion dans l'espace se poursuivait.

— Ça va être coton, lâcha Alex. Bobbie ?

— J'ai quelques cibles en acquisition. Amenez-nous à portée de CDR.

— Accrochez-vous, les enfants, dit Alex. Ça va secouer.

Le *Rossi* fit une brusque embardée, et Avasarala fut une fois encore écrasée au fond de son siège. Le rythme frémissant des vibrations lui parut être celui de ses propres muscles tremblants, puis le staccato des CDR, puis son corps, à nouveau. Sur l'écran, les forces combinées de la Terre et Mars partaient en éventail pour traquer leurs proies presque invisibles. La poussée gravitationnelle changea, faisant tourner son siège dans un sens puis dans l'autre, sans préavis. Elle ferma les yeux un instant, mais c'était encore pire.

— Hmmm.

— Quoi, Naomi ? fit Holden. "Hmmm" quoi ?

— Le *King* se comporte bizarrement. Grosse activité des propulseurs de manœuvre, et… Oh.

— “Oh” quoi, Naomi ? J’ai besoin de précisions !

— Il s’est fait harponner, répondit-elle. Un des monstres l’a perforé.

— Je vous avais bien dit qu’ils en sont capables, rappela Alex. Je n’aimerais pas être à bord en ce moment. N’empêche, cette saloperie n’aurait pas pu mieux choisir sa cible.

— Son équipage n’est pas responsable de ses actes, remarqua Bobbie. Ses hommes ne savent peut-être même pas que Souther a pris les commandes. Nous nous devons de les aider.

— Impossible, dit Holden. Ils nous prendraient pour cible.

— Vous voulez bien la fermer, tous ? lança Avasarala. Et arrêtez de brinquebaler ce foutu vaisseau. Choisissez une direction et calmez-vous pendant deux minutes.

Sa demande comm resta sans réponse pendant cinq minutes. Puis dix, et quand le faisceau de détresse du *King* s’alluma, il n’avait toujours pas répondu. Une émission leur parvint néanmoins juste après.

— Ici l’amiral Nguyen, du vaisseau de guerre des Nations unies *Agatha King*. Je propose ma reddition aux bâtiments des Nations unies à la condition d’une évacuation immédiate. Je répète : je propose ma reddition à n’importe quel appareil militaire des Nations unies à la condition d’une évacuation immédiate.

Souther répondit sur la même fréquence :

— Ici l’*Okimbo*. Votre situation ?

— Menace biologique possible, déclara Nguyen.

Sa voix était aussi tendue et haut perchée que si quelqu’un était en train de l’étrangler. Sur l’écran tactique, plusieurs points blancs se dirigeaient déjà sur le vert.

— Tenez bon, de l’*Agatha King*, dit Souther. Nous sommes en chemin.

— Rien du tout ! bougonna Avasarala avant de jurer à voix basse en ouvrant un canal d’émission. Rien du tout.

Ici Avasarala. J'impose une mesure de quarantaine et de confinement à l'*Agatha King*. Effet immédiat. Aucune unité ne doit l'accoster ni accepter un transfert de matériel ou de personnel. Tout bâtiment qui enfreindra cet ordre se verra automatiquement appliquer les mêmes mesures de quarantaine et de confinement.

Deux des points blancs infléchirent leur trajectoire, mais trois autres continuèrent en direction du *King*. Elle rouvrit le canal comm général :

— Je suis donc la seule ici à se souvenir d'Éros ? Qu'est-ce que vous croyez qui se trouve en liberté à bord du *King* ? Ne vous en approchez pas.

Les derniers points blancs se détournèrent. Lorsque Nguyen répondit à sa requête comm, elle avait oublié que ce canal était toujours ouvert. Il avait l'air décomposé. Elle songea qu'elle ne devait pas avoir une mine resplendissante, elle non plus. Combien de conflits s'étaient conclus de cette manière ? se demanda-t-elle. Deux personnes exténuées, au bord de la nausée, qui s'affrontaient du regard pendant qu'autour d'eux le monde était la proie des flammes…

— Qu'espérez-vous de plus de moi ? demanda-t-il. Je me suis rendu. J'ai perdu. Vous ne pouvez pas condamner mes hommes par pure méchanceté.

— Ce n'est pas de la méchanceté, dit Avasarala. Nous ne pouvons pas accéder à votre demande. La protomolécule est dans la nature. Vos jolis petits programmes de contrôle sont inopérants. Et cette chose est infectieuse.

— Ce n'est pas prouvé, répliqua-t-il, mais le ton employé révélait tout ce qu'il taisait.

— C'est en train de se passer, n'est-ce pas ? dit-elle. Branchez-nous sur votre circuit vidéo interne. Laissez-nous voir.

— Pas question.

Elle sentit sa poitrine se serrer. C'était bien arrivé.

— Je suis réellement désolée, dit-elle. Réellement.

Les sourcils de Nguyen se relevèrent d'un millimètre. Ses lèvres pincées formaient un trait mince, exsangue. Elle crut discerner l'éclat de larmes dans ses yeux, mais c'était peut-être dû à un défaut de la transmission.

— Vous devez activer les transpondeurs, ajouta-t-elle et, devant son absence de réponse : Nous ne pouvons pas détruire la protomolécule avec notre armement. Nous ne comprenons pas sa nature véritable. Nous sommes dans l'incapacité de la contrôler. Vous venez d'envoyer une sentence de mort à Mars. Je ne peux pas vous sauver, c'est impossible. Mais réactivez ces transpondeurs, et aidez-moi à les sauver.

Le silence s'étira. Avasarala pouvait sentir l'attention d'Holden et Naomi rivée sur elle aussi nettement que la chaleur provenant d'un feu de cheminée. Nguyen secoua la tête et ses lèvres se tordirent, comme sur une conversation avortée avec lui-même.

— Nguyen, dit-elle encore, que se passe-t-il à bord ? Quelle est la gravité de la situation ?

— Sortez-moi d'ici, et je réactiverai les transpondeurs. Mettez-moi en prison jusqu'à la fin de mes jours, peu m'importe. Mais faites-moi sortir de ce bâtiment.

Elle voulut se pencher en avant, avec pour seul effet de déplacer son siège anti-crash sous elle. Elle chercha les paroles qui le feraient revenir à la raison, les mots pour lui expliquer qu'il s'était trompé, qu'il avait mal agi et qu'il allait bientôt mourir horriblement des mains de sa propre arme monstrueuse, et que d'une certaine façon ce n'était que justice. Elle considéra ce petit homme furieux, myope et terrorisé, et elle chercha un moyen de le rappeler à la simple décence humaine.

Elle n'y parvint pas.

— Je ne peux pas faire ça, dit-elle.

— Alors cessez de me faire perdre mon temps, cracha-t-il, et il mit fin à la connexion.

Elle se laissa aller au fond de son siège et posa une main ouverte sur ses yeux.

— Je reçois des relevés sacrément étranges de ce vaisseau de guerre, dit Alex. Naomi ? Vous voyez ça ?

— Excuses. Juste une seconde.

— Qu'est-ce que vous avez, Alex ? demanda Holden.

— Le réacteur est à l'arrêt. Le niveau de radiation intérieur grimpe en flèche. Comme s'ils avaient connecté le réacteur au système de recyclage d'air.

— M'a l'air plutôt malsain, tout ça, commenta Amos.

Le silence envahit de nouveau le pont des ops. Avasarala faillit ouvrir un canal avec Souther, mais elle suspendit son geste. Elle ne savait que lui dire. La voix qui résonna dans le système comm du *Rossi* était pâteuse, laborieuse. Elle mit un temps avant d'identifier Prax, et il dut se répéter à deux reprises avant qu'elle comprenne ce qu'il disait :

— Un incubateur. Il transforme le vaisseau tout entier en incubateur géant. Comme sur Éros.

— La créature saurait faire ça ? demanda Bobbie.

— Oui, apparemment, fit Naomi.

— Il va falloir anéantir cette saloperie, dit Bobbie. Est-ce que nous disposons d'une puissance de feu suffisante ?

Avasarala abaissa la main posée sur ses yeux. Elle s'efforça de ressentir autre chose qu'une tristesse immense. Il devait bien exister un espoir, quelque part. Pandore elle-même avait eu cette chance.

Holden trouva les mots pour exprimer ce qu'elle éprouvait :

— Même si nous y arrivons, ça ne sauvera pas Mars.

— Peut-être qu'on les a toutes eues ? fit Alex. Je veux dire, ces saloperies étaient un putain de paquet, mais peut-être… peut-être qu'on les a eues ?

— Difficile à dire tant elles sont allées vite, et dans toutes les directions, répondit Bobbie. Si nous en avons raté une seule, et qu'elle atteint Mars…

Tout lui échappait des mains. Elle avait été si près d'endiguer la menace, et à présent elle était là, impuissante, à la regarder lui échapper. Elle avait le ventre noué. Mais non, ils n'avaient pas échoué. Pas encore. Quelque part, il devait exister une solution. Quelque chose qu'on pouvait encore faire.

Elle transmit à Souther son dernier échange avec Nguyen. Peut-être qu'il aurait une idée. Une arme secrète sortie de nulle part, qui remettrait les pendules à l'heure. Peut-être que la grande fraternité des militaires réussirait à extirper un vestige d'humanité à Nguyen.

Dix minutes plus tard, un module de survie se détacha du *King*. Souther ne prit pas la peine de la contacter avant de détruire la petite capsule. Le pont des ops prit des airs de chambre funéraire.

— Bon, dit enfin Holden. Procédons dans l'ordre. Nous devons descendre à la base. Si Mei s'y trouve, il faut la tirer de là.

— Je suis pour, déclara Amos. Et il faut emmener le doc.

— C'est aussi ce que je pensais, approuva Holden. Donc, vous amenez le *Rossi* à la surface, les gars.

— "Vous, les gars" ? s'étonna Naomi.

— Je vais prendre la chaloupe pour rejoindre le vaisseau de guerre, expliqua Holden.

— Vous ? dit Avasarala.

— Deux personnes seulement en ont réchappé, sur Éros, fit Holden, l'air dégagé. Et je suis le seul des deux encore là.

49

HOLDEN

— Ne fais pas ça, dit Naomi.

Elle n'implorait pas, ne pleurait pas, ne formulait aucune exigence. Toute la force de sa demande résidait dans la simplicité de ces quelques mots : "Ne fais pas ça."

Holden ouvrit l'armoire située juste à côté du sas extérieur et y prit sa combinaison renforcée martienne. Le souvenir subit et aussitôt nauséeux de ses souffrances dues aux radiations sur Éros lui fit marquer un temps d'arrêt.

— Ils insufflent des radiations à l'intérieur du *King* depuis des heures, maintenant, non ?

— N'y va pas, insista Naomi.

— Bobbie ? dit Holden par le système comm.

— Présente, répondit la Marine dans un grognement.

Elle aidait Amos à préparer l'équipement pour l'assaut sur la station scientifique de Mao. Après sa propre rencontre avec l'hybride protomoléculaire des labos Mao, il imaginait aisément qu'ils n'allaient pas lésiner sur les moyens.

— À quel point ces combis martiennes standard sont-elles prévues pour subir des radiations ?

— Comme la mienne ? demanda Bobbie.

— Non, pas une de ces tenues spéciales. Je sais qu'ils vous préparent à encaisser des impacts à courte distance. Je parle de l'équipement que nous avons récupéré.

— À peu près la même chose que pour une combi spatiale classique. Suffisante pour de courtes périodes à l'extérieur du vaisseau. Pas très performante en cas d'exposition prolongée à de hauts niveaux de radiations.

— Et merde… grogna Holden, puis : Merci.

Il éteignit le panneau de comm et referma l'armoire.

— Il va me falloir un combi spéciale antiradiations. Ce qui veut dire que je serai protégé contre les radiations, et pas du tout contre les projectiles.

— Et combien de fois pourras-tu être soumis à des doses massives de radiations avant que ça te rattrape ? dit Naomi.

— Pareil que la première fois. Encore une fois, au moins, rétorqua-t-il avec un petit rictus.

Naomi ne lui sourit pas en retour. Il réenclencha le système comm :

— Amos, apportez-moi la combi antiradiations qui se trouve dans l'atelier. Ce que vous trouvez de mieux à bord.

— Compris, répondit le mécano.

Holden ouvrit son casier personnel et en sortit le fusil d'assaut qu'il y gardait. C'était une arme imposante, noire, conçue pour intimider. Quiconque la portait était instantanément considéré comme une menace. Il la remit en place et lui préféra un simple pistolet. La combi antiradiations le rendrait relativement anonyme. C'était le genre de tenue qu'une équipe d'évaluation des dommages pouvait porter en situation d'urgence. S'il ne portait qu'une arme de service dans un étui de ceinture, cela pouvait aider à ne pas le désigner comme une partie du problème.

Et avec la protomolécule en liberté à bord, et tout le bâtiment envahi par les radiations, le problème serait déjà de taille.

Parce que, si Prax et Avasarala ne se trompaient pas, et que la protomolécule faisait partie de l'équation, même sans lien physique direct, alors la substance sur le *King* savait ce que la substance sur Vénus savait. Une partie de l'équation venait de la conception des vaisseaux humains, depuis que la créature avait désassemblé l'*Arboghast*. Mais cela signifiait aussi qu'elle en savait beaucoup sur la façon de transformer les humains en zombies. Elle avait joué ce tour un million de fois ou plus, sur Éros. Elle était rodée.

Il était très possible que chaque être humain à bord du *King* soit déjà un zombie vomisseur. Et, si triste que cela soit, cette éventualité représentait le meilleur des scénarios. Les zombies vomisseurs étaient la mort assurée pour toute personne allant la peau nue, mais pour Holden, dans sa combinaison antiradiations pressurisée, ils ne constitueraient qu'une gêne négligeable.

Dans le pire des scénarios, la protomolécule était déjà tellement douée pour métamorphoser les humains que le vaisseau grouillerait d'hybrides mortels comme celui qu'il avait combattu dans la soute du *Rossi*. La situation en deviendrait ingérable, et il préféra penser qu'elle n'était pas d'actualité. Par ailleurs la protomolécule n'avait créé aucun soldat sur Éros. Miller n'avait certes pas pris le temps de décrire ce qu'il avait rencontré là-bas, mais il avait passé pas mal de temps à y rechercher Julie, et jamais il n'avait cité une attaque quelconque. La protomolécule était incroyablement agressive. Elle était capable de tuer un million d'êtres humains en quelques heures, et de les transformer en éléments de ce qu'elle concevait, quoi que ce soit. Mais elle était invasive au niveau cellulaire. Elle agissait comme un virus, non comme une armée.

C'est bon, continue de te dire ça, songea Holden. L'idée rendait possible ce qu'il allait tenter.

Il choisit dans l'armoire un pistolet semi-automatique compact, avec son étui. Naomi le regarda prendre l'arme ainsi que trois chargeurs, mais elle ne fit aucun commentaire. Il avait poussé la dernière cartouche dans le dernier chargeur quand Amos entra en flottant dans le compartiment, en traînant derrière lui une combinaison rouge de belle taille.

— Ce qu'on a dégotté de mieux, cap, dit-il. Pour les situations de grosse merde. Elle devrait largement faire l'affaire pour les niveaux que vous rencontrerez à bord de cette poubelle. Temps d'expo maxi : six heures ; mais comme vous n'avez que deux heures d'oxy, la question ne se pose même pas.

Holden examina la tenue. Elle était imposante, très rembourrée, et sa surface épaisse, faite d'un matériau souple et caoutchouteux. Peut-être suffirait-elle à contrer une attaque avec des griffes et des crocs, mais pas un assaut avec une lame, ou l'impact d'un projectile. La réserve d'air était distribuée sous la couche externe résistante aux radiations, et formait une bosse assez importante et disgracieuse dans le dos. La difficulté qu'il éprouva à enfiler l'ensemble lui prouva que son poids était considérable.

— Difficile de se déplacer rapidement là-dedans, hein ?

— Sûr, répondit Amos avec une grimace. Ces trucs ne sont pas conçus pour aller au baston. Si les balles commencent à voler pas loin, vous êtes très mal.

Naomi acquiesça en silence.

Holden saisit le bras du mécanicien en se tournant pour partir.

— Amos, la Marine prend la direction des opérations dès que vous touchez le sol. C'est une pro, c'est sa partie. Mais je veux que vous gardiez Prax à l'œil, parce qu'il va se conduire comme un idiot. Je ne vous demande qu'une chose : vous exfiltrez ce gars et sa fille sans bobo de cette lune, et vous me les ramenez sur ce vaisseau.

L'espace d'un instant, le mécanicien parut vexé.

— Évidemment, je vais le faire, capitaine. Avant que quelque chose les atteigne, lui ou la gamine, ça me sera passé sur le corps. Et j'attends de voir ça.

Holden l'attira à lui et le serra brièvement dans ses bras.

— Je suis désolé de toute cette merde. Personne ne pourrait rêver d'avoir un meilleur mécano, Amos. Je voulais juste que vous le sachiez.

Le colosse le repoussa.

— Vous vous comportez comme si vous ne deviez pas en réchapper.

Holden lança un regard furtif en direction de Naomi, mais l'expression de celle-ci n'avait pas changé. Amos s'esclaffa, puis appliqua une claque retentissante dans le dos d'Holden, assez fort pour qu'il en ait les dents qui grincent.

— Conneries, fit le mécanicien. Vous êtes le mec le plus duraille que je connaisse.

Et sans attendre de réponse, il se dirigea vers l'échelle. L'instant d'après, il avait disparu au pont inférieur.

D'une poussée légère contre la cloison, Naomi se propulsa en douceur vers Holden. La résistance naturelle de l'air la stoppa à un demi-mètre de lui. Elle demeurait la personne la plus douée pour se déplacer en microgravité, une véritable ballerine en pesanteur nulle. Il dut se retenir pour ne pas la prendre dans ses bras. L'expression qu'elle arborait lui indiqua que ce n'était absolument pas ce qu'elle désirait. Elle se contenta de flotter devant lui pendant un moment, sans rien dire, puis elle tendit sa longue main vers lui et effleura sa joue. Le contact était doux, et frais.

— Ne pars pas, dit-elle, et quelque chose dans sa voix fit comprendre à Holden qu'elle parlait ainsi pour la dernière fois.

Il recula et s'ingénia à revêtir sa tenue.

— Alors, qui ? Tu imagines Avasarala en train de se battre contre une horde de zombies vomisseurs ? Amos va récupérer la gamine. Tu sais qu'il va le faire, et tu sais pourquoi. Prax doit être là. Et Bobbie les gardera en vie, tous les deux.

Il réussit à enfiler la tenue encombrante et ferma le devant, mais il laissa le casque pendre sur son dos. Les aimants de ses bottes s'activèrent quand il régla les tirettes dans les talons et il colla ses semelles au pont.

— Toi ? demanda-t-il à Naomi. Est-ce que je t'envoie là-bas ? Je parierai sur toi contre un millier de zombies, sans hésiter. Mais est-ce que ça aurait le moindre sens ?

— On vient juste de se remettre d'aplomb, dit-elle. Ce n'est pas juste.

— Mais tu diras aux Martiens qu'en sauvant leur planète je répare le fait d'avoir volé un de leurs vaisseaux de guerre, d'accord ?

Il était conscient de jouer à outrance la légèreté, et il se détesta pour cela. Mais Naomi le connaissait, elle savait à quel point il était effrayé, et elle ne lui en fit pas le reproche. L'élan d'amour qu'il éprouva alors pour elle lui électrisa l'échine et la nuque.

— Très bien, dit-elle, le visage fermé. Mais tu reviens. Je serai à la radio en continu. On va faire ça ensemble, pas à pas. Pas de connerie d'héroïsme. Le cerveau plutôt que le flingue, et on résoudra chaque problème ensemble. Accorde-moi ça. Tu as intérêt à m'accorder ça.

Il finit par l'étreindre et l'embrassa.

— Je suis d'accord. Et oui, je t'en prie, aide-moi à revenir vivant. L'idée me plaît beaucoup.

Piloter le *Razorback* jusqu'à l'*Agatha King* fut comme conduire une voiture de course au supermarché du coin. Le *King* ne se trouvait qu'à quelques milliers de kilomètres du *Rossinante*. Il semblait assez proche pour être atteint muni d'une simple combi pressurisée avec propulseur intégré. Au lieu de quoi il dirigea ce qui était sans doute l'appareil le plus rapide de tout le système jovien à un pas de sénateur, pas plus de cinq pour cent de la poussée maximale, à travers les débris de la bataille toute récente. Il sentait la chaloupe de course qui tirait sur sa laisse, et répondait à ses très légères accélérations avec mauvaise humeur. La distance le séparant du vaisseau amiral en perdition était si courte, la trajectoire si hasardeuse que programmer l'itinéraire aurait pris plus de temps que de piloter manuellement. Et pourtant même à cette allure réduite le *Razorback* semblait avoir des difficultés à garder le cap sur le *King*.

Tu ne veux pas aller là-bas, semblait lui murmurer l'appareil. *C'est un endroit horrible.*

— Non, non, je n'en ai vraiment pas envie, dit-il en tapotant la console devant lui. Mais amène-moi juste à destination en une seule pièce, d'accord, chérie ?

Un fragment énorme de ce qui avait dû être un destroyer le croisa, ses arêtes encore brillantes de chaleur. Il effectua une très légère correction de trajectoire pour s'écarter des débris. Le nez de la chaloupe dévia de sa destination.

— Tu peux résister autant que tu veux, on va toujours au même endroit.

Une partie de lui-même était déçue que le trajet soit aussi dangereux. Il ne s'était encore jamais rendu sur Io, et la vision de la lune occupant le bord de son écran était spectaculaire. Un volcan massif de silicate en fusion de l'autre côté du satellite projetait des particules à une telle altitude qu'il pouvait contempler la traînée que le phénomène créait dans l'espace. Le jet se refroidissait en cristaux qui réfléchissaient la lumière de Jupiter et scintillaient tels des diamants éparpillés sur l'obscurité. Certains d'entre eux finissaient par dériver et s'agglomérer à l'anneau peu visible autour du système jovien, en échappant au puits de gravité de Io. En toute autre circonstance, le spectacle aurait été enchanteur.

Mais le trajet semé d'embûches accaparait son attention sur les instruments et les écrans devant lui. Et, toujours, la masse grossissante du *King*, seule île solide au centre du nuage de débris.

Arrivé à bonne distance, Holden contacta le système automatisé d'accostage du bâtiment, et comme il le soupçonnait le *King* ne répondit pas. Il se dirigea donc vers le sas externe le plus proche et ordonna au *Razorback* de maintenir une distance constante de cinq mètres. La chaloupe de course n'était pas conçue pour accoster un autre appareil dans l'espace. Elle n'était même pas équipée du plus élémentaire tunnel de jonction. Pour arriver au *King*, il lui faudrait s'élancer dans l'espace.

Avasarala avait obtenu un code prioritaire de Souther, et Holden le fit transmettre par le *Razorback*. Le sas s'ouvrit aussitôt.

Holden emplit le sas de la chaloupe avec la réserve d'air de sa combinaison. Une fois à bord du vaisseau amiral de Nguyen, il ne pourrait pas faire confiance à l'atmosphère, même dans les cellules de recharge de sa combinaison. Rien venant du *King* ne devait être autorisé à pénétrer dans sa tenue. Rien.

Quand sa jauge d'air interne indiqua cent pour cent, il alluma la radio et appela Naomi :

— J'y vais, maintenant.

Il désactiva les aimants de ses bottes, et une poussée ferme contre le battant intérieur du sas lui fit traverser la courte distance le séparant du *King*.

— Je reçois une image correcte, dit Naomi.

Le lien vidéo sur l'affichage tête haute de son casque était branché, Naomi pouvait donc voir tout ce qu'il voyait. Il se sentait à la fois réconforté et très isolé, comme s'il dialoguait avec une amie vivant très loin.

Il enclencha le cycle du sas. Les deux minutes pendant lesquelles le *King* verrouilla l'issue extérieure puis pompa l'air dans la chambre lui parurent durer une éternité. Il lui était impossible de savoir ce qui l'attendait de l'autre côté du battant intérieur quand celui-ci s'ouvrit enfin. Il posa la main sur la crosse de son pistolet avec une nonchalance qu'il était très loin d'éprouver.

Le panneau intérieur coulissa.

Le crissement soudain de l'alarme radiations incorporée à sa tenue faillit lui donner une attaque cardiaque. Du menton il toucha le senseur pour l'éteindre, mais en gardant actif l'indicateur de radiations à l'extérieur. Le taux affiché n'avait rien pour le rassurer, mais les autres données de la combinaison lui affirmaient qu'elle pouvait supporter les conditions environnementales.

Holden sortit du sas et pénétra dans un compartiment exigu empli d'armoires métalliques et de matériel. Le lieu avait l'air désert, mais un bruit léger venu d'un des placards l'alerta, et il se retourna juste à temps pour voir un homme vêtu d'un uniforme de la Flotte des Nations unies jaillir d'un de ces placards et tenter de le frapper à la tête avec une imposante clef anglaise. Sa combinaison antiradiations l'empêcha de réagir assez vite, et l'outil percuta son casque, envoyant des vibrations douloureuses dans son crâne.

— Jim ! s'écria Naomi dans le circuit radio.

— Crève, fumier ! hurla son agresseur en même temps.

Il essaya de frapper une deuxième fois, mais il n'était pas équipé de semelles magnétiques et sans une poussée contre la cloison pour lui donner l'impulsion nécessaire l'élan du coup l'envoya virevolter dans l'air. Holden lui arracha la clef de la main et la lança au loin. De la main gauche il stoppa l'autre et dans le même temps dégaina son pistolet de la droite.

— Si tu as entaillé ma combi, je te balance par ce sas, dit-il.

Sans cesser de menacer son assaillant de son arme, il vérifia les données affichées sur le casque de sa tenue.

— Tout a l'air OK, l'informa Naomi avec un soulagement évident. Aucun voyant rouge ou jaune. Ce casque est plus résistant qu'il n'y paraît.

— Qu'est-ce que vous foutiez dans cette armoire ? demanda Holden à l'homme.

— Je travaillais là quand… cette chose… est arrivée à bord, répondit l'autre.

C'était un Terrien au physique compact, à la peau très blanche et aux cheveux roux coupés court. Le badge cousu sur sa tenue disait LARSON.

— Toutes les issues se sont bloquées dès la procédure d'urgence enclenchée. Je me suis retrouvé coincé là-dedans, mais j'ai pu voir ce qui se passait sur le circuit vidéo de sécurité. Je pensais mettre une combi et sortir par le sas, mais il était verrouillé aussi. Au fait, comment vous êtes arrivé ici ?

— J'ai des passes fournis par l'amirauté, expliqua Holden et, d'un ton posé, à Naomi : Au niveau ambiant de radiations, estimation de la survie de notre copain ici présent ?

— Pas trop mauvaise, répondit-elle. À condition qu'il aille à l'infirmerie dans les deux heures.

Holden s'adressa à Larson :

— C'est bon, vous venez avec moi. Nous allons au poste de commandement. Amenez-moi là-bas vite fait, et vous aurez droit à un ticket de sortie.

— Compris, chef ! répondit Larson avec un salut militaire.

— Il te prend pour un amiral ! s'esclaffa Naomi.

— Larson, enfilez une combi environnementale. Vite.

— Chef, oui, chef !

Les tenues dans l'armoire devaient au moins avoir leur propre réserve d'oxygène, ce qui amoindrirait les dommages radioactifs que le jeune soldat absorbait. Et une combinaison hermétique réduirait les risques d'infection par la protomolécule le temps qu'ils sortent du vaisseau.

Holden attendit que Larson ait bouclé sa tenue, puis il transmit le code prioritaire au système du sas, qui s'ouvrit.

— Après vous, Larson. Direction le poste de commandement, aussi vite que possible. Si nous rencontrons quelqu'un, et surtout quelqu'un qui a des nausées, restez loin de lui et laissez-moi m'en occuper.

— Oui, chef, dit Larson d'une voix brouillée par les parasites de la communication radio.

D'une poussée, il s'élança dans la coursive. Prenant Holden au mot, il le précéda sans traîner dans les entrailles de l'*Agatha King*. Ils ne s'arrêtaient que lorsqu'une écoutille verrouillée les ralentissait, et seulement le temps qu'Holden transmette le code prioritaire pour leur ouvrir la voie.

Les secteurs du bâtiment qu'ils traversaient n'avaient pas l'air endommagés du tout. La créature avait frappé l'appareil plus loin à l'arrière, et le monstre s'était dirigé immédiatement vers la salle du réacteur. D'après Larson, il avait tué beaucoup de gens au passage, dont tout le contingent de Marines embarqués quand ceux-ci s'étaient interposés. Mais une fois dans la salle des machines la créature avait pratiquement ignoré le reste de l'équipage. Toujours selon Larson, très peu de temps après que le monstre avait atteint cet endroit stratégique le système vidéo interne du vaisseau s'était éteint. Sans aucun moyen de savoir où le danger se situait, et sans possibilité de sortir de l'armoire, le soldat était resté tapi là en attendant la suite.

— Quand vous êtes arrivé, j'ai juste vu cette grosse silhouette rouge, expliqua Larson. Et j'ai cru que vous étiez peut-être une autre de ces choses.

L'absence de dégâts visibles était en soi une bonne chose. Elle signifiait que toutes les écoutilles et les autres systèmes intermédiaires demeuraient fonctionnels. L'absence d'un monstre dévastant le vaisseau était une indication encore meilleure. Holden s'était surtout inquiété du manque de gens rencontrés. Pour un bâtiment de cette taille, l'équipage dépassait le millier de personnes. Une partie du personnel embarqué au moins devait se trouver dans des zones du vaisseau qu'ils traversaient, pourtant ils n'avaient rencontré personne jusqu'à maintenant.

En revanche, les quelques flaques de substance gluante brune sur le sol ne constituaient pas un signe très encourageant.

Larson fit halte devant une écoutille verrouillée, pour laisser le temps à Holden de reprendre son souffle. La lourde combinaison que ce dernier portait n'était pas faite pour des déplacements prolongés, et elle commençait à s'emplir de l'odeur de sa propre transpiration. Pendant qu'il s'accordait une minute de pause, le temps que les systèmes intégrés de la tenue fassent baisser sa température corporelle, Larson lui dit :

— Nous allons passer devant la coquerie de proue pour atteindre les ascenseurs. Le poste de commandement se trouve sur le pont immédiatement au-dessus. Cinq, dix minutes, maximum.

Holden vérifia sa réserve d'air et constata qu'elle était à demi épuisée. Il approchait du point de non-retour. Mais quelque chose dans l'intonation du soldat éveilla son attention : la façon dont il avait prononcé le mot coquerie.

— Il y a quelque chose que je devrais savoir, concernant la coquerie ?

— Je ne sais pas trop, dit Larson. Mais après que le système vidéo du bord est tombé en rade, je n'ai pas cessé d'espérer que quelqu'un viendrait me chercher. Alors je me suis mis à essayer de contacter quelqu'un sur le réseau comm interne. Comme ça ne donnait rien, j'ai interrogé le système central pour avoir la localisation des gens que je connais. Et après un bout de temps, quelle que soit la personne que je citais, la réponse a toujours été : "La coquerie avant."

— Donc il pourrait y avoir plus d'un millier de membres de la Flotte infectés massés dans cette coquerie ?

Larson haussa les épaules, un mouvement à peine perceptible à cause de sa combinaison environnementale.

— Peut-être que le monstre les a massacrés et les a ensuite stockés là, dit-il.

Holden dégaina son arme et fit passer un projectile dans la chambre.

— Oh, à mon avis c'est exactement ce qui s'est passé, répondit-il. Sauf que je doute sérieusement qu'ils soient restés morts.

Avant que Larson ait le temps de lui demander ce qu'il entendait par là, Holden activa son passe prioritaire pour déverrouiller l'écoutille.

— Dès que j'ouvre, vous foncez vers les ascenseurs, aussi vite que vous le pourrez. Je serai juste derrière vous. Vous ne vous arrêtez sous aucun prétexte. Vous DEVEZ m'amener à ce poste de commandement. C'est bien clair ?

À l'intérieur de son casque, Larson hocha la tête.

— Parfait. À trois.

Holden entama le compte, une main sur l'écoutille, l'autre tenant son pistolet. À trois, il ouvrit le panneau. Larson prit appui des deux pieds contre la cloison proche et s'élança dans la coursive de l'autre côté.

De minuscules étincelles bleutées virevoltaient dans l'air autour d'eux, pareilles à des lucioles. Comme le phénomène qu'avait mentionné Miller quand il s'était retrouvé sur Éros pour la seconde fois. La fois où il n'en était pas revenu. Les mêmes lucioles étaient ici.

À l'autre bout de la coursive, Holden aperçut les ascenseurs. À pas lourds à cause de ses semelles magnétiques, il se mit à suivre Larson. À mi-chemin, le soldat franchit une écoutille ouverte.

Le jeune homme se mit à hurler.

Holden se précipita derrière lui aussi vite que le lui permettaient sa tenue et ses semelles magnétiques. Larson continuait de flotter toujours plus loin dans la coursive, mais il criait et agitait les bras comme un homme qui se noie. Holden était presque arrivé au niveau de l'écoutille béante quand quelque chose en jaillit et lui bloqua le passage. Tout d'abord il crut que c'était le même genre de zombie vomisseur qu'il avait affronté sur Éros. La chose se déplaçait lentement, et son uniforme de la Flotte était maculé de vomissures brunâtres. Mais quand elle tourna la tête vers lui, ses yeux luirent d'un faible éclat bleuté. Et il y discerna une intelligence que les zombies d'Éros n'avaient pas possédée.

Depuis Éros, la protomolécule avait appris. Il avait devant lui une version nouvelle, améliorée du zombie vomisseur.

Il n'attendit pas de voir ce que la créature allait faire. Sans ralentir son allure, il leva son pistolet et lui tira dans la tête. À son grand soulagement, il vit l'étincelle mourir dans les prunelles de la chose qui fut rejetée en arrière, arrachée du pont, et s'éloigna en décrivant une courbe dans le vide qu'elle aspergea d'un jet de substance sombre. Holden franchit l'écoutille et risqua un œil de l'autre côté.

L'endroit grouillait de zombies. Des centaines. Tous leurs regards d'un bleu déroutant étaient braqués sur lui. Il fit demi-tour et repartit en courant. Derrière lui s'éleva une vague sonore croissante quand les zombies gémirent à l'unisson et se mirent à parcourir le pont et les cloisons à sa poursuite.

— Allez ! Entrez dans un ascenseur ! cria-t-il à Larson tout en pestant intérieurement contre la lourdeur de sa tenue qui le ralentissait.

— Mon Dieu, qu'est-ce que c'était ? dit Naomi.

Il avait oublié qu'elle observait tout ce qu'il voyait. Il ne gaspilla pas son souffle à répondre. Larson s'était extrait de son état de panique et s'évertuait à ouvrir les portes d'un des ascenseurs. Holden le rejoignit au pas de charge et se retourna pour regarder derrière lui. Des dizaines de zombies vomisseurs aux yeux bleus emplissaient la coursive, rampant sur le plancher, les parois et le plafond telles des araignées. Les étincelles bleutées flottaient dans le vide, sur des courants qu'Holden ne pouvait détecter.

— Plus vite, dit-il à Larson en pointant son arme sur le zombie le plus proche pour lui loger une balle en pleine tête.

La créature fut arrachée de la cloison dans un geyser de substance brune. La suivante la repoussa d'un geste brusque vers eux. Holden se plaça devant Larson pour le protéger, et un jet de gouttelettes sombres se colla à sa poitrine et sur la visière de son casque. S'ils n'avaient pas tous deux porté des combinaisons hermétiques, leur arrêt de mort aurait été signé. Il réprima un frisson et abattit les deux zombies suivants. Les autres ne ralentirent pas pour autant.

Derrière lui, Larson jura quand les portes partiellement ouvertes se refermèrent subitement, coinçant son bras. Le soldat les écarta de force, en poussant avec son dos et une jambe.

— Dedans ! cria-t-il.

Holden se mit à reculer vers les ascenseurs sans cesser de tirer. Une demi-douzaine supplémentaire de zombies partit à la dérive et en arrière sous les impacts, dans des gerbes de substance brune. Enfin il fut dans la cabine, et Larson actionna la fermeture des portes.

— Un niveau au-dessus, fit le soldat qui haletait à cause de la peur et de la fatigue.

Il prit appui contre la cloison et flotta vers l'autre paire de portes, qu'il ouvrit. Holden suivit tout en glissant un chargeur plein dans son arme. Juste en face des portes de sortie de la cabine se dressait une écoutille blindée portant le signe PC imprimé en lettres blanches sur le métal. Holden se dirigea vers elle et activa la commande de sa combi pour transmettre le code prioritaire de déverrouillage. Derrière lui, Larson laissa les portes de l'ascenseur se refermer. Les hurlements des zombies se répercutèrent dans la cage.

— Mieux vaut ne pas traîner, dit Holden.

Il enfonça la touche faisant coulisser les battants du poste de commandement et se propulsa à l'intérieur, Larson flottant juste derrière lui.

Un seul homme était visible : un Asiatique trapu, au corps puissant, vêtu d'un uniforme d'amiral, qui tenait d'une main tremblante un pistolet de gros calibre.

— Restez où vous êtes, ordonna l'inconnu.

— Amiral Nguyen ? lança Larson. Vous êtes vivant !

L'autre ne parut pas l'entendre.

— Vous êtes ici pour les codes de lancement télécommandé du véhicule contenant l'arme biochimique. Ils sont à vous si vous me faites sortir de ce vaisseau.

— Il nous emmène, répondit Larson en désignant Holden. Il a dit qu'il m'emmènerait aussi.

— Rien à foutre, lâcha Holden à l'attention de Nguyen. Aucune chance. Vous me donnez les codes parce qu'il reste une parcelle d'humanité en vous, ou vous me les donnez parce que vous êtes mort. Rien à foutre, dans les deux cas. À vous de décider.

Le regard de Nguyen passa de Larson à Holden. Il serrait si fort dans ses mains le terminal et le pistolet que les articulations de ses doigts étaient blanches.

— Non ! Vous devez…

Holden lui tira dans la gorge. Quelque part dans son cerveau, l'inspecteur Miller approuva le geste.

— Commencez à nous chercher un itinéraire alternatif pour rejoindre mon vaisseau, dit-il à Larson tandis qu'il traversait la pièce pour prendre le terminal de Nguyen en suspension dans le vide près du cadavre.

Il ne lui fallut qu'un moment pour trouver la commande d'autodestruction du *King* dissimulée derrière un minuscule panneau. Le code prioritaire de Souther lui donna accès à l'ensemble.

— Désolé, dit-il calmement à Naomi en ouvrant la télécommande. Je sais bien que j'avais plus ou moins promis de ne plus jamais refaire ça. Mais je n'ai pas eu le temps de…

— Non, répondit la jeune femme, avec une pointe de tristesse dans la voix. Ce salopard méritait de mourir. Je sais que tu t'en voudras à n'en plus finir, plus tard. Et ça me suffit.

Le panneau de la télécommande se rétracta, révélant un unique bouton. Il n'était même pas rouge, simplement d'un blanc anonyme.

— C'est ça qui fait exploser tout le bâtiment ?

— Pas de compte à rebours, répondit Naomi.

— Donc c'est un système anti-abordage. Si quelqu'un ouvre ce panneau et presse le bouton, c'est parce que le vaisseau est définitivement perdu. Ils ne veulent pas d'une sécurité qu'on pourrait désamorcer.

— Simple problème technique, fit Naomi. On peut le résoudre.

Elle avait déjà deviné ce qu'il pensait, et elle essayait de trouver une réponse avant même qu'il puisse en parler.

— Impossible, dit-il, et il s'attendait à éprouver de la tristesse, mais seul un étrange sentiment de paix naquit en lui. Il y a déjà quelques centaines de zombies très énervés qui tentent d'escalader la cage d'ascenseur. Aucune solution valable pour que je ne me retrouve pas bloqué ici, de toute façon.

Une main se referma sur son épaule. Il tourna la tête, et Larson lui dit :

— C'est moi qui appuierai sur cette touche.

— Non, vous n'avez pas à…

Larson étendit son bras devant lui. La manche de sa combi environnementale s'ouvrait sur une déchirure longue et fine, là où les battants de l'ascenseur s'étaient refermés. Une tache brunâtre s'étalait autour de la coupure, sur la taille d'une paume de main.

— Putain de manque de chance, on va dire. Mais j'ai vu les retransmissions vidéo d'Éros, comme tout le monde, déclara Larson. Vous pouvez évidemment prendre le risque de m'emmener avec vous, mais…

Il s'interrompit et eut un mouvement de tête pour indiquer les portes de l'ascenseur.

— Très vite, je pourrais devenir comme eux.

Holden lui prit la main dans la sienne. L'épaisseur des gants empêchait tout contact réel.

— Je suis vraiment désolé.

— C'est bon, vous avez essayé, répondit Larson avec un sourire attristé. Au moins, je sais maintenant que je ne vais pas mourir de déshydratation dans une armoire.

— L'amiral Souther sera mis au courant de tout ça, promit Holden. Je vais m'assurer que tout le monde soit au courant.

Larson flottait près du bouton qui transformerait le *King* en une étoile miniature pendant quelques secondes. Il ôta son casque et prit une longue inspiration.

— Il y a un autre sas, trois ponts plus haut. S'ils ne sont pas encore dans le puits d'ascenseur, vous pouvez y arriver.

— Larson, je…

— Il est temps d'y aller, maintenant.

Holden dut se débarrasser de sa combinaison antiradiations dans le sas du *King*. La tenue était couverte de cette boue sombre, et il ne pouvait pas courir le risque d'en apporter la moindre parcelle à bord du *Razorback*. Il encaissa quelques rads le temps de prendre une autre combi des Nations unies dans une des armoires et de l'enfiler. Elle était absolument identique à celle que Larson portait. Dès qu'il fut revenu dans la chaloupe de course, il transmit les codes télécommandés au vaisseau de Souther. Il avait presque atteint le *Rossinante* quand le *King* disparut dans une boule de feu d'un blanc éblouissant.

50

BOBBIE

— Le capitaine vient de sortir, annonça Amos à Bobbie quand il revint dans l'atelier de la salle des machines.

Elle flottait à cinquante centimètres du plancher, dans un petit cercle d'éléments technologiques mortels. Derrière elle se trouvait sa combi de reconnaissance, impeccable et pleinement fonctionnelle, avec un seul canon de l'arme nouvellement installée saillant de l'avant-bras droit de la tenue. Sur sa gauche flottait le fusil automatique récemment réassemblé qui avait les grâces d'Amos. Le reste du cercle était constitué de pistolets, grenades, un poignard de commando, et divers chargeurs. Mentalement, Bobbie établit un dernier inventaire, et elle décida qu'elle avait fait tout ce qui était possible.

— Il pense qu'il ne réussira peut-être pas à en revenir, cette fois, poursuivit Amos.

Il se pencha pour saisir le fusil automatique, examina l'arme d'un regard de connaisseur, et remercia la Marine d'un hochement de tête.

— Aller au baston en sachant qu'on n'en reviendra pas donne une sorte de clarté d'esprit, dit Bobbie.

Elle agrippa sa propre tenue renforcée et la revêtit. La chose n'était pas facile à accomplir en microgravité. Elle dut se contorsionner afin d'introduire ses jambes dans la partie inférieure de la combi avant de pouvoir verrouiller le segment recouvrant le torse. Elle remarqua l'attention qu'Amos lui portait, et son sourire rêveur.

— Sérieux, maintenant, d'accord ? fit-elle. On est en train de parler de votre capitaine qui va vers une mort certaine, et tout ce qui vous passe par la tête, c'est : "Ooh, ces nichons…"

Le sourire idiot d'Amos ne s'estompa pas le moins du monde.

— Cette combi ne laisse pas beaucoup de place à l'imagination. C'est tout.

Elle leva les yeux au ciel.

— Croyez-moi, si je pouvais enfiler un pull épais à l'intérieur de cette tenue de combat améliorée, je ne le ferais quand même pas. Parce que ce serait idiot.

Elle enclencha les touches commandant le verrouillage, et l'armure épousa son corps à la manière d'une seconde peau. Elle assujettit le casque au reste, se servit du système comm externe pour garder le contact avec Amos, tout en sachant que sa voix devenait pareille à celle d'un robot, inhumaine.

— Autant mettre votre slip blindé tout de suite, dit-elle, et ses paroles claquèrent dans la pièce, si sèchement qu'Amos recula d'un pas sans même s'en rendre compte. Le capitaine n'est pas le seul qui risque de ne pas s'en tirer.

Elle alla se placer sur la plate-forme de l'échelle-ascenseur et se laissa emporter au niveau supérieur, celui des ops. Avasarala était sanglée dans son siège anti-crash, devant le poste comm, Naomi à la place habituellement occupée par Holden, au poste tactique. Alex devait déjà être installé dans le cockpit. Bobbie releva la visière de son casque pour parler avec son timbre de voix naturel.

— On est bons ? demanda-t-elle à Avasarala.

La vieille dame acquiesça et leva une main pour exiger un temps d'attente pendant qu'elle conversait avec quelqu'un par le système comm de son casque.

— Les Martiens ont déjà largué une section entière, dit-elle en écartant le micro de ses lèvres. Mais ils ont pour ordre d'établir un périmètre de sécurité et d'isoler la base en attendant que quelqu'un de plus haut placé dans la chaîne alimentaire décide quoi faire.

— Ils ne vont quand même pas… commença Bobbie, mais Avasarala la fit taire d'un simple geste de la main :

— Sûrement pas, répondit-elle. Je suis située encore plus haut dans cette chaîne alimentaire, et j'ai déjà décidé que nous allons vitrifier cet abattoir dès que nous en aurons quitté la surface. Je les laisse seulement croire que la question est encore en suspens, pour que vous ayez le temps de récupérer les gamins.

Bobbie agita son poing fermé pour approuver ces paroles. Quand ils étaient empêtrés dans leurs tenues de combat, les Marines des unités avancées de reconnaissance avaient l'habitude de recourir au langage gestuel des Ceinturiens pour communiquer. Avasarala parut un peu déroutée par cette attitude.

— Bon, arrêtez de gesticuler et allez chercher ces foutus mioches.

Bobbie battit aussitôt en retraite vers l'échelle et se connecta au système comm du vaisseau en chemin.

— Amos, Prax, rejoignez-moi dans le sas d'ici cinq minutes, équipés et prêts. Alex, déposez-nous dans dix minutes.

— Bien reçu, répondit le pilote. Vous avez un viseur bien ajusté, soldat.

Auraient-ils pu devenir plus proches, s'ils en avaient eu le temps ? L'idée n'avait rien de désagréable.

Quand elle arriva, Amos l'attendait à l'extérieur du sas. Il portait la tenue renforcée légère des troupes martiennes et tenait dans les mains son arme impressionnante. Prax s'engouffra dans le compartiment un moment plus tard. Il s'escrimait toujours à fermer sa combi d'emprunt et ressemblait à un gamin qui a mis les chaussures de son père. Pendant qu'Amos l'aidait à s'équiper, Alex appela depuis le sas et dit :

— Descente amorcée. Accrochez-vous à quelque chose.

Bobbie régla ses semelles magnétiques au maximum pour s'ancrer au pont tandis que sous elle le vaisseau bougeait. Amos et Prax s'assirent tous deux aux sièges fixés dans la cloison et en bouclèrent le harnais.

— Récapitulons le plan une dernière fois, dit-elle et, se raccordant au *Rossi*, elle afficha sur un moniteur mural les photos aériennes du complexe qu'ils avaient prises auparavant. Le sas est notre point d'accès. S'il est verrouillé, Amos le fera sauter avec des explosifs afin d'ouvrir le panneau externe. Il faudra entrer rapidement. Vos tenues ne vous protégeront pas longtemps de la ceinture de radiations sur laquelle Io tourne en orbite. Prax, c'est vous qui avez la connexion radio avec Naomi, donc dès que nous sommes à l'intérieur vous cherchez un accès réseau pour vous brancher. Nous n'avons aucune information sur l'agencement de la station, alors plus vite nous permettrons à Naomi de pirater leur système, plus vite nous pourrons localiser les enfants.

— Je préfère le plan de secours, dit Amos.

— Quel plan de secours ? voulut savoir Prax.

— Je chope le premier mec que nous voyons, et je le bastonne jusqu'à ce qu'il me dise où sont les petits, expliqua le mécanicien.

— Ce plan-là me plaît bien, à moi aussi, approuva Prax.

Bobbie ignora cette attitude macho. Chacun gérait à sa façon la tension précédant le combat. Elle-même préférait faire et refaire la liste des points importants. Mais montrer ses muscles ou menacer un ennemi encore invisible était également une bonne méthode.

— Une fois l'objectif défini, vous foncez vers les enfants pendant que je dégage une voie de sortie.

— Ça me va, dit Amos.

— Ne vous y trompez pas, rappela Bobbie. Io est un des pires endroits dans tout le système solaire. Instabilité tectonique intense, et radioactivité très élevée. Facile de comprendre pourquoi ils ont choisi de se planquer ici, mais ne sous-estimez surtout pas les dangers que cette saloperie de lune présente.

— Deux minutes, avertit Alex par le système comm.

Bobbie inspira à fond.

— Et ce n'est pas le pire. Ces enfoirés ont balancé quelques centaines d'hybrides humain-protomolécule vers Mars. On peut espérer qu'ils ont expédié tout leur cheptel, mais j'ai l'intuition que ce n'est pas le cas. Donc on risque fort de croiser le chemin d'un de ces monstres dès qu'on sera à l'intérieur.

Elle s'abstint d'ajouter *Je l'ai vu en rêve.* Cela lui aurait paru contre-productif.

— Si on en voit un, c'est moi qui m'en occupe. Amos, vous avez failli perdre votre capitaine dans la soute, avec celui que vous y avez trouvé. Vous me faites le même coup de l'explosion, je vous arrache le bras. Ne me mettez pas au défi.

— Compris, chef, répondit le mécano. Ne vous froissez pas la culotte, j'ai bien reçu le message.

— Une minute, dit Alex.

— Des Marines de Mars contrôlent le périmètre, mais ils ont reçu pour instruction de nous laisser passer. Si quelqu'un nous échappe, inutile d'essayer de l'appréhender. Ils s'en chargeront avant que l'évadé aille très loin.

— Trente secondes.

— Préparez-vous, ordonna Bobbie.

Elle fit apparaître les données de sa tenue sur l'affichage tête haute de sa visière. Tous les indicateurs étaient au vert, y compris celui des munitions qui spécifiait deux mille projectiles incendiaires.

L'air s'échappa du sas en une longue aspiration sifflante qui alla decrescendo, ne laissant qu'une atmosphère raréfiée égale en densité à celle soufrée régnant sur Io. Avant que leur vaisseau se pose, Amos bondit de son siège et se hissa sur la pointe des pieds pour coller son casque contre celui de Bobbie.

— Faites-leur en chier, Marine ! hurla-t-il.

Le panneau externe du sas coulissa, et la tenue de Bobbie déclencha aussitôt une alarme radiation. Il l'informa également que l'atmosphère extérieure ne permettait la subsistance d'aucune vie. Elle poussa Amos vers l'accès, puis saisit Prax et le propulsa derrière le mécanicien.

— Allez, allez, allez !

Amos s'élança dans une course étrangement sautillante, et son souffle court chuinta dans les écouteurs de Bobbie par la radio. Sur les talons du mécano, Prax semblait mieux se débrouiller dans la gravité restreinte. Il n'avait aucune difficulté à suivre. Bobbie grimpa hors du *Rossi* et effectua un bond qui la conduisit dans une longue courbe sept mètres au-dessus du vaisseau. Elle scruta les alentours en même temps que sa combi les balayait avec ses senseurs radar et EM, pour localiser toute cible potentielle. Pas plus ses yeux que les systèmes de sa tenue n'en repérèrent.

Elle toucha le sol à côté d'un Amos qui courait toujours avec autant de lourdeur, et bondit de nouveau pour atteindre le sas avant les deux hommes. Elle enfonça la touche, et le panneau externe coulissa. Évidemment. Qui verrouillerait sa porte sur Io ? Personne n'allait se balader à travers un désert de silicium en fusion et de soufre pour venir dérober l'argenterie familiale.

D'une démarche pataude, Amos la précéda à l'intérieur du sas où il s'immobilisa pour reprendre son souffle. Bobbie suivit Prax une seconde plus tard, et elle allait ordonner au mécano d'enclencher le cycle du sas quand sa radio s'éteignit.

Elle fit aussitôt volte-face et survola du regard la surface de la lune, à la recherche du moindre mouvement. Amos arriva derrière elle et plaqua son casque contre l'arrière de sa combi. Quand il cria, sa voix fut à peine audible :

— Qu'est-ce que c'est ?

Au lieu de répondre sur le même mode, elle ressortit du sas, pointa l'index sur Amos, puis sur le panneau interne. Avec deux doigts elle mima quelqu'un qui marche. Le géant répondit par l'affirmative d'un geste, revint dans le sas et ferma le battant externe.

Quoi qu'il se passe désormais à l'intérieur, il appartiendrait à Amos et Prax de l'affronter. Elle leur souhaita bonne chance.

Elle décela le mouvement avant les senseurs de sa combinaison. Quelque chose qui se déplaçait au loin, sur la surface jaunie par le soufre. Quelque chose qui n'avait pas exactement la même couleur. Elle la suivit des yeux, et commanda à son système intégré de la cibler avec un faisceau laser. Elle ne la perdrait plus, à présent. La créature pouvait absorber les ondes radio, mais le fait que Bobbie était capable de la voir signifiait que la lumière se réfléchissait bien sur la chose.

Celle-ci continuait de faire mouvement. Sans hâte, et en restant tapie au ras du sol. Si Bobbie n'avait pas regardé droit dans sa direction, elle ne l'aurait jamais remarquée. D'après le relevé du cibleur laser, la créature se trouvait à un peu plus de trois cents mètres. Si la théorie de la Marine était juste, dès que le monstre l'aurait aperçue il chargerait sur elle, en ligne droite, pour la saisir et la déchiqueter. Et s'il ne réussissait pas à l'atteindre assez rapidement, il la bombarderait de projectiles trouvés en chemin. Et il suffisait à Bobbie de le blesser assez sérieusement pour qu'il s'autodétruise. Ce qui faisait beaucoup de théories.

Il était temps de les mettre à l'épreuve de la réalité.

Elle le visa avec son arme. La combi l'aida à corriger la déviation due à la distance, mais elle utilisait des projectiles à vélocité ultrahaute, à la surface d'une lune avec une gravité restreinte, et sur trois cents mètres cet écart serait négligeable. Bien que le monstre ne puisse voir son visage à travers la visière fumée, elle lui envoya un baiser.

— Je suis revenue, chéri. Viens dire bonjour à maman.

Elle enclencha le tir. Cinquante balles fusèrent, parcourant la distance entre le canon de son arme et la cible en moins d'un tiers de seconde. Toutes atteignirent leur but et perdirent très peu de leur énergie cinétique en la transperçant. Mais juste assez pour faire éclater leur pointe et allumer le gel inflammable auto-oxydant qu'elles contenaient. Cinquante flèches d'un feu éphémère mais très intense perforèrent le corps de la créature.

Quelques-uns des filaments noirs qui jaillirent à la suite des impacts s'enflammèrent et disparurent en un éclair.

Le monstre se rua vers Bobbie à une vitesse folle qui aurait dû être impossible en gravité aussi faible. Chaque détente de ses membres aurait dû l'envoyer très haut dans l'air, or il restait collé à la surface de Io comme s'il courait avec des bottes magnétiques sur un pont en métal. Sa rapidité était ahurissante. Ses prunelles bleues brillaient comme des éclairs. Ses mains d'une longueur improbable étaient tendues vers elle, et elles s'ouvraient et se refermaient sur le néant pendant qu'il courait. C'était exactement comme dans les rêves de Bobbie, et, pendant une fraction de seconde, elle eut envie de rester parfaitement immobile et de laisser la scène se dérouler jusqu'à cette conclusion qu'elle n'avait jamais vue. Mais une autre partie de son esprit voulait à toute force qu'elle se réveille, trempée de sueur, comme si souvent par le passé.

Elle le regarda qui se précipitait vers elle, et nota avec plaisir les plaies noires que les projectiles incendiaires avaient laissées dans son corps. Aucun jet de filaments noirs avant que les plaies se referment comme de l'eau qui redevient étale. Pas cette fois. Elle l'avait blessée, et elle voulait continuer à le blesser.

Elle pivota et se mit à courir par bonds, à un angle de quatre-vingt-dix degrés par rapport à la course de la créature. Sa combinaison ciblait toujours le monstre avec le faisceau laser, de sorte qu'elle pouvait connaître sa position sans regarder vers lui. Comme elle s'y attendait, il bifurqua pour la suivre, mais perdit ainsi du terrain.

— Rapide en ligne droite, lui dit-elle. Mais tu n'es qu'une grosse merde dans les virages.

Quand le monstre comprit qu'elle n'allait pas rester sur place et le laisser l'approcher, il fit halte. Elle freina, s'arrêta elle aussi et se retourna. Il baissa un bras et arracha un gros fragment de lave durcie du sol, puis se baissa pour poser l'autre main à terre.

— Nous y voilà, se dit-elle.

Elle se jeta sur le côté lorsque le bras de la créature décrivit un mouvement de fouet fulgurant. Le morceau de roche la manqua de quelques centimètres seulement. Elle heurta la surface de la lune et partit dans une longue glissade, mais déjà elle ripostait. Cette fois elle tira pendant plusieurs secondes, et plusieurs centaines de projectiles touchèrent le monstre.

— Tout ce que tu peux faire, je peux le faire mieux, chantonna-t-elle dans un murmure. Je peux tout faire mieux que toi.

Les balles arrachèrent de gros fragments enflammés du monstre et lui sectionnèrent presque le bras gauche. Il virevolta sur place et s'écroula. Bobbie se releva d'un bond, prête à courir de nouveau si le monstre se remettait debout. Il n'en fit rien, et roula sur le dos où il resta, en proie à des tremblements. Sa tête enfla, et l'éclat de ses yeux bleus s'accrut encore. Bobbie distingua des formes qui se mouvaient sous la surface de sa peau noire et chitineuse.

— Et boum, enfoiré ! lui cria-t-elle, en guettant son autodestruction.

Il se redressa d'un coup, arracha une partie de son abdomen et le lança vers elle. Le temps que Bobbie se rende compte de ce qui se passait, le projectile n'était plus qu'à quelques mètres d'elle. Il détona et la déséquilibra. Elle glissa en arrière à la surface de Io, tandis que sa combi déclenchait une série d'alarmes. Quand enfin elle s'immobilisa, l'affichage tête haute de sa visière ressemblait à un arbre de Noël avec des guirlandes clignotantes de lumières vertes et rouges. Elle voulut remuer ses membres, mais chacun pesait une tonne. Le processeur principal de sa tenue, ce système informatique qui interprétait ses mouvements corporels et les transmettait sous forme d'ordres aux actionneurs intégrés, était en perdition. La combi essayait de réinitialiser l'ensemble. Un message de couleur ambrée clignota sur sa visière, qui disait VEUILLEZ PATIENTER.

Elle était incapable de seulement tourner la tête, et elle fut totalement prise au dépourvu quand le monstre se pencha sur elle. Elle retint un cri. Inutile. L'atmosphère soufrée de Io était beaucoup trop faible pour charrier la moindre onde sonore. Le monstre ne l'aurait pas entendu. Mais alors que la nouvelle Bobbie acceptait sereinement l'idée de mourir au combat, assez de l'ancienne Bobbie demeurait pour qu'elle refuse de partir en criant comme un bébé.

Le monstre s'inclina un peu plus sur elle pour l'examiner. Ses yeux bleus brillaient d'un éclat toujours plus fort. Les dégâts occasionnés par son arme semblaient terribles, et pourtant il ne semblait pas en avoir conscience. D'un doigt interminable il sonda son armure, puis fut pris de convulsions et vomit un long jet de substance brune sur elle.

— Oh, ça, c'est dégueulasse, lui cria-t-elle.

Si sa combinaison avait eu la plus petite déchirure sur l'extérieur, la boue protomoléculaire vomie par la créature aurait été le dernier de ses problèmes. Il n'empêchait, comment allait-elle se nettoyer de cette substance ?

Le monstre inclina la tête de côté et la considéra avec curiosité. Il tâta de nouveau sa tenue du bout de son doigt, chercha les interstices le rapprochant de la peau. Elle avait vu une de ces choses mettre en pièces un engin de guerre pesant neuf tonnes. Si le monstre voulait s'introduire dans sa combi, il pouvait le faire à tout moment, et sans aucune difficulté. Mais il semblait réticent à lui créer des dommages, pour une raison inconnue. Sous les yeux de la Martienne, un long tube flexible jaillit du torse de la chose et se mit à explorer sa tenue à la place du doigt. Des gouttes de la même substance brune tombèrent de ce nouvel appendice à un rythme soutenu.

L'indicateur de son arme passa du rouge au vert. Elle essaya d'en relever les canons, et y réussit. La mention VEUILLEZ PATIENTER s'affichait toujours sur sa visière pour tout ce qui concernait des mouvements d'ampleur. Mais peut-être que si le monstre se lassait de ce petit jeu et se déplaçait devant son arme elle pourrait centrer quelques tirs.

Le tube sondait son armure avec de plus en plus d'insistance. Il s'insérait dans les interstices les plus ténus, et y dégorgeait à intervalles réguliers de la boue sombre. C'était aussi répugnant qu'effrayant, comme se retrouver menacée par un tueur en série qui aurait glissé les mains sous ses vêtements avec la fébrilité d'un adolescent excité.

— Oh, et puis merde, ça suffit ! gronda-t-elle au monstre.

Elle n'en pouvait plus de laisser cette chose la dominer alors qu'elle restait là, impuissante, allongée sur le dos. Le bras droit de sa tenue pesait trop lourd, et les actionneurs qui décuplaient sa puissance pour chaque mouvement y résistaient avec autant de force. Le relever était comme faire un développé couché à un seul bras avec un gant en plomb. Elle poussa pourtant vers le haut avec l'énergie du désespoir, jusqu'à entendre un craquement. Quelque chose dans sa tenue, peut-être. Ou dans son bras. Elle n'aurait pu le dire, elle était trop tendue pour ressentir la douleur.

Mais quand il y eut ce craquement, son bras jaillit en l'air et elle frappa la créature en pleine face.

— A-dieuu, fit-elle.

Le monstre tourna la tête et contempla sa main, l'air interloqué. Elle pressa la détente jusqu'à ce que le compteur de munitions tombe à zéro. Les canons cessèrent leur mouvement rotatif. La créature n'avait plus d'existence au-dessus des épaules. Épuisée, elle laissa retomber son bras sur le sol.

RÉINITIALISATION TERMINÉE, l'informa sa tenue. Quand le ronronnement subliminal revint, elle se mit à rire et ne put s'arrêter. Elle repoussa de côté le cadavre du monstre et se redressa en position assise.

— Bonne chose de faite. Le trajet de retour au vaisseau est vraiment long.

51

PRAX

Prax courait.

Autour de lui, les murs de la station dessinaient des angles qui vers le centre formaient un hexagone étiré. La gravité était à peine supérieure à celle sur Ganymède, et après des semaines passées à une poussée minimale de un g, il devait se surveiller pour ne pas s'élever au plafond à chaque pas. Amos progressait par bonds malhabiles à côté de lui, chaque enjambée basse, longue et rapide. Mais il tenait l'arme toujours parfaitement braquée en avant.

À une intersection avec une galerie transversale, une femme apparut. Les cheveux et la peau sombre. Pas celle qui avait enlevé Mei. Les yeux exorbités, elle s'enfuit à la seconde.

— Ils savent que nous arrivons, dit le botaniste, la respiration un peu courte.

— Ils étaient sûrement avertis avant, doc, répondit Amos.

Il parlait sur le ton de la conversation, mais on décelait une intensité en arrière-fond. Quelque chose comme de la colère.

Ils stoppèrent à l'intersection. Prax se cassa en deux et s'appuya des coudes sur les genoux, le temps de retrouver son souffle. C'était un réflexe très ancien, primitif. À moins de 0,2 g, le rétablissement du flux sanguin n'était pas accéléré de façon significative quand vous positionniez votre tête au même niveau que le cœur. À proprement parler, il aurait été mieux en restant droit, pour ne rétrécir aucun de ses vaisseaux sanguins. Il s'obligea à se redresser.

— Où dois-je brancher ce raccord pour le lien radio avec Naomi ? demanda-t-il.

Avec une moue, le mécano lui désigna le mur.

— Peut-être qu'on pourrait suivre la signalisation.

Sur la cloison proche, des flèches pointaient dans différentes directions, soulignées des mentions CONTRÔLE ENVRMTAL, CAFÉTÉRIA ET LAB. PRINCPL. Du canon de son fusil, Amos tapota cette dernière.

— Ça me convient, dit Prax.

— Prêt à y aller ?

— Prêt, affirma le petit homme, même s'il ne l'était probablement pas.

Le plancher parut glisser sous leurs pieds, et suivit immédiatement un grondement bas qui envoya des vibrations dans leurs semelles et leurs pieds.

— Naomi ? Vous êtes là ?

— Je suis là. Je dois surveiller le capitaine sur l'autre canal. Il se peut que notre comm soit intermittente. Tout va bien ?

— C'est peut-être un peu exagéré de dire ça, répondit Amos. On a entendu quelque chose comme des tirs dans notre direction. Ils ne canardent pas la base, hein ?

— Non, dit Naomi d'une voix rendue ténue et grésillante à cause de la baisse du signal radio. Apparemment, certaines des personnes du site organisent un semblant de défense, mais pour l'instant nos Marines ne ripostent pas.

— Dites-leur de calmer ce putain de jeu, grommela Amos.

Mais il s'avançait déjà dans le couloir en direction du laboratoire principal. Prax bondit derrière lui, calcula mal son élan et alla se cogner un bras contre le plafond.

— Dès qu'ils en font la demande, indiqua Naomi.

Les couloirs et galeries constituaient un véritable labyrinthe, mais c'était le genre de labyrinthe que le scientifique avait parcouru sa vie entière. La logique institutionnelle présidant aux plans d'une station de recherche était la même partout. La disposition pouvait être légèrement différente ; les questions de budget modifiaient parfois la richesse des détails ; les champs de gravité à supporter déterminaient souvent l'équipement présent. Mais l'agencement général était toujours le même, et c'était son territoire.

À deux reprises encore, ils aperçurent des gens qui s'enfuirent immédiatement. Tout d'abord une jeune Ceinturienne en blouse blanche de laborantine. Puis un obèse à la peau sombre, un Terrien d'après sa stature ramassée. Il portait un costume qui lui donnait un air compassé, la signature d'un membre de la classe administrative, où que ce soit. Aucun des deux ne tenta de s'interposer, et Prax les oublia presque dès qu'il ne les eut plus dans son champ de vision.

Le complexe qu'ils cherchaient à atteindre s'étendait derrière des accès à pression négative. Lorsqu'ils y pénétrèrent, l'appel d'air les tira en avant. Le grondement revint, plus fort que la première fois, et pendant quinze secondes. Il pouvait s'agir des bruits d'un combat armé. Ou d'un volcan en formation, non loin de la base. Impossible à définir. Prax savait que la station avait forcément été construite en tenant compte des conditions tectoniques instables du lieu. Il se demanda quels pouvaient être les systèmes de sauvegarde mis en place, puis chassa cette interrogation de son esprit. Il ne pouvait rien y faire, de toute façon.

La disposition supposée du labo était à tout le moins comparable à celle des locaux qu'il avait partagés sur Ganymède, avec tous les équipements scientifiques. Dans un coin, une table orange basse montrait une image holographique d'une colonie de cellules qui se divisaient à vitesse accélérée. Deux portes étaient visibles, en dehors de celle qu'ils venaient d'emprunter. Quelque part, non loin d'eux, les éclats de voix d'une dispute retentissaient.

Prax braqua le doigt sur une des portes.

— Celle-là, dit-il avec assurance. Regardez les charnières. Elle est conçue pour permettre le passage de civières.

De l'autre côté, le couloir baignait dans une atmosphère plus chaude et humide. Pas vraiment l'équivalent de celle qu'il connaissait dans les serres, mais pas très éloignée. Il donnait sur une longue galerie dont le plafond s'élevait à cinq mètres. Des rails rivés dans la voûte et sur le plancher servaient certainement au déplacement de matériel pesant et de caissons de confinement. Des renfoncements la flanquaient, et chacun semblait équipé d'un plan de travail assez peu différent de ceux que Prax avait utilisés pendant ses études : table avec tous les systèmes électroniques de mesure incorporés, écrans muraux, postes de contrôle, cages pour spécimens. Les voix qui criaient étaient plus fortes, à présent. Il allait le faire remarquer mais Amos secoua la tête négativement et désigna l'extrémité de la salle et un des renfoncements les plus éloignés. La voix d'un homme venait de cette direction, et son ton montait dans les aigus sous l'effet de la tension.

— … d'évacuation s'il n'y a aucun endroit où évacuer, disait-il avec colère. Je ne renoncerai pas au seul atout que j'ai encore pour négocier.

— Vous n'avez pas le choix, répondit une femme. Posez ce pistolet et parlons-en tranquillement. Je m'occupe de vous depuis sept ans, et je vous garderai dans le métier sept ans de plus, mais vous ne devez pas…

— Vous délirez ? Vous croyez qu'il y aura un lendemain après tout ça ?

Amos pointa son arme et commença à avancer lentement. Prax le suivit en s'efforçant de rester silencieux. Des mois s'étaient écoulés depuis qu'il avait entendu la voix du Dr Strickland pour la dernière fois, mais l'homme qui criait pouvait être lui. C'était possible.

— Je vais être très clair, dit l'homme. Nous n'avons rien. Rien. Notre seul espoir de négocier, c'est si nous avons une carte à jouer. Ce qui signifie eux. Pourquoi croyez-vous qu'ils sont toujours vivants ?

— Carlos, dit la femme alors que Prax arrivait au coin du mur, nous pourrons en discuter plus tard. Pour l'instant, il y a une force ennemie aux intentions hostiles dans la base, et si vous êtes toujours là quand ils franchiront cette écoutille…

— Ouais, fit Amos. Il se passera quoi, alors ?

La salle était comme les autres. Strickland, car c'était indubitablement lui, se tenait près d'un conteneur de transport en métal gris posé au sol dont la partie supérieure arrivait à hauteur de sa taille. Dans les cages à spécimens, se trouvait une demi-douzaine d'enfants, endormis ou drogués. Le médecin tenait dans sa main un petit pistolet qu'il braquait sur la femme de la vidéo. Elle portait un uniforme à la coupe sévère, le genre de tenue que les forces de sécurité adoptaient pour donner à leur personnel l'air dur et intimidant. Cela fonctionnait très bien avec elle.

— Nous sommes entrés par l'autre écoutille, dit Prax en indiquant l'espace derrière lui avec le pouce.

— P'pa ?

Une syllabe, prononcée à mi-voix. Elle provenait du conteneur et, pour Prax, elle parut plus assourdissante que toutes les explosions, les détonations ou les cris de tous les blessés et les mourants. Il ne pouvait plus respirer, ni bouger. Il y avait là une enfant. Son enfant.

Le pistolet de Strickland aboya, et la balle de type explosif pulvérisa le visage et le cou de la femme en un nuage de sang et de cartilage. Elle voulut crier, mais avec une large portion de son larynx détruite elle ne réussit qu'à pousser une sorte de grognement informe. Amos leva son arme, mais Strickland – ou Merrian, quel que soit son véritable nom – posa son pistolet sur le sommet du conteneur et parut presque s'affaisser de soulagement. La femme s'effondra au sol tandis que le sang et les chairs atomisées s'étalaient dans l'air en éventail pour retomber autour d'elle au ralenti et former sur le plancher un étrange tapis de dentelle rouge.

— Dieu merci, vous êtes venus, dit le médecin. Oh, Dieu soit loué, vous êtes venus. Je l'ai retenue aussi longtemps que j'ai pu. Docteur Meng, je n'ose même pas imaginer l'épreuve par laquelle vous êtes passé. Je suis tellement, tellement désolé…

Prax s'avança. La femme prit une autre inspiration tressautante. Son système nerveux était en pleine déroute. Strickland sourit au petit homme, de ce même sourire rassurant que Prax avait vu à chaque visite du médecin pendant les années écoulées. Le botaniste trouva le panneau de contrôle du conteneur et s'accroupit pour l'ouvrir. Il y eut un déclic lorsque les verrous magnétiques se rétractèrent, et un panneau latéral s'escamota en coulissant dans le reste de la structure métallique.

Pendant un instant atroce, il eut le souffle coupé. Ce n'était pas la bonne fillette. Elle avait certes les cheveux noirs lustrés, et la même peau mate. Elle aurait pu être la sœur aînée de Mei. Et puis l'enfant bougea. C'était juste l'esquisse d'un mouvement de tête, mais cela suffit au cerveau du père pour voir son bébé dans le corps de cette gamine plus âgée. Pendant tous ces mois passés sur Ganymède, toutes ces semaines pour aller jusqu'à Tycho et en revenir, elle avait grandi sans lui.

— Elle est si grande, dit-il. Elle a tellement grandi.

Mei fronça les sourcils, et de petites rides verticales apparurent au-dessus de son nez. Cela la faisait ressembler à Nicola. Enfin elle ouvrit les yeux. Ils étaient vides, atones. Prax défit les sécurités de son casque qu'il ôta.

L'air dans la station charriait de légers relents de soufre et de cuivre.

Le regard de la fillette se fixa sur lui, et elle sourit.

— P'pa, répéta-t-elle en tendant une main vers lui.

Quand il répondit à son geste elle lui saisit un doigt dans son poing et se hissa dans ses bras. Il la serra contre lui. La masse et la chaleur de son petit corps – qui n'était plus minuscule, seulement petit – lui donnèrent le vertige. À cet instant précis, le vide entre les étoiles était plus petit que Mei.

— Elle est sous sédatifs, expliqua Strickland. Mais en excellente santé. Son système immunitaire a fonctionné au maximum.

— Mon bébé, dit Prax. Ma petite fille parfaite.

Mei avait fermé les yeux, mais elle sourit et laissa échapper un grognement de satisfaction animale à peine audible.

— Je ne saurais vous dire à quel point je suis désolé pour tout ça, déclara Strickland. Si j'avais eu un moyen quelconque de vous contacter, pour vous expliquer ce qui se passait, je vous jure que je l'aurais fait. Tout ça est allé au-delà du cauchemar.

— Donc, vous voulez dire qu'ils vous ont gardé prisonnier ici ? demanda Amos.

— Presque tout le personnel technique a été retenu ici contre son gré, affirma Strickland. Quand nous avons signé, on nous a promis des ressources et une liberté à un niveau dont la plupart d'entre nous n'avaient pas osé rêver. Lorsque j'ai commencé à travailler, j'ai cru que je pourrais vraiment faire la différence. Je me suis complètement, horriblement trompé, et jamais je ne pourrai assez m'en excuser.

Le sang de Prax bourdonnait à ses oreilles. Une chaleur irradiait du centre de son corps jusqu'à l'extrémité de ses mains et ses pieds. C'était comme avoir pris la dose idéale de l'euphorisant le plus parfait dans toute l'histoire pharmaceutique. Les cheveux de l'enfant dégageaient une odeur proche de celle du shampoing bon marché qu'il utilisait pour nettoyer les chiens dans les labos, pendant ses études. Il se redressa trop vivement, et son élan combiné au poids de Mei le souleva de quelques centimètres au-dessus du sol. Ses pieds et ses genoux étaient glissants, et il lui fallut un moment pour se rendre compte qu'il s'était agenouillé dans le sang.

— Qu'est-il arrivé à ces enfants ? demanda Amos. Il y en a d'autres, ailleurs ?

— Ce sont les seuls que j'ai réussi à sauver. Ils ont tous été placés sous sédation en vue de leur évacuation, répondit Strickland. Mais pour l'instant il faut partir. Quitter la station. Il faut que je contacte les autorités.

— Et pour quoi faire ? dit Amos.

— Je dois leur raconter tout ce qui s'est passé ici, répondit le médecin. Je dois révéler à tout le monde les crimes qui ont été commis ici.

— Ouais, d'accord, fit Amos. Hé, Prax ? Vous pensez que vous pourriez ramasser ça ?

Du canon de son arme, il désigna quelque chose sur un des conteneurs proches.

Prax tourna la tête et regarda le mécanicien. Il dut presque lutter pour se rappeler où il se trouvait et ce qu'ils faisaient là.

— Oh, souffla-t-il. Oui, bien sûr.

Serrant Mei contre lui d'un seul bras, il prit le pistolet de Strickland et le braqua sur celui-ci.

— Non, dit le médecin, Vous ne… Vous ne comprenez pas. Je suis une victime, dans cette histoire. J'ai été forcé de faire tout ça. Ils ne m'ont pas laissé le choix. Elle m'y a obligé.

— Vous savez quoi ? dit Amos. Peut-être que pour vous j'ai l'air d'appartenir à la classe laborieuse. Mais ça ne veut pas dire que j'ai les neurones en berne. Vous êtes un des sociopathes qu'aime tant Protogène, et je ne gobe pas une seule des salades que vous essayez de vendre.

Une colère froide crispa soudain les traits de Strickland, comme si un masque venait de lui être enlevé.

— Protogène est mort, gronda-t-il. Il n'y a plus de Protogène.

— Ouais, railla le mécanicien. J'ai fait erreur sur le nom de la marque. C'est le problème.

Mei murmura quelque chose, et sa main s'éleva derrière l'oreille de son père pour agripper ses cheveux. Poings serrés, Strickland recula d'un pas.

— Je l'ai sauvée, dit-il. Cette gamine est toujours vivante grâce à moi. Elle était destinée aux unités de deuxième génération, et je l'ai soustraite au projet. Je les ai tous sauvés. Sans moi, tous les enfants que vous voyez ici seraient pires que morts, à l'heure qu'il est. Pires que morts.

— C'est à cause de la diffusion de l'appel sur tous les réseaux, n'est-ce pas ? dit Prax. Vous avez compris que nous risquions de tout découvrir, alors vous avez voulu vous assurer que vous auriez la fillette qu'on voyait sur tous les écrans. Celle que tout le monde recherchait.

— Vous auriez préféré que je ne le fasse pas ? rétorqua Strickland. C'est toujours à moi qu'elle doit d'avoir la vie sauve.

— En fait, je pense qu'elle le doit au capitaine Holden, contra Prax. Mais je vois où vous voulez en venir.

L'arme de Strickland n'avait qu'un cliquet près de la crosse. Il le remit en position de verrouillage.

— Je n'ai plus de chez moi, dit Prax. Je n'ai plus de travail. Presque tous les gens que je connaissais sont soit morts, soit éparpillés aux quatre coins du système. Un gouvernement très puissant affirme que j'ai abusé de femmes et d'enfants. Rien que le mois dernier, j'ai reçu plus de quatre-vingts menaces de mort explicites venant d'inconnus complets. Et vous savez quoi ? Je m'en fous.

Strickland s'humecta les lèvres d'une langue rapide et son regard passa de Prax à Amos, avant de revenir sur le petit homme.

— Je n'ai pas besoin de vous tuer, poursuivit ce dernier. J'ai retrouvé ma fille. La vengeance n'a pas d'importance pour moi.

Strickland prit une lente inspiration, puis expira au même rythme. Prax vit le corps du médecin se décontracter, et quelque chose à cheval entre le soulagement et le plaisir marqua les coins de sa bouche. Mei sursauta une seule fois quand le fusil automatique d'Amos tonna, mais elle colla la tête au creux de l'épaule paternelle sans crier ou chercher à regarder. Le corps de Strickland s'effondra lentement sur le sol, ses bras retombant mollement. Là où sa tête s'était trouvée, le sang artériel brillant gicla et aspergea les murs, chaque jet plus réduit que le précédent.

Amos haussa les épaules.

— Et ça non plus, conclut Prax.

— Bon, vous avez une idée de comment on peut faire pour…

L'écoutille derrière eux s'ouvrit à la volée et un homme surgit dans la pièce.

— Qu'est-ce qui s'est passé ? J'ai entendu…

Le fusil d'Amos se braqua sur lui. L'autre s'arrêta en catastrophe, et un murmure apeuré lui échappa quand il commença à reculer. Le mécanicien se racla poliment la gorge.

— Une idée pour tirer les petits de ce merdier ?

Replacer Mei dans le conteneur de transport fut pour Prax un des actes les plus difficiles qu'il ait jamais eu à accomplir. Il voulait la transporter dans ses bras, garder leurs visages collés joue contre joue. C'était une réaction atavique, celle des centres les plus profonds de son cerveau qui exigeaient d'être rassurés par le contact physique. Mais la combinaison du père n'aurait pas protégé la fille des radiations ou du quasi-vide de l'atmosphère soufrée, alors que le conteneur, oui. Il la déposa en douceur auprès de deux autres enfants pendant qu'Amos plaçait les quatre autres dans un deuxième conteneur. Le plus jeune d'entre eux portait toujours des couches. Prax se demanda si le bambin était originaire de Ganymède, lui aussi. Les conteneurs glissèrent sur le plancher de la station, ne vibrant que quand ils traversaient les rails incrustés dans le sol.

— Vous vous souvenez comment on remonte à la surface ? demanda le mécanicien.

— Je crois, oui.

— Euh, doc ? Ce serait vraiment bien de remettre votre casque.

— Oh ! Vous avez raison. Merci.

À l'intersection, une demi-douzaine d'hommes en uniformes de la sécurité avaient élevé une barricade pour protéger le labo contre une attaque. Amos lança les grenades derrière eux. Leur défense fut beaucoup moins efficace qu'ils ne l'avaient espéré, mais il fallut quand même quelques minutes pour écarter les cadavres et les vestiges de la barricade afin de faire passer les conteneurs de transport.

À une époque, Prax en était conscient, toute cette violence l'aurait perturbé. Pas les corps et le sang. Il avait passé plus qu'assez de temps en dissections et même en vivisection de membres autonomes pour se prémunir de toute sensation d'horreur viscérale devant ces scènes de carnage. Mais ces actes étaient perpétrés dans la fureur, les hommes et les femmes déchiquetés n'avaient pas fait don de leur corps ou de leurs tissus à la science, et il fut un temps où ce spectacle l'aurait affecté. Une partie de lui-même s'était engourdie, et peut-être le resterait-elle à jamais. Cela faisait naître en lui une impression de perte, mais c'était intellectuel. Les seules émotions qu'il éprouvait se limitaient à un soulagement éblouissant qui le métamorphosait d'avoir Mei saine et sauve avec lui, et à une attitude férocement protectrice lui indiquant qu'il voudrait toujours la garder sous les yeux, probablement jusqu'à ce qu'elle parte pour l'université.

À la surface les conteneurs de transport se révélèrent moins maniables, car leurs roues n'étaient pas adaptées au sol inégal. Prax prit exemple sur Amos et retourna le sien afin de le tirer au lieu de le pousser. La manœuvre était logique, mais il n'y aurait pas pensé s'il n'avait pas vu le mécanicien agir de la sorte.

Bobbie marchait d'un pas lent vers le *Rossinante*. Sa combinaison spéciale était noircie et maculée, sa mobilité visiblement réduite. Un liquide clair suintait dans son dos.

— Ne vous approchez pas de moi, dit-elle. Je suis couverte de la substance de la protomolécule.

— Mauvais, ça, fit Amos. Vous connaissez un moyen de vous nettoyer de cette saleté ?

— Pas vraiment. Comment s'est passée l'extraction ?

— On a récupéré assez de petits pour former un groupe de chanteurs, mais pas assez pour une équipe de base-ball.

— Mei est ici, ajouta Prax. Elle va bien.

— Heureuse de l'entendre, dit Bobbie et, même si elle était manifestement épuisée, aux inflexions de sa voix elle le pensait.

Arrivés au sas, les deux hommes y entrèrent et rangèrent les conteneurs au fond tandis que la Marine se tenait immobile au-dehors, devant le panneau externe ouvert. Prax vérifia les indicateurs des conteneurs. Il y restait assez d'air pour encore quarante minutes.

— C'est bon, dit Amos. On est prêts.

— Dissociation d'urgence, lâcha Bobbie.

Sa combinaison se scinda en pièces qui se détachèrent de son corps et tombèrent tout autour d'elle. C'était une scène étrange, les courbes dures et les épaisseurs de sa tenue de combat renforcée qui semblaient se peler de sa silhouette, s'épanouir comme une fleur et tomber au sol, révélant la femme qui demeurait figée, les yeux clos et la bouche ouverte. Quand elle tendit la main à Amos pour qu'il la tire à l'intérieur du sas, Prax repensa au geste de Mei, quand elle l'avait reconnu.

— Maintenant, doc, dit le mécanicien.

— Cycle enclenché, annonça le petit homme.

Il referma le panneau externe et l'air frais emplit rapidement le sas. Dix secondes plus tard, la poitrine de Bobbie commença à se soulever et s'abaisser comme un soufflet de forge. Trente secondes et ils avaient atteint sept huitièmes d'atmosphère.

— On en est où, les gars ? demanda Naomi alors que Prax déverrouillait les conteneurs de transport.

Les enfants étaient tous endormis. Mei suçait deux doigts, exactement comme lorsqu'elle était encore bébé. Son père avait toujours du mal à accepter qu'elle ait autant grandi.

— On est d'équerre, répondit Amos. Je suis pour qu'on mette les bouts d'ici presto, et qu'on vitrifie tout le coin.

— Excellent, dit la voix d'Avasarala en arrière-plan.

— Bien reçu, fit Naomi. Préparatifs pour le décollage en cours. Faites-moi savoir quand tous nos nouveaux passagers seront en sécurité.

Prax ôta son casque et s'assit à côté de Bobbie. Dans le fuseau noir de sa sous-combi, elle ressemblait à quelqu'un qui sort d'une séance d'entraînement au gymnase. Elle aurait pu être n'importe qui.

— Heureuse que vous ayez récupéré la petite, dit-elle.

— Merci. Je suis désolé que vous ayez perdu votre combinaison.

— Bah, à ce stade ce n'en était plus vraiment une, répondit-elle au moment où le panneau intérieur du sas coulissait.

— Cycle terminé, Naomi, déclara Amos. On est de retour au bercail.

52

AVASARALA

C'était terminé, sauf qu'en réalité ça ne l'était pas. Ce n'était jamais terminé.

— Nous sommes tous amis, maintenant, dit Souther, et converser avec lui sans décalage était un luxe qui allait manquer à Avasarala. Mais si nous retournons tous tant bien que mal dans nos coins respectifs, nous accroîtrons les probabilités que les choses restent en l'état. Je pense que des années vont s'écouler avant que l'une ou l'autre de nos flottes retrouve la puissance qu'elle avait. Il y a eu beaucoup de dégâts de part et d'autre.

— Les enfants ?

— Ils sont en phase de traitement. Mon officier du service de santé est en lien avec une liste de médecins spécialisés dans les déficiences immunitaires pédiatriques. Il nous faut encore identifier et localiser les parents, pour renvoyer les gamins chez eux.

— Bien, dit-elle. J'aime entendre ce genre de choses. Et pour le reste ?

Souther hocha la tête. En gravité restreinte, il paraissait plus jeune. Tout comme elle. La peau ne pendait pas quand aucune force ne la tirait vers le bas, et la vieille dame pouvait voir à quoi il avait ressemblé à l'adolescence.

— Nous avons les faisceaux transpondeurs verrouillés sur cent soixante et onze colis. Ils se dirigent tous vers le soleil à grande vitesse, mais ils n'accélèrent pas, pas plus qu'ils ne cherchent à échapper à la détection. Pour l'instant, on reste plutôt en retrait, et on les laisse approcher assez de Mars pour que l'enlèvement passe inaperçu.

— Vous êtes sûrs que c'est une bonne idée ?

— Quand je dis "approcher", je veux dire que ça représente encore des semaines à la vitesse que nous connaissons. L'espace est très grand.

Il y eut un silence qui avait une autre signification que la simple distance.

— Je préférerais que vous reveniez sur un de nos vaisseaux, remarqua Souther.

— Et rester bloquée ici pour des histoires de paperasse ? Pas question. Et puis, un retour avec James Holden, le sergent Roberta Draper et Mei Meng ? Ça, ça a le symbolisme qu'il faut. Les médias vont en raffoler. Sur la Terre, sur Mars, dans la Ceinture, et où que soit ce foutu Holden en ce moment.

— La célébrité, soupira Souther. Une forme de célébrité aussi puissante que la voix d'une nation…

— Il n'est pas si mal, une fois que vous avez oublié son côté psychorigide. Et puis, c'est le vaisseau sur lequel je suis, et il n'attend rien comme réparations avant de filer. Et je l'ai déjà embauché. Plus personne ne va me faire avaler des couleuvres en ce qui concerne les dépenses discrétionnaires.

— Très bien, dit Souther. En ce cas on se revoit au fond du puits.

— On se voit en bas, approuva-t-elle avant de couper la connexion.

Elle se redressa et d'une poussée modérée traversa sans hâte le pont des ops. Il lui aurait été facile de descendre par l'échelle-ascenseur, en volant comme elle avait rêvé de le faire quand elle était enfant. C'était tentant. Dans la réalité, elle craignait d'effectuer une poussée trop forte et d'aller se cogner contre quelque chose, ou trop douce et que la résistance de l'air la stoppe sans qu'elle atteigne rien de solide. Elle se servit des prises pour aller lentement jusqu'à la coquerie. Les écoutilles pressurisées s'ouvrirent à son approche et se refermèrent derrière elle dans un concert discret de chuintements hydrauliques et de claquements métalliques assourdis. Quand elle arriva, elle perçut les voix avant de comprendre les mots, et les paroles avant d'apercevoir les gens.

— … faut le clore, expliquait Prax. Je veux dire, il est sans objet, maintenant. Vous ne pensez pas que je pourrais être poursuivi en justice, n'est-ce pas ?

— Vous pouvez toujours être poursuivi, répondit Holden. Il y a de grandes chances qu'ils ne gagnent pas.

— Mais je n'ai aucune envie d'être poursuivi en justice, moi. Donc il faut le clore.

— J'ai ajouté une annonce sur le site qui révèle le montant en temps réel et exige confirmation avant que toute somme soit versée.

Elle entra dans la coquerie. Prax et Holden flottaient près de la machine à café. Le botaniste arborait une expression abasourdie, tandis que celle d'Holden frisait la suffisance. Tous deux tenaient des poches souples de café, mais le petit homme semblait avoir oublié la sienne. Il avait les yeux écarquillés et la bouche mollement entrouverte, malgré la microgravité.

— Qui est poursuivi en justice ? s'enquit Avasarala.

— Comme nous avons récupéré Mei, Prax veut que les gens cessent de donner de l'argent, répondit le capitaine.

— C'est trop, dit Prax en la regardant comme s'il s'attendait à ce qu'elle fasse quelque chose pour régler son problème. Je veux dire…

— Des fonds en excédent ? demanda-t-elle.

— Il ne peut pas réellement prendre sa retraite avec ce qu'il a reçu, fit Holden. Pas une retraite aisée, en tout cas.

— Mais cet argent vous appartient, plaida le botaniste en se tournant vers lui avec une expression proche de l'espoir. C'est vous qui avez ouvert le compte.

— J'ai déjà prélevé les frais concernant le *Rossinante*. Et croyez-moi, vous nous avez rétribués généreusement, répliqua Holden en levant la main dans un geste de refus. Tout ce qui reste est à vous. Enfin, à vous et à Mei.

Avasarala grimaça. Cela modifiait un peu ses calculs personnels. Elle avait pensé que ce serait le bon moment pour coincer Prax par un contrat, mais une fois de plus Jim Holden venait d'intervenir au dernier moment pour mettre à bas ses plans.

— Félicitations, dit-elle. Un de vous aurait aperçu Bobbie ? Il faut que je lui parle.

— La dernière fois que je l'ai vue, elle allait à l'atelier de la salle des machines.

— Merci.

Elle continua son chemin en se propulsant grâce aux prises dans les cloisons. Si Praxidike Meng jouissait d'une fortune personnelle, cela le rendait moins susceptible d'accepter une mission de reconstruction sur Ganymède pour des motifs purement financiers. Elle pouvait sans doute encore tabler sur son sens civique. Sa fille et lui symbolisaient la tragédie qui s'était déroulée là, et s'il participait à la reconstruction cela signifierait plus pour les gens que toutes les données chiffrées démontrant à quel point la lune serait en péril sans le rétablissement des circuits d'approvisionnement. Prax était le genre d'individu qui pouvait être influencé par un tel argument. Il faudrait qu'elle réfléchisse à la question.

Une fois de plus, elle progressa assez lentement et prudemment pour entendre les voix bien avant d'atteindre l'atelier de la salle des machines. Celles de Bobbie et Amos, qui s'esclaffaient. Elle n'arrivait pas à croire qu'elle arrivait pendant ce genre d'échanges intimes, mais ces sons évoquaient une séance de chatouilles entre les deux personnes. Puis Mei poussa un petit cri de plaisir, et elle comprit.

À l'exception peut-être du poste tactique, l'atelier était le dernier endroit à bord où Avasarala aurait imaginé qu'on joue avec une fillette, et pourtant l'enfant était bien là, qui agitait joyeusement les bras et les jambes dans l'air. Ses longs cheveux noirs flottaient autour d'elle en corolle, suivant le tournoiement sans fin de son corps. Son visage était empourpré par le plaisir. Bobbie et Amos se tenaient chacun à une extrémité de l'atelier. Sous les yeux de la politicienne, la Marine saisit l'enfant et la lança vers le mécano. La gamine perdrait bientôt ses dents de lait, se prit à penser Avasarala, qui se demanda quels souvenirs la fillette actuelle garderait de ces événements quand elle serait parvenue à l'âge adulte.

— Vous êtes dingues ou quoi ? dit-elle alors qu'Amos réceptionnait Mei en douceur. Ce n'est pas une cour de récréation, ici.

— Hé, salut, fit le mécano. On n'avait pas l'intention de rester longtemps. Le cap et le doc avaient besoin de bavarder un peu, alors je me suis dit que je pouvais aussi bien amener la petite ici. Pour lui faire visiter.

— Quand on vous demande de vous occuper de la gamine, ça ne veut pas dire que vous pouvez vous en servir comme d'un ballon, rétorqua Avasarala en s'approchant de lui. Donnez-la-moi. Vous n'avez aucune idée de la façon dont on doit prendre soin d'une enfant, l'un comme l'autre. Je suis même étonnée que vous ayez atteint l'âge adulte.

— Pas faux, reconnut aimablement Amos en lui tendant Mei.

— Viens avec mamie, dit-elle.

— C'est quoi, une mamie ? demanda l'enfant.

— Je suis une mamie, répondit Avasarala en la prenant dans ses bras.

Instinctivement elle avait envie de caler la fillette contre sa hanche, et sentir son petit corps peser sur elle. Mais en microgravité tenir une enfant procurait une sensation curieuse. Agréable, mais curieuse. Mei sentait la vanille et l'encaustique.

— Combien de temps encore avant qu'on mette la gomme ? J'ai l'impression d'être un foutu ballon, justement, à flotter ici.

— Dès qu'Alex et Naomi auront fini de régler les paramètres sur le système de propulsion, on est partis, répondit le mécanicien.

— Il est où, mon papa ? demanda Mei.

— Bien, dit Avasarala. Nous avons un programme à respecter, et je ne vous paie pas pour des leçons de ballon en apesanteur avec une fillette. Ton papa discute avec le capitaine, Mei-Mei.

— Où ça ? demanda l'enfant. Il est où ? Je veux mon papa !

— Je vais te ramener auprès de lui, petite, affirma Amos en tendant une main énorme et en posant le regard sur Avasarala. Avec elle, ça va cinq minutes, et puis c'est : "Il est où, papa ?"

— Très bien, lâcha-t-elle. Ils ont le droit d'être ensemble.

— Ouais, c'est sûr, dit-il.

Il approcha l'enfant de son centre de gravité et se projeta à travers la coquerie. Pas besoin de prises pour lui. Avasarala le regarda s'éloigner, puis elle tourna son attention vers Bobbie.

La Marine flottait doucement dans l'air, ses cheveux couronnant sa tête. Son visage et son corps parurent plus détendus que jamais à Avasarala. L'impression générale aurait dû être celle de la sérénité, mais elle semblait comme noyée.

— Salut, dit Bobbie. Vous avez eu des nouvelles de vos experts sur Terre ?

— J'en ai eu, oui. Ils ont relevé un autre pic d'énergie. Plus important que les précédents. Prax avait raison. Ils sont connectés, et pire encore, synchronisés, sans décalage. Vénus a réagi avant même que les données relatives à la bataille puissent logiquement l'atteindre.

— Ah. Donc c'est une mauvaise nouvelle, hein ?

— C'est aussi improbable qu'un évêque avec des seins, mais qui peut dire ce que ça signifie ? Ils parlent de réseaux entremêlés en spirale, allez savoir ce que ça veut dire. La meilleure théorie que nous ayons, c'est qu'il s'agit d'une sorte de petite poussée d'adrénaline chez la protomolécule. Elle serait en partie centrée sur la violence, et pour le reste elle se tiendrait sur le qui-vive, en attendant que tout danger soit dissipé.

— Donc elle a peur. Bonne chose de savoir qu'elle est vulnérable, d'une façon ou d'une autre.

Elles restèrent silencieuses un moment. Quelque part dans les entrailles du vaisseau, un claquement métallique retentit, et Mei cria. Bobbie se crispa, mais pas Avasarala. Il était intéressant de voir comment les gens réagissaient au comportement d'un enfant. Certains ne faisaient pas la différence entre le plaisir et la peur. Avasarala songea que seuls Prax et elle savaient interpréter correctement les cris d'enfants.

— Je vous cherchais, dit-elle.

— Je suis là, répondit Bobbie avec un haussement d'épaules.

— C'est un problème ?

— Je ne vous suis pas. Qu'est-ce qui est un problème ?

— Que vous soyez là ?

Elle détourna le regard, et son visage prit une expression butée. Précisément ce à quoi Avasarala s'était attendue.

— Vous étiez partie pour mourir, mais une fois de plus l'univers a tout chamboulé. Vous avez gagné. Vous êtes toujours vivante. Et aucun des problèmes n'est résolu.

— Pour certains, si. Mais pas tous, oui. Et au moins, on a remporté votre partie.

La toux qui saisit Avasarala suffit à la faire tournoyer au ralenti. D'une main appliquée contre la cloison, elle interrompit le mouvement.

— C'est le jeu entier auquel je joue. Et on ne gagne jamais. On n'a pas encore perdu, c'est tout. Errinwright ? Lui, il a perdu. Soren. Nguyen. Je les ai évincés du jeu et je suis restée en piste mais maintenant ? Errinwright va prendre sa retraite pour faute grave, et je vais hériter de son poste.

— Vous le visiez ?

— Aucune importance que je l'aie visé. On me le donnera parce que, si Tête d'Ampoule ne me le propose pas, les gens vont penser qu'il me fait un affront. Et je vais l'accepter, sinon les gens penseront que je n'ai plus assez de crocs pour qu'on me craigne. Je répondrai directement de mes actes au secrétaire général. J'aurai plus de pouvoirs, plus de responsabilités. Plus d'amis, et plus d'ennemis. C'est le prix à payer, quand on est dans le jeu.

— Il devrait y avoir une autre solution.

— Et il y en a une. Je pourrais me retirer du jeu.

— Pourquoi ne pas le faire ?

— Oh, mais je le ferai, répondit-elle. Le jour où mon fils rentrera à la maison. Et vous ? Vous êtes impatiente de vous retirer du jeu ?

— Vous voulez dire, est-ce que j'envisage toujours de me faire tuer ?

— Oui, c'est ça.

Il y eut un instant de silence. De bon silence. Parce qu'il signifiait que Bobbie réfléchissait à sa réponse.

— Non, dit-elle. Je ne crois pas. Tomber au combat est une chose. Je pourrais en être fière. Mais partir juste pour partir ? Non, je ne peux pas faire ça.

— Vous êtes dans une position intéressante, commenta Avasarala. Vous devriez y penser.

— Quelle position ? Celle d'un rōnin ?

— Traître à votre gouvernement et héros patriotique. Martyr qui a survécu. Une Martienne dont la meilleure et seule amie va diriger le gouvernement de la Terre.

— Vous n'êtes pas ma seule amie, remarqua Bobbie.

— Foutaises. Alex et Amos ne comptent pas. Ils veulent seulement se glisser dans votre culotte.

— Et pas vous ?

Avasarala rit de nouveau. Bobbie esquissa un sourire. C'était plus qu'elle n'en avait livré d'elle-même depuis son retour. Le soupir qu'elle poussa ensuite était profond, et lourd de mélancolie.

— Je suis toujours hantée par ces cauchemars, avoua-t-elle. Je croyais qu'ils s'estomperaient. Je croyais que si je l'affrontais, ce serait fini.

— Rien n'est jamais fini. Mais vous vous débrouillez mieux.

— Pour quoi ?

— Pour vivre avec, répondit la vieille dame. Pensez à ce que vous voulez faire. Pensez à ce que vous voulez devenir. Et puis regardez-moi, et je ferai mon possible pour que tout ça devienne réalité.

— Pourquoi ? demanda Bobbie. Sérieusement : pourquoi ? Je suis soldat. J'ai accompli ma mission. Et oui, elle a été plus difficile et plus bizarre que tout ce que j'ai jamais vécu, mais je l'ai fait. Je l'ai fait parce qu'il fallait le faire. Vous ne me devez rien.

Avasarala arqua un sourcil.

— Les faveurs politiques sont la façon dont j'exprime mon affection, dit-elle.

— C'est bon, tout le monde, intervint la voix d'Alex dans le système comm du vaisseau. Préchauffage dans trente secondes, à moins que quelqu'un n'y trouve à redire. Tout le monde se prépare à porter du poids.

— J'apprécie la proposition, dit Bobbie. Mais il pourrait se passer un bout de temps avant que je sache si je l'accepte.

— Et que ferez-vous, alors ? Ensuite, je veux dire ?

— Je rentre chez moi, répondit-elle. Je veux voir ma famille. Mon père. Je pense que je vais rester là-bas un bout de temps. Pour réfléchir à qui je suis. Comment aller de l'avant. Ce genre de choses.

— La porte est ouverte, Bobbie. C'est quand vous voulez : la porte est ouverte.

Le voyage de retour à Luna fut un véritable calvaire. Avasarala passa sept heures par jour au fond de son siège anti-crash, à envoyer des messages et en recevoir, selon les différents décalages. Sur Terre, Sadavir Errinwright ainsi que sa carrière au sein des Nations unies étaient honorés en toute discrétion, lors d'une cérémonie avec peu de gens, puis il partit passer plus de temps avec sa famille, les pensionnaires de son poulailler ou quoi que ce soit qu'il puisse faire des quelques dizaines d'années qui lui restaient. Et dans tous les cas, ses activités ne toucheraient plus au pouvoir politique.

L'enquête concernant Io se poursuivait, et quelques têtes tombèrent discrètement sur Terre. Pas sur Mars. Quels que soient ceux qui, dans les instances dirigeantes de la planète rouge, avaient parié contre Errinwright, ils allaient s'en tirer sans perdre de plumes. En laissant échapper l'arme biologique la plus puissante de l'histoire de l'humanité, ils avaient sauvé leur carrière. L'univers politique regorgeait de situations tout aussi ironiques.

Avasarala plaça tout le personnel de son propre bureau en congés temporaires. Quand elle y reviendrait, les services auraient déjà redémarré depuis un mois. C'était un peu comme conduire un véhicule en étant assis sur la banquette arrière. Elle détestait cela.

De plus, Mei Meng avait décidé qu'elle était amusante, et elle consacrait une bonne partie de la journée à monopoliser son attention. Or la vieille dame n'avait pas de temps pour jouer avec une fillette, quand bien même elle pouvait en trouver. Donc, elle en trouva. Et elle dut refréner ses élans pour qu'ils ne se sentent pas obligés de la placer d'office dans une maison de retraite quand ils reviendraient à un g. Le cocktail de stéroïdes lui procurait des flashs intenses et l'empêchait de dormir. Ses deux petites-filles avaient leur anniversaire auquel elle ne pourrait assister que par écran interposé. L'une avec un décalage de vingt minutes, l'autre de quatre.

Quand ils dépassèrent la nuée de monstres protomoléculaires se ruant vers le soleil, elle eut des cauchemars pendant deux jours d'affilée, qui cessèrent progressivement. Chacun d'eux était suivi à la trace par deux gouvernements, et les petits paquets de mort d'Errinwright étaient tous passifs et filaient tranquillement et joyeusement vers leur propre destruction.

Elle était impatiente de rentrer à la maison.

Quand ils se posèrent sur Luna, elle était comme une femme affamée à qui on touche les lèvres avec un quartier de pomme sans la laisser le croquer. Le bleu tendre et le blanc de la planète durant le jour, le noir et l'or de la nuit. C'était un monde magnifique. Sans équivalent dans le système solaire. Son jardin était là. Son bureau. Son propre lit.

Mais pas Arjun.

Il l'attendait sur l'aire d'atterrissage, dans sa meilleure tenue, un bouquet de lilas fraîchement cueillis à la main. La gravité restreinte le rajeunissait, lui aussi, malgré ses yeux quelque peu injectés. Elle pouvait sentir la curiosité d'Holden et de son équipage alors qu'elle marchait vers lui. Qui était cet homme capable d'avoir pour épouse quelqu'un d'aussi dur et caustique que Chrisjen Avasarala ? Était-il son maître, ou sa victime ? Comment leur couple pouvait-il seulement fonctionner ?

— Bienvenue chez toi, lui dit-il à mi-voix quand elle vint se nicher dans ses bras.

Il avait toujours la même odeur. Elle posa la tête contre son épaule, et la Terre ne lui manqua plus autant.

Elle était assez chez elle ici.

53

HOLDEN

— Bonjour, mère. Nous sommes sur Luna !

Le léger décalage avec Luna n'excédait pas six secondes aller-retour, mais il était suffisant pour ajouter des temps de pause étranges avant chaque réponse. Mère Elise le dévisagea sur l'écran vidéo de sa chambre d'hôtel pendant cinq battements de cœur, puis son expression s'illumina.

— Jimmy ! Tu vas descendre ?

Elle sous-entendait au fond du puits de gravité. C'était précisément ce qu'Holden mourait d'envie de faire.

Sa dernière visite à la ferme que ses parents possédaient dans le Montana remontait à des années.

Mais aujourd'hui il était avec Naomi, et les Ceinturiens ne mettaient pas le pied sur Terre.

— Non, mère, pas cette fois. Mais je veux que vous montiez tous me voir ici. Le trajet en navette est offert. Et c'est la sous-secrétaire des Nations unies Avasarala qui nous loge, donc nous sommes installés plutôt luxueusement.

Avec le décalage comm, il était difficile de ne pas s'étendre. Votre interlocuteur n'envoyait jamais ces subtils indices physiques signalant que c'était à son tour de parler. Holden s'obligea à cesser de jacasser et à attendre une réponse. Elise contemplait fixement l'écran durant le temps de décalage. Il pouvait voir à quel point elle avait vieilli pendant les années écoulées depuis son dernier passage à la maison. Ses cheveux brun sombre, presque noirs, étaient veinés de gris, et les ridules joyeuses autour de ses yeux et de sa bouche étaient plus marquées. Après cinq secondes elle agita la main dans un geste de refus.

— Oh, jamais Tom ne prendra une navette jusqu'à Luna. Tu le sais. Il déteste la microgravité. Descends plutôt nous voir ici. Nous organiserons une petite fête. Et tu peux amener tes amis avec toi.

Holden lui sourit.

— Mère, il faut que vous montiez ici parce que j'aimerais que vous rencontriez quelqu'un. Tu te souviens de cette femme, Naomi Nagata, dont je t'avais parlé ? Je t'ai dit que je la fréquentais. Je pense que c'est peut-être plus qu'une simple liaison. En fait, j'en suis sûr, maintenant. Et nous allons séjourner sur Luna le temps que toutes ces histoires de politique soient résolues. Je tiens vraiment à ce que vous montiez tous ici. Pour me voir, et faire la connaissance de Naomi.

Le tressaillement de sa mère cinq secondes plus tard fut presque imperceptible. Elle le dissimula par un grand sourire.

— Plus qu'une simple liaison ? Qu'entends-tu par là ? Tu envisages le mariage ? J'ai toujours pensé que tu voudrais avoir tes propres enfants, un jour…

Elle ne poursuivit pas, et arbora un sourire à la crispation embarrassée.

— Mère, dit-il, les Terriens et les Ceinturiens peuvent très bien avoir des enfants. Nous n'appartenons pas à des espèces différentes.

— Bien sûr, dit-elle quelques secondes plus tard, avec un hochement de tête un peu trop vif. Mais si vous avez des enfants là-haut…

Elle s'interrompit, et son sourire s'estompa légèrement.

— Alors ce seront des Ceinturiens, termina Holden. Oui, et il faudra que vous vous y fassiez.

Après cinq secondes, elle acquiesça. Trop rapidement, une fois encore.

— Je suppose que nous ferions mieux de monter et faire la connaissance de cette femme pour laquelle tu es prêt à laisser la Terre derrière toi. Elle doit être très spéciale.

— Oui, elle l'est, répondit-il.

Elise eut un petit mouvement du torse qui trahissait sa gêne, puis son sourire revint, moins forcé qu'auparavant.

— Je vais mettre Tom dans cette navette, même si je dois le traîner par les cheveux.

— Je t'aime, mère, dit Holden.

Ses parents avaient toujours vécu sur Terre. Les seuls habitants d'autres planètes qu'ils connaissaient étaient les caricatures de méchants présentées dans les mauvais programmes de divertissement. Il ne leur en voulait pas pour ces préjugés enracinés en eux, certain que la rencontre avec Naomi en serait le remède. Après quelques jours passés en sa compagnie, ils ne pourraient que se prendre d'affection pour elle.

— Oh, une dernière chose. Ces données que je vous ai transmises il y a quelque temps, tu te souviens ? Gardez-les pour moi. N'en parlez pas, mais gardez-les précieusement. Selon la manière dont les choses vont tourner dans les deux mois à venir, il se peut que j'en aie besoin.

— Mes parents sont racistes, confia Holden à Naomi, plus tard, ce même soir.

Elle était lovée contre lui, le visage près de son oreille. Elle avait passé une de ses longues jambes brunes en travers de ses hanches.

— D'accord, murmura-t-elle.

La suite d'hôtel qu'Avasarala leur avait procurée était luxueuse, pour ne pas dire fastueuse. Le lit était si moelleux que dans la gravité lunaire ils avaient l'impression de flotter sur un nuage. Le système de recyclage d'air diffusait des senteurs discrètes choisies par le parfumeur particulier de l'établissement. La sélection de cette nuit avait pour appellation Herbes dans le Vent. Pour Holden, l'odeur n'était pas exactement celle de l'herbe, mais elle n'en demeurait pas moins agréable. Une évocation discrète de la Terre. Holden soupçonnait tous les parfums d'être nommés au hasard, de toute façon. De même qu'il soupçonnait l'hôtel d'augmenter légèrement le taux d'oxygène dans l'air. Il se sentait un peu trop bien.

— Ils craignent que nos bébés soient des Ceinturiens, dit-il.

— Pas de bébés, murmura Naomi.

Avant qu'il puisse lui demander ce qu'elle voulait dire par là, elle se mit à ronfler à son oreille.

Le jour suivant, il se leva avant elle, enfila sa meilleure tenue et sortit dans la station. Il lui restait une dernière chose à faire avant de pouvoir estimer qu'il en avait vraiment fini avec toute cette satanée affaire.

Il devait voir Jules-Pierre Mao.

D'après Avasarala, Mao faisait partie des quelques dizaines de politiques importants, militaires de haut rang et capitaines d'industrie ramassés lors des arrestations massives effectuées après l'incident de Io. Et comme ils l'avaient cueilli sur sa station L5, alors qu'il tentait d'embarquer précipitamment dans un vaisseau rapide pour filer vers les planètes extérieures, elle l'avait fait amener à elle, sur Luna.

Ce jour était celui de leur rencontre. Il avait demandé à la politicienne s'il pouvait y assister, et s'était attendu à une réponse négative. Au lieu de quoi elle avait éclaté d'un rire ravi, et lui avait dit :

— Holden, je n'imagine rien de plus foutrement humiliant pour cet homme que de vous savoir spectateur pendant que je le mettrai en pièces. Bien sûr, vous pouvez venir.

C'est pour cette raison qu'Holden se hâtait maintenant hors de l'hôtel et dans les rues de Lowell City. Un rapide trajet en cyclo-pousse l'amena à la station de métro, et vingt minutes plus tard il arrivait au complexe des Nations unies de La Nouvelle Haye. Un jeune huissier dynamique vint à lui et le guida avec efficacité à travers le dédale de couloirs jusqu'à une porte marquée SALLE DE CONFÉRENCES 34.

— Vous pouvez patienter à l'intérieur, monsieur, lui précisa le jeune homme.

Holden lui appliqua une petite claque amicale sur l'omoplate.

— Non, merci. Je crois que je vais rester ici.

L'autre inclina la tête et s'éloigna dans le couloir en consultant très vite son terminal pour savoir quelle était sa tâche suivante. Holden s'adossa au mur et attendit. En gravité restreinte, se tenir debout n'exigeait guère plus d'efforts qu'être assis, et il voulait absolument voir Mao parcourir ce couloir pour se rendre à cette entrevue, escorté comme un criminel.

Son terminal bipa, et il reçut un message très court d'Avasarala : EN CHEMIN.

Cinq minutes plus tard à peine, Jules-Pierre Mao sortit de l'ascenseur, encadré par deux des plus énormes officiers de la police militaire qu'Holden ait jamais vus. L'homme avait les mains menottées devant lui. Même dans cette combinaison de prisonnier, avec ces liens et les gardes armés qui le flanquaient, il réussissait à paraître arrogant et sûr de lui. À leur approche, Holden se décolla du mur et se campa face à eux. Un des policiers militaires tira sur le bras de Mao pour l'obliger à faire halte et adressa un petit signe de tête à Holden. Il semblait vouloir lui dire : Je suis prêt à tout, avec ce type. Holden eut le sentiment que, s'il sortait subitement un pistolet de son pantalon et abattait Mao là, dans ce couloir, les deux gardes découvriraient qu'ils avaient été frappés de cécité instantanée au même moment et n'avaient rien vu.

Mais il ne voulait pas abattre Mao. Il voulait ce qu'il semblait toujours vouloir, dans ce genre de situation. Il voulait savoir pourquoi.

— Est-ce que ça valait le coup ?

Bien qu'ils soient de la même taille, Mao réussit à le toiser.

— Et vous êtes ?

— Allez, c'est bon, soupira Holden avec une ombre de sourire. Vous me connaissez. Je suis James Holden. J'ai contribué à faire tomber vos copains de Protogène, et maintenant je vais finir le boulot avec vous. Je suis aussi celui qui a découvert votre fille après que la protomolécule l'a tuée. Alors je repose la question : Est-ce que ça valait le coup ?

Mao ne répondit pas.

— Une fille morte, une firme en ruine, des millions de personnes massacrées, un système solaire qui ne connaîtra probablement plus jamais la stabilité de la paix. *Est-ce que ça valait le coup ?*

— Que faites-vous ici ? demanda enfin Mao.

Il semblait avoir rétréci en disant cela. Et il évitait de croiser son regard.

— J'étais là, dans la salle, quand Dresden a eu ce qu'il méritait, et je suis celui qui a tué votre amiral préféré. Je trouve qu'il y a une symétrie délicieuse à être présent quand vous recevez ce que vous méritez.

— Antony Dresden a été abattu de trois balles en pleine tête, dans le style d'une exécution sommaire, dit Mao. Est-ce ce que vous appelez rendre la justice ?

Holden eut un petit rire.

— Oh, je doute fort qu'Avasarala vous abatte d'une balle en pleine tête. Mais croyez-vous que ce qui va suivre sera mieux ?

Mao garda le silence, et Holden désigna la salle de conférences aux deux officiers. Ils parurent presque déçus quand ils poussèrent leur prisonnier dans la pièce et attachèrent ses liens à un siège.

— Nous allons attendre dehors, monsieur, si vous avez besoin de nous, dit le plus imposant des deux.

Ils allèrent se poster de chaque côté de la porte, dans le couloir.

Holden pénétra à son tour dans la salle et prit un siège, mais il n'adressa pas un mot de plus à Mao. Quelques instants plus tard, Avasarala entra elle aussi, tout en parlant dans son terminal.

— Je me contrefous de savoir de qui c'est l'anniversaire, vous laissez ça se produire avant que mon entrevue soit terminée et je ferai en sorte d'avoir vos foutues noix comme presse-papiers.

Elle s'interrompit pour écouter la réponse, sourit à Mao et dit :

— Alors faites vite, j'ai l'intuition que cette entrevue ne va pas s'éterniser. C'est toujours un plaisir de parler avec vous.

Elle s'affala dans le fauteuil directement face à Mao, de l'autre côté de la table. Elle n'accorda pas un regard à Holden, ne le salua d'aucune façon. Il songea que l'enregistrement vidéo ne montrerait certainement aucun indice de sa présence. Avasarala posa son terminal devant elle et se laissa aller contre le dossier de son siège. Pendant de longues secondes tendues, elle ne desserra pas les lèvres. Quand elle parla enfin, ce fut à Holden. Toujours sans se tourner vers lui.

— Vous avez été payé pour me faire ramener ici ?

— J'ai encaissé mon paiement, dit Holden.

— Bonne chose. Je voulais vous proposer un contrat à plus long terme. Il serait de nature civile, bien sûr, mais…

Mao se racla la gorge. Elle lui décocha un sourire bref.

— Je ne vous ai pas oublié. Je m'occupe de vous tout de suite.

— J'ai déjà un contrat, déclara Holden. Nous escortons la première flottille de reconstruction jusqu'à Ganymède. Et ensuite je pense que nous n'aurons pas de mal à trouver une autre mission d'escorte depuis là-bas. Il y a encore un tas de gens désireux de rentrer chez eux et qui préfèrent ne pas être arraisonnés par des pirates en chemin.

— Vous en êtes bien certain ?

Mao était blême d'humiliation. Holden savoura le moment.

— J'en ai assez de travailler pour un gouvernement, répondit-il à Avasarala. Je trouve ça un peu lassant.

— Oh, je vous en prie. Vous avez travaillé pour l'APE. Ce n'est pas un gouvernement, mais une mêlée de rugby avec une monnaie. Oui, Jules, qu'y a-t-il ? Vous avez besoin d'aller au petit coin ?

— Ce n'est pas digne de vous, dit Mao. Je ne suis pas venu ici pour me faire insulter.

Le sourire de la politicienne était incandescent.

— Vous en êtes bien sûr ? Laissez-moi vous poser une question : Vous vous souvenez de ce que je vous ai dit, la première fois que nous nous sommes rencontrés ?

— Vous m'avez demandé de vous révéler si j'avais la moindre implication avec le projet concernant la protomolécule que dirigeait Protogène.

— Non, répliqua Avasarala. Enfin, oui, je vous l'ai demandé. Mais ce n'est pas ce dont vous devriez vous soucier, actuellement. Vous m'avez menti. Votre implication dans la transformation de la protomolécule en arme est désormais parfaitement établie, et cette question revient à demander la couleur du cheval blanc d'Henri IV. Elle n'a aucun sens.

— Venons-en donc aux choses sérieuses, dit Mao. Je peux…

— Non, l'interrompit Avasarala. Ce dont vous devriez vous soucier, c'est de ce que je vous ai dit juste avant votre départ. Vous vous en souvenez ?

Il la regarda sans comprendre.

— Bon, fit-elle, je ne m'y attendais pas non plus. Je vous ai dit que si je découvrais plus tard que vous m'aviez caché quelque chose, je le prendrais mal.

Mao eut un sourire moqueur.

— Vos paroles exactes ont été : "Croyez-moi; je ne suis pas quelqu'un avec qui vous auriez envie de jouer au con."

— Donc vous vous souvenez, dit-elle sans la moindre trace d'humour dans le ton. Parfait. C'est maintenant que vous allez découvrir ce que ça signifie.

— Je détiens des informations supplémentaires qui pourraient être très utiles pour…

— Fermez-la, coupa-t-elle, et pour la première fois une colère réelle transparut dans sa voix. La prochaine fois que vous l'ouvrez, je dis à ces deux brutasses de policiers militaires de vous plaquer au sol et de vous refaire le portrait avec un de ces foutus fauteuils. Nous nous comprenons bien ?

Le fait qu'il ne réponde pas prouva qu'il avait bien reçu le message.

— Vous n'avez aucune idée de ce que vous m'avez coûté, reprit-elle. J'ai été promue. Le conseil de programmation économique ? C'est moi qui le préside, maintenant. Les services de santé publique ? Je n'ai jamais eu à m'en soucier parce que c'était le boulet d'Errinwright. Je les dirige. La commission de régulation financière ? À moi. Vous avez bousillé mon calendrier pour les vingt ans à venir.

"Il n'est pas question de négocier, ici, enchaîna-t-elle. C'est juste moi qui exulte devant vous. Je vais vous balancer dans un trou tellement profond que votre femme elle-même oubliera jusqu'à votre foutue existence. Je vais me servir de l'ancienne position d'Errinwright pour démanteler tout ce que vous avez bâti, morceau par morceau, que je disperserai aux quatre vents. Et je vais m'assurer que vous en soyez le spectateur privilégié. Votre cul-de-basse-fosse sera équipé d'une seule chose : une chaîne d'infos en continu. Et puisque vous et moi ne nous reverrons jamais, je veux avoir la certitude que mon nom vous viendra à l'esprit chaque fois que je réduirai à néant quelque chose que vous avez laissé derrière vous. Je vais vous effacer.

Mao affichait un air de défi, mais Holden voyait bien que ce n'était qu'un masque. Avasarala avait su où le frapper. Parce que des hommes tels que lui vivaient pour ce qu'ils légueraient au futur. Ils se voyaient comme les architectes de l'avenir. Et ce qu'elle lui promettait était pire que la mort.

Mao glissa un regard furtif à Holden, un regard qui semblait dire : *J'aimerais ces trois balles dans la tête, maintenant. S'il vous plaît.*

Holden lui répondit d'un sourire.

54

PRAX

Mei était assise sur les genoux de Prax, mais son attention était focalisée avec l'intensité d'un rayon laser sur sa gauche. Elle éleva une main sous sa bouche, en coupe, et y déposa posément, délibérément, une bouchée de spaghettis à demi mastiqués qu'elle présenta à Amos.

— C'est dégueulasse, déclara-t-elle.

Le mécanicien rit de bon cœur.

— Ben, si ça ne l'était pas avant, maintenant c'est sûr, banane, répondit-il en dépliant sa serviette. Et si tu mettais ça là-dedans ?

— Je suis désolé, s'excusa Prax. Elle est juste…

— C'est juste une petite, doc, fit le colosse. Et c'est comme ça que les petits sont censés se comporter.

Ils n'appelaient pas ce dîner un dîner. Il s'agissait d'une réception donnée par les Nations unies dans leurs locaux de La Nouvelle Haye, sur Luna. Prax n'arrivait pas à déterminer si le mur était une baie vitrée ou un écran à définition ultra-haute. La Terre y luisait dans des tons bleus et blancs, sur l'horizon. Les tables étaient disséminées dans la salle selon un schéma semi-organique qui, d'après Avasarala, était très à la mode : *On dirait qu'un foutu trou du cul quelconque les a placées au hasard.*

Les invités, pour moitié inconnus de lui, avaient une façon de se regrouper par clans assez fascinante. Sur sa droite, plusieurs petites tables étaient occupées par des hommes et des femmes trapus disposés en orbite d'Avasarala et d'Arjun, son mari, qui semblait s'amuser de la situation. Ils échangeaient des ragots sur l'analyse des systèmes de financement et le contrôle des relations avec les médias. Chaque poignée de main avec un représentant des planètes extérieures était un écart que leurs sujets de conversation niaient. Sur sa gauche, le groupe des scientifiques avait revêtu ses plus beaux atours, tenues de soirée qui leur allaient dix ans plus tôt et costumes représentant au moins une douzaine de modes vestimentaires. Martiens, Terriens et Ceinturiens se mêlaient dans ce groupe, mais leur conversation était tout aussi exclusive : taux nutritifs, technologies en rapport avec la perméabilité variable des membranes, expressions des forces phénotypiques. C'étaient à la fois ses collègues du passé, et ceux de l'avenir. La société éparpillée et réassemblée de Ganymède. S'il n'y avait eu la table au centre, celle de Bobbie et de l'équipage du *Rossinante*, il se serait trouvé là, à parler effets de cascade et chloroplastes à alimentation non visible.

Mais au centre de la salle et relativement isolés, Holden et son équipage étaient aussi réjouis et détendus que s'ils s'étaient trouvés dans la coquerie du *Rossi*, filant dans l'espace. Et Mei, qui s'était prise d'amitié pour Amos, refusait toujours d'être physiquement séparée de son père sans hurler et pleurer. Il comprenait très bien la réaction de sa fille, et n'y voyait aucun problème.

— Puisque vous avez vécu sur Ganymède, vous en savez beaucoup sur les grossesses en gravité restreinte, non ? lui demanda Holden. Ce n'est pas si risqué que ça pour les Ceinturiennes, pas vrai ?

Le botaniste avala un peu de salade avant de secouer la tête.

— Oh, non. C'est horriblement difficile. Surtout à bord d'un vaisseau, et donc sans les contrôles médicaux approfondis. Quand vous étudiez les grossesses survenues naturellement, cinq fois sur six vous constatez une anomalie sur le plan du développement ou de la morphologie.

— Cinq… balbutia Holden.

— Mais elles proviennent pour la plupart de problèmes embryonnaires dus à l'héritage génétique, le rassura Prax. Presque tous les enfants nés sur Ganymède résultent d'un implant effectué après une analyse génétique extensive. Si l'on détecte une équivalence létale, on laisse tomber le zygote et on recommence depuis le début. Les anomalies dues à des problèmes non bactériologiques sont seulement deux fois plus fréquentes que sur Terre, ce qui n'est pas si mal.

— Ah, fit Holden, l'air abattu.

— Pourquoi cette question ?

— Aucune raison précise, intervint Naomi. Il fait juste la conversation.

— Papa, je veux du tofu, dit Mei qui saisit Prax par le lobe de l'oreille et tira dessus. Où il est, le tofu ?

Le père recula sa chaise de la table.

— Allons voir où on peut trouver du tofu. C'est parti.

Alors qu'il traversait la salle en scrutant la foule pour repérer la tenue sombre d'un serveur dans l'océan de tenues sombres des diplomates, une jeune femme vint vers lui. Elle avait un verre à la main, et les joues rosies.

— Vous êtes Praxidike Meng, dit-elle sans préambule. Vous ne vous rappelez certainement pas de moi…

— Euh. Non, en effet, avoua-t-il.

— Carol Kiesowski, dit-elle en s'effleurant la clavicule d'un doigt, comme si cela pouvait clarifier son propos. Nous avons correspondu une ou deux fois, après que vous avez diffusé la vidéo concernant Mei.

— Ah, oui, exact, dit Prax en essayant désespérément de se remémorer quoi que ce soit en rapport avec cette femme ou les commentaires qu'elle avait pu laisser.

— Je voulais juste vous dire, je trouve que tous les deux vous êtes tellement, tellement courageux… dit la femme d'un ton pénétré, et Prax songea qu'elle était peut-être sérieusement éméchée.

— Le foutu fils de pute ! s'exclama Avasarala, assez fort pour se faire entendre de tous malgré le brouhaha ambiant des conversations.

Nombre de convives se tournèrent vers elle, absorbée à lire sur son terminal.

— C'est quoi, une pute, papa ?

— Une sorte de sauce, ma chérie, répondit Prax et, à Avasarala : Que se passe-t-il ?

— L'ancien patron d'Holden, il nous a pris de vitesse, répondit cette dernière. Je crois que maintenant nous savons à quoi ont servi tous ces foutus missiles qu'il avait volés.

Arjun effleura d'une main l'épaule de sa femme et désigna Prax d'un petit mouvement de menton. Elle parut aussitôt honteuse.

— Désolée pour les gros mots, dit-elle. J'avais oublié la gamine.

Holden apparut derrière Prax.

— Mon patron ?

— Fred Johnson vient de diffuser un message sur les réseaux comms, expliqua-t-elle. Les monstres de Nguyen ? Nous attendions qu'ils approchent un peu plus de Mars pour les anéantir. Les transpondeurs n'arrêtent pas de babiller, et nous les suivons de plus près qu'un… Bref, ils ont traversé la Ceinture, et il les a pulvérisés. Tous.

— Mais c'est une bonne nouvelle, non ? fit Prax. Ce n'est pas une bonne nouvelle ?

— Pas si c'est lui à la manœuvre, répondit Avasarala. Il gonfle les muscles. Il montre que la Ceinture dispose maintenant d'un véritable arsenal offensif.

À sa gauche, un homme en uniforme se mit à parler en même temps qu'une femme juste derrière elle, et en un instant le besoin de se faire entendre gagna toute la tablée voisine. Prax s'écarta. La femme ivre pointait le doigt sur un homme et parlait très vite, en oubliant complètement le père et la fille. En périphérie de la salle le botaniste réussit à trouver un serveur, lui extirpa la promesse d'être servi en tofu, et revint à sa place. Amos et Mei se lancèrent sans tarder dans un concours pour savoir qui pouvait se moucher le plus bruyamment, et Prax tourna son attention vers Bobbie.

— Alors, vous allez retourner sur Mars ? demanda-t-il.

La question lui paraissait polie et inoffensive, jusqu'à ce que la Marine pince les lèvres et acquiesce sèchement.

— J'y retourne, dit-elle. Il se trouve que mon frère est sur le point de se marier. Donc je vais essayer de revenir là-bas à temps pour foutre en l'air sa dernière soirée de célibataire. Et vous ? Vous allez vous ranger derrière la vieille dame ?

— Eh bien, je crois que oui, répondit-il, un peu surpris qu'elle ait entendu parler de la proposition d'Avasarala, laquelle n'était pourtant pas encore publique. Vous comprenez, tous les avantages de base que Ganymède m'offrait sont toujours là. La magnétosphère, la glace… Apparemment, on peut même sauver une partie du dispositif de miroirs, et ce serait quand même mieux que de repartir à zéro. Je veux dire, ce qu'il faut comprendre en ce qui concerne Ganymède…

Dès qu'il était parti sur ce sujet, l'arrêter était presque mission impossible. À bien des égards, Ganymède avait représenté le centre de la civilisation parmi les planètes extérieures. Tout le travail de pointe s'était effectué là. Toutes les questions scientifiques touchant à la vie. Mais c'était plus que cela. Il y avait quelque chose d'enivrant dans la perspective d'une reconstruction qui apparaissait, d'une certaine façon, encore plus intéressante que l'établissement des installations initiales. Faire quelque chose pour la première fois tenait de l'exploration. La recommencer revenait à reprendre tout ce qu'ils avaient appris pour affiner, améliorer, perfectionner. L'idée donnait un peu le vertige à Prax. Bobbie écoutait sans se départir d'un sourire mélancolique.

Et ce n'était pas valable seulement pour Ganymède. Toute la civilisation humaine s'était construite sur les ruines de ce qui l'avait précédée. La vie elle-même était une gigantesque improvisation chimique qui commençait par les reproductions les plus simples, croissait et s'effondrait, pour croître de nouveau. La catastrophe n'était qu'une partie de ce qui se produisait toujours, le simple prélude à ce qui allait suivre.

— Vous rendez tout ça romantique, commenta Bobbie, et à la façon dont elle le dit c'était presque une accusation.

— Je n'avais pas l'intention de… commença Prax quand quelque chose de froid et d'humide s'introduisit dans son oreille en se tortillant.

Il poussa un petit cri de surprise et eut un mouvement de recul, tournant la tête pour découvrir les yeux brillants de malice et le grand sourire de Mei. De la salive dégoulinait de son index, et derrière elle Amos avait le visage écarlate tant il riait, une main crispée sur le ventre et l'autre frappant la table assez fort pour faire tressauter la vaisselle.

— Qu'est-ce que ça veut dire ?

— Salut, papa. Je t'aime fort.

Alex lui tendit une serviette.

— Tenez. Ça pourrait vous être utile.

Le plus étonnant fut le silence. Il n'aurait pu dire depuis combien de temps il durait, mais il en prit conscience subitement. La moitié politique des convives était muette, comme dans l'attente. À travers la forêt de leurs corps, il aperçut Avasarala qui se penchait en avant, coudes appuyés sur les genoux, son terminal tenu à quelques centimètres devant son visage. Quand elle se leva, tous s'écartèrent pour lui laisser le passage. C'était une femme si menue, et pourtant elle s'imposait à toute l'assemblée rien qu'en quittant la salle.

— Ce n'est pas bon signe, dit Holden et se levant de son siège lui aussi.

Sans un mot de plus, Prax et Naomi, Amos, Alex et Bobbie la suivirent. Les politiques et les scientifiques leur emboîtèrent le pas, et se mélangèrent enfin dans le mouvement général.

La salle de réunion se trouvait de l'autre côté d'un grand hall et était agencée à l'imitation d'un amphithéâtre grec antique. Le podium était dressé devant un écran géant haute définition. Avasarala marcha jusqu'à un siège en parlant très vite et bas dans son terminal. Derrière elle, le flot des autres s'écoula dans la salle. Le sentiment général de crainte était presque palpable. L'écran s'assombrit, et quelqu'un éteignit les lumières.

Dans l'obscurité de l'écran, Vénus se découpa en silhouette devant le soleil. C'était une image que Prax avait déjà vue des centaines de fois. Elle pouvait provenir de n'importe laquelle des dizaines de stations de surveillance. Dans le coin gauche inférieur, l'horloge numérique indiquait quarante-sept minutes avant l'heure actuelle. Les chiffres étaient soulignés par le nom d'un vaisseau, le *Celestine*.

Chaque fois que les soldats protomoléculaires avaient été impliqués dans des violences, Vénus avait réagi. L'APE n'avait détruit qu'une centaine de ces créatures à moitié humaines. Prax se sentait partagé entre l'excitation et l'effroi.

L'image se dissocia avant de se reformer, à la suite sans doute d'une forme d'interférence qui brouillait les senseurs. Avasarala dit sèchement quelque chose, peut-être *Montrez-moi*. Après quelques secondes l'image se figea et se recentra. Un écran détaillé montra un bâtiment gris-vert. La mention indiquait son nom : le *Merman*. L'image se fragmenta à nouveau, et quand elle se stabilisa le *Merman* s'était déplacé d'un centimètre environ vers la gauche et enchaînait les culbutes dans une chute sans fin. Avasarala parla encore. Quelques secondes de décalage, et l'écran revint à l'image d'origine. Maintenant que Prax savait quoi chercher, il pouvait voir le petit point lumineux du *Merman* qui se dirigeait vers la pénombre. Il repéra d'autres points brillants semblables.

La face sombre de Vénus fut l'objet d'une pulsation soudaine, comme un flash à l'échelle planétaire sous le tapis de nuages. Et puis elle se mit à luire.

D'immenses filaments longs de milliers de kilomètres et pareils aux rayons d'une roue de bicyclette brillèrent d'un éclat blanc aveuglant avant de disparaître. Les nuages de Vénus s'agitèrent de soubresauts venus de plus bas. Prax se souvint soudain de la perturbation qu'avait créée à la surface d'un réservoir d'eau un poisson qui avait frôlé la surface. Vaste et scintillante, elle s'éleva à travers le manteau des nuages. Des projections filiformes et iridescentes dessinèrent des courbes dans d'immenses tempêtes d'éclairs, puis se réunirent comme les appendices d'une pieuvre se reliant à un nœud central fixe. Une fois sorti de l'épaisse couverture nuageuse nimbant Vénus, l'ensemble s'élança vers le soleil, et passa sans réaction devant le bâtiment qui retransmettait les images. Sur son passage, les autres vaisseaux furent bousculés et prirent en hâte du champ. Un long plumet d'atmosphère vénusienne arraché à la planète refléta la lumière du soleil et brilla comme des flocons de neige et des échardes de glace. Prax essaya de définir la taille du phénomène. Aussi gros que la station Cérès. Ou que Ganymède. Plus vaste, même. Il referma ses bras – ses tentacules – pour les rassembler, et accéléra sans aucun résidu de propulsion visible. Il nageait dans le néant. Le cœur du botaniste s'était emballé, mais son corps était aussi rigide que s'il avait été fait de pierre.

Mei lui tapota la joue de sa main ouverte et pointa un doigt sur l’écran.

— C’est quoi ? demanda-t-elle.

ÉPILOGUE

HOLDEN

Holden repassa l'enregistrement. L'écran mural dans la coquerie du *Rossinante* était trop petit pour réellement retransmettre tous les détails que la prise de vue à haute résolution du *Celestine* avait enregistrés. Mais il ne pouvait s'empêcher de le regarder, où qu'il soit. Dans sa chope, un café oublié refroidissait sur la table devant lui, près du sandwich qu'il n'avait pas mangé.

Vénus explosait dans un déluge de couleurs se mêlant selon des schémas complexes. La lourde couche nuageuse tourbillonnait comme si elle était la proie d'une tempête planétaire. Puis le phénomène s'élevait de la surface, tirant un sillage énorme de l'atmosphère vénusienne dans le mouvement.

— Viens te coucher, dit Naomi qui se pencha en avant dans son siège et lui prit la main. Il faut que tu dormes un peu.

— C'est tellement monstrueux. Et cette façon qu'il a eue d'écarter tous ces vaisseaux de sa trajectoire. Sans effort, comme une baleine qui éparpille un banc de guppys…

— Et tu y peux quelque chose ?

Il détacha son regard de l'écran pour la regarder.

— C'est la fin, Naomi. Et si c'était la fin ? Ce n'est même plus un virus extraterrestre, maintenant. Cette chose est ce que la protomolécule est venue créer ici. C'est ce qu'elle allait pirater toute vie sur Terre pour créer. Il pourrait s'agir de *n'importe quoi*.

— Et tu y peux quelque chose ? répéta-t-elle.

Ses paroles étaient dures, mais elle serra ses doigts dans les siens avec affection.

Holden reporta son attention sur l'écran, et redémarra l'enregistrement. Une dizaine de vaisseaux étaient expulsés de la proximité de Vénus comme si un vent soudain et irrésistible les avait balayés pour les envoyer voler au loin.

Naomi se leva.

— D'accord. Moi, je vais au lit. Ne me réveille pas quand tu te coucheras. Je suis crevée.

Il acquiesça sans quitter l'écran des yeux. La forme massive se comprima et devint une flèche aérodynamique, comme un immense morceau de tissu mouillé arraché de son centre et projeté dans l'espace. La Vénus que le phénomène laissa derrière lui paraissait diminuée, d'une certaine façon. Comme si un élément vital lui avait été dérobé pour créer cette chose inconnue.

On y était. Après tous ces combats, avec la civilisation humaine se retrouvant plongée dans le chaos par sa seule présence, la protomolécule avait achevé la tâche qu'elle avait mis des milliards d'années à venir accomplir. L'humanité y survivrait-elle ? La protomolécule le remarquerait-elle seulement, maintenant qu'elle avait terminé son grand œuvre ?

Ce n'était pas la fin de toutes choses qui terrifiait Holden. C'était l'idée que quelque chose qui dépassait totalement l'expérience humaine était en train de prendre naissance. Quoi qu'il arrive par la suite, personne ne pouvait y être préparé.

Et cela le paralysait de peur.

Derrière lui, quelqu'un se racla la gorge.

À contrecœur, Holden se détourna des images sur l'écran. L'homme se tenait immobile à côté du réfrigérateur de la coquerie, comme s'il avait toujours été là, dans sa tenue grise froissée, et coiffé de cet infâme chapeau mou cabossé. Une luciole d'un bleu intense s'envola de sa joue, puis papillonna dans l’air auprès de lui. D’un revers de la main, il la chassa comme on pourrait le faire d’un insecte importun. Son visage exprimait l’embarras, et la volonté de s’excuser.

— Salut, dit l’inspecteur Miller. Il faut qu’on parle.

REMERCIEMENTS

La création d'un livre n'est jamais un processus aussi solitaire qu'on peut le croire. Ce roman et cette série n'existeraient pas sans le travail acharné de Shawna McCarthy, Danny Baror, et le soutien dévoué de DongWon Song, Anne Clarke, Alex Lencicki, sans compter l'inimitable Jack Womack, et la formidable équipe chez Orbit. Remerciements aussi à Carrie, Kat et Jayné pour le soutien et les réactions, et aussi à tout le gang de Sakeriver. Une bonne partie de l'ambiance cool du livre vient de ses membres. Quant aux erreurs, maladresses et autres ratages malheureux, tous sont de notre seul fait.

Retrouvez la série *The Expanse*
dans les collections Babel et Exofictions.

L'ÉVEIL DU LÉVIATHAN

THE EXPANSE 1

traduit de l'anglais (États-Unis) par Thierry Arson

L'humanité a colonisé le système solaire. Quand Jim Holden, second sur un transport de glace, croise la route du Scopuli, *un appareil à l'abandon, il se retrouve en possession d'un secret bien encombrant. S'il ne découvre pas rapidement qui a abandonné ce vaisseau et pourquoi, le conflit latent entre le gouvernement de la Terre et les rebelles risque de se réveiller.*

À paraître
en septembre 2016.

LA PORTE D'ABADDON

THE EXPANSE 3

traduit de l'anglais (États-Unis) par Thierry Arson

Depuis des générations, le système solaire était la grande frontière de l'humanité. Jusqu'à maintenant. Un objet non identifié est apparu dans l'orbite d'Uranus où il a construit une porte massive qui mène à un hyperespace désolé. Jim Holden et l'équipage du Rossinante *font partie d'une vaste flotte de navires scientifiques et militaires chargés d'examiner le phénomène. Mais une intrigue complexe se trame, visant à l'élimination pure et simple d'Holden.*

BABEL

Extrait du catalogue

1387. ALICE FERNEY
Le Ventre de la fée

1388. MARIE-SABINE ROGER
Vivement l'avenir

1389. JAUME CABRÉ
Confiteor

1390. MICHAEL KÖHLMEIER
Idylle avec chien qui se noie

1391. HUGH HOWEY
Silo Générations

1392. JEAN CLAUDE AMEISEN
Sur les épaules de Darwin. Retrouver l'aube

1393. SIRI HUSTVEDT
Un monde flamboyant

1394. MARILYNNE ROBINSON
Chez nous

Achevé d'imprimer en mai par Normandie Roto Impression s.a.s. 61250 Lonrai sur papier fabriqué à partir de bois provenant de forêts gérées durablement pour le compte d'ACTES SUD, Le Méjan, Place Nina-Berberova, 13200 Arles.
Dépôt légal 1re édition : juin 2016.
N° impr. : 1600820
(Imprimé en France)